Alena Graedon

Het laatste woord

Uit het Engels vertaald door
Maaike Bijnsdorp en Lucie Schaap

AGATHON

ISBN 978-90-00-31147-7
ISBN 978-90-00-32223-7 (e-boek)
NUR 302

Oorspronkelijke titel: *The Word Exchange*
Omslagontwerp en -illustratie: Damià Mathews
Zetwerk: ZetSpiegel, Best

Voor mijn ouders, die nooit zijn verdwenen

Ik ben nog niet zo de weg kwijt in de lexicografie dat ik zou vergeten dat woorden de dochters van de aarde zijn en dingen de zonen van de hemel.

– Samuel Johnson, voorwoord bij *A Dictionary of the English Language*

'Als ik een woord gebruik,' zei Hompie Dompie misprijzend, 'betekent dat woord precies wat ik verkies – niet meer en niet minder.'
'De vraag is nu maar,' zei Alice, 'of je aan één woord zoveel verschillende betekenissen kunt geven.'
'De vraag is,' zei Hompie Dompie, 'wie de baas is – uit.'

– Lewis Carroll, *De avonturen van Alice in het Spiegelland* (vert. C. Reedijk en Alfred Kossmann)

Als jongen vond ik het zeer wonderlijk dat de letters in een gesloten boek 's nachts niet door de war en kwijtraakten.

– Jorge Luis Borges, 'De Aleph'

Inhoud

I.

These

november

A

Alice /'ɛ·lis/ (de (v.); -n) een meisje dat door reflectie verandert

Op een zeer koude, eenzame vrijdag afgelopen november verdween mijn vader uit het woordenboek. Hij verdween niet alleen uit het grote, glazen gebouw aan Broadway waar de redactie was gevestigd, maar mijn vader, Douglas Samuel Johnson, hoofdredacteur van de *North American Dictionary of the English Language* (kortweg NADEL) verdween die avond ook uit het feitelijk bestaande naslagwerk dat mede door hem was geschreven.

Dat was voordat het woordenboek ophield te bestaan en de letters op de pagina's het loodje legden. Voordat het virus de kop opstak. Voordat onze taal wegsmolt als sneeuw voor de zon. Voordat ik alles wat me dierbaar is bijna kwijtraakte.

Woorden zijn, zo weet ik inmiddels, katrollen door de tijd. Doorgangen naar andere gedachtewerelden. Wat blijft er over zonder woorden? Onbegrijpelijke gebruiken. Vreemde rituelen. Geschonden harten. Zonder woorden zijn we de wezen van de geschiedenis. Zijn ons leven en onze gedachten uitgevlakt.

Voordat mijn vader verdween, voordat de eerste tekenen van S0III zichtbaar werden, had ik me weinig beziggehouden met bespiegelingen over onze manier van leven. De veranderende wereld waarin ik was opgegroeid – die geleidelijk verstoken raakte van boeken en liefdesbrieven, foto's en plattegronden, afhaalmenukaarten, dienstregelingen, cd-boekjes en papieren agenda's – was een wereld die ik had leren aanvaarden. Als er dingen waren die ik misliep, waren het dingen waarvan ik niet wist dat ik ze miste. En woorden kon je toch niet missen? We verdronken in een zee van berichten. Elke minuut kwam er wel weer eentje binnen, met zijn eigen beltoon.

Ik kende mijn vader niet anders dan rouwend om het heengaan van bedankbriefjes en handgeschreven teksten. De krant. Bibliotheken. Archieven. Postzegels. Op een gegeven moment miste hij zelfs de mobiele telefoons die hij zo schoorvoetend had geaccepteerd. Uiteraard betreurde hij ook het verdwijnen van woordenboeken, die stuk voor stuk niet langer herdrukt werden. Ik begreep zijn nostalgische gevoelens voor deze dingen wel. De schoonheid van een oude Olivetti. Een briefopener. Een ganzenveer. Maar ik had er niet veel aandacht aan geschonken als hij somberde over vage 'consequenties' en de gevaren van de Meme. Als hij belerend sprak over 'versnelde teloorgang' en 'ouroboros', en het einde van de beschaving aankondigde. Jarenlang voorspelde hij zoveel van wat er uiteindelijk echt gebeurde – de achteruitgang van het geheugen, de opkomst van de Lexibeurs, later ook het taalvirus – maar niemand luisterde naar hem. De regering niet, de media niet, de uitgeverijen niet. Mijn moeder niet, die werd alleen maar doodmoe van zijn klaagzangen. Ik niet, zelfs niet toen ik op mijn drieëntwintigste voor hem ging werken. Niemand maakte zich druk om de eventuele risico's van de vooruitgang: we lieten ons alleen maar meevoeren naar steeds grotere hoogten.

Dat wil zeggen, bijna niemand. Later ontdekte ik dat mijn vader bondgenoten had. Mensen die zijn ongebruikelijke overtuigingen deelden. Ik vond hen alleen pas na de avond waarop hij verdween. Of eigenlijk vonden zij mij.

Ik had met mijn vader afgesproken bij The Fancy Diner aan 52nd Street, een ritueel uit mijn jeugd dat we net een maand geleden nieuw leven hadden ingeblazen, namelijk op de avond dat mijn geliefde Max zijn biezen had gepakt. Vier jaar samen in één keer voor-

bij. Misschien had het einde van onze relatie me niet zo moeten over-
rompelen, we hadden in het verleden allebei wel eens geprobeerd er
een punt achter te zetten. Net toen ik ervan overtuigd was dat we
eindelijk een stevige en duurzame band gesmeed hadden... ging Max
ervandoor.

Toen ik ondersteboven van het nieuws mijn vaders kamer was bin-
nengevallen, had hij voorgesteld om die dag wat eerder te stoppen.
Ik was mijn vaders assistente – in zijn woorden zijn 'amanuensis'
– een baan waarvan ik, toen ik er vier jaar eerder vers van school aan
was begonnen, had gedacht dat die tijdelijk zou zijn: gewoon tot mijn
portfolio compleet was en ik me kon opgeven voor een studie, dacht
ik destijds. Maar ik was erg op mijn leventje gesteld geraakt, had me
er heerlijk in ondergedompeld, als in een warm bad. Ik vond het fijn
dat ik tijd had om films te zien: lange, plotloze Italiaanse, korte, gewelddadige Franse, actiefilms, vooral die met bikkelharde heldinnen,
en mijn favoriete films, dankzij mijn vader: alles met de aandoenlijke
Buster Keaton. Ik struinde vaak de vlooienmarkt aan 39th Street af op
zoek naar vintagetruien, leren vliegeniersjacks, overhemden voor
Max. Genoot ervan vrienden en familie uit te nodigen voor lasagne en
soufflés. Liep graag met mijn moeder over de High Line en door het
drassige Battery Park en vond het leuk soms samen met haar als vrij-
williger te tuinieren in de parken.

Bovendien had ik echt lol in mijn werk. Het was misschien niet zo
moeilijk, maar wel leuk: de aantekeningen van medewerkers uitpluizen
en de wijzigingen in het corpus importeren, tekstvoorbeelden ordenen,
memo's opstellen. Zelfs het notuleren van redactievergaderingen vond
ik niet erg. Op dagen dat ik wat sloom was of ongedurig, beviel me altijd nog de vaste routine, het feit dat ik ergens moest zijn, gewassen en
gekamd en niet vergeven van de verf- en kleispetters (of onzekerheid).
Ik was gesteld op mijn collega's, van wie sommige net zo apart waren
als ik. Wat ik misschien wel het fijnst vond, was dat ik mijn vader – die
ik net als mijn collega's Doug was gaan noemen – zoveel zag, zelfs al
werd ik vaak genoeg ook gek van hem. Toen ik nog jong was, was hij
veel op zijn werk en had ik soms het gevoel gehad dat hij lange tijd op

reis was, ook al sliep hij elke nacht thuis. Ik had hem gemist zonder dat ik dat altijd in de gaten had gehad. Ik bofte enorm dat ik als volwassene zoveel tijd met hem kon doorbrengen en de kans kreeg hem te leren kennen in heel zijn gulle, gekscherende, veeleisende glorie.

Ik bracht nog steeds de meeste weekenden door in het atelier met schilderen, beeldhouwen en werken aan wat Max mijn 'installaties' noemde: minikijkdozen, kleding van kevlar of aluminiumfolie of -blaadjes, bewegende gliefen van Max en mij die rare dansjes deden. 'Leven in het nu' noemde Max het. Mijn portfolio voelde nooit echt af. Doug sprak me daar vaak voorzichtig op aan. 'Weet je zeker dat je niet te streng voor jezelf bent? Je kunt veel meer dan je lijkt te denken,' zei hij keer op keer. Maar ik had altijd het idee dat ik er nog wat aan moest doen en dat het nog wel even kon wachten.

Max' plannen (zijn MBA, de stages, Hermes Corp.) leken belangrijker, vooral in zijn ogen. 'Zodra ik binnenloop,' zei Max altijd, 'kun jij gaan doen wat je wilt.' Dat zei hij om mij te stangen. Mijn hele leven al had ik tegen wil en dank andermans geld aangenomen. Vooral van mijn grootouders. Zij hebben een boel, ik niets, en ik ben hun enige kleinkind. Ik zocht nog steeds naar manieren om het vaker wel dan niet beleefd af te wijzen. Maar er school meer waarheid in Max' woorden dan ik bereid was toe te geven. Ik ging er inderdaad als vanzelfsprekend van uit dat we op een dag zouden trouwen en kinderen krijgen. Dat was een van de dingen die ik onder ogen moest zien toen hij vertrok: mezelf.

De middag dat het gebeurde ('kom vnvnd mn spullen weghalen', had hij ge-sms't) was ik nog niet zover en dat had Doug aangevoeld (de tranen die over mijn wangen stroomden terwijl ik me vastklampte aan zijn bureau, kunnen hem op het spoor hebben gezet). Hij had voorgesteld om naar The Fancy te gaan. 'Even kijken of ik kan,' had hij gegrapt, en hij had door zijn lege agenda gebladerd. Doug was ook alleen. Hij kon vrijwel altijd.

In de daaropvolgende maand hadden Doug en ik elke vrijdagavond in The Fancy Diner gegeten, aan de hoektafel voorin. We hadden er de dagschotels zien wisselen van stoofvlees naar gehaktbrood naar tongfilet en ten slotte kalkoen, vooruitlopend op Thanksgiving. We kwamen er graag omdat er nog steeds bediening was: Marla. Ze had rossig haar, was nors en bracht onze borden alsof het een gunst was. Maar zelfs zij was er grotendeels voor de schijn: we bestelden met mijn Meme, zoals overal. Het had niettemin iets troostrijks. Licht geschoffeerd worden terwijl je zit te kauwen.

We spraken altijd om halfacht af: ik kwam dan van huis, Doug rechtstreeks van kantoor. Hij was nooit ook maar één minuut te laat. Doorgaans was hij het die op mij wachtte. Dan zat hij gebogen over een stapel papier, zich niet bewust van de nieuwsgierige blikken van jonge kinderen die nooit iemand publiekelijk met pen en papier in de weer zagen. Hij bleef redigeren tot ik binnenstapte, kortademig van de kou en de treurige, slepende onrust door het gemis van Max. 'Nog nieuws? Laat maar horen,' zei Doug altijd zodra ik me naast hem op het afgesleten vinyl liet zakken.

Maar die bewuste avond trof ik onze tafel leeg aan.

In eerste instantie nam ik het gelaten op, want ik herinnerde me vagelijk dat Doug het over een late vergadering had gehad. Ik probeerde thee te bestellen, maar mijn Meme maakte daar een grog van. Toen Marla het beslagen glas met een zwiep voor me neerzette, ontspande ik en nipte er dankbaar van. Maar na een minuut of twintig kreeg ik het benauwd. Ik dacht dat ik me vergist had in de dag, dat dit de avond was van Dougs grote feest en dat ik thuis zou moeten zijn om me om te kleden. Mijn vader had onlangs een zesentwintig jaar durende revisie van de NADEL voltooid, verreweg het omvangrijkste project van zijn loopbaan, en de veertigdelige derde editie zou volgens planning over ruim een week verschijnen.[1]

---

1. De tweede editie, die aan het begin van de jaren negentig was verschenen, was Dougs eerste grote wapenfeit geweest: twintig delen, met een totaalgewicht van 279 kilo. *The New York Times* had enthousiast geschreven: 'Een academisch Delphi. De níéuwe dr. Johnson bewijst dat hij niet alleen op de schouders van giganten staat.' De derde editie had echter ongekend veel aandacht gekregen, waarschijnlijk omdat die oorspronkelijk alleen in druk zou verschijnen en niet als limn. De presentatie, die in het laatste nog bestaande filiaal van de openbare bibliotheek van New York zou plaatsvinden, werd nu al be-

Maar voordat mijn angst dat ik te laat zou komen volledig bezit had kunnen nemen van mijn gedachten, trilde mijn Meme met een herinnering dat het feest pas volgende week vrijdag was. Opgelucht nam ik nog een slok van mijn grog terwijl de woorden op het scherm alweer vervaagden.

Uiteindelijk bleef ik nog een halfuur zitten, overstelpt door verdriet, Marla's botte nieuwsgierigheid ('Komt-ie niet?' was geloof ik letterlijk haar vraag, een vraag die me om onverklaarbare redenen in mijn ziel trof) en een stijgende ergernis. Ik belde ettelijke keren Dougs werknummer. Toen beamde ik, een tikje aangeschoten, de betaling naar Marla. Ik overwoog naar huis te gaan, maar stapte vervolgens de andere kant op, de paar straten door naar kantoor, terwijl de gure wind om me heen gierde.

Mijn haar striemde in mijn gezicht toen ik Broadway insloeg, maar ik had durven zweren dat ik Max in de verte zag lopen in een drom van zwarte pakken. Mijn hartslag versnelde. Ik twijfelde of ik me zou verstoppen of rechtsomkeert maken, maar hij ging de andere kant op en leek me niet te hebben opgemerkt.

Ik had Max vaak gezien de afgelopen tijd. Max die koffie kocht. Op de metro wachtte. Zijn arm om een woest aantrekkelijke vrouw had. Alleen was hij het nooit echt, maar een fantoom, ontstaan uit de rook van oude herinneringen. De echte Max was verhuisd naar Red Hook, ver weg in het lommerrijke Brooklyn, in het deel dat bekendstaat als de Technocratische Wijk. Toen ik hem die avond en profil meende te zien, besloot ik dat ik me moest hebben vergist en haastte ik me verder naar ons gebouw.

De glazen entreedeur leek zich fysiek te verzetten toen ik ertegenaan viel om hem open te duwen. Een spookachtig huilende wind-

schouwd als een van de hoogtepunten van de sociale kalender, wat zowel mij als Doug, mijn moeder en eigenlijk vrijwel iedereen had verrast. Behalve dan naar men zei Chandra van Marketing. (Ik voel me genoodzaakt te bekennen dat deze voetnoten onderdeel zijn van mijn linguïstische revalidatie. Ze zeggen dat ik minder uren hoef te maken in het gesprekslab als ik dit document voorzie van voetnoten. Met voetnoten ben je in zekere zin in gesprek met jezelf. Ze kunnen ook helpen je geheugen te verbeteren.)

vlaag vloog met me mee naar binnen. Ik liep naar de beveiliging. Rodney zat alleen achter de balie. 'Goedenavond, Miss J,' zei hij, en hij knikte beleefd met zijn grijze hoofd.

'Is hij nog boven?' vroeg ik. Ik bette mijn neus met mijn want.

'Ik heb hem in elk geval niet naar beneden zien komen,' zei Rodney. Hij keek me onderzoekend aan.

De twintigste verdieping lag er donker en verlaten bij. Het was vrijdagavond na achten en iedereen, zelfs de jongste, eenzaamste etymologieassistent, was al uren geleden vertrokken. Iedereen, behalve Doug blijkbaar. Ik liep zachtjes door de schemerige gang naar zijn kamer. Langs mijn eigen werkplek. Langs de vergaderzaal, die eruitzag als een slagveld. Overal stoelen. Op tafel ontelbare bekers koude koffie.

Onder Dougs deur scheen een streep licht en ik opende hem zonder te kloppen. 'Waar bleef je nou?' begon ik toen ik naar binnen stapte, maar ik hield meteen weer op met praten. Want hij was er niet.

Ik weet niet welke oerangst me beving, maar ik wilde plotseling niet weg uit de heldere oase van mijn vaders kantoor. Blijven wilde ik er evenmin. Maar ik wilde er vooral niet weg. Ik deed de deur op slot en belde de receptie.

'Hm,' zei Rodney. 'Wil je dat iemand je komt halen? Ik kan niet weg hier bij de balie, maar ik zou Darryl kunnen laten komen van de tweeëntwintigste.'

Ik wilde bijna ja zeggen, maar voelde me een aansteller. En Rodney klonk vreemd, boos misschien. Toen ontdekte ik een vertrouwd voorwerp op Dougs leunstoel: zijn bruine leren tas. 'Laat maar,' zei ik tegen Rodney. Waar Doug nu ook was, dacht ik enigszins gerustgesteld, hij zou zo terug zijn. En in de tussentijd bood dit mij een zeldzame kans.

In Dougs kantoor zijn zonder dat Doug er was, was zeer uitzonderlijk. In tegenstelling tot zijn woning, die ruim een jaar nadat hij en mijn moeder uit elkaar waren gegaan nog steeds akelig kaal was, stond deze kamer vol met mijn favoriete papaspullen. Zijn vergunning voor de jackalopejacht die tante Jean had opgestuurd uit Douglas in Wyoming, het plaatsje waar ze waren opgegroeid en waarnaar

19

mijn vader was vernoemd. De glazen pot bij de telefoon die gevuld was met zoete en zoute drop. En naast de bureaulamp het flesje met de kurk, met daarin gerijpte sherryazijn die volgens Doug voor de vinaigrette was, maar waarvan ik hem vaak een onverdunde slok had zien nemen.

Zijn pneumatische buizen kwamen naast de deur uit in een bak met daarop het woord 'IN'. Dat etiket had ik altijd nogal overbodig gevonden, maar dat kon je wellicht van het hele systeem zeggen. Een van de eerste dingen die Doug had gedaan toen hij, net zevenentwintig (mijn leeftijd nu), in 1974 bij de NADEL kwam werken, was zich hardmaken voor de installatie van pneumatische buizen voor een snel en veilig transport van 'gevoelige informatie' (zoals neologismen, omstreden antedateringen, bijzonder netelige etymologieën en meer). Maar ook wel eens een briefje uit een Chinees gelukskoekje, een stripboek of een chocolade-ei. De kantoren van het woordenboek hadden destijds twee verdiepingen beslagen en Doug had betoogd dat de buizen de efficiëntie zouden verhogen. Hij had bestreden dat ze anachronistisch, duur en onhandig zouden zijn en het 'gerucht' van de hand gewezen dat over niet al te lange tijd computers informatie elektronisch zouden kunnen distribueren. Tegen alle verwachtingen in was zowel de directie van de NADEL als die van het gebouw akkoord gegaan. Doug kan uitzonderlijk overtuigend zijn (hoewel mijn moeder dat misschien anders ziet).

Het had nog heel wat voeten in de aarde gehad. Naast de NADEL waren er nog andere bedrijven in het gebouw gevestigd, in die dagen voor het merendeel uitgeverijen. Als organisatie zonder winstoogmerk, die dreef op overheidssubsidie en andere giften, stond de NADEL betrekkelijk apart. Ze betaalden ook minder huur, omdat men wel hechtte aan zo'n prestigieuze aanvulling op het naambordje. Na de geslaagde ingebruikname van de buizen bij de NADEL werden ze al snel overal in het gebouw geplaatst. In het begin maakte vrijwel iedereen er gebruik van. Op elke verdieping waren afleverstations ingericht, maar ook in een aantal werkkamers, zoals die van Doug. Bij de centrale in de onderkelder zat een medewerker die de documenten naar hun bestemming stuurde. De snelle, eenvoudige distributie van contracten, memo's en briefjes was een zegen geweest. Later, toen computers inderdaad alomtegenwoordig waren geworden, was de NADEL 'gestroomlijnd' naar één verdieping en verdeelde de buizen-medewerker al snel zijn werktijd over zowel de centrale als de (even-eens in onbruik gerakende) postkamer. De buizenpost werd steeds minder gebruikt en lag al snel nagenoeg stil.

Dat was geen nieuws voor me. Maar wat ik die avond in mijn va-ders kantoor nog niet wist, was dat ons gebouw niet het enige in de stad was met pneumatische buizen. Ze waren op meer plaatsen ge-installeerd, bij een aantal zelfs tamelijk recent.

Ik liep voorbij Dougs IN-bak en bekeek zijn boeken. Doug was een van de weinige mensen die ik kende die nog steeds papieren boeken lazen, in plaats van limns op een Meme of een ander smartscherm. Zelfs het NADEL-personeel deed amper aan analoog lezen. Afgezien van Bart dan. Bart was mijn vaders protegé. Ik ben daar altijd een beetje jaloers op geweest. Hij was hoofd Etymologie – de afdeling Dode Letters, zoals mijn vader het noemde – en assistent-redacteur van de NADEL. Bart bezat ook veel boeken. Doug en hij waren niet helemaal de enigen. Er waren nog wel meer Mohikanen. En dan had je nog de verzamelaars natuurlijk, die allerlei antiquarische voorwer-pen vergaarden.

Op een van Dougs boekenplanken stond, voor een biografie over Samuel Johnson[2], een halflege fles Bay Rum-aftershave. Gezien zijn voorkeur voor dat merk moest Doug naar eigen zeggen nou een-maal om de zoveel jaar naar Dominica, het West-Indische eiland waar het wordt gemaakt. Toen ik de fles die avond zag, voelde ik een pijnlijke steek. Ik werd herinnerd aan de keer dat Max en ik er waren

---

2. Die andere dr. Johnson had in de achttiende eeuw het eerste eentalige woor-denboek van het Engels geschreven. Doug en hij hadden veel gemeen: nieuws-gierigheid, twijfel, een stevig postuur, hartzeer en aanleg voor lexicografie. Doug zei vaak dat zijn naam zijn lot had bepaald. En hij was er eerlijk aan ge-komen: omi en opa Johnson hadden pas over Dougs gelijknamige literaire voor-ouder gehoord toen hij aan zijn scriptie begon.

geweest, meteen nadat het aan was geraakt. Die fles was trouwens waarschijnlijk een souvenir: we hadden een kist vol voor Doug meegenomen. 'Een gift voor mijn toekomstige schoonvader,' had Max toen gezegd.

Tijdens ons verblijf daar hadden we ook aanvullingen voor Dougs ananasverzameling gekocht. Hij was gek op ananassen. In zijn kantoor hingen verschillende ananasetsen, vanaf de plek waar ik stond kon ik er twee zien, en er was een grote bronzen ananasboekensteun. Daarnaast had hij een aantal dassen, overhemden en sokken met ananasopdruk. Er stond een schaaltje met muffe langwerpige chocolaatjes in geel-groene wikkels. En hij had acht gepotte ananaskronen onder speciale lampen. Die avond stonden ze een beetje droog. Dat moest ik tegen Doug zeggen, bedacht ik. Als hij nog terugkwam.

Ik werd wat ongedurig. Keek op mijn Meme. Pikte een dropje uit Dougs droppot. At toen een van de chocolaatjes in ananaswikkel en liet er meteen een paar in mijn jaszak verdwijnen voor later, samen met een pen van Doug waar ik al langer op aasde. En probeerde een minuut of twee een boek te lezen, tot mijn hersenen van verveling afhaakten.

Ik bespeurde ook het begin van een zekere ongerustheid, als een onzichtbare haar die op mijn wang kriebelde. Om dat gevoel kwijt te raken, haalde ik water voor de bromelia's die mijn vader zo koesterde en snoof de troostrijke, volle nootachtige geur van vochtige aarde op. Opeens voelde ik de verrukkelijke tinteling van de mogelijkheid van verboden verkenningen.

Al zolang ik me kon herinneren wilde ik ontzettend graag weten wat Doug in zijn bureau bewaarde. Terwijl ik een deel van mijn aandacht reserveerde om te luisteren of ik zijn voetstappen hoorde naderen, ging ik zitten en opende een voor een de laden. De meeste lagen vol met werkspul: losse papieren, verfrommelde briefjes, stukjes potloodvulling. Toen was de bovenste linkerlade aan de beurt. Ik trok eraan. Nog eens. Sjorde hem met wat meer kracht heen en weer. Uiteindelijk schoot hij met een krak los en ratelde open. Al snel ontdekte ik dat een pen die achterin klem had gezeten doormidden was gebroken.

Ik zou liegen als ik zei dat het me verraste wat Doug hier had verborgen. Teleurgesteld was ik wel. Het was een slordige, vers met inkt bespatte stapel foto's[3] van Vera Doran, vermoedelijk zelfs de grootste particuliere verzameling ter wereld van foto's van haar.

Mijn moeder. Douglas Johnsons bijna-ex-vrouw. Ik voelde me erg rot dat ik ze met inkt had besmeurd. Maar ik voelde ook een piepkleine, onredelijke opwelling van revanche. Max zou hebben gezegd dat toeval niet bestaat. Ze was mijn moeder en ik hield van haar, maar soms wilde ik dat Doug dat niet meer deed. Het was een kwelling hem te zien lijden.

Het was voor mij ook niet makkelijk geweest om door een nieuwe, donkere lens terug te blikken op ons gezinsleven. Was mijn moeder echt zo ongelukkig geweest? Niets had daarop gewezen. Mijn ouders waren nooit zo'n somber stel geweest als ik wel eens bij vrienden thuis zag. Ze hadden elkaar omarmd en aangeraakt en tegen elkaar en tegen mij 'Ik hou van jou' gezegd en dat was allemaal zo vanzelfsprekend geweest dat het eigenlijk niet eens uitgesproken hoefde te worden. Doug zong luidkeels *Don Giovanni* voor Vera, die in de keuken lachend een kip stond te braden en haar best deed om niet met haar wijn te knoeien. Hij schreef liefdesverklaringen en krabbelde grappige tekeningetjes op boodschappenbriefjes en recepten. Vera danste in de huiskamer de mambo voor Doug en mij of paradeerde door de gang alsof die haar catwalk was. Het is waar dat als ze ruzie hadden de vonken ervanaf vlogen – en soms vlogen er wel meer dingen door de lucht – maar dat had ik altijd als een goed teken opgevat. Dat was het in zeker opzicht misschien ook wel geweest. In de afgelopen jaren hadden ze geleidelijk steeds minder heftige ruzies gehad.

Ondanks dat alles viel niet te ontkennen dat Dougs foto's van Vera schitterend waren. Er was er een van Vera Doran als Blanche DuBois in haar schooluitvoering van *Tramlijn Begeerte* met uitsluitend meisjes. Vera gekleed in een prachtige broek met wijd uitlopende pijpen,

---

3. Doug had ook op dat gebied de overstap naar digitaal nooit gemaakt. Toen ik nog klein was, omstreeks 2002, maakten we vaak samen afdrukken in een van de laatste donkere kamers van de stad, ergens in Chelsea.

haar tot daar en op oranje sandalen met plateauzolen die bij een podium (in Woodstock) vrolijk kletst met een stel langharige kerels (Creedence Clearwater Revival) die op het punt staan te gaan spelen. Vera in niets anders dan opgeschilderde jeans omkaderd door de tekst THE JORDACHE LOOK, op een niet-gebruikte foto van een advertentiecampagne uit omstreeks 1978, toen mijn vader en zij pas een paar jaar getrouwd waren en zij nog steeds modellenwerk deed om hun inkomen aan te vullen. Vera op haar zesde verjaardag, een stijve sprookjesprinses bij de Dorans aan East 68th Street, met in haar haar een tiara ingelegd met echte diamanten. En mijn lievelingsfoto, nu tot mijn verdriet bespikkeld met dikke, zwarte spetters: hun trouwfoto met een eenentwintigjarige Vera, pas afgestudeerd aan Bryn Mawr, met verwaaid, goudblond haar en gekleed in een mini-jurk van zilverkleurig lamé. Toen ze die zag had mevrouw Doran tegen de bruid gezegd dat het een geluk was dat er bij de plechtigheid toch iets zilverachtigs was, aangezien ze niets van dien aard zou erven. Op de foto krijgt Vera net een glinsterend hapje van de omgekeerde ananastaart uit handen van de bruidegom, een blozende, blij kijkende man die bijna twee keer zo groot is als zij, met veel haar,[4] een lachende mond, een enorme bril met dikke glazen en een brede das met ananasopdruk.

Ik bleef een tijdlang met die foto in mijn handen staan en probeerde hem schoon te deppen. Vera staat er vrolijk en ontspannen op, ze lacht breeduit terwijl Doug taart in haar grote, lachende mond met de mooi gevormde volle lippen schuift. Ze leunt zijwaarts en kijkt naar iets wat ik niet kan zien. Hij kijkt daarentegen met gebiologeerde bewonderende ogen naar haar en lijkt blind voor alle anderen op de plaats delict – een huwelijksvoltrekking in 1975 in de achtertuin van het landgoed van de Dorans in East Hampton.

---

4. In Oxford, waar hij voor zijn master studeerde, had hij de bijnaam Ursie gehad omdat hij zo op een beer leek. Nagenoeg elke centimeter van zijn lichaam was begroeid met krullend, rossig haar, van zijn vinger- en teenknokkels tot en met zijn borst, rug en oren. Het was zoveel dat ik er als kind tijdens uitstapjes naar het strand soms van had gegriezeld.

Ik werd overvallen door wat mijn vader 'een aanval van verdriet' zou noemen. De foto's bezorgden me een naar gevoel. Ze leken eens te meer te bewijzen dat toewijding niet blijvend is. Dat iedereen van wie je houdt op een dag op de een of andere wijze zal verdwijnen.

Er waren nog wat andere foto's, van Doug. Die zijn later allemaal meegenomen door de politie. Er was er eentje van hem als tiener, waarop hij met tante Jean staat, allebei poserend met een dikke bruine forel op de rivier de North Platte. Ook eentje van Doug waarop hij een rede houdt bij zijn promotie aan Harvard, nadat hij eerder al als student bij de opening van het academisch jaar een rede had gehouden met als titel 'Johnson & Johnson: een liefdesrelatie met de *Dictionary of the English Language*'. Doug punterend op de Isis in Oxford. En eentje van hem en mij als twaalfjarige naast de beeldengroep van *Alice in Wonderland* in Central Park. Ik had meegespeeld in het toneelstuk op school en hij had erop gestaan dat ik mijn kostuum aantrok.

Er lag nog iets in de la, weggestopt onder onze familiegeschiedenis: Dougs Alef. Mocht ik hebben gesuggereerd dat Doug geen Meme had, dan heb ik dat niet correct geformuleerd. Doug gebrúíkte nooit een Meme. Hij haatte het dat ik er een had, maar die strijd was inmiddels gestreden. Hij had me wel zover gekregen dat ik had afgezien van de optionele microchip, die ik trouwens toch al een beetje griezelig vond. Ik was wel benieuwd wat de nieuwe Meme, die naar men zei binnenkort uitkwam, allemaal zou kunnen en overwoog er een te nemen als ik toe was aan een upgrade. Doug had een Alef, wat me compleet ontschoten was. Het was het eerste model van de Meme dat Synchronic Inc. ooit had uitgebracht. Er waren er destijds niet veel van op de markt gekomen, maar toen hij net uit was, had een aantal belangrijke personen in het uitgeverijwezen er een gekregen.

Zover ik had begrepen, had Synchronic gekozen voor de naam 'Alef' omdat het staat voor het getal één en het de eerste letter van het Hebreeuwse alfabet is. Maar de naam deed het slecht bij de proefpanels, men twijfelde over de juiste uitspraak, en het apparaat zelf had allerlei kinderziektes. De programmatuur die erop draaide was een van de eerste versies van hun Intuïtiesoftware en er zat een Kroon bij, die toentertijd nog Diadeem heette, vrijwel geen sensoren had en alleen grofweg wat algemene gemoedstoestanden aanvoelde. Zelfs na een inwerkperiode van enkele weken, waarin het apparaat moest leren je voorkeuren te herkennen, kon de intelligente technologie in nog geen tien procent van de gevallen raden wat je wilde. 'Echt intelligent is hij niet,' had Doug gezegd, 'maar hij bedoelt het goed.'

Dat was echter niet zo: veel gebruikers klaagden dat tijdens het spelen van Ping een Chinese weerpagina werd geopend of dat ze op een Russische goksite belandden terwijl ze eigenlijk live poker wilden zien. Toen anderhalf jaar later de software en hardware waren verbeterd, werd het oude imago met één klap van tafel geveegd door het apparaat onder de nieuwe naam Meme uit te brengen. Bovendien bood Synchronic iedereen die zijn oude toestel wilde inruilen een fikse korting, waardoor er nog maar weinig Alefs in omloop waren. Die van Doug was daar één van. Maar wat het betekende dat ik hem had gevonden, ontging mij in eerste instantie.

Het was een enorm ding, bijna zo groot als een boek, en voorzien van onhandig verhoogde toetsen en knoppen. Ik knipte hem aan, raadde het wachtwoord bij de derde poging (een van Dougs vele koosnaampjes voor mijn moeder) en liet hem opstarten. Terwijl ik wachtte, liep ik weer naar Dougs raam en vroeg me af waar hij kon zijn.

Het geluid van de straten die in de diepte rood en wit flikkerden werd volledig opgezogen door de negentien verdiepingen onder me. Soms lieten hoge windvlagen ons gebouw kreunen, wat dan klonk alsof je op volle zee zat. Ik keek naar de ruit, waar mijn weerspiegeling van het oppervlak oprees als een zichtbaar wordende gelatinezilverdruk. Het raam werd een parallax. Wie van buiten naar binnen keek, zag een foto. Ik, die van binnen naar buiten keek, zag een spiegel met daarin mijn gezicht dat voor alle vage vormen buiten zweefde. Misschien kwam het doordat ik zo ver van de begane grond verwijderd was dat ik op die hoogte het gevoel kreeg dat menselijk leven een illusie was. Even kwam het me voor alsof ik heel ver naar beneden viel. Dat de jonge vrouw die als weerspiegeling op de binnenkant van het glas stond samenviel met de persoon die van buiten bekeken werd.

Het gevoel verdween, maar liet een zweetlaagje achter op mijn huid. Ik rilde en stapte weg van het raam. Het bloed suisde in mijn oren als een onderzees concert en ik dacht dat ik ergens een deur hoorde dichtslaan. Mijn hart ging tekeer. Ik bleef stil luisteren naar geluiden van de gang en voelde een sterke aandrang om te vluchten. Maar ik bleef waar ik was. Ik wierp weer een blik op Dougs tas. Stelde mezelf gerust dat hij vast en zeker zo terug zou zijn.

Toen gebeurden er vier dingen vrijwel gelijktijdig.

Ten eerste hoorde ik een bekend geluid: het zachte gerammel van een metalen koker die door Dougs inkomende buis zoefde en de zangerige metalen galm toen die een andere raakte die al in de bak lag. Uit gewoonte pakte ik ze allebei en draaide de deksels open. De berichten zagen er gewoon uit. Maar toen las ik ze.

Het eerste was getypt op een schrijfmachine.[5] Het was een definitie. Ik weet nog precies hoe die luidde: 'diachroon /di·ja·ˈɣron / (bn.), een methode om naar een taal te kijken die dreigt uit te sterven.' Daar kon ik niets mee. Het leek me ook grammaticaal onjuist. Raakte de methode in onbruik of de taal? Het was evenmin duidelijk wie de afzender was: er stonden geen initialen bij. Het allervreemdst was wel de viezige veeg die erop zat.

Ik rolde het andere bericht open in de hoop dat het me iets meer kon vertellen. Er stond: 'sos ontvangen. Sta paraat.' Het was handgeschreven en er stond *Phineas Thwaite, Ph.D.* in blinddruk op. Die naam kwam me bekend voor. Phineas was een van onze externe medewerkers.

Ik begreep er niets van, besloot beide berichten op Dougs bureau achter te laten en tilde de Alef op om plek te maken. Toen zag ik dat die klaar was met opstarten. Eigenaardig genoeg toonde hij een pagi-

---

5. Ik had pas onlangs de kordate, onregelmatige letters leren herkennen. Een paar weken voor zijn verdwijning had Doug een oeroude Olivetti uit het stof gehaald. Ik heb er later nog wat op getikt om te zien of het lettertype overeenkwam met dat van dit raadselachtige bericht. Dat was niet zo.

na van de NADEL, om precies te zijn een specifieke pagina: die van de J waarop Dougs eigen lemma stond.[6]

Doug kon dan wel erg op zichzelf gericht zijn, maar het verbaasde me toch dat hij de limn uitgerekend op die pagina had opengelaten.

Wat mij echter veel meer verbaasde was dat hij de Alef had gebruikt. Ik dacht dat die al jaren ongebruikt in de la lag. Hij had me verteld dat hij, nadat zijn laatste assistent, Sam, het apparaat optimistisch voor hem had geprogrammeerd, slechts een paar maanden gepoogd had ermee te werken, maar het al snel had gelaten voor wat het was. Toen bedacht ik dat ik het niet eens aan de praat zou hebben gekregen als het niet op zijn minst een beetje opgeladen was geweest. Ik vroeg me af waarom Doug dat had gedaan – en natuurlijk ook waarom hij zijn eigen lemma had opgezocht. Ik zou hem ermee kunnen plagen als hij weer terecht was en wilde het lemma herlezen om eruit te kunnen citeren. Maar het was weg.

Ik klikte voor- en achteruit door de pagina's. Mijn ogen schoten over het scherm. Op 'Andrew Johnson' volgde 'Earvin (Magic) Johnson'. Geen Douglas Johnson. Geen fotootje van mijn lachende vader. Geen beknopte opsomming van biografische feiten. Hij was verdwenen.

Een ongemakkelijk voorgevoel bekroop me en ik opende zijn tas; afgezien van een net bruin overhemd was die leeg. Geen pennen, geen papier. Geen boeken. Geen portefeuille. Spontaan kwam de gedachte bij me op dat de tas was achtergelaten als afleidingsmanoeuvre. Hij zou er niet voor terugkomen.

---

6. Niet alle woordenboeken bevatten biografische lemma's, in *The Oxford English Dictionary* tref je ze bijvoorbeeld niet aan. Doug had ze liever ook niet opgenomen in de NADEL, maar was uiteindelijk gezwicht voor zowel bepaalde trends in de Noord-Amerikaanse lexicografische gemeenschap als druk van de directie, en had er voor de tweede editie mee ingestemd dat een aantal noemenswaardige personen een lemma kreeg. Een lemma voor zichzelf had hij echter nooit goedgekeurd – hij was bij lange na niet noemenswaardig genoeg om dat te rechtvaardigen, zei hij zelf – en toen hij de 'fout' opmerkte in de definitieve druk had hij een correctie overwogen. 'Wij definiëren woorden,' had hij in een boze memo aan alle medewerkers geschreven. 'Het definiëren van mensen zouden we aan henzelf moeten overlaten.' Maar hij had op een mildere toon afgesloten: 'Ik werk het liefst achter de schermen (met jullie).'

-De kamer begon te krimpen en de rode lichten van de autootjes beneden op straat leken op te stijgen om synchroon met het rode licht op Dougs bureautelefoon te knipperen.

Die ongeveer op dat moment overging.

Ik schrok, maar bedacht toen dat het Doug moest zijn die belde om alles uit te leggen en boog voorover om het id-schermpje te bekijken. Een foto stond er niet, maar wel de naam van de beller: Phineas Thwaite. Nog voordat ik had besloten of ik zou opnemen, stopte de telefoon met rinkelen. Op het scherm lichtte kort het getal vijftien op, het aantal gemiste oproepen. Maar ik zag nog iets. Iets wat me hielp besluiten – als je een impuls tenminste een besluit mag noemen – ervandoor te gaan.

Op alle werktelefoons zijn sneltoetsen geïnstalleerd voor een directe verbinding tussen bazen en hun assistenten. Die avond kwam het scherm van mijn vaders telefoon me vreemd voor. Ik bekeek het van dichterbij en zag dat er iets veranderd was. Er stond: 'Hotline Alice.' Toen wist ik dat er iets niet in orde was. Ik heet namelijk geen Alice. Alice is een verzinsel. Een verzinsel dat ik had gedacht nooit meer te zullen horen of zien.

Kort voordat Doug verdween begon hij zich op een manier te gedragen die sommigen misschien vreemd zouden noemen. Maar mijn antennes waren uitsluitend gericht op mijn eigen verdriet en hadden de signalen niet opgepikt. Terugkijkend zie ik wel dat hij geheimzinniger deed dan anders, prikkelbaarder en in zichzelf gekeerd. Een paar dagen lang wilde hij bijvoorbeeld alleen in de metro praten, wat logistieke obstakels opwierp.

Een week eerder hadden we op een avond op lijn 1 staan wachten toen hij me fluisterend begon te vertellen dat hij onlangs massa's vreemde mails had ontvangen. Ze waren van verschillende afzenders en hadden verschillende onderwerpregels, maar bestonden allemaal uit onbegrijpelijke woordenreeksen.

'O, Doug,' zei ik. 'Die moet je niet openen. Zaten er ook advertenties voor bepaalde dingen bij?'

'Dingen?' fluisterde hij met een schuldig gezicht.

'Je weet wel, voor... vergrotingen? Of pijnbestrijders of zo?'

'Nee,' zei hij onthutst. 'Dat was het niet. Maar ik vraag me af waarom niemand me iets heeft gezegd. Ik kon mijn computer niet langer gebruiken. Hij sloeg volledig op tilt.'

'Ja zeg, pap,' zei ik. 'Die mails moet je dus niet openen. Ze zijn niet echt.'

'Dus jij hebt ze ook gekregen?' vroeg hij. Hij leek bezorgd.

'Natuurlijk. Dat soort oplichtermails zijn er al jaren. Volgens mij al zolang ik er ben.'

'O,' zei hij hoofdschuddend. 'Nee, die bedoel ik niet.'

'Niet?' antwoordde ik, niet overtuigd.

'Nee, die niet,' zei hij, om vervolgens van onderwerp te veranderen. 'Maar dat is niet het enige wat me zorgen baart.' Op dat moment was de metro het station binnengereden. Tijdens het instappen ging hij nog zachter praten. Ik kon hem amper verstaan toen hij zei: 'Ik heb eerder vandaag de voorverkoopcijfers bekeken en kon mijn ogen haast niet geloven. Ergens voor de middag stonden we op 213 op de verkooplijst van Synchronic. En de tweede editie was gestegen... naar 448.'

'Pap!' zei ik, en ik gaf hem een klap op zijn schouder. 'Dat is ongelooflijk! Gefeliciteerd!'

'Nee, dat is het niet!' beet hij me zachtjes toe, met een snelle blik op onze medereizigers, die echter vooral onverschillig voor zich uit leken te kijken. 'Het is juist erg verdacht,' voegde hij er rustiger aan toe.

'Dóúg,' zei ik, waarbij ik mijn best deed om mijn irritatie niet te laten blijken. 'Waarom kun je niet gewoon blij zijn? Het is goed nieuws. Iets om te vieren.'

Hij keek weer achterdochtig om zich heen. 'Was dat maar waar,' zei hij.

Ik verwachtte dat hij nog meer zou zeggen, maar toen waren we al bij 50th Street aangekomen, waar ik normaal gesproken altijd uitstap en ook nu zou zijn uitgestapt, als ik niet met mijn vader op weg naar een afspraak was geweest. Hij knikte veelzeggend met zijn hoofd in de richting van het perron. Ik keek op, maar zag alleen de bonte stroom avondforensen. Hij rekte zijn nek uit naar het met graffiti be-kraste raam en fluisterde: 'Tegels.'

'Waar heb je het over, pap?' vroeg ik met een normale stem. Vera en ik waren er allang achter dat je Dougs eigenaardigheden het beste kon pareren door ze vriendelijk te negeren.

De metro reed het station alweer uit en hij mompelde: 'Het mozaïekpatroon, kijk dan!' Ik keek naar de afbeelding die ik al zo vaak had gezien dat hij me niet meer opviel.[7]

In blauw, zwart, rood en wit geglazuurde tegels beschuldigt de hartenkoningin het witte konijn, wiens hoge hoed geschrokken boven hem zweeft.

'Oké,' zei ik, terwijl ik aan mijn rits frummelde. 'En?'

Doug wachtte tot we weer de tunnel in waren gedenderd. 'Is je iets opgevallen?' fluisterde hij.

'Opgevallen?' zei ik. 'Nee... wat bedoel je?'

Hij boog zich heel dicht over me heen en ik kon de medicinale geur van drop uit zijn mond ruiken. 'Álice,' zei hij. 'In Wonderland?'

'Doug,' zei ik. 'Zeg alsjeblieft wat je precies bedoelt.'

'Alice,' herhaalde hij. 'Mocht mij iets overkomen – maar dat zal zeker niet – maar stel dat, dan wil ik dat we de naam Alice gebruiken. Als code.'

'Aha,' zei ik.

'Begrijp je?'

'Roger.'

'Ik meen het serieus,' zei Doug met een ongeduldige ondertoon.

'Goed. En hoe noem ik jou dan?' vroeg ik plagerig, hoewel ik er niet helemaal gerust op was en me afvroeg of ik me zorgen moest maken. Misschien was Doug wel afgegleden naar een manie terwijl ik volledig in beslag genomen werd door mijn liefdesverdriet. Als hij veel aan zijn hoofd had, had hij soms last van extreme stemmingswisselingen. Hyperactiviteit. Paranoia.

---

[7]. De afbeelding was voor mij een voorbode van thuis geworden: het korte stukje van het metrostation naar onze flat en als ik binnenkwam de stem van Max die me begroette met een koosnaampje dat ik hier niet ga noemen.

Hij keek me enigszins perplex aan, alsof hij nog niet zo ver had doorgedacht. 'Dat weet ik niet,' zei hij. 'Doe het voor mij, alsjeblieft.'

Ik knikte afwezig en deed mijn best om mijn vage gevoel van onrust niet te laten blijken. En toen gebeurde er nog iets. Iets wat de wissels zette voor toekomstige gebeurtenissen. Maar op dat moment registreerde mijn intuïtie niet echt extreme pieken van eigenaardigheid in ons gesprek.

Doug voelde mijn bezorgdheid waarschijnlijk aan en begon over iets anders. Hij maakte een of andere luchtige opmerking over de lezing waar we naar onderweg waren. Ik weet niet meer wat hij zei. Ik wilde dat ik het nog wist. Maar de manier waarop het zo snel uit mijn geheugen verdween, als tekst die van een scherm wordt gewist, is feitelijk een van de primaire redenen waarom ik deze gebeurtenissen nu opteken.

Wat hij ook zei, hij gebruikte daarbij een woord dat ik niet direct kon plaatsen, een kleine betekenisdragende houder waarmee ik ooit vertrouwd was geweest en die op een zeker moment was gebarsten en leeggelopen. En in mijn kortdurende verwarring maakte ik een stomme, slordige fout: ik trok mijn Meme uit mijn jaszak en wierp een snelle blik op het scherm. Ik wist dat de Meme mijn geheugenfoutje zou hebben opgemerkt en contact zou hebben gemaakt met de Lexibeurs om het vergeten woord op te zoeken en eventjes een korte definitie te laten zien die onmiddellijk weer zou vervagen.

Ik dacht vast dat ik heel onopvallend bezig was, want ik wist dat Doug als hij zag wat ik deed, me flink de mantel zou uitvegen. Maar het was inmiddels zo'n gewoonte van me geworden – iets waar ik gaandeweg en ongemerkt steeds vaker op was teruggevallen – dat ik vermoedelijk amper moeite deed om het verborgen te houden.

Toen ik weer opkeek, zag ik Doug met ontsteltenis naar me kijken. 'Jij ook al?' zei hij zachtjes. 'De Lexibeurs?'

Ik voelde mijn gezicht tintelen van schaamte dat hij nu toch achter mijn 'geheimpje' was gekomen. 'Ja, pap,' zei ik kortaf, en ik wendde mijn gezicht af. 'Wat dan nog? Zoals de meeste stervelingen – jij bent een uitzondering, ik weet het – weet ik soms niet meer wat bepaalde obscure woorden betekenen en dan zoek ik die op...'

'Obscúúr?' herhaalde hij, zowat briesend van boosheid. Ik kon zien dat hij zich opmaakte om verder uit te weiden en zette me al schrap, maar vervolgens kwam er niets. We hadden de aandacht getrokken van een paar medereizigers (Dougs behoedzame blikken maakten me erop attent) en toen we ons uitstapstation binnenreden, hield hij op met praten.

Zijn zwijgen stelde me echter niet bepaald op mijn gemak. Een milde terechtwijzing zou me minder van mijn stuk hebben gebracht. Het betekende dat hij oprecht bezorgd was en dat voedde weer mijn bezorgdheid. Dacht hij echt dat ik dingen begon te vergeten, dat mijn geestelijke scherpte afnam? Het was geen prettige gedachte en deed me denken aan de manier waarop ik wel eens de spot had gedreven met vrienden die afhankelijk waren van de Lexibeurs.[8]

Ik hoopte half dat Dougs preek later die avond nog zou volgen of de week erop het werk. Maar we waren als bezetenen bezig met de voorbereidingen voor de presentatie en de preek kwam niet. Nooit.

Maar daarmee was ons gesprek nog niet helemaal afgelopen. 'Nog één ding,' zei hij fronsend. 'Hier zul je niet blij mee zijn.' Hij haalde steels twee potjes met naar ik al spoedig besefte pillen uit zijn tas. Ze stonden vol met letters die ik niet kon lezen en hij drong ze me zo op dat ik ze wel moest aanpakken.

'Je zult ze nooit nodig hebben,' zei hij. 'Maar het is goed om ze te hebben. Ze zijn een paar jaar over de datum, maar dat zou niets moeten uitmaken.'

'Waarvóór zal ik ze niet nodig hebben?' vroeg ik verstoord. 'Zorgen ze ervoor dat ik groter word of kleiner?'

'Geen van beide, hoop ik,' zei Doug vermoeid. 'Maar de wetenschap

---

8. 'Mag ik die ehm... dat... uh... die...' zei Ramona bijvoorbeeld met een gebaar. 'Vermoedelijk zoek je het woord "vork",' reageerde ik plagerig, en ik reikte haar er eentje aan. Ze zuchtte ongemakkelijk en zei: 'Het is alleen... mijn Meme.' Maar op een gegeven moment begon het mij ook te overkomen: ik rekende er steeds vaker op dat mijn Meme voorzag wanneer hij een woord of de betekenis ervan naar me moest beamen als ik dat 'eventjes' niet meer wist – tijdens het lezen, schrijven, luisteren, praten. Vaak besefte ik dan amper dat hij me had aangemeld bij de Lexibeurs.

dat jij ze hebt zal ervoor zorgen dat ík me beter voel. Voor het uiterst onwaarschijnlijke geval dat je je ziek gaat voelen, alsof er iets helemaal niet... klopt, dat je moe bent en in de war en spierpijn hebt of koorts of zelfs lichte hallucinaties. En vooral als het je moeite kost om duidelijk te praten of als je ontzettende hoofdpijn hebt. Dan moet je ze binnen achtenveertig uur innemen, hoe eerder, hoe beter, en is er niets aan de hand. Ik geef je twee kuren, gewoon voor het geval dat.'

'Voor het geval wát?' vroeg ik. Ik begon me grote zorgen te maken. Doug gedroeg zich nu officieel abnormaal. Tot mijn verdediging moet ik eraan toevoegen dat dit niet zonder precedent was: hij duwde me om de zoveel jaar doosjes met oude grieppillen in handen. Dus zelfs dat, hoewel ik het me nu moeilijk kan voorstellen, liet bij mij niet de nodige alarmbellen rinkelen.

Maar ik dwaal af. Wat ik wilde zeggen was: wij (hij) hadden 'Alice'[9] als code afgesproken en ik had ons gesprek weggestopt in een hoekje van mijn hoofd waar ik bepaalde verhalen over Doug bewaar.[10]

Vervolgens was ik het voorval min of meer vergeten. Tot ik de vrijdag erop alleen in zijn werkkamer vertwijfeld naar zijn telefoon stond te kijken.

Werktuiglijk bladerde ik door Dougs gemiste oproepen. Het nummer van Phineas Thwaite schreef ik achter op het bericht met zijn naam in blinddruk. Dougs tas liet ik liggen, en ik maakte zo geruisloos mogelijk de deur open en tuurde de donkere gang in. Het kostte me al mijn wilskracht om er niet zo snel mogelijk vandoor te gaan. Ik dwong mezelf om zachtjes te lopen en vervloekte het hese geritsel van mijn jas. Ik had moeite met ademhalen.

Op weg naar de lift kwam ik langs Barts kamer. In een opwelling besloot ik een briefje voor hem achter te laten. Zijn deur stond open

---

9. Bijnamen, moet ik hier vermelden, waren echt iets van Doug. Toen ik opgroeide had hij me Appel en Appie, Naadje en Nassie genoemd. Vera was Veertje, Beertje en duizenden andere dingen. Barts echte naam was niet eens Bartleby, wat een verwijzing was naar Melville. Maar Doug had me de naam Alice zonder zijn gebruikelijke enthousiasme gegeven.

10. Dit zou dan zijn ingedeeld bij de subcategorieën 'metro', 'Alice' en 'geschift'.

en ik nam niet de moeite het licht aan te doen. Ik wilde snel naar binnen en even snel weer naar buiten. Dan meteen door naar de lift en op de knop drukken. Naar Rodney in de receptie beneden. Naar Dougs huis en als hij daar niet was, de politie bellen. Maar iets deed me stilstaan in de deuropening.

Er staken twee magere benen onder Barts bureau uit.

B

Bartleby /'bɑr·təl·bi/ (de (m.); -'s) 1 een klerk 2 a: een man met
vele vrienden en kennissen: *Bart* b: volkstaal: de gangmaker op
een feest <*daar heb je ~, de gangmaker*>; iemand die nooit alleen
is, zeker niet op vrijdagavond

vrijdag 16 november

Ken je dat? Je bent even een dutje aan het doen. Misschien droom je
van iemand die je kent en misschien heb je geen zin om daarover nu
in detail te treden, maar laten we zeggen dat het een prettige droom
is, een erg levendige, en dat je graag nog even door had gedroomd.
Die kans krijg je alleen niet, want net als je bij het aangenaamste deel
bent aanbeland (waarvan je later vurig hoopt dat je er geen verraderlijke geluiden bij hebt gemaakt), word je gewekt door wat het roepen
van een vrouw blijkt te zijn. En wat er vervolgens gebeurt, of min of
meer op hetzelfde moment, is dat je vergeet waar je lag te dutten, namelijk onder je bureau, en als je probeert op te springen, krijg je zo'n
optater tegen je (toegegeven, omvangrijke) voorhoofd dat je jezelf nog
half slapend zowat een hersenschudding bezorgt, en het geroep gaat
maar door en door, als sirenenzang, tot het zijn hoogtepunt bereikt
en pas als je erin geslaagd bent in een gebutste benadering van paniek onder je bureau vandaan te krabbelen (misschien nog met wat
laatste tekenen van een erectie) besef je dat degene die daar in het
donker staat zo-even nog de hoofdrol speelde in jouw aangename,
maar nu vervlogen droom.

'Fuck, Bart, wat doe je daar?' zegt ze als ze je ziet, wat welbeschouwd ietwat onredelijk lijkt.

Onwillekeurig valt je op wat ze aanheeft, omdat je dat altijd onwillekeurig opvalt. Vanavond is haar kledingkeuze teleurstellend volumineus: een wijde rode broek – pyjamabroek? – en een figuurverhullende olijfgroene gewatteerde jas. Haar haar lijkt ongewassen – al kun je wat dat betreft de ketel nauwelijks verwijten dat hij zwart ziet – en zo te zien heeft ze twee verschillende schoenen aan. Deze verandering in voorkomen is vrij recent; je denkt zelfs dat je die vrij precies kunt dateren op de dag dat Max is vertrokken uit hun kabouterflatje in Hell's Kitchen (een helaas al te toepasselijke naam voor een buurt waar Max woonde, maar niet voor de woonomgeving van deze bont geklede serafijn).

Niet dat je hart niet nog steeds elke keer als ze langs je openstaande kantoordeur loopt jubelt. En zelfs de zeldzame keren dat je voornoemde deur dichtdoet ter verhoging van de concentratie is alleen al het doffe klossen van haar klompen op het tapijt van de gang genoeg om je bloed aan het bruisen te krijgen. Haar aangeboren rusteloosheid dwingt haar goddank meerdere malen per uur van haar bureau op te staan – om even bij Doug te gaan kijken (en op de terugweg een praatje te maken met iemand, meestal Svetlana of Frank), naar de keuken te lopen voor ontelbare koppen thee (en daarna naar de wc), en, vaker dan je voor mogelijk zou houden, voor stiekeme tripjes naar de kantine voor snoep.

In de afgelopen maand, sinds Max' vertrek, heeft haar rusteloosheid alleen een andere vorm aangenomen. De laatste tijd zie je haar soms halverwege de gang vertragen en in verwarring stilstaan. Dan schudt ze met haar hoofd alsof ze verdwaald is, draait zich om en loopt weer terug – om soms kort daarna alweer mopperend op zichzelf langs te stommelen met een gezicht waar de teleurstelling vanaf druipt.

En wat voor een gezicht. Een gezicht waarvan je zou kunnen geloven (als het niet zo aanmatigend zou zijn om dat te denken) dat het vrijgesteld hoort te zijn van aardse teleurstellingen. Het soort gezicht waarvan je makkelijk de fout zou kunnen maken het te beschrijven als, pak 'm beet, 'stralende, prerafaëlitische poolster' (zoals je misschien wel op een van de eerdere pagina's van dit dagboek hebt gedaan). Het bezit een zekere fundamentele 'schoonheid', van het schilderen-op-nummerssoort. Je kunt je voorstellen hoe het op de tienerblogs die je soms gedwongen bent te raadplegen op zoek naar neologismen tot in detail besproken zou kunnen worden, met zijn [sic] 'perfecte hartvorm', 'stralende, goudbruine teint' en hoge 'appelblosjes', de grote 'zeegroene' ogen, de rechte, smalle neus en het puntkinnetje, de zo belachelijk volle lippen dat ze in een reclame voor bandenspanningsmeters niet zouden misstaan en het lange blonde haar dat het geheel 'omkranst' – waardoor je het bijna zou afserveren als saai en conventioneel lopendebandwerk. Alleen weet het daar op natuurlijke wijze aan te ontsnappen door een paar kleine afwijkingen, te weten haar iets scheefstaande voortanden, haar abnormaal donkere wenkbrauwen die de voortdurende verwarring over haar natuurlijke haarkleur er alleen maar groter op maken (je hebt het al in verschillende tinten bruin, zwart, platinablond, rood en één keer blauw meegemaakt), haar merkwaardig krampachtige lach, waarvan de stijfheid nog wordt benadrukt door een eigenaardig plooivormig en asymmetrisch kuiltje, en nog wel het meest door het bruinroze, aardbeivormige vlekje op haar linkerwang. Het zijn tenslotte de vlekjes op het marmer die de gloed ervan nog dieper lijken te maken.

(Twee keer heb je haar als 'gewoontjes' omschreven horen worden: een keer door Ana zelf, wat lichtelijk irritant was. Maar ook door Svetlana, wat je veel raadselachtiger vond.)

Dus: nee. Het is niet die fraaie verzameling volmaakte uiterlijke kenmerken waarvan je kriebels in je buik krijgt. Het is de manier waarop haar bovenlip de neiging heeft bedauwd te raken met zweet, vooral als ze nerveus is, zoals tijdens een boekpresentatie of als ze een of andere bobo een NADEL-rondleiding moet geven. Het is de bulderlach van onversneden vrolijkheid in reactie op Dougs typische grappen en grollen en de hemelse maar weinig melodieuze deuntjes die je haar soms op de gang hoort neuriën. Met andere woorden: het is de manier waarop je je vanbinnen voelt als ze je ziet en naar je lacht.

(Zo kan-ie wel weer. Het bovenstaande jaagt me nu echt het schaamrood op de kaken, vooral dat schrijven in de tweede persoon. Op de een of andere manier leek me dat een paar maanden geleden, toen ik eindelijk was gezwicht voor Dougs hardnekkige aanmoedigingen om een dagboek te beginnen, zoveel indringender en – gadver – 'literair verantwoorder'. Maar laten we even reëel blijven: ik ben geen Camus, Faulkner of Calvino. En trouwens, mijn gebruik van 'je' kwam niet voort uit een interessante poging om 'de narratieve verwachtingen te ondermijnen' – dat wil zeggen, aandacht te vestigen op de wederzijds overeengekomen kunstgreep die lezen is – maar waarschijnlijk gewoon uit een misplaatste poging om mijn eigen neurotische neiging tot zelfcensuur uit te schakelen door te doen alsof ik iemand anders ben. Maar nu stop ik er echt mee.)

Vandaar: 'Ana,' zeg ik, en ik voel aan de bult die zich op mijn voorhoofd vormt.

'Wat deed je daar?' vraagt ze op wat ik alleen maar een wantrouwige toon kan noemen. Ik zie dat ze iets verkreukelds vasthoudt in haar paarse want.

'Nou...' begin ik. Ongeveer op dat punt zie ik pas hoe klein, ongewassen en vooral ook radeloos Ana eruitziet en lijkt het me niet de moeite waard om uit te leggen dat de metro naar Washington Heights er een halfuur over doet, keer twee voor de terugweg, en dat de kosten-batenanalyse van het slapen op de relatief comfortabele zweterige tweepersoonsmatras met kuil thuis in vergelijking met (wat ik meestal doe) op de grond onder mijn bureau, in het weekend meestal in het voordeel uitvalt van de tweede optie, zo ook nu, gezien het feit dat ik nog minstens een paar uur werk heb liggen voor morgen (al slaap ik af en toe ook wel in het logeerbed van dr. D (in Ana's oude kamer), maar ik weet niet of zij daarvan op de hoogte is).

Het spreekt uiteraard vanzelf dat Ana niet alleen maar mooi is. Zowel in de zin van meer dan conventioneel 'mooi' (zie boven), maar ook niet alléén maar mooi. Het is geen overdrijving om haar, zoals

39

dr. D ooit deed, 'een ronduit wijs schepsel van goddelijke bekoring' te noemen. Vorm is naar mijn mening dialectisch verbonden met inhoud. Misschien kun je wel stellen dat die niet-alleen-maar-mooiheid van haar, haar intelligentie en gevoel voor stijl, haar vriendelijkheid en vakbekwaamheid, het altijd op het juiste moment paraat hebben van een grap, haar aanstekelijke levensvreugde, etc. haar naar mijn mening (en, geloof me, die van vele anderen) boven de hordes gewone knappe meiden uit tillen naar het verhevener niveau van de echte schoonheden. Ze heeft iets wat een eindeloze hoeveelheid verscholen mogelijkheden suggereert. De specifieke Ana-heid van Ana is in wezen de perfectie van perfectie.

Voordat ik nu van wal steek met een verslag van de gebeurtenissen van vanavond moet ik misschien eerst even vertellen hoe Ana en ik elkaar hebben leren kennen. Misschien. Alleen is, zoals Hegel al zei, het begrip 'begin' per definitie problematisch (net als 'einde').

Hoe kan ik mijn eerste kennismaking met Ana eerlijk beschrijven terwijl ik mijn beeld van haar de afgelopen vierenhalf jaar oneindig vaak heb moeten herzien? Zelfs al zou ik me mijn eerste indruk van haar nog precies voor de geest kunnen halen, hij zou nu onherroepelijk als plat overkomen. Niet in de betekenis van schunnig natuurlijk, maar ik moet tot mijn schande bekennen dat ik niet meteen oog had voor sommige van Ana's subtielere en meer verfijnde charmes – zoals misschien haar verstand – toen dr. D me op de gang voor zijn kamer aan haar, in haar gele zomerjurkje, voorstelde.

Helaas leerde Ana tijdens een van de minder opwekkende wendingen in mijn jongvolwassen leven spoedig daarna Max kennen. (Zijn uiterlijk roept, net als dat van Ana, over het algemeen weinig neutrale reacties op. Hij heeft enigszins gekweld aandoende rimbaudiaanse ogen, die een merkwaardige combinatie vormen met zijn warme, kwajongensachtige grijns, waarbij een klein spleetje tussen zijn tanden zichtbaar wordt. Daarnaast is hij lang en blond. Eigenlijk zouden Ana en hij best familie van elkaar kunnen zijn, maar ik zal zo kies zijn om daar verder niet op in te gaan.)

Op zekere dag dook hij onaangekondigd op kantoor op – nota bene om mij op te zoeken. Ik mag denk ik wel beweren dat Max al net zomin oog had voor de wijze-schepselkant van Ana, maar anders dan ik is hij die fase nooit echt te boven gekomen. Gedeeltelijk omdat de noodzaak ontbrak: binnen een week was het 'aan' tussen Ana en hem, iets waarop hij in al zijn botheid met zijn vrienden een weddenschap had afgesloten. Maar ook omdat Max niet in staat is tot iets diepgaanders dan een eerste indruk. Volgens hem is hij zo scherpzinnig dat hij genoeg heeft aan één vluchtige eerste waarneming om alles – vrouwen, filosofische stellingen, etc. – 'door te hebben'. Het is volgens hem zinloos om na de primaire, spontane reactie te gaan wikken en wegen omdat dat enkel leidt tot een herhaling van zetten.

(Op de middag dat Max Ana leerde kennen, toen meteen al duidelijk was welke kant het op zou gaan, werd ik door Max voor de kantoortoiletten klemgezet. 'Tijd om te bouten?' zei hij veel te hard, wat mij een rood hoofd bezorgde. De wc's zijn naast Neologismen en daar werken nogal wat vrouwen. Ik vestig niet graag de aandacht op die toiletbezoeken, vooral niet gezien hun veelvuldigheid. Nadat hij me in verlegenheid had gebracht, greep Max me bij de schouder, wat tegelijkertijd dreigend en op een vreemde manier ook intiem aanvoelde. 'Hou je mond over mij tegen haar,' zei hij zacht. 'Ik wil dit niet verknallen. Laat ik dus niet merken dat jij het voor me verknalt.' Natuurlijk beloofde ik niets te zeggen, wat ik toch al niet zou hebben gedaan, alleen al omdat het erg onprettig is om een niet zo fraaie waarheid te moeten vertellen aan een zeer fraai iemand.)

Laat ik dan maar beginnen – ja, de ironie ontgaat me niet – met Hegel. Op de eerste plaats zal moeten worden erkend dat G.W.F.H., die eind augustus 1770 geboren werd in Stuttgart, slechts kortstondige opflakkeringen van populariteit heeft gekend. Of het antwoord op de vraag of hij deel uitmaakt van de canon ja dan wel nee is, hangt sterk af van degene aan wie je die vraag stelt. Zowel links als rechts heeft zich hem toegeëigend. Sommige 'denkers' beweren dat hij een apologeet is van machtsmisbruik door de staat of zelfs van totalitarisme. Volgens de overlevering waren zijn laatste woorden: 'En hij begreep me niet.'

Men herinnert zich G.W.F. vaak alleen nog van de reductieve drie-eenheid these-antithese-synthese, terwijl die formulering niet eens van hem is, maar van Kant. Carl Jung (uitgerekend hij!) noemde hem gestoord. En ontelbare cultuurbarbaren hebben hem ervan beschuldigd houterig of moeilijk te schrijven – of onbegrijpelijk. Zoals iedere serieuze wetenschapper weet is het een amateuristische zonde om Hegel in een andere taal dan het oorspronkelijke Duits te lezen. Er is gewoonweg geen adequate vertaling voor termen als *Begriff*, of *Urteil*, of zelfs *Geist*, laat staan voor *Aufhebung*.

In mijn lezing van Hegel is taal onze knecht, die de meester van de rede dient. Max is een van degenen die me er graag aan mag herinneren dat die lezing conservatief wordt bevonden; ze schijnt de historische context ten onrechte buiten beschouwing te laten. En het zal inderdaad wel tegenstrijdig lijken om te beweren dat Hegel alleen maar hegeliaans is in de krachtige gespierdheid van zijn Duitse moedertaal. Misschien is het redelijker om hier een kleine concessie te doen aan minstens de zwakke versie van de Sapir-Whorf-hypothese. (Om heel eerlijk te zijn voel ik wel een zekere verwantschap met die versie, als zwakte haar bepalende kenmerk is. De dag dat Max me tegen de muur duwde was een bijzonder vernederende.)

Goed dan, ik geef me gewonnen. Taal kán de inhoud van communicatie beïnvloeden. Maar eigenlijk was ik bezig Hegel te verdedigen tegen de beschuldiging van houterigheid, niet die van moeilijkheid. Wat is Aufhebung? Bij Hegel heeft deze term drie betekenissen: ten eerste opheffen in de zin van 'op een hoger niveau brengen', ten tweede opheffen in de zin van 'beëindigen' en ten derde bewaren. Dit ene, troostrijke woord en zijn uiteenlopende betekenissen vormen dus in zekere zin de kern van datgene waaraan Hegels volledige filosofische onderneming ontspringt. Zijn alef, zou je kunnen zeggen. Aufhebung. Alef. Ze klinken zelfs als schaduwbeelden van elkaar (en dan heb ik het natuurlijk niet over het elektronische apparaat, al zal dat wel de reden zijn dat het woord in me opkwam – naar aanleiding van het merkwaardige gesprek dat ik een paar uur geleden met Ana had).

Ik denk dat ik alleen maar probeer te zeggen dat taal weliswaar iets groots en onhandelbaars is wat zich in een voortdurende staat van verandering bevindt – dat taal kortom net zoiets is als liefde – maar anders dan dr. D denk ik niet dat ze groter is dan wijzelf. Ik denk zelfs dat het onze plicht is om taal tot coherentie te dwingen, haar wat dwarsere neigingen te beteugelen, haar betekenis en, belangrijker, doeltreffendheid te verifiëren en haar subjectiviteitsoverbruggende potentieel te toetsen (ook hier geldt weer dat we er vrijwel hetzelfde mee moeten omgaan als met liefde).

Wat dat betreft zitten Max en ik wel min of meer op dezelfde lijn. We vinden liefde (en taal) allebei interessante, maar karamelachtige vormen van vermaak: zacht, zoet en misschien een tikje zout. Als je toestaat dat een van die twee je leven gaat beheersen, ben je een sukkel.

Ik maakte ongeveer tegelijkertijd kennis met Hermes Maximilian King als met Hegel: tijdens professor Lockharts collegereeks in het vierde en vijfde blok over de mythologisering van de filosoof, waarin Lockhart betoogde dat Hegel een van de belangrijkste – en vaakst verkeerd begrepen – denkers van de afgelopen tweehonderd jaar is. (Max bleef sceptisch. Hij had meer met Sartre, die trouwens ook was beïnvloed door Hegel.)

Misschien lijkt de toevalligheid dat twee mensen hetzelfde vak volgen een te wankele basis voor een blijvende vriendschap, maar om mijn relatie met Max beter te begrijpen moet je weten dat er behalve wij tweeën en David Lockhart maar twee andere mensen bij die colleges aanwezig waren. En dat er slechts vierentwintig andere studenten op Deep Springs zaten. In totaal. Geen meisjes toen nog. Geen enkele afleiding. Geen mogelijkheden tot ontsnapping en weinig tot escapisme. Een heus beleid ter stimulering van afzondering. Op zo'n universiteit zaten wij, in een eenzame vallei ver weg in Californië.

Ik besefte niet wat een geluksvogels we waren, daar op Deep Springs. Zelfs toen al, tien jaar geleden, werden bij andere opleidingen de docenten een voor een vervangen door computers en apparaten. Nu, met de Meme, downloaden studenten gewoon alles. Wij bleven nog tot diep in de nacht op om te lezen. En als we hadden gewerkt, dan voelden we dat: na een middag alfalfabalen sjouwen ben je zo beurs alsof je een pak slaag hebt gekregen. Daarom vind ik het ook zo moeilijk om begrip op te brengen voor Max' plannen om over de wereld te heersen. (Grapje. Soort van.) Eigenlijk is het alleen maar een logische volgende stap. Laat ik het zo zeggen: hij bezit nu eenmaal een onnavolgbaar en, voor velen, bedwelmend mengsel van flux de bouche, meedogenloosheid, pathologisch charisma en minachting. Hij werd – wordt – aanbeden. Destijds door professor Lockhart, door vermoedelijk tweeëntwintig van de zesentwintig studenten, door al hun moeders, zussen en vriendinnen, en ja – hoe vernederend ook om toe te geven – door mij, al was mijn heldenverering doortrokken van een vleugje scepsis. Wat het eerste was wat Max ooit tegen me zei? 'Je lijkt op mijn oom Gustav, man. Volgens mij heeft die dezelfde bretels.'

Het is gewoon een feit (en dat is bloedirritant) dat hij 'het' heeft. Ik kan het niet uitleggen, ik weet alleen wat het is. Ik heb er een studie van gemaakt, maar het is lastig te kopiëren. Het zit hem deels in oogcontact en het gemak en de veelvuldigheid waarmee hij mensen aanraakt. Deels ook in zijn lach als hij iemands naam uitspreekt. En voor een deel is het de prikkelende gewoonte die hij zich heeft aangewend om je eerst te bedelven onder genegenheid en je die vervolgens te onthouden. Maar er zijn ook andere varianten, die het menselijke bevattingsvermogen ver te boven gaan.

In de loop van dat studieblok was het technisch onmogelijk om Max niet goed te leren kennen. En veel intiemer, dacht ik toentertijd, dan iemand hem ooit gekend had – inclusief de (indrukwekkende hoeveelheid) vrouwen met wie hij iets had gehad. Inmiddels weet ik dat Max een bijna alchemistisch talent bezit om elke relatie die hij aangaat tot iets te kneden waarvan de andere partij het gevoel heeft dat het de hechtste band is die hij of zij ooit met iemand heeft gehad. Omdat het lot bepaalde dat we samen in de curriculumcommissie terechtkwamen (waarvan Max uiteraard de voorzitter werd) en we ook allebei huiscorvee hadden (om de een of andere reden kwam de afwas altijd op mij neer), heb ik in die twee maanden meer tijd met hem doorgebracht dan met bijna wie ook. En ik zal het eerlijk zeggen: ik vond het een eer zijn vriend te mogen zijn.

Ondanks al zijn gebreken (en gebreken zijn toevallig mijn specialiteit), is Max een bijzonder mens. Die observatie is niet bijster origineel, maar terwijl anderen Max misschien zullen proberen te ontrafelen door zijn wat ik als zorgvuldig gecultiveerde eigenschappen zie op te sommen (bijvoorbeeld die mix van magnetisme en energie die samen zijn 'authenticiteit' vormen, zijn onverschrokkenheid, zijn vreemde, enigszins voorwaardelijke vorm van integriteit en zelfs zijn scherpe en onconventionele intelligentie, die vermoedelijk het kenmerk is van ware genialiteit), beschouw ik dat alles als secundair – als niet meer dan deel van de mythologie. Toen ik Max leerde kennen, was ik het meest onder de indruk van iets veel essentiëlers en verrassenders: ik meende ware edelmoedigheid van geest te herkennen.

Nu pas realiseer ik me dat hij me aan Florian Reiter deed denken, mijn beste vriend op de middelbare school, Carbondale Community High. Florian was maar voor een jaar in Illinois. Hij kwam uit Salzburg en deed mee aan een uitwisselingsprogramma en ik twijfelde aanvankelijk of het wel verstandig was om vrienden met hem te worden. Ik stond toch al niet zo hoog in aanzien en was bang dat als ik zou optrekken met een onbezonnen, weinig modebewuste buitenlandse jongen, we allebei reddeloos verloren zouden zijn.

Maar Florian had de eigenzinnige blindheid voor sociale grenzen van de buitenstaander én hij had zelfvertrouwen. Hij bleek met iedereen te kunnen opschieten – en hij koos mij. (Toen ik dat later inzag, stemde me dat nederig.) Hij was bovendien moeilijk te ontlopen. We zaten bij de meeste vakken bij elkaar in de klas, waren allebei lid van de Natuurkundeclub en het Wiskundeteam en al snel schreef hij zich ook in voor de meeloopcolleges die ik als toehoorder aan de Southern Illinois University volgde. Ik heb hem in de loop van dat jaar geholpen bij zijn sollicitatie naar een baantje in de bediening bij The Lodge (ze waren daar dol op hem, ik denk ook vanwege zijn accent). Hij meldde zich zelfs aan bij de debatclub, wat misschien het enige was waar hij niet echt in uitblonk, maar waar hij zich met hetzelfde tomeloze enthousiasme op stortte als waarmee hij alles deed.

Omdat hij opgezadeld zat met de godvrezende Knupps, was hij op zondag nooit vrij. (Hij kreeg door mevrouw Knupp ook truien opgedrongen met rendier- en sneeuwvloktaferelen, wat ervoor zorgde dat zijn kennis van Amerikaanse schuttingtaal snel groeide, vooral die van de zinnetjes waarin 'je moeder' voorkomt.) Als het hem lukte weg te komen, was hij de enige die me zover kreeg om in het Trail of Tears State Forest te gaan kamperen of te gaan vissen en jagen bij Horseshoe Lake, samen met mijn vader en Tobias. Hij noemde alles een 'survivalavontuur', zelfs een bezoekje aan de schietbaan.

Florian was ook de enige van mijn leeftijd die ik kende die met een platenspeler om kon gaan en de dingen waarnaar hij luisterde zetten mijn wereld op zijn kop: de Goldbergvariaties, Sjostakovitsj, Mozart. Maar ook Slick Rick en The Notorious B.I.G., Fela Kuti, Joy Division, Siouxsie and the Banshees. Hij speelde eindeloos het 'Wie is beter'-spel met me: Johnny Cash of Dolly Parton, Pantera of Slayer, *Vertigo* of *Rear Window*, *La Meglio Gioventù* of *The Wire*, Kolonisten van Catan of Advanced D&D, gefrituurde augurken of gefrituurde bacon, Hemingway of Fitzgerald, et cetera, et cetera. Na een tijd begon ik hem enigszins schoorvoetend dingen te geven die ik had geschreven, waar hij dan zijn mening over gaf (soms vernietigend, soms niet).

Het meest was ik nog onder de indruk van de terloopse manier waarop hij met wijsheden strooide. Dit zijn bijvoorbeeld enkele Florian-pareltjes: 'Als je verstand slim is, maar je lichaam dom, zul je een droevig mens zijn.' 'Het belangrijkste in het leven is dat je besluitvaardig bent; wát je besluit doet er niet zoveel toe.' 'Interessante vrouwen vinden humor, zwarte humor, en – hoe zeg je dat? – *Geschicklichkeit* plus het vermogen tot echte vertrouwelijkheid aantrekkelijker dan grote rode terreinwagens en hulkspieren.' En: 'Vlees is het mooiste geschenk dat God ons heeft gegeven. Misschien na seks.' En eentje waar hij naar leefde (en ik destijds niet): 'Je moet bereid zijn klappen te incasseren.' Oké, in volwassen oren klinken die aforismen misschien wat ongenuanceerd, maar als zestienjarige voelde je je alleen al een goudzoeker door met hem in één kamer te zitten.

Waar het denk ik om gaat is dit: voor ik Max leerde kennen, had ik nooit meer iemand ontmoet die zo echt leek, zo volledig zichzelf, als Florian. Hij was bovendien een werkelijk goed mens. De dag dat hij vertrok, heb ik hem naar het vliegveld gebracht en waren mijn ogen vochtig op de terugweg.

Ik dacht dat ik in Max eenzelfde soort vriend zou vinden.

Na ons trimester samen in het Kosthuis werd Max eerst Voederaar, daarna Slager en uiteindelijk Cowboy. Ik volgde een andere route: eerst Melkjongen, daarna eindeloos lang in de alfalfaploeg, om uiteindelijk aan mijn aanbevolen roeping van Bibliothecaris gehoor te geven. Omdat ik een licht masochistische inslag heb, nam ik het tegen hem op in de verkiezingen voor voorzitter van de studentenraad. Max won (als ik me goed herinner met eenentwintig tegen vijf stemmen) en was een goede en populaire voorzitter tot hij werd geschorst, gestraft en uit zijn functie gezet (sommige van onze studiegenoten moesten zelfs huilen toen ze hun stem uitbrachten om hem uit zijn positie te ontheffen).

Waar het uiteindelijk om ging was dat hij vrij onbeduidende bedragen aan boodschappengeld had verduisterd om drugs van te kopen. Deep Springs College heeft maar twee zelf gehandhaafde regels die een eeuw geleden bij de oprichting zijn vastgelegd. Een: gedurende het studiejaar mogen studenten de campus alleen verlaten voor officiële excursies of zaken die met godsdienst of ziekte te maken hebben. En de andere? Drugs en alcohol zijn ten strengste verboden. Toen Max werd afgezet, vroeg ik waarom hij cocaïne had gebruikt (en, zo ging het gerucht, crack). De meeste andere dingen kon ik nog wel bevatten: het drinken en de joints, de gastschrijver omkopen om hem naar het stadje Bishop te brengen voor zijn afspraakjes, zelfs het geintje met de flipperautomaat en Samantha, een van onze varkens. Een aantal van die dingen wist ik al voor ze uitkwamen. Misschien komt het doordat ik uit een deel van het land kom waar meer methlabs zijn dan drive-inrestaurants dat ik nerveus word van alles wat sterker is dan hoestsiroop.

(Als verschillende van je neven, en zelfs een oom, wel eens zijn opgepakt voor bezit en als je midden in de nacht voor de finale van de debatwedstrijd je moeder in de keuken aantreft die stilletjes zit te huilen boven een lege beker Napolitana-ijs omdat ze zich afvraagt waar het in godsnaam is misgegaan met haar en haar familie en hoe ze nu weer aan geld moet zien te komen voor de borgsom van oom Jack, of ze dan misschien maar portier moet worden bij het winkelcentrum (mijn moeder is een gepensioneerde geschiedenislerares en parttimebibliothecaresse en hoewel ze dol is op mensen en een indrukwekkend hoge vervelingsdrempel heeft, denk ik dat zo'n portiersbaantje alle levensvreugde uit haar weg zou zuigen) en je haar je spaarpotje aanbiedt van al die slopende uren serveerwerk en bijlessen geven en ze dat in tranen aanneemt, waar jullie allebei meteen weer spijt van hebben; en als haar betraande gezicht het eerste is wat je voor de geest komt als iemand over drugs begint, dan lijkt die nervositeit niet eens zo heel erg misplaatst.)

Het enige wat Max met een glimlach zei, was: 'Gewoon voor de lol.' We zaten in de keuken; ik herinner me nog goed dat hij melk zat weg te klokken, wat me om de een of andere reden irriteerde. Net zoals iedereen (en misschien wel meer dan ieder ander) voelde ik me verraden, maar ook lichtelijk medeplichtig. Alsof de lol ervan ons blind had gemaakt.

En het maakte me razend. Razender eigenlijk dan ik me voorzover ik wist ooit had laten maken (inclusief de keer dat Tobias per ongeluk mijn auto in de prak had gereden terwijl ik hem nota bene had gezegd dat hij hem niet mocht lenen). Dat gevoel was merkwaardig opwekkend, als een vitamineshot. Vermengd met een giftige mix van gerechtvaardigdheid, ontgoocheling, bezorgdheid en nieuwsgierigheid. (Ik was nooit veel verder gegaan dan drinken: bier, wat drank uit de ouderlijke drankkast en soms wijn met vruchtensap. De paar keer dat ik wel eens hasj heb gerookt, werd ik daar eerder opgefokt dan high van.)

Mijn onderarmen tintelden. Ik voelde me licht en boven mezelf uitstijgen. Met andere woorden: ik voelde me alsof ik wel een klap kon incasseren. Of er een geven. Maar ik voelde ook een piepklein flintertje twijfel; ondanks de overweldigende hoeveelheid bewijsmateriaal – waarvan ik het meeste met eigen ogen had gezien – verkeerde ik nog in een tussenstadium tussen geloof en ongeloof. Misschien had Max inderdaad wat van de beweerde dingen gedaan – maar van ons stelen? Daar wilde ik toen nog niet aan. Ik bedoel, Max leende voortdurend geld aan jan en alleman. Het was niet logisch. En doordat ik aan dat deel van de beschuldigingen ging twijfelen, trok ik ineens alles in twijfel.

Daarom wilde ik die middag in de keuken dat hij me een verklaring gaf. Of tenminste voorwendde een poging te doen, maar hij tuurde alleen maar in de verte. 'Je denkt veel te veel, man,' zei hij met een brede grijns. Hij had een melksnor en zijn lach drukte pesterige spot uit.

'Klopt,' zei ik (en daar heb ik nog steeds spijt van), 'daar gaat het nou juist om.'

Max schudde zijn hoofd, zei alleen maar: 'Jezus, Hortus – niet zo serieus, man,' en liep weg, met zijn melkglas in de hand. Door het raam zag ik hem het in een heg gooien.

En dat was het. Al zijn 'ingewikkeldheden' – de paradoxen waardoor hij ooit zo speciaal had geleken – vielen weg. Het was het eind van elke werkelijke vriendschap die er tussen ons had bestaan. Daarna was het voornamelijk zeep en schone schijn, zoals Ana zou zeggen.

Dat was negen jaar geleden. Veel is er niet veranderd. Zoals iedereen die zich een held waant heeft Max een tragische zwakke plek: hij mag het lot graag tarten. Als hij niet aan de mast vastgebonden wordt, springt hij geheid overboord. Hij is ervan overtuigd dat hij kan zwemmen, maar gaat steevast kopje-onder. Toch komt hij na een tijdje altijd weer boven en weet hij ongedeerd aan land te komen. En vervolgens vraagt iedereen om hem heen zich af hoe hij dat nu weer voor elkaar heeft gekregen.

Laat ik bij wijze van illustratie een wat recenter voorbeeld geven van een maand of vier geleden. Het was vrijdagavond laat, een uur of tien, en ik was weer eens in slaap gesukkeld op een stapel briefjes met neologismen. Het bureau begon zachtjes te schudden (misschien twee op de schaal van Richter van insectenaardbevingen), en door een spleetje van mijn ogen zag ik mijn telefoon blauw gloeiend naar de bureaurand hobbelen. Terwijl ik hem pakte, dacht ik: als het Ana is, ga ik dood. Het was Ana. Maar natuurlijk (alsof het opzet was?) was ik te laat.

Ik schoot overeind in mijn bureaustoel, slikte een paar keer, glimlachte, voelde me misselijk, beloofde God dat ik tien Ave Maria's zou bidden als Ana een bericht achterliet – dat alles duurde bij elkaar veertien seconden – en besloot toen dat ik haar hoe dan ook zou terugbellen. Maar toen ik mijn telefoon openklapte, begon hij opnieuw te trillen; dit keer was het volgens het scherm Max, en of ik de oproep wilde beantwoorden of negeren?

Tegen beter weten in nam ik op. Ik neem vrijwel altijd op, wat Max weet.

'Als Ana belt, niet opnemen,' riep Max in de roze behuizing van mijn oor. De molochdreun van een feest of een al vroeg tot de nok gevulde bar denderde door zijn geschreeuw heen en verbrijzelde tientallen haarcellen in mijn oor.

'Ik versta je niet,' zei ik, in de hoop hem daarmee af te schepen, maar dat werkte nooit. Daarvoor kende Max me te goed.

'Of weet je wat, kerel, kom ook hierheen,' riep Max. 'Er loopt hier veel talent rond.' Dat was een van Max' vele eufemismen om de dichtheid van aantrekkelijke vrouwen in een bepaalde uitgaansgelegenheid aan te duiden. 'We zitten in de SoPo.' Toen hing hij op. Aangezien Max graag zijn Meme 'kwijt' was ('Je moet er niet aan denken dat moeder de vrouw voortdurend aan de lijn hangt,' zei hij vaak grijnzend waar Ana bij was) was mijn vluchtige verbinding met hem (en daardoor mogelijke ontsnapping aan een leugen/vrijdagavond ad nauseam) met een piep verdwenen. En dus vertrok ik maar naar de SoPo, al zwaar geïrriteerd voordat ik mijn jas dicht had.

De wandeling vanaf kantoor was kort en somber stemmend; er lagen her en der kippenbotjes op straat en ik kreeg verschillende onomwonden verzoeken om kleingeld. Toen ik bij de SoPo aankwam, was het eerste wat ik zag Max die omringd door verschillende meer en minder mooie vrouwen een lijntje stond te snuiven op de wc's.

Max en zijn kompanen hadden iets te vieren: die middag hadden ze, na wekenlange geheime onderhandelingen, hun start-up Hermes verkocht aan Synchronic Inc. – voor meer dan honderd miljoen, dacht ik (eerlijk gezegd doe ik mijn uiterste best er niet aan te denken).

Misschien klinkt het wat schaamteloos van Max om een bedrijf naar zichzelf te noemen, maar eigenlijk is het heel toepasselijk: Hermes is de god van het woord, de handel en het dievengilde. En Hermes Corp. handelt in woorden (net als dr. D en ik, zou je kunnen zeggen, maar hun levert het heel wat meer op). Dat is in elk geval zeker de kernactiviteit van hun nieuwe moederbedrijf, Synchronic.

Ik snap niet waarom Synchronic zoveel belangstelling heeft voor Hermes. Hoewel ik ook niet echt weet wat Hermes als zodanig nou precies doet; hun vage missionstatement – 'communicatie herdefiniëren voor een veranderende toekomst' – is niet bepaald een decodeerring. Aanvankelijk waren ze vooral in de weer met stemherkenning of zo: zoeken naar betere manieren om Memes en mensen met elkaar te laten 'praten'. En ik weet dat ze een paar keer veel succes hebben gehad met onlinegames, iets wat ze er naar eigen zeggen een beetje naast deden: Word Warcraft™, Wordloxx™, Whorld™. Maar dat is nog niet echt een verklaring. Ik geloof dat ze een soort interface aan het bouwen zijn tussen de Meme en de Lexibeurs van Synchronic (ik moet er wel bij zeggen dat me dat al meerdere keren is uitgelegd).

In de bar gingen de Hermes-jongens helemaal los: Floyd kreeg onder het roepen van 'Strippers voor iedereen!' een lapdance van een geblondeerde, gespierde, mogelijk Wit-Russische tiener, Johnny Lee hing dronken over de Time Crisis-console, terwijl zijn vriendin discreet van een afstandje toekeek, en Vernon stond opzichtig met zijn stok te zwaaien en te flirten met een paar meisjes die beweerden dat ze graag lazen. (Eén zwaaide er uitdagend met haar Meme naar mij en toen ik zei: 'Hoe weet ik of je hem niet alleen gebruikt om films te kijken?' zei ze: 'Da's hetzelfde.')

Blijkbaar was niemand op het idee gekomen om Ana op de hoogte te brengen van de festiviteiten. Toen ze me later die avond belde stond ik nogal wankel op mijn benen van het huisbier en de stuk of wat/vier whisky's die ik van Max had gekregen. Max was in een van zijn gulle/opgefokte buien en ik in een van mijn – uiterst zeldzame – zuipbuien. Ik had zelfs een paar uur staan praten met een brood-magere maar verder erg aantrekkelijke Meme-programmeuse met felroze lippenstift. Koning Alcohol gaf me vleugels. Ik vermaakte me uitstekend.

Ik nam op. 'Haaaaaaa, die Ana.' Max, die naast me aan de bar zat met zijn hand in het T-shirt van een meisje met zonnebloemgeel haar, wierp me een waarschuwende blik toe. Ik knipoogde samen-zweerderig terug (waar ik, moet ik bekennen, zelf misselijk van werd).

'Weet jij waar hij uithangt?' vroeg Ana. 'Is er iets gebeurd?'

Haar stem klonk nasaal en gespannen, waaruit ik afleidde dat ze had gehuild. Het misselijke gevoel werd sterker, aangezwengeld door een scheut paniek. Om de een of andere reden die ik zelf niet begreep – hadden we het eerder al over hem gehad? – dacht ik dat ze het over Doug had. Ik deed er kennelijk te lang over om te antwoorden want ze fluisterde: 'Nee, hè,' en toen begon ze echt te huilen. Ik hoorde meteen dat het Max-tranen waren – die zaten bij haar altijd hoog – en kon wel door de grond zakken.

'Nee, nee,' zei ik druk gebarend. Mijn schriele gesprekspartner trok een schriele wenkbrauw op en nam een lange, uitdagende slok van haar Sloe Gin Fizz. Ik manoeuvreerde me met een scharende be-weging van mijn kruk af, waarbij er ducttape aan mijn broek bleef plakken, en verdween bijna op een draf naar buiten, baande me een weg door het kluitje rokers bij de deur en bereikte uiteindelijk een eilandje van relatieve rust verderop in de straat.

'Sorry,' zei ik. Ik klonk in mijn eigen oren overdreven nuchter. 'Ik kwam net langs een erg lawaaierige bar. Ik heb tot laat zitten werken' – ik keek op mijn horloge en kwam met een pijnlijke schok tot de ontdekking dat het al drie uur was – 'en de metro is op dit tijdstip een ramp, dat weet je.' Vervolgens werd ik zelf chagrijnig van de gedachte aan de metro op dit uur. Het zou – op zijn vroegst – halfvijf worden voor ik thuis was.

'Dus je hebt niets van hem gehoord?' Dat klonk zo Ana-achtig, zo bibberig, was zo'n complete afspiegeling van alles wat zij vertegenwoordigde, dat ik me haar stem voorstelde als een hoorbare streng van haar DNA. Wist ik maar een manier om hem, als hij door de gaatjes van mijn telefoon tevoorschijn kwam, op te vangen en zichtbaar te maken, dan kon ik haar in haar totaliteit tot leven wekken op de stoep, waarschijnlijk in een leren gilet of een zijden kimono of oranje fluwelen hotpants uit een tweedehandswinkeltje (niet dat ik haar garderobe zo precies ken) of iets soortgelijks onpraktisch modieus voor een julinacht, en zou ik haar in mijn armen nemen.

In plaats daarvan zei ik: 'Hij is bij mij. We zijn aan een project bezig waar ik hem mee help... en hij is blijven hangen...'

'Kan ik hem even spreken? Een minuutje maar.' De opluchting in haar stem bezorgde me een wee gevoel. Ik wilde niet terug die bar in om mijn telefoon in de andere hand van Max te duwen dan die waarmee hij de borsten van een of andere griet zat te strelen. Toe te moeten kijken hoe hij haar voorloog. Alsof ik zelf tegen haar stond te liegen. Mijn duivelse dilemma werd pijnlijk voelbaar. 'Ach,' kuchte ik, 'je kent Max.'

Na een stilte, waarin ik me afvroeg wat dat kon betekenen (en bang werd dat zij zich dat ook afvroeg), zei ze: 'Hij ligt in coma zeker? Is hij aan het snurken?' Ze deed hard haar best om dat vrolijk in plaats van neurotisch bezitterig te laten klinken. Het was moeilijk uit te maken of ze mij voor de gek wilde houden of zichzelf.

'Als een neushoorn,' zei ik, hoewel ik me afvroeg of die geluid maken bij het slapen, maar het was het eerste wat bij me opkwam, waarschijnlijk vanwege de 'neus'. Het zweet brak me uit en ik nam het Ana bijna kwalijk dat ze mij zo herinnerde aan mijn plaats in het morele universum. 'Ik weet zeker dat hij je morgen meteen belt. Ik ben zelf trouwens ook bekaf.'

'Ja, natuurlijk.' Ze klonk lichtelijk in haar wiek geschoten. 'Het spijt me. Ik maakte me zorgen. Kon niet slapen. Hij is de laatste tijd nogal vaak de hort op, zie je. Ik wilde alleen maar zeker weten dat er niks gebeurd was.'

Ik vond het vreemd, grenzend aan verontrustend, dat ze niet wist dat Max de verkoop van Hermes aan het vieren was. Was het ook maar in de verste verte denkbaar dat het nieuws haar nog niet had bereikt? Het enige wat ik zei was: 'Je moet je niet zoveel zorgen maken,' en even probeerde ik me in te beelden dat dat waar was, dat haar zorgen nergens op gebaseerd waren (als ze op mij verliefd was geweest, zou dat ook zo zijn). 'Ga nou maar gewoon slapen. Welterusten, amanuensis,' hoorde ik mezelf zeggen. 'En nou weet ik nog niet wat je aanhebt.'

En terwijl ze zei: 'Heb je gedronken, Bart?' klapte ik de telefoon zachtjes en uiteraard verdrietig dicht en bleef op het golvende trottoir staan tot de wereld klaar was met zijn trage dans met me.

Maar dat is niet het punt waarop ik wil eindigen. Als we het toch over liefde hebben, lijkt het me niet meer dan juist om terug te keren naar het uiterst merkwaardige verhaal dat Ana me eerder vanavond vertelde nadat ze me uit mijn in Ana gedrenkte dromerijen had gewekt. Ana, die de laatste tijd zo vreselijk eenzaam lijkt, en die, tot vanavond, mijn bezorgde (zij het misschien zwijgende) aanbiedingen van hulp heeft afgeslagen: een luisterend oor, een schouder om op uit te huilen, etc.

We zaten dij aan dij in mijn donkere kamer met de deur op slot terwijl zij in mijn oor fluisterde. Met andere woorden, ik vond het wat lastig me te concentreren op de werkelijke klanken die ze vormde in plaats van op het gevoel dat de warme adem me bezorgde die zo zoet uit haar mond in mijn op scherp staande oor stroomde. En ik moet bekennen dat ik niet echt luisterde totdat ze zei: 'Luister je wel, Bart?'

'Nee,' zei ik wijselijk.

Heel even leek ze in tranen te zullen uitbarsten, wat heel akelig was, maar toen raakte ze mijn knie aan, wat zeer aangenaam was, en zei: 'Daarom mag ik je zo graag, Bart. Eerlijkheid is een deugd.'

Die uitspraak deed me terugdenken aan, bijvoorbeeld, de Nacht van het Golvende Trottoir, en ik voelde me een ogenblik weer heel afschuwelijk, maar meteen daarna stak ze van wal. Ze begon haar verhaal weer van voren af aan, dus ik moest als een haas dat rotgevoel van me af zetten om me te concentreren. Toen ze me de pagina van de J in dr. D's Alef liet zien, verzekerde ik haar dat daar vast een eenvoudige verklaring voor was.

'Zoals?' vroeg Ana op een toon die sceptisch en hoopvol tegelijk was.

'Vergeet niet dat Synchronic die dingen niet voor niets weer van de markt heeft gehaald,' improviseerde ik. Dat leek een licht verbeterend effect te hebben. 'Of misschien is het hem eindelijk gelukt die "correctie" door te voeren, waarmee hij al zo lang dreigt.'

'Misschien,' erkende ze. (Ik was daar zelf ook wel een beetje nieuwsgierig naar.)

De berichten via de buizenpost waren ook makkelijk van tafel te vegen. Dr. Thwaite, zo zei ik tegen haar, was vrijwel zeker gestoord, maar ook ongevaarlijk. En de pseudodefinitie was waarschijnlijk een geintje.

'Een geintje?' zei ze. 'Maar er is niets grappigs aan.'

'Wat is de definitie van grappig?' zei ik. Ze lachte niet. 'Snap je? De definitie?'

'Ik snap het.'

Het Alice-gedoe was een stuk lastiger te ontzenuwen. Ik stelde voor om samen naar Dougs telefoon te gaan kijken, maar dat wilde ze niet. Zelfs toen ik (dapper, vond ik zelf) voorstelde om alleen te gaan, zei ze nee, waardoor ik me gevleid voelde, wat me de moed gaf, toen ze 'We moeten hier weg, Bart,' zei, aan te bieden haar te vergezellen naar het appartement van dr. D. Wat ze aannam.

In de hal deed Rodney in al zijn argeloosheid een hoop van mijn goede werk teniet door te zeggen: 'En? Gevonden?' Ana keek me in paniek aan en ik toverde snel een verhaal uit mijn mouw (dat ik toevallig zelf wel geloof) dat Doug waarschijnlijk het gebouw had verlaten op het moment dat Rodney even pauzeerde. 'Ik ben hier vanaf vijf uur niet weg geweest,' zei Rodney, en hij keek me vreemd aan. (Misschien had ik hem beledigd? Dacht hij dat ik bedoelde dat hij zich had gedrukt? Of misschien vroeg hij zich alleen af hoe het me gelukt was om Ana in haar eentje te strikken op een vrijdagavond.) Op de een of andere manier slaagde ik er met een combinatie van aansporende geluidjes, veelzeggende armgebaren en het op kalme toon gedag zeggen van Rodney in om Ana gerust te stellen en (het belangrijkste) naar buiten te werken. (Ik moet toegeven dat het me wel beviel om de leiding te nemen.)

Ik kan me nauwelijks meer herinneren wat ik heb gezegd om de storm af te wenden toen we bij Doug aankwamen en hem niet thuis troffen. Ik geloof dat ik heb beloofd dat we de politie zouden bellen als hij er 's ochtends nog steeds niet zou zijn (wat nog wel eens lastig kan worden, vooral als D me voor de voeten werpt dat ik de boel uit de hand heb laten lopen, maar vannacht is vannacht, morgenochtend zien we verder).

Toen Ana en ik weer buiten stonden, had ik nauwelijks de tijd om hoop te koesteren: er kwam een taxi aanrijden, ze hield hem aan met haar Meme en zei: 'Ga je mee?' Ik was zo overrompeld dat ik als eerste instapte, nog voordat hij volledig tot stilstand was gekomen. Ze stapte na mij in, kwam zowat op mijn schoot terecht, en voor we het wisten waren we hier – zijn we hier – een paar straten verder, bij haar thuis, alleen met zijn tweeën ('alleen met zijn tweeën' is een zinsnede die ik vroeger niet op waarde wist te schatten).

Voor vanavond was ik daar nog nooit geweest. Hoe vreemd dat was, besefte ik pas tijdens mijn bestijging van de vierde en laatste trap – een moment waarop mijn hart (misschien alleen van de inspanning van de klim, of misschien als gevolg van de verbijsterende gedachte dat ik op het punt stond Ana's domein te betreden) op hol sloeg. Toen we boven waren, moest ik even steun zoeken bij de muur.

Tot voor kort zou ik de staande niet-uitnodiging voor een bezoek aan wat voorheen Max & Ana's adres was niet erg vreemd hebben gevonden, maar toen Ana me eindelijk enigszins verontschuldigend binnenliet (wie hier op enigerlei wijze een oordeel in meent te herkennen heeft het vreselijk mis, maar de talloze stapels kleding en ander puin van de breuk die overal rondslingerden verhinderden zelfs dat de deur helemaal open kon), realiseerde ik me met een licht gevoel van verbazing dat ik op uitnodiging van Max al twee keer in zijn nieuwe huis ben geweest. Een keer in de zomer, vlak nadat hij het had gekocht (ik weet niet of Ana weet dat hij het al zo lang heeft en ik ben zeker niet van plan haar daarvan op de hoogte te brengen), en een paar weken geleden nog eens, voor een vermeende 'housewarming' (een gebeurtenis die zoveel verveling uitwalmde dat ik mijn jas nog niet eens helemaal open had toen ik al besloot weer te vertrekken).

Toen ik vanavond midden in Ana's woonkamer annex eetkamer annex werkkamer stond, had ik geen grotere schok kunnen krijgen van het contrast tussen hun woonomgevingen dan wanneer ik aan een stopcontact had gelikt.

Het valt niet te ontkennen dat Max' huis een zekere charme bezit. Ik bedoel, het is een negentiende-eeuws koetshuis in het kloppende hart van Red Hook, op loopafstand van het water (en dus helaas ook van het monsterlijke nieuwe beeld van Koons, dat in theorie bedoeld is om het water tegen te houden). Vanaf Max' dakterras heb je uitzicht over de baai en die reusachtige, onaandoenlijke godin wier luisterrijke groene patina al eeuwenlang de verwachtingsvolle reizigers naar de Nieuwe Wereld een hart onder de riem steekt. Verder heeft hij twee werkende open haarden, een kleine thuissauna, een piekfijn bijgehouden achtertuin, een professionele biljarttafel, etc. De grootste badkamer is voorzien van een fikse schildering op een afbrokkelend stukje muur die naar verluidt is gemaakt door Banksy in de tijd dat niemand nog wist wie dat was. Onder een van de trappen bevindt zich een allercharmantst ouderwets filmzaaltje, maar natuurlijk heeft Max in zijn werkkamer ook een CubeYMax 3D-printer, een gliefprojector, een simulator en een soort griezelig, 'onderdompelings'gamehok dat hij op zijn Meme kan aansluiten. Anders gezegd: Max woont in een advertentie uit een klassiek mannenblad.

Maar de flat die hij meer dan drie jaar met Ana heeft gedeeld? De plek waar zij nog steeds woont? Toen ik over de drempel stapte, kon ik even geen woord uitbrengen. Om te beginnen is het er heel erg klein, misschien zelfs kleiner nog dan mijn flat. Hij bestaat uit de ruimte waar je binnenkomt, waarover ik het hierboven had, een piepklein keukentje links daarvan en daarachter een badkamer. Rechts is de slaapkamer, die niet eens een deur heeft (een kamer waarvan ik de zenuwen krijg als ik er alleen al aan denk). Maar dat is alles. *Le tout.* Je kunt het zowat in één blik vanaf de deurmat in zijn geheel overzien.

Verder ligt het er, en dat is nog verbazingwekkender, vol zooi. En daarmee bedoel ik geen troep – want veel ervan is onweerstaanbaar prachtig – maar spullen: lampenkappen met grillige, vervlochten vormen waarvan de referenten in het flora-faunaspectrum nogal twijfelachtig zijn, niet bij elkaar passend servieswerk (waarvan een groot deel in de gootsteen), mooie glaasjes met een oude, afgesleten gouden rand, planten in verschillende stadia van vitaliteit, een stoffige stofzuiger met scoliose, een kleine stenen neushoornkop aan de muur, oude muziekinstrumenten (een gebutste hoorn, een hakkebord (?), een luit (??)). In een van de hoeken hangt een angstaanjagend mobile van scharen als het zwaard van Damocles boven een 'gemakkelijke' stoel (ha).

Alle stoelen – een onwaarschijnlijke hoeveelheid (zeven, misschien?) – liggen onder de kleedjes en verbleekte tapijtjes en nogal platte kussens vol afbeeldingen van bloemen, dames en fleurs de lis. Aan de muren haakjes beladen met sjaals – wol met Schotse ruiten, zijde, met kwastjes – en jassen en handdoeken. Planken vol truien, lakens, tennisrackets. Een rommelig altaar voor laarzen en schoenen. Een heuse explosie van hoeden, opgestapeld op een rek aan de achterkant van de deur (pillbox, cowboy, fietshelm, gleufhoed). Jurken uit elk decennium aan een kledingrek op wielen (de golvende stofjes voelen bijna levend aan, alsof ze zo van hun haakjes kunnen glip-

58

pen). In de keuken staat een schedelvormig peper-en-zoutvaatje te grijnzen naast een dikke stenen kok met het woord 'KOEKJES' op zijn buik (als je je ogen half dichtknijpt heeft hij in de verte wel wat van Doug). Zelfs de vensterbank heeft bewoners: een opwindrobot, een plastic boogschieter, een tinnen tempeltoren, een konijn dat een wortel zit te eten, een lege vaas en een whiskyfles (ook leeg).

Op een van de overvolle planken zag ik tot mijn verbazing oude cd's liggen – en mijn verbazing groeide bij het zien van de artiesten: er zaten er een paar tussen waarvan ik aannam dat ze van Max waren, maar een heleboel waarvan ik zeker wist dat ze dat niet waren: Joan Jett, The Avengers (!), Kim Gordon en Bikini Kill, Suzanne Vega en Björk en ook nog een verbijsterende zooi beroemde oude country- en blueszangers: Wanda Jackson, Loretta Lynn, Rose Maddox, Lefty Frizzell, Nina Simone, Robert Johnson en Sister Rosetta Tharpe. Ik stond versteld. Ana zag me naar de muziek kijken en lachte een beetje gegeneerd. 'Ik weet het, wie heeft er nog cd's?' zei ze. Ze vatte mijn blik blijkbaar verkeerd op. 'Ik kan moeilijk dingen weggooien. Die zijn nog uit mijn middelbareschooltijd.'

Ik was nog verbaasder toen ik haar werk zag – háár werk – dat overal lag en hing, bijna alles op papier. Ik dacht altijd dat Ana vooral met gliefen werkte – ik had kunnen zweren dat ze me dat ooit had verteld – en er staat ook inderdaad een grote gliefprojector in de slaapkamer, onder het grote simscherm. Maar ik zag ook heel precies gemaakte, fotorealistische tekeningen in zwart-wit: een woeste lucht vol donderkoppen boven uitgeputte, lege akkers, het uitgebrande chassis van oude auto's, reusachtige, stille gletsjers, afkalvend ijs, extatisch dansende magere vrouwen met fladderjurkjes aan, met oogwit dat bijna leek te stralen. Schrijnende tekeningen. Verbijsterend. Bijna verlammend. (Ik wankelde zelfs even langs de afgrond van de angst dat mijn traanklieren zouden gaan opspelen.)

De schilderijen waren al even godvergeten knap. Diepe, verzadigde kleuren, gestileerd en kaal. Merkwaardige hoeken die occlusie suggereerden. Een fixatie op woorden in ouderwetse verschijningsvormen: krantenkoppen, versnipperde pagina's uit het telefoonboek, intrigerende billboards waar de affiches deels van afgebladderd waren. Toen ik een opmerking maakte over affiniteit met taal, en erfelijkheid en Freud – zo doorzichtig dat ik bang was dat ik als een cultuurbarbaar zou klinken – liet Ana een geschrokken, gorgelend lachje horen. Haar (normaal al enorme) ogen werden nog groter. En meteen werd ik overspoeld door een warme, prikkende golf wroeging.

Maar het waren vooral de foto's van vroeger die me van de sokken bliezen. Sommige waren echte kiekjes en de muren waren ermee volgeplakt. (Die waren, uiteraard, oud en het waren vooral gezinstaferelen; dat soort spontaan gemaakte foto's zie je tegenwoordig niet meer.) Bij het zien van een ervan – van Vera, Doug en een jonge Ana die elkaar achternazitten met taarten, Ana met een slagroombaard en Vera die de lachtranen uit haar ogen staat te vegen – bracht ik mijn hand onwillekeurig naar mijn hart. Niet alleen omdat ze er toen allemaal zo gelukkig uitzagen, maar ook omdat ik merkte dat ik vanzelf keek of er geen andere kinderen in beeld waren en ik me met een scherpe, kille steek realiseerde dat Ana's jeugd verschrikkelijk eenzaam moet zijn geweest. Ik kan me letterlijk niet voorstellen hoe het zou zijn geweest om op te groeien – iemand te worden – zonder de kleine Emma met haar eeuwige blauwe dekentje in haar hand die voortdurend achter me aan hobbelde als een blond balletje dat met elastiek aan me vastzat, onder het uitroepen van 'Hortie! Wacht!' Of zonder Tobias' niet-aflatende spervuur van stoeiaanvallen, waardoor ik altijd onder de blauwe plekken zat (die mijn zachtmoedige ouders alleen maar pijnlijker (en verwarrender) maakten door ons allebei te straffen met een lauwe, paradoxale vorm van lijfstraf).

Ik zag nog een hele zwik foto's op Ana's Life-profiel (dat ik trouwens niet zelf opende, maar dat openstond op haar sim). Terwijl Ana penne kookte, kwam ik al rondkijkend in de slaapkamer terecht en bladerde ik er wat in rond. De meeste waren van Ana met haar vriendinnen – van wie ik de namen tot mijn schande op de een of andere manier ergens lijk te hebben opgedoken. Ramona bijvoorbeeld, Ana's vriendin van Saint Ann's, een ballerina-achtige slanke brunette met een melkwitte huid die misschien niet aan de heersende schoonheidsnorm voldoet, maar desondanks heel markant is. (Na haar een paar keer te hebben gezien als ze Ana op kantoor kwam opzoeken, ben ik tot de conclusie gekomen dat het 'm zit in a) haar scherpe, stroboscopische gevoel voor humor, dat grenst aan het doodenge, en b) haar ongelooflijke ogen, waarin een fel soort saterachtig vuur brandt.)

Haar beste vriendin is volgens mij Coco. (Ik heb het vermoeden dat Ana vaak bij haar logeerde toen Max en zij in een crisis zaten.) Zij is meer een klassieke schoonheid dan Ramona – ik weet bijna zeker dat ze half Frans, half Ethiopisch is. Net als Ana is ze beeldend kunstenaar en ze schijnt nogal succesvol te zijn (ze werkt vooral met reuzel, heb ik begrepen). Ik geloof zelfs dat het Ana was die haar aan haar galeriehouder heeft voorgesteld en haar heeft geholpen om een kunstenaarsvisum te krijgen.

Dan heb je nog Audrey, tweedejaars rechten aan NYU. Over haar weet ik niet zoveel, maar wel dat ze een uiterst suggestieve tatoeage heeft van een grote garnaal die discreet opgekruld op haar tengere bovenarm zit, met daarboven de tekst KEIZERGARNAAL (volgens Ana een ironisch commentaar op haar status van tweedegeneratie-Shanghaise en (treffender) op de omgekeerde evenredigheid tussen Audreys eigen omvang en die van haar banktegoed).

Het vijfde meisje uit de groep heb ik nooit ontmoet. Jesmyn heet ze, dacht ik. Uit de foto's kan ik alleen opmaken dat ze lang en bleek en enigszins slungelig is, met een vooruitstekende kaak en een rare, gekartelde pony van roodzwart haar. Beetje punkrock (anders gezegd: mijn type dus, als Ana niet het enige type op de wereld zou zijn).

Max is opvallend weinig aanwezig, wat ik niet heel erg vind. Er hangen nog een paar foto's van hen samen (de paar die ze niet heeft kunnen weggooien, vermoed ik): naast elkaar op de fiets, terwijl ze wiebelend zoenen, elkaar lacherig plettend op een lelijke bruine bank, zwaaiend in een oude, mosterdgele cabriolet met het dak naar beneden in een of ander stadje in New England. Een zwart-witfoto van hen samen, opgedoft voor de bruiloft van een vriend, waarop ze eruitzien als sterren in een film van Godard.

En waar het om gaat is dit: terwijl ik zo in adoratie door Ana's kamers dwaalde, voelde ik me verrassend opgewekt en op mijn gemak. Het was er zo krap en klam en alledaags huiselijk, zo eenvoudig en rommelig en gewoon – waarin het dus heel erg leek op mijn woning – dat het me hartkloppingen bezorgde en mijn liefde voor haar zelfs nog groter maakte (als dat mogelijk is), als een ballon die wordt opgeblazen. En het bezorgde me tegelijk een nieuw respect voor Max, zij het knarsetandend.

Maar goed, ik dwaal af. Want voor mij kwam de mooiste ontdekking van die avond, zelfs alles in aanmerking genomen, in de vorm van een uitpuilende, kapotte doos. Overbodig te zeggen dat die er niet bijzonder interessant uitzag. Stoffig. Volgepropt met oude bekers en medailles en boeken. (Ana had hem onder de keukentafel vandaan gehaald om plaats te maken voor een bed voor mij op de grond.) Natuurlijk ging ik ervan uit dat de dingen die erin zaten van Max waren – en bij elkaar waren gegooid om ze makkelijker te kunnen wegdoen. Het was een logische vergissing: op een van de bekers waren twee figuurtjes afgebeeld die met elkaar vochten (of, zoals ik later te weten kwam, judoden). Het ontging me dat ze allebei een paardenstaartje hadden. Pas toen ik me verbaasd vooroverboog om er een oude *Black Hole* uit te vissen (nummer 2, 'Racing Toward Something', november 1995, met een afbeelding van Chris op de voorkant), veranderde mijn idee van de doos en zijn inhoud.

Ik floot en liet de strip voorzichtig op mijn hand balanceren. 'Niet te geloven dat Max dit heeft,' zei ik lachend, wat zij misschien als spottend interpreteerde.

Ze stond opeens naast me en pakte het album gedecideerd en heel streng van me af.

Ik voelde me bestraft en was bang dat ze dacht dat ik Max belachelijk maakte (maar ook gekwetst of teleurgesteld dat ze hem nog steeds in bescherming nam). 'O nee, ik wilde niet... ik bedoel, hij pestte me altijd omdat ik...' begon ik.

'Hij is niet van Max,' zei ze kortaf en er verschenen roze blosjes op haar wangen.

Toch duurde het nog een hele tijd van stom staren naar de gemaltraiteerde doos, waarvan ik nu pas zag dat hij vol zat met beduimelde verzamelingen van geweldige twintigste-eeuwse stripalbums – *Krazy Kat, Max & Moritz, Kleine Nemo in Dromenland* – tot ik begreep wat ze bedoelde.

'Hij pestte mij er ook mee,' zei ze, om snel terug te krabbelen: 'Nou ja, niet echt.' Ze had nu een nog vertederender kleur, bijna knalrood. 'Hij noemde het schattig. Altijd als zijn oog op de plank viel waar ze stonden, moest hij er iets over zeggen. Tegen mij. Of tegen mensen die op bezoek waren. Het was altijd het eerste waar hij anderen op wees. En ook op de bekers. Hij vond het prachtig om me voor de grap in een judogreep te nemen.' Ze greep me bij mijn mouw en maakte een dansachtig sprongetje in mijn richting. Mijn hart bonsde als een kanon. Toen liet ze los en zei ze met een schaapachtig schouderophalen: 'Ik heb hem zo zelfs een keer bijna flink bezeerd.' Ik kreeg er kippenvel van.

'Maar goed,' vervolgde ze, 'na een tijdje begon het me behoorlijk de keel uit te hangen. Ik wist wel dat hij het niet kwaad bedoelde – zo is hij gewoon. En ik dacht: als ik alles nou gewoon daarin stop' – ze gaf een zachte trap tegen de doos – 'dan wordt hij het vanzelf wel beu en houdt hij zijn mond. En dat was uiteindelijk ook zo. Maar in de tussentijd ben ik die doos zelf ook min of meer vergeten. Ik heb die spullen in geen jaren meer bekeken.' Ze schudde glimlachend haar hoofd en sloeg haar hand voor haar gezicht. Maar onder het restantje gêne ging een hint van weemoed schuil, misschien een lichte opstandigheid. En daardoor voelde ik een minuscuul, irrationeel belletje hoop opstijgen. Wat nog iets sprankelender werd toen ze na deze biecht tussen haar vingers door naar me keek en mijn blik een onverklaarbare tel lang vasthield.

Intussen is het al flink laat en heeft Ana me zoals gezegd in al haar goedheid een slaapplaats aangeboden en me zelfs wat oude dingen van Max te leen gegeven om in te slapen. En zo'n aanbod sla ik niet af, daar ben ik veel te verstandig en veel te zwak voor. Ze ligt heel dicht bij waar ik aan de keukentafel zit en snurkt zachtjes. Ik ben nu echt verschrikkelijk moe en ook wel bang dat ze wakker wordt van het licht en ziet dat ik zit te schrijven, wat ons allebei een ongemakkelijk gevoel zou bezorgen. (Ze zou bepaalde vragen kunnen stellen – zoals 'voor' wie ik dit dagboek schrijf – waar ik liever geen antwoord op geef, omdat ik het zelf ook niet weet.) Ik ben ook bang dat hier een eind aan komt. Ik zou dus nog heel even bewust willen genieten van het gevoel dat ik nu heb.

Daarom: tabee.

C

communicatie /k·my·ni·'ka·tsi/ (de (v.); -'s) 1 de geslaagde overbrugging van subjectiviteiten 2 het verspreiden van een ziekte
3 iets vermetels wat je dient te vermijden

'Alice,' kraste de stem van dr. Thwaite. 'Ben jij dat?'

Ik werd overvallen door een gespannen wattengevoel van verwarring. Ik had hem niet met mijn Meme gebeld, maar vanuit een telefooncel een paar straten verderop.[II]

Hij zou mijn naam en foto niet moeten kunnen zien. En dan heb
ik het nog niet eens over de naam die hij noemde. Het kwam niet bij
me op dat hij mijn telefoontje waarschijnlijk al verwachtte. Toen ik
hem de codenaam hoorde gebruiken nog voordat ik iets had gezegd,
dacht ik dat ik werd bespied. Ik wierp een blik op de kruising van 49th
en 9th Street en keek opgejaagd van de bodega naar de lampenwinkel.
De glazen puien van beide panden schitterden in het felle late och-
tendlicht. Ik zag alleen maar een man in een zwarte overjas met in
zijn handen een papieren zak ineengedoken op de stoeprand zitten.

'Nee?' zei ik, na een behoorlijk stevige pauze.

'Nee?' vroeg dr. Thwaite. 'Weet je het zeker?'

'Ja?' zei ik, maar met weinig overtuiging.

II. Het was een van de weinige openbare telefoons die New York nog rijk was.
In Hell's Kitchen, waar nog steeds een paar peepshows te vinden waren en een
groot aantal kantoren van bedrijfsadvocaten, was er nog steeds veel vraag naar
anonimiteit.

Zoals ik al aangaf, heet ik niet Alice. Mijn naam is, volledig à la Doug, uiterst obscuur. Nog geen dag nadat ik ter wereld was gekomen, ging hij me Anana noemen. Ik heb nooit iemand anders met die naam ontmoet. En hoewel ik me mettertijd met mijn naam heb verzoend en die ben gaan beschouwen als mijn persoonlijke mascotte, heb ik eerst jarenlang een hobbelige nasale bergketen gehoord waar mijn vader evenwicht en schoonheid zag. Anana: een palindroom – een reflectie – een synthese van paradoxale uitersten. *Masculin féminin*. In Afrika is het een naam voor meisjes, in India voor jongens. In het Swahili betekent het 'zacht', 'teder', 'mild'. In het Sanskriet heel prozaïsch 'gezicht'. Volgens Doug betekent het in het Eskimo 'lieflijk' en in het Ugweno 'harmoniëren'. Het rijmt met '*banana*'. En als je er een s aan plakt om mij in het meervoud te zetten, krijg je nog een vrucht. Mijn vaders lievelingsvrucht: de ananas.

Wat had het dus te betekenen dat dr. Thwaite mij Alice noemde? Dat hij had geraden dat ik het was aan de telefoon? Was hij een vriend van mijn vader? Of had hij iets te maken met wat ik inmiddels als Dougs ontvoering was gaan beschouwen? Wist hij iets over mijn vaders verblijfplaats?

'Wie bent u?' vroeg ik, en ik schraapte beleefd mijn keel.

Er viel een krakerige stilte. En toen, zoals ik eigenlijk al had verwacht, vroeg dr. Thwaite: 'Wie ben jij?' Eventjes werd ik rondgeslingerd in de koude draaikolk van een déjà vu: twaalf jaar was ik, weer stond ik op de versleten planken van een zwart toneel, in een stijve blauwe jurk en met een geplooid schort; Dougs flits zond witte lichtschichten vanaf de donkere eerste rij van het theater van Saint Ann's, Tobey Ringwald plukte het koperen mondstuk van een echte waterpijp van zijn dikke, van speeksel glimmende lippen. 'Wie ben jíj?' vroeg hij. Het laatste woord schreeuwde hij zowat. 'Ik weet het eigenlijk niet precies, meneer,' antwoordde Alice de Rups.

Ik wist niet goed wat ik moest zeggen.

De ineengedoken man op de stoeprand rilde toen er een gure windvlaag door de straat joeg en ik was dankbaar voor de bescherming die de cel bood. 'Dr. Thwaite...'

'Noem me alsjeblieft niet zo,' zei hij.

Ik wachtte tot hij verder zou praten. Uitleg zou geven. Een andere naam zou noemen. Toen hij bleef zwijgen, had ik de absurde gewaarwording dat ik met een vreemde sprak die ook van mij dacht dat ik iemand anders was. Ik wilde mijn Meme uit mijn tas halen om het nummer dat ik had gebeld op te zoeken en de identiteit van mijn gesprekspartner te controleren, maar besefte ineens met een ongemakkelijke schok dat ik hem thuis had laten liggen. Dat was niets voor mij.

Intussen bleef het stil. En er gebeurde nog iets vreemds: een vrouw met een rode bril en een staalgrijs bobkapsel slenterde langs en staarde naar me op een manier die heel direct overkwam. Ongemakkelijk wendde ik mijn blik af naar de man die op de stoeprand hing en die inmiddels uit zijn papieren zak zat te drinken. Met een hol gevoel in mijn maag tuurde ik naar hem om te kijken of het soms Max was. Maar deze man was kleiner. Hij had een grauwe huid. Toen een nieuwe vlaag de zwarte capuchon van zijn hoofd woei, zag ik zijn kortgeknipte donkere haar. Allemaal details die ik me in een flits herinnerde toen ik hem later op straat terugzag.

'Alice,' zei dr. Thwaite ten slotte. 'Dat wil zeggen als je inderdaad Alice bent. Ik denk dat je hierheen moet komen. We moeten het over je vader hebben.' Ik huiverde. Sinds ik mijn vaders afwezigheid had ontdekt, had ik getracht Barts raad op te volgen en me geen zorgen te maken. Mezelf voorgehouden dat ik me alleen maar had laten aansteken door Dougs paranoia. Dat er niets aan de hand was.

Toch had ik slecht geslapen. In gedachten had ik steeds weer het gesprek afgespeeld dat ik de week ervoor met Doug in de metro had gehad, over de vreemde mails die hij beweerde te hebben ontvangen, de plotseling hoge verkoopcijfers van de NADEL, die naam, Alice, die ik later ook op zijn telefoonscherm had gezien, de pillen die hij me had gegeven. Mijn hoofd was gaan bonken. De dekens waren te warm, maar alleen onder het laken was te koud. Ik wilde opstaan. Iets doen, wat dan ook. Maar ik had al tientallen keren geprobeerd Doug te bellen. Er viel zo midden in de nacht niets te doen. En ik had Bart, die op mijn keukenvloer lag te slapen, niet willen wekken.

Om een uur of drie had ik mijn Kroon opgezet, de Oortjes in mijn oren geplugd en mijn Meme geprogrammeerd voor een dosis Slaap-Wel® – ten strengste verboden door Doug. Ik had hem ingesteld op de allerlaagste dosis en uiteindelijk maar vijf of zes uur geslapen.

Toen ik weer wakker werd, was er nog steeds taal noch teken van Doug. Voordat ik eropuit ging om dr. Thwaite te bellen, had ik Dougs werknummer en thuisnummer al gebeld. Beide nachtportiers gesproken. En een paar van zijn vrienden. Ik had zelfs overwogen contact te zoeken met mijn moeder.

Ik had Vera al weken niet gesproken, de laatste keer was nog voordat het uitging met Max. Ze was vrijwel al die tijd op reis geweest – naar India, China, Zuid-Europa en beide Korea's, had parken en tuinen bezocht en spulletjes gekocht voor haar niet meer zo nieuwe appartement aan de Eastside – en ik had haar reizen niet willen verstoren met mijn gebroken hart.

Dat had ik mezelf althans wijsgemaakt. Eerlijk gezegd had er meer achter gezeten: ik hield veel van mijn moeder, maar ze was doorgaans niet degene bij wie ik troost zocht in barre tijden. Ze keurde tranen stilzwijgend af. Gaf bij voorkeur 'behulpzame adviezen'. Die mij zelden verder hielpen. Ik doe niet aan yoga, heb geen groene vingers zoals zij, ga niet graag winkelen, al helemaal niet in zaken waar ik zelfs de kaarsen niet kan betalen die ze er branden om je in een stemming te brengen waarin je makkelijk je portemonnee trekt, en in tijden van verdriet kan ik me er niet toe zetten etentjes te geven of sociale happenings bij te wonen. Ik had wel meer gedronken dan anders, soms alleen, soms met Audrey en Ramona, die me trachtten op te vrolijken met verhalen over de geweldige feesten die ik steeds maar niet met hen bezocht.

Ik had ook geprobeerd mezelf te dwingen om in de weekends met Coco af te spreken in Greenpoint. Haar atelier lag naast het mijne en het lukte haar eigenlijk altijd om me op te monteren, of ik dat nou wilde of niet. Ze zong liedjes van Bob Dylan en Sylvie Vartan door onze gedeelde muur en droeg gedichten van e. e. cummings voor. Soms vloog er een stuk papier verzwaard met een oude munt over de afscheiding met daarop een bericht, bijvoorbeeld: 'Hou je nog van me? Vink het juiste antwoord aan: ❑ Ja ❑ Nee.' Als het laat werd, kwam ze buurten met noedels en bier.

Ik wilde haar niet van haar werk houden – ze had twee exposities op stapel staan – maar het lukte me zelf niet om me tot werken te zetten en dat wist ze. Ze trof me vaak opgerold op mijn ateliersofa aan, waar ik B-films lag te streamen via mijn Oortjes. Dan duwde ze me zacht opzij, zodat ze erbij kon, ik met mijn hoofd op haar schoot. Vervolgens streamde ze dezelfde film op haar eigen Meme, ook al had ze een hekel aan aliens en monsters. Vaak opperde ze ook voorzichtig dat ik mijn moeder moest bellen. 'Ik ben alleen maar jaloers, Nans. Jij kunt haar zien wanneer je wilt.' Coco's moeder woonde in Parijs.

Er waren trouwens ook veel dingen die ik wel graag met Vera deed. Winterse weekends bracht ik het liefst met haar door. Samen naar een van de laatste nog bestaande filmhuizen in Houston Street om alle schreeuwerige blockbusters van het afgelopen najaar waar we allebei dol op waren te zien. De boerenmarkt op Union Square afstruinen naar alles wat geen knolgroente was. Gulzig de lucht opsnuiven van de geurende rijen scheefhangende kerstbomen. (Vera was ertegen om ze voor slechts een paar weken binnenplezier om te hakken, daarom hadden wij er toen ik opgroeide thuis nooit een gehad. Maar we hielden wel allebei erg van de geur.) Fantastische verhalen en bijbehorende tekeningen verzinnen als we vrijwilligerswerk deden op de kinderafdeling van het Mount Sinai Hospital. Met de Q-lijn helemaal afzakken naar Avenue J voor een punt van de grootste pizza ter wereld, een tripje dat we eens per jaar maakten. En – misschien wel het beste van alles – uren in de keuken staan: bakblikken vol dambordkoekjes en Linzer-harten, zanddeegkoekjes, truffels en meringues maken. Ogenschijnlijk waren ze voor vrienden en familie en we stuurden ook heel wat met waspapier beklede blikken de wereld in. Maar onze inspirator was altijd Doug geweest, die een enorm dankbare ontvanger was. ('En met de dag enormer wordt,' zei hij dan

69

altijd met een tik tegen zijn buik.) Het idee dat we boter zouden smel-ten en baksels met poedersuiker bestuiven zonder zijn constante storende 'hulp' was gewoon te verdrietig. Bovendien kostte het me eerlijk gezegd al moeite genoeg om zelf ook maar iets te eten. Nadat Max was vertrokken, was me alle eetlust vergaan, iets wat ik voorheen nooit voor mogelijk had gehouden.

Er was nog een andere, belangrijkere reden waarom ik mijn moe-der had gemeden: ze was nooit zo gecharmeerd geweest van Max. ('t Is niet dat ik hem niet mag,' had ze weinig overtuigend gezegd. 'Ik ben alleen bang dat hij je niet echt gelukkig maakt.') Ik had haar nog niet verteld dat het uit was, ik was nog niet opgewassen tegen haar reactie, en ik zag ertegen op om de schijn te moeten ophouden.

Maar wat nog zwaarder woog was misschien het feit dat ik op mijn beurt niet zo gecharmeerd was van de man met wie zij samen was sinds ze bij mijn vader weg was: Laird Sharpe. Voordat hij bij Vera introk, was Laird jarenlang een van Dougs beste vrienden geweest. Ze waren kamergenoten geweest in hun eerste jaar: Hollis Hall, Har-vard jaargang '72. Ze hadden een driemanschap gevormd met ene Fergus Hedstrom, die al spoedig weer in ons leven zou opduiken. Ik had Ferg nooit ontmoet, hij was niet vaak in New York. Maar heel mijn jeugd had ik uitvoerige verhalen gehoord over de avonturen die Doug en hij hadden ondernomen – en incidenteel nog steeds onder-namen – in verre oorden, het een nog afgelegener dan het ander. Norse Lake in Ontario, Barra de Navidad in Jalisco en Angkor Wat: snoekbaarzen vangen, surfen, tombes bezoeken, ongezonde hoeveel-heden zuipen. Om de een of andere reden was Laird daarbij nooit van de partij.

Dat Laird en Doug onveranderd bevriend waren gebleven, ging mijn begrip te boven. Ik snapte al net zomin waarom Laird aanbeden werd door de kijkers van PI News, de zender waarvoor hij de vaste presentator was. Voordat hij zijn roeping had ontdekt, namelijk klein en groot leed verslaan voor het publiek, was hij een aantal jaren in-vestmentbanker geweest. Hij versloeg nog steeds vaak financiële on-derwerpen. Als ik naar hem keek, had ik ook altijd het gevoel dat hij iets stond te verkopen (meer dan wat hij geacht werd aan de man te brengen). Ik dacht liever niet aan hem en Vera op hun verre reis, in een of ander theehuis in Beijing of een sieradenwinkeltje in Jaipur, meewarig denkend aan mijn tegenspoed.

Maar de ochtend nadat Doug verdwenen was, was het niet zozeer mijn trots die me ervan weerhield mijn moeder te bellen. Een licht gedeukt ego leek een redelijke prijs voor haar raad. Wat er in me opwelde en alles overschaduwde – redelijkheid, een verlangen naar troost, consideratie met Vera's gevoelens – was een sterke neiging tot bescherming. Ik gunde Laird niet de genoegdoening te weten dat Doug weg was en wilde niet dat hij zich zou afvragen of het soms iets te maken had met hem en mijn moeder.

De waarheid was dat ik die ochtend, afgepeigerd als ik was door slaapgebrek en ongerustheid, zelfs al voordat ik met dr. Thwaite had gesproken, het allermeest verlangde naar de stem van Max. Ondanks alles. Ondanks een maand van gênante huilbuien in het trappenhuis, als ik tijdens mijn amechtige beklimming overvallen werd door een aanval van verdriet en me de arme buren voorstelde die hun ogen ten hemel sloegen terwijl ze deksels van pastapannen oplichtten, kindergezichtjes schoonboenden, alles een tandje luider lieten klinken. Een maand van kwaad mijn Meme opdragen zijn nummer en vrijwel al zijn foto's, sms'jes en beams te wissen, alleen om dat nadien vol spijt te proberen terug te draaien, een bewerking die volgens de Meme 'onuitvoerbaar' was. Een maand van zinloze bezweringen ('ik kan niet geloven dat dit echt gebeurt', 'ik begrijp het gewoon niet') tegen al mijn in toenemende mate minder begripvolle vriendinnen.

Ondanks alles, en tegen beter weten in, verlangde ik naar Max' stevige armen om me heen. Zijn puntige kin die in mijn hoofd prikte. 'Lief gekkie van me,' kon ik hem bijna horen zeggen. 'Ik zal je heel veel lekkere bonbons komen brengen in het gesticht.' Meteen daarna riep ik mezelf tot de orde. Zelfs in mijn dagdromen was Max een klootzak.

Doug, de koning van de pesterij, had Max' variant ervan altijd afgekeurd. Als ik hem erop wees dat ik Max ook pestte en dat Doug zelf er toch evenmin vies van was, schudde Doug zijn slordige ragebol, zodat zijn gezichtshuid in treurige plooien viel. Zachtjes, maar nadrukkelijk zei hij dan: 'Dat is niet hetzelfde, Nassie. Bij hem is het niet goedlachs. Hij probeert je neer te halen.' Doorgaans dacht ik dat Doug het niet snapte of dat ik de dingen verkeerd had voorgesteld. Ik probeerde uit te leggen dat mijn jolige imitaties van Max' manier van lopen (grote stappen, snel thuis), de stokkende wijze waarop hij vaak sprak en de meedogenloze wijze waarop hij met vrijwel iedereen die we tegenkwamen (barkeepers, stomerijhouders, heel veel vrouwen op straat) vrienden wilde zijn alleen in vorm verschilden van de manier waarop Max mij pestte. Maar er was weinig wat Doug niet snapte. En ik had mijn gedachten sindsdien opnieuw hierover laten gaan.

Neem bijvoorbeeld dit recente bewijs van het tegendeel: nadat Max het had uitgemaakt, wilde hij me een hand geven alsof we zakenpartners waren. Ik was daar woest over geweest (uiteraard), deels omdat ik meende dat we door zijn werk uit elkaar waren gegroeid. Het viel ook niet te ontkennen dat het allemaal bergaf was gegaan nadat Hermes in juli was verkocht. Hij was veel vaker 's avonds weg geweest, om vervolgens ladderzat – of helemaal niet – thuis te komen. Hij moest plotseling vaak op reis – naar Shanghai, Rio, Los Angeles – en begon met geld te smijten alsof hij de loterij had gewonnen. Hij telde moeiteloos 16.000 dollar neer voor een etentje met mensen die hij net had ontmoet. Al snel had hij een motor en een auto. Hij kocht een gitaar die van John Lennon was geweest, een bontjas en, nota bene, een vergulde wc. Dat laatste was zogenaamd een grap.

Natuurlijk begon hij zich te ergeren aan 'mijn' kleine flat en hij ging zich verdiepen in het woningaanbod. 'Dat snap jij toch niet,' had hij gesnauwd toen ik hem verbouwereerd had gevraagd wat er aan de hand was. 'Jij hebt altíjd geld genoeg gehad.' Dat was trouwens niet helemaal eerlijk, ik herinnerde me genoeg periodes waarin ik als kind elke avond bonen met rijst kreeg voorgeschoteld, als mijn ouders geen zin hadden gehad om te gaan bedelen bij mijn grootouders. Maar zijn onderliggende punt klopte wel. Max kocht natuurlijk ook van alles voor mij. Parfum. Fonkelende sieraden. Elektronische apparaten. Het meeste heb ik teruggegeven. Sneller dan ik het kon vatten, werd hij iemand die ik kende noch mocht. We hadden continu ruzie. Maar dat kwam allemaal door de verkoop van Hermes, hield ik mezelf voor. Ik hoefde alleen maar te wachten. Hoe lang, dat wist ik niet. Hij sprak niet graag over zijn werk.

Eerlijk gezegd hadden we maar twee goede jaren samen gehad, waarvan het eerste wel uitzonderlijk was geweest. Het was nog geen twee weken aan toen Max me, terwijl we aan de rum zaten, vroeg of ik wel eens naar Barbados was geweest. Hij moest erheen voor zaken, beweerde hij, en de gedachte aan een prachtig, afgelegen strand zonder mij was 'ondraaglijk'. Ik was gevleid en overdonderd en had in mijn verwarring met een mislukt Brits accent geantwoord dat míjn favoriete voormalige eilandkolonie Dominica was. Ik was daar precies één keer geweest. Het was een stom grapje en ook een beetje gemeen. Net als vrijwel iedereen die Max leerde kennen, had ik in eerste instantie gedacht dat hij uit een welgesteld nest kwam. Ik dacht dat ik hem uitdaagde. Maar ik voelde me niet opgelaten. Bij Max voelde ik me volledig op mijn gemak. 'Oké,' had hij lachend gezegd. 'Dan gaan we daarheen.' Toen hij me later die avond een hotelreservering had gestuurd, was ik toch geschrokken. Ook beduusd en nerveus en een beetje beledigd. Maar vooral gegrepen door zo'n intens gevoel van opwinding dat ik bijna dacht dat ik iets onder de leden had. Toen ik Max kort daarop weer zag, kon ik zien dat hij er net zo aan toe was: uit zijn ogen spraken opwinding en verbazing en ongeloof. Wat ik toen niet wist was dat zijn zenuwachtigheid minstens zoveel te maken had met geld: hij was platzak.

Vanaf dat moment waren we onafscheidelijk. Na koud drie maanden gingen we samenwonen. 'Je moet ook je eigen leven leiden,' zei ik lachend terwijl ik mezelf probeerde los te rukken van ons bed om naar mijn atelier te gaan of met Coco te gaan eten of Ramona door haar nieuwste crisis te loodsen. 'Jij bént mijn leven,' zei hij dan. Ik wist dat het vooral als grap bedoeld was, maar was er toch niet gerust op. Het leek me niet verstandig dat hij zoveel tijd aan mij besteedde. Maar ik kon er niets aan doen, ik was nog nooit zo gelukkig geweest.

Onvermijdelijk begon alles echter uit elkaar te vallen. Hij ging zich toch onvrij voelen, maakte me verwijten, soms geheel terecht, en ik maakte hem verwijten. We deden allebei stomme dingen. Maar ondanks de vele roekeloze manieren waarop we ons van elkaar hadden vervreemd en elkaar hadden bedrogen, hield ik nog steeds van hem. Elke vorige keer dat we hadden geprobeerd het uit te maken, had dat niet lang standgehouden, maar deze keer wist ik meteen dat het definitief was. Het nam niet weg dat ik altijd bleef geloven, zelfs op het allerlaatst, dat hij ook nog van mij hield. Ik wist mezelf er bijna van te overtuigen dat de manier waarop het de laatste keer uitging een geschenk was geweest: zijn harteloosheid opzet, zodat ik niet langer van hem zou houden. Het werkte alleen niet.

De ochtend nadat ik had ontdekt dat mijn vader verdwenen was, lukte het me – vooral dankzij Bart – Max niet te bellen.

Het was net na negenen, ik stond in de slaapkamer balancerend op één been fronsend naar mijn Meme te kijken en me af te vragen hoe ik de 'onuitvoerbare' instelling kon omzeilen, toen een slaperige stem oprees van de vloer van de andere kamer. 'Zeer gracieus,' bromde de stem, waar ik zo van schrok dat ik mijn evenwicht verloor en de Meme bijna uit mijn handen liet vallen.

'Sorry,' mompelde Bart, die nog steeds klonk alsof hij verstrikt was in de netten van de slaap. 'Ik gluurde niet. Ik deed alleen mijn ogen open. En daar stond je.'

In mijn nek sprongen zweetdruppeltjes tevoorschijn. Ik wist niet zeker waarom. Ik voelde me niet tot Bart aangetrokken, hij was niet mijn type. ('Klootzakken wel?' zou Audrey zeggen. Wat helaas niet volledig onjuist was. In het verleden was ik vooral gevallen voor mannen met wat meer... geldingsdrang.) Ik wist bovendien dat Bart niet in mij geïnteresseerd was. Kort nadat ik Max had ontmoet, had Doug herhaaldelijk gehint dat Bart een betere partij zou zijn. Ik had me toen afgevraagd, met de gelaten onverschilligheid van iemand die net verliefd is, of Doug soms had gehoord (of zich verbeeldde) dat Bart stapel op mij was. Maar toen hoorde ik dat Bart verliefd was op onze collega Svetlana en dat leek me plausibeler. Ze is mooier dan ik en

74

veel intelligenter. En als er iets was wat me onzeker maakte in gezelschap van de aardige, geestige, een beetje aparte Bart, dan was het wel mijn intellect. Verschillende NADEL-medewerkers konden ten minste drie talen lezen, Bart acht, Svetlana vijf. Ik had, zelfs met behulp van de Lexibeurs, al moeite met Spaans lezen. Bart las ook veel filosofische werken, die hij vervolgens met Svetlana besprak. Naast hen voelde ik me de persoon die ik was: de betrekkelijk doorsnee dochter van een genie, aangenomen uit vaderlijke loyaliteit.

En à propos mijn vader: een van de redenen waarom ik me zo bewust was van Barts bestaan was dat hij bevriend was met mijn vader. Ze luncheten vrijwel elke dag samen, bij The Fancy of die gekke broodjeszaak iets verderop, en hadden het altijd over werk. Doug vroeg bij nagenoeg alles naar Barts mening. Dat wist ik omdat Doug vaak Barts briljante inzichten aanhaalde. Ze squashten bovendien zo nu en dan in het weekend, als Dougs vaste partner niet kon. Ik geloof dat ze zelfs een keer zijn gaan vissen, ergens in het noorden.

Maar er was iets wat in zekere zin tussen mij en Bart was gekomen: ik kreeg het idee dat hij niet zo'n hoge dunk had van Max. Max sprak alleen maar positief over hem en dacht dat ze vrienden waren en Bart stond verder altijd zo open voor iedereen dat het een beetje oneerlijk leek. Uit mijn eigen gevoel van loyaliteit had ik daarom altijd een zekere afstand tot hem gevoeld.

Dat was voordat het uit was geraakt met Max. Voordat Doug zo vreemd begon te doen, om vervolgens te verdwijnen. Toen ik Bart met slaap in zijn ogen op mijn hardhouten vloer zag, voelde ik me ineens een beetje verlegen. Ik kon bijna niet geloven dat ik hem de vorige avond had gevraagd met me mee naar huis te gaan. En ik wilde niet dat hij zou horen dat ik mijn Meme smeekte Max te bellen. Daar sta je boven, hield ik mezelf voor. Ik had sinds ik was gedumpt te weinig van dergelijke gedachten gehad en putte daar nu dankbaar kracht uit.

Ik stond op het punt om in plaats van mijn moeder of Max de politie te bellen. Ik wist niet precies wat ik zou zeggen, was bovendien bang dat ze er op een gegeven moment toch wel bij betrokken zouden raken. Maar Bart wist me er slaapdronken van te overtuigen dat ze ons pas serieus zouden nemen als we ten minste vierentwintig uur hadden gewacht. Hij herhaalde wat hij de vorige avond had gezegd toen we Doug niet thuis hadden getroffen, namelijk dat hij vast een afspraak met vrienden had en vergeten was me dat te zeggen. Doug had ook wel vrienden, zoals Ferg, die hem soms naar onbekende oorden op sleeptouw namen. Of misschien, had Bart geopperd, was er iets aan de hand in verband met de presentatie en was Doug 'ondergedoken in een van zijn tunnels' en had hij er niet aan gedacht te bellen. 'Hij meldt zich vast over een paar uur wel weer,' zei Bart gapend. Toen draaide hij zich om en viel weer in slaap.

Ik probeerde mezelf nog een paar uur af te leiden – door online te luisteren naar een aantal van de liedjes die Bart de vorige avond had genoemd, een snelle tekening van hem in zijn kermisbed te maken, Doug door aan hem te denken te dwingen me te bellen – maar kreeg toch de kriebels bij het idee nog langer te moeten wachten, ijsberen en m'n best doen niet in paniek te raken. Daarom was ik, toen ik geen alternatief meer kon bedenken, zachtjes naar buiten geslopen om dr. Thwaite te bellen. Zo was ik in een van de laatste telefooncellen van de stad beland, waar ik rillend van de kou beloofde naar hem toe te komen.

Ik schreef de routebeschrijving op mijn huid. Dat voelde vreemd. Ik kon me de laatste keer dat ik mijn hand als kladpapiertje had gebruikt niet herinneren.[12]

Ik bekeek Dougs pen, die tot mijn verrassing nog steeds in mijn jaszak zat. Er stond een soort zegel op afgebeeld: een opengeslagen boek met daaromheen drie kroontjes. Maar al snel richtte ik mijn aandacht op het schrijven. De aanwijzingen van dr. Thwaite waren behoorlijk ingewikkeld: als ik bij zijn gebouw aan Beekman Place kwam, moest ik me vervoegen bij Clive, de portier, die me linea recta

---

12. Het leverde me later, toen ik mijn wanten uittrok, een standje van dr. Thwaite op. Het werd me alleen niet duidelijk of hij kwaad was omdat pennen 'gifstoffen afgeven in de bloedbaan' of omdat ik zijn adres op mijn lichaam had genoteerd.

naar boven zou sturen. Mocht Clive er om de een of andere eigenaardige reden niet zijn, dan moest ik rechtsomkeert maken en teruglopen naar de deur, waar ik een schilderij zou zien van een winters landschap. Dat moest ik optillen, want daarachter bevond zich een bellenbord en daar moest ik de bel van dr. Thwaite voorzichtig, maar niettemin stevig indrukken. Hij zou me opwachten op de zesde verdieping, iets wat hij extra benadrukte. Toen hing hij op zonder afscheid te nemen.

Ik haastte me naar huis om Bart op te halen, maar Bart viel niet op te halen: hij was vertrokken. In plaats van zijn fysieke aanwezigheid, trof ik een vage, dierlijke jongensgeur aan, een slordig nest van dekens op de vloer, een stel matig afgewassen borden in het rek en op het aanrecht een laagje koffiedik. Maar ik zag ook een boeket paarse rozen van de supermarkt met een briefje op een afgescheurd stuk van een papieren zak. 'A, dank je wel,' stond er in zijn schuine linkshandige handschrift. 'Het spijt me dat de bloemen wat zielig ogen. Iets beters had die zaak aan Eighth niet te bieden. Hopelijk hou je van paars. Hopelijk vind je Doug vandaag. Tot snel? B'

Bezorgd als ik was om Doug, moest ik toch glimlachen. De bondigheid – zo atypisch voor Bart – riep bij mij de vraag op of er meer stond dan er stond.[13]

Toen ik hem die ochtend opgerold op de vloer had zien liggen, slapend in zijn verfomfaaide kleren, had ik een warme, prettige sensatie gevoeld. Hij was de eerste geweest die hier was blijven slapen sinds Max was vertrokken en het nabije kloppen van het hart van een ander deed iets om het mijne in zekere zin te resetten.

Toen ik zijn gezicht tekende, was me voor het eerst opgevallen dat hij een beetje op Buster Keaton leek. Hij had ook zo'n lange, edele, bijna aristocratische neus en een kleine boogvormige mond. Hetzelfde donkere haar met een slag en een ietwat wijkende haargrens. Zijn grote, ver uiteen staande ogen bolden licht onder zijn oogleden,

---

13. Max had ook vaak rozen voor me gekocht. Maar altijd rode, nooit paarse. En paars is mijn lievelingskleur.

alsof dat de prijs was voor het observeren van dingen van dichtbij. Ik was zo blij dat hij was gebleven. Blij ook dat hij, toen hij mijn Gênante Kartonnen Doos – vol herinneringen aan de meer nerdy persoon die ik vroeger was – had ontdekt, me niet had gepest. Hij leek er zelfs in geïnteresseerd te zijn geweest. Toen ik voorzichtig over zijn benen was gestapt en zijn zachte, roze hielen had gezien die door de gaten in zijn donkere sokken zichtbaar waren, had mijn hart een net van tederheid uitgeworpen dat zijn complete lange, magere gestel omvatte.

Hoe dan ook, ik vond het jammer dat hij er niet meer was. Zonder hem had ik bovendien meer twijfels over mijn bezoekje aan dr. Thwaite. Maar de bloemen, nog verpakt in plastic, gaven me een energiestootje. Ik zette ze in een vaas, stopte een knop die afbrak in mijn zak, schopte de riekende dekens onder de tafel, schonk wat koffie voor mezelf in die ik zwart opdronk (Bart had de sojamelk opgemaakt) en begaf me op weg naar Beekman Place.

Clive was natuurlijk niet in de hal. Toen ik me omdraaide naar de ingang, zag ik twee schilderijen van een winters landschap hangen. Dr. Thwaites aanwijzingen waren al erg gedetailleerd geweest, maar dit had hij ook wel mogen vermelden. Mijn gedachten sloegen een beetje op hol, helemaal toen Clive na een minuut of wat nog steeds niet was opgedoken en anderen die langsliepen zowel belangstellend als wantrouwend naar me begonnen te kijken. Ik vroeg me bijna af of dr. Thwaite soms een val voor me had gezet. Wie weet zelfs samenspande met de ontvoerders. Misschien was ik als volgende aan de beurt.

Even overwoog ik serieus weer te gaan. Maar wat dan? Voordat ik de politie belde, moest ik hem op zijn minst hebben gesproken, vond ik. Achterhalen wat hij wist, zo hij al iets wist. Ik bedacht ook dat mijn ongerustheid irrationeel was. Aan zijn stem had ik duidelijk kunnen horen dat hij een oudere man was. Hij was bovendien een lexicograaf, ik een voormalige judokampioene (tien jaar geleden, dat wel). Barts woord voor hem, 'ongevaarlijk', galmde door mijn hoofd, dat weer zeer begon te doen.

78

Het eerste schilderij kreeg ik na wat gefrunnik aan de klem op-geklapt. Bij bel 6B stond P. THWAITE. Toen ik de zesde verdieping bereikte, stond er niemand te wachten, wat mijn vastberadenheid we-derom op de proef stelde. Ik liep twee keer de gang op en af, om ver-volgens als een onervaren dief voor appartement B te blijven hangen. Ik was dr. Thwaites telefoonnummer vergeten mee te nemen en mijn Meme leek het niet te kunnen vinden.[14]

Ik wilde bijna aankloppen, maar herinnerde me dat hij me nadruk-kelijk had opgedragen 'buiten te wachten' en hield me in. Teleurge-steld en niet-begrijpend draaide ik me ten slotte weer om naar de lift. En alsof hij daarop had gewacht, vloog de deur open.

'Ik stond op de bel te wachten,' zei de man in de deuropening. Dat had irritant kunnen zijn, maar zijn stem klonk zo oprecht en verward en vriendelijk dat ik alleen maar 'Sorry' mompelde.

Hij was ouder dan ik me had voorgesteld, maar niet veel ouder dan Doug. Misschien achter in de zeventig. Wit verstrooideprofessorhaar. Klein en frêle. En met de gebogen houding van iemand die leest. Ik vond hem op slag sympathiek. Hij bood me een colaatje aan nog voordat ik zijn drempel over was en nog een toen hij een minuut later mijn jas aannam. Ik sloeg het beide keren af, maar mijn sympathie voor hem nam toe.

Voor zichzelf schonk dr. Thwaite een groot glas water in. Hij goot er wat van in een zilveren kom op de vloer. 'Canon,' riep hij, en een langharige lapjeshond, met één bruin en één ijsblauw oog, kwam de kamer in sjokken. Ik strekte mijn hand uit, maar Canon keek amper op. 'Het verbaast me dat hij niet bij je bedelt om iets lekkers,' zei dr. Thwaite verontschuldigend. 'Je vader verwent hem altijd schandalig.'

Hij nam me mee naar de woonkamer. Canon klikte zachtjes achter ons aan. Ik zag dat hij een schitterend ruim appartement had. Niet zo groot als dat van mijn grootouders Doran aan East 68th Street, maar ook minder volgestouwd met vergulde en brokaten spullen en daar-

---

14. 'Kan bestaan niet bevestigen,' liet het pop-upvenstertje weten.

door voor het oog veel ruimer. Ik denk dat dat te maken had met de ouderdom van zijn familievermogen: hoe ouder het goud, hoe minder het doorgaans glimt.

Rechts van de hal stond een grote, doorgroefde, landelijke tafel. Daarnaast begon de keuken, waar de tijd stil was blijven staan in de vroege jaren zestig: zachtblauw en gebroken wit, met een formica kookeiland, knoestige grenen kastjes, gespikkeld linoleum. Buiten de keuken strekte het parket zich als een glanzend, oneindig schaakbord uit, dat begon bij de deur, naar rechts afboog en in een donkere gang verdween. In de woonkamer was het deels aan het zicht onttrokken door grote rode kelims.

Dr. Thwaite liet me plaatsnemen op een l-vormige bank tegenover een open haard waar een bescheiden vuurtje brandde. Het hout gaf een aardse, donkere rook af. Er stond muziek op, Brahms of misschien Debussy. Ik had het in de keuken ook al gehoord, maar in de woonkamer klonk het harder. Ik had uitzicht op de East River en de dweilgrijze lucht verwacht, maar de gordijnen van zwaar rood fluweel zaten allemaal dicht, wat ik nogal vreemd vond. De salontafel lag vol half vergane krantenknipsels en nummers van niet langer bestaande tijdschriften. Aan alle muren hingen boekenplanken waarop ingebonden boeken met goudopdruk naast beduimelde pockets stonden. Het was een grote kamer, maar er leek iets niet te kloppen met de vorm ervan. De indeling was uit het lood. Het voelde bijna claustrofobisch. Ik kon er mijn vinger niet op leggen en nam aan dat ik het alleen zo ervoer door toedoen van mijn door slapeloosheid en angst geteisterde brein.

Dr. Thwaite stookte de kolen op met een ijzeren pook die te zwaar voor hem leek. Ik zag zijn smalle rug zwoegen. Hij zei iets wat ik door de muziek heen niet goed verstond. Toen, na even te hebben gezwegen, misschien omdat hij wachtte tot ik iets zou terugzeggen, draaide hij zich om en liet zich langzaam op een ottomane zakken. 'Ik neem aan dat je niets hebt gehoord,' zei hij.

Ik aarzelde. Even vroeg ik me weer af of hij iets te maken kon hebben met Dougs verdwijning. Ik bekeek hem van top tot teen.

Verkreukeld overhemd. Versleten fluwelen pantoffels. Canon vlijde zich neer aan zijn voeten. Dr. Thwaite strekte verstrooid zijn hand uit om de hond in zijn nek te kroelen. In zijn ogen zag ik iets wat volgens mij oprechte bezorgdheid was. Ik besloot dat ik hem moest vertrouwen.

'Ik heb hem niet gesproken,' zei ik hoofdschuddend. Mijn hoofd bonkte inmiddels iets erger. 'Niet meer sinds gisteren, toen ik wegging van kantoor. We hadden afgesproken samen te gaan eten, maar hij is niet komen opdagen.' Ik voelde een steek van verdriet en iets wat op spijt leek. Alsof ik de klok zou kunnen terugzetten om langer te wachten bij The Fancy en Doug te laten verschijnen. 'U weet dit waarschijnlijk al van mijn vader, maar dat is... Zoiets gebeurt nooit,' zei ik vervolgens. 'Hij is heel stipt.' Dr. Thwaite knikte. 'Ik ben hem gaan zoeken, op kantoor...' Toen zweeg ik, want ik wist niet precies hoe ik de verdere gebeurtenissen moest beschrijven en of ik misschien bepaalde dingen moest verzwijgen. Ik wilde hem vragen naar het bericht dat hij had gestuurd. 'Dr. Thwaite...' begon ik.

'Noem me alsjeblieft Phineas,' onderbrak hij me. 'Of Phin, als je dat liever hebt. Zo noemt je vader me. Ook wel Pin, Finny, Rintintin... Je kent het wel,' zei hij lachend.

Door die kleine bekentenis kromp mijn hart ineen. Dat was Doug ten voeten uit. En het betekende dat mijn vader nog een ander leven had. Vrienden van wie ik niets wist. Dat ik hem had verwaarloosd of dat hij me had buitengesloten. Ik voelde me tegelijkertijd zowel egocentrisch als jaloers en schuldig. En ook opgelucht en dankbaar jegens dit eigenaardige meneertje. Dankbaar dat Doug het afgelopen jaar, sinds mijn moeder zijn hart had gebroken – zoveel erger dan Max het mijne had gebroken, besefte ik nu; alsof ik tegen een oorlogsveteraan had gejammerd over een verstuiking – naast mij ook anderen in zijn leven had gehad.

Ik had geprobeerd Doug te steunen. Het was zo verdrietig en moeilijk geweest. Mijn moeder hield nog steeds van hem, zei ze, ze 'kon het alleen niet meer opbrengen'. Ik zou liegen als ik zou beweren dat ik geen partij had gekozen. Al zeer snel nadat ze bij Doug was weggegaan, was Vera iets begonnen met Laird. Ik had daar niet zo goed mee om kunnen gaan. Doug evenmin.

De eerlijkheid gebiedt me te zeggen dat het leven met mijn vader niet een en al rozengeur en maneschijn was. Hij kon erg moeilijk zijn, dwingerig en precies. Was vaak heel uitbundig, om zich daarna te verliezen in een sombere spiraal. Was zowel rustig als luidruchtig. En er was een lange periode geweest waarin hij zo goed als verdween uit hun leven. Zij kreeg, zo beweerde mijn moeder, 'de rottigste restjes' van Doug. In gelukkiger tijden klaagde ze over de uren die hij en ik samen op het werk doorbrachten. 'Probeer jij anders eens zijn assistente te zijn,' had ik gegrapt. Ze had gelachen terwijl ze met een portefeuille die uitpuilde van de stomerijbonnetjes door de lucht zwaaide. 'O, maar dat ben ik al,' had ze geantwoord met een drupje venijn in haar stem. Hoe zou ik kunnen doen alsof ik haar kant niet begreep? Max en Doug waren dan wel heel verschillend, maar de parallellen waren zo duidelijk als wat. Ik wist verdomd goed hoe haar eenzaamheid voelde.

Gezeten tegenover dr. Thwaite, waar het leer van zijn bank onder me knerpte, moest ik hard slikken. Doug was toen nog geen zeventien uur 'vermist'. En hoewel het niets voor hem was om zo abrupt te verdwijnen, kon hij behalve attent ook heel onnadenkend zijn. Als hij laat voor het eten was, was hij in staat om elk kwartier even te bellen, maar hij was ook ten minste één keer zijn trouwdag vergeten. De ophanden zijnde presentatie had enorm veel druk met zich meegebracht en ik probeerde nog steeds te hopen op een plausibele verklaring voor zijn verdwijning. Maar toen dacht ik aan het bericht dat dr. Thwaite de vorige avond naar Dougs kantoor had gestuurd en die zenuwslopende letters: sos.

'Dit klinkt misschien gek,' zei ik met een lichte trilling in mijn stem. 'Maar ik... Ik maak me echt zorgen om mijn vader.' Ik zei dat vermoedelijk in de hoop dat Phineas me zou geruststellen. Ik probeer wel vaker het noodlot af te wenden door mijn angsten te benoemen.

Maar dr. Thwaite zuchtte. Kneedde de ottomane. 'Ja, meisje,' zei hij zachtjes. 'Ik ook.'

Een piepklein wit sterretje van paniek viel achter mijn rechteroog.

'Wanneer hebt u hem voor het laatst gesproken?' vroeg ik.

'Je vader en ik hadden een andere... wijze van communiceren.'

'Bedoelt u e-mail?' vroeg ik. In mijn sarcasme klonk bezorgdheid door.[15]

'Nee.'

'Sms?'

'Vrijwel nooit.'

'Wat dan?' vroeg ik. Maar dat was geveinsde onwetendheid. Natuurlijk wist ik wat hij bedoelde. Ik had met eigen ogen het bericht met zijn naam in blinddruk uit Dougs pneumatische buis zien rollen. Het zat vermoedelijk nog in mijn tas. Het kostte me alleen veel moeite te geloven dat ze elkaar op die manier over en weer papieren brieven stuurden. Het klopt natuurlijk dat ik slechts vagelijk wist hoe de buizen werkten. Maar waren de woningen in het gebouw van dr. Thwaite niet in gedeeld eigenaarschap? Het leek me onwaarschijnlijk dat het verenigingsbestuur de installatie ervan zou hebben goedgekeurd. En hoe zat het trouwens met de gemeente? Dr. Thwaites gebouw lag zo'n tien straten van ons kantoor vandaan. Ik had altijd aangenomen dat de postbuizen binnen ons gebouw aan Broadway bleven en niet lange ondergrondse afstanden daarbuiten aflegden, in samenspel met metro's en ratten en pijpleidingen.

Wat ik toen niet wist, en waar ik pas weken later achter kwam, was dat zich onder onze straten ooit kilometers buizen uitstrekten die door de posterijen werden gebruikt. Aan het begin van de twintigste eeuw had er bijna vijfenveertig kilometer aan buizen gelegen die de centrale postkantoren van New York verbonden met agentschappen van Harlem tot en met Battery Park en zelfs tot in Brooklyn. Postwerkers die *rocketeers* werden genoemd stuurden per minuut in totaal zo'n tien kilo post door de buizen, zestien uur per dag, van vijf uur 's ochtends tot negen uur 's avonds. Ze verzonden telegrammen en

---

15. Doug bleef trouw aan e-mail, beweerde dat dat het laatste, beste bastion van een 'hoffelijk discours' was. Hij had altijd gedreigd weer brieven te gaan schrijven – totdat de post nog maar twee keer per week werd bezorgd.

brieven, maar ook lichte pakjes en naar men beweert zelfs een keer een kat, die het trouwens overleefd had.

De postbuizen werden destijds beschouwd als een wondertechnologie: heel Europa was doorregen met buizenlijnen, evenals naast New York nog vier andere grote Amerikaanse steden: Boston, Chicago, Philadelphia en St. Louis. Oorspronkelijk waren er plannen om ze in nog ten minste elf andere steden te installeren, waaronder Denver, New Orleans en Washington, D.C. In Manhattan waren er centrales bij Madison Square, Penn Station, Grand Central Station en Wall Street. Station h bevond zich op de hoek van Lexington Avenue en 44th Street, Station p in het gebouw van de landbouwcentrale. Er was een Station s, een Station w – tot en met y. Kortom, het systeem was een tijdlang erg in trek en de ontwikkelaars hadden grootse plannen, zoals pakjes van warenhuizen naar huisvrouwen in de buitenwijken sturen, warme maaltijden bezorgen en 'verse bloemen voor uw beminde', en alle huizen in het land erop aansluiten. Ze hoopten op een dag ook zware ladingen te kunnen vervoeren en uiteindelijk mensen.

Al na een paar decennia was het gedaan met de oneindige lus van het buizenstelsel. De buizen werden verdrongen door auto's en vrachtwagens. Het systeem verdween bijna net zo snel als het was opgekomen. Ouroboros, zou Doug het noemen: de slang van de vooruitgang die zijn eigen staart eet, keer op keer op keer. In de daaropvolgende decennia bleven slechts een paar deelstelsels over, zoals in ziekenhuizen en banken. Een aantal daarvan hield het zelfs vol tot in de eenentwintigste eeuw, als dinosaurussen die hun tijd hadden overleefd. Komododraken naast zwembaden. De buizen werden nagenoeg vergeten, althans door de meesten van ons. Wat ik toen niet wist was dat delen van het stelsel nog steeds intact waren. Deels verouderd, maar lang niet overal. En terwijl ik meende te weten wat je in New York allemaal met geld kon kopen (helikopters, voorwerpen uit de Mingdynastie, een nieuwe neus of nier) viel er voor mij nog een boel te leren.

Die dag in dr. Thwaites flat had ik daar alleen nog geen benul van.

'Ik hou niet van e-mail,' was het enige wat hij zei. Toen schoof hij behoedzaam naar de rand van de ottomane, stond op en liep weg. Ik keek hem stomverbaasd na. Even vreesde ik dat ik hem had beledigd, maar toen bedacht ik dat hij vast weggelopen was om iets te doen. Ik bleef op de bank zitten wachten, maar de minuten verstreken. Ik begon me af te vragen of ik weg moest gaan. Pas toen hij eindelijk weer opdook en zei: 'Kom je nog?', besefte ik dat hij had verwacht dat ik hem zou volgen. Ik begreep toen ook waarom ik dr. Thwaite mocht: hij vertoonde gebruikssporen, net als ik. Hij was een beetje achteloos, net als ik. En net als ik hechtte hij niet zoveel waarde aan taal. Hij wist dat woorden betrekkelijk nutteloos waren. Je kon ze maar beter met mate gebruiken.

In de gang begon hij me op zijn cryptische wijze iets te vertellen. Ik kon hem moeilijk verstaan – de muziek bleek overal te horen te zijn, zweefde onzichtbaar door de hele flat. Wat ik meende te verstaan was: 'Het meest vreesde hij een pandemie.' Maar dat zal wel niet.

'Pandemie?' zei ik. 'Bedoelt u... van een ziekte?' Terwijl ik het zei, moest ik denken aan de medicijnen die Doug me had gegeven en ik huiverde instinctief. Toen kwam er een andere, vreselijke gedachte bij me op. Ik had nergens waarschuwingen gehoord of gezien over een ziekte, geen nieuwsberichten, geen mededelingen betreffende de volksgezondheid. Plotseling werd ik bang. Ik herinner me dat ik me afvroeg of mijn vader soms ziek was geworden. Geestelijk ziek. Was zijn paranoia van een eigenaardige gril mogelijk omgeslagen in een pathologische aandoening? Misschien was er iets latents actief geworden, gekatalyseerd door maanden van verdrietige angst en stress. Was er een kans, zij het nog zo klein, dat hij zichzelf iets had aangedaan? Of iemand anders? Dat hij zich schuilhield? Hoe goed kende hij dr. Thwaite eigenlijk? Ik huiverde weer en was me er ineens scherp van bewust dat ik me in het huis van een vreemde bevond en door een donkere gang naar een achterkamer liep.

Dr. Thwaite bleef staan, draaide zich om en bekeek me aandachtig. 'Meen je dat?' zei hij fronsend.

Ik knikte als verdoofd, maar zweeg bedremmeld door zijn grimmige, neerbuigende houding.

'Hm,' bromde hij, vooral tegen zichzelf. 'Waarom zou hij het niet...?' Zijn ogen gleden haperend over mijn gezicht. 'De griep?' vroeg hij aftastend. 'De woordengriep? Weet je zeker dat hij het daar nooit over heeft gehad?'

Ik knikte weer, voelde me verzinken in een stroperige drab van naamloze angst. Mijn hoofd begon harder te bonken en felle, lichtgerande pijnbloemen flitsten voor mijn ogen. En toen gebeurde er iets ongelukkigs: mijn Meme ging over. Hij was al zo lang stil geweest dat ik vergeten was dat hij aanstond. Canon, die tot dan stilletjes achter ons had gestaan, begon te grommen.

Het zweempje kleur in dr. Thwaites bleke gezicht trok weg. 'Is dat...?' Hij fronste zijn wenkbrauwen. 'Heb je een Meme mijn huis binnengebracht?' vroeg hij met een vlakke, afstandelijke stem die me een hol gevoel in mijn maag bezorgde. Ik wist niet waarom.

'Sorry,' zei ik. 'Ik dacht dat ik hem had uitgezet. Ik zal dat nu meteen doen.'

Hij schudde zijn hoofd. 'Ik had het moeten uitleggen. Je zult hem buiten op de galerij moeten laten.' Hij klonk kalm, maar zijn ogen schoten vuur. Ik knikte nerveus en hij liep met me mee naar de deur. Eenmaal buiten overwoog ik ervandoor te gaan. Maar mijn jas lag nog binnen. En bovendien wilde ik nog steeds weten wat hij wist.

Omdat hij ernaast stond, durfde ik eigenlijk niet goed te kijken waarom mijn Meme was overgegaan, maar ik zag in de haast wel dat ik zes gemiste oproepen had, vier van hetzelfde nummer, allemaal onbekend. Natuurlijk dacht ik, hoopte ik, dat ze van Doug waren. Maar Doug liet altijd lange, breedsprakige berichten achter en deze beller had geen enkel bericht achtergelaten. Pas later bedacht ik tot mijn ontsteltenis dat de voicemailbox vol zat met oude berichten van Max waarvan ik het nog niet over mijn hart had kunnen verkrijgen ze te verwijderen. Te laat heb ik ze daarna alsnog allemaal gewist.

Er waren ook twee sms'jes. Eentje van Bart: 'Nog nieuws?' Het andere was, net als de telefoontjes, van een onbekend nummer en

86

bovendien onbegrijpelijk: 'PT weet meer. Gebruik dit niet.' Dat was alles. Het kwam door het tweede bericht, dat aangemerkt was als 'urgent', dat de Meme had gerinkeld; hij had bespeurd dat dr. Thwaite hem niet in huis wilde hebben en tot dan zijn geluid uitgezet. Ik overwoog dr. Thwaite te vragen of hij wist wat de sms betekende. Maar het leek me beter van niet. Wat uiteindelijk niet beter bleek.

'Je kunt dat ding beter niet gebruiken,' zei dr. Thwaite waarschuwend vanuit de deuropening. Het was een vertrouwde riedel. In gedachten kon ik bijna Doug met preek numero 449 van wal horen steken: 'Er zijn geen betrouwbare dubbelblinde, placebo-gecontroleerde onderzoeken waarin de langetermijngevolgen van het gebruik van een Kroon of intuïtietechnologie zijn getest. Wat we wel weten is dat gebruikers in zeer korte tijd niet alleen geestelijk gehecht raken aan hun Meme, maar er ook fysiek afhankelijk van worden... We weten niet of het apparaat ook andere gevaren met zich meebrengt... Noorse wetenschappers hebben onlangs ontdekt dat [blablaba]... Gevolgen voor geheugen en taal...' Enzovoort.

Ik wierp een blik om me heen. 'Waar zal ik hem laten?' vroeg ik zachtjes. Hij wees naar de WELKOM-mat. Ik dacht dat hij een grapje maakte. Dat was niet zo. In een ongemakkelijk gehurkte houding en met een hoofd dat nog harder ging bonzen toen ik me vooroverboog, stopte ik mijn Kroon en mooie zilverkleurige Meme onder de prikkende bruine sisalmat. En hoewel ik niet zeker wist of ik er verstandig aan deed, liep ik vervolgens achter dr. Thwaite aan weer naar binnen.

Zijn werkkamer deed in veel opzichten aan die van Doug denken: de rommel, de kalender die nog steeds op september hing, de verzameling loepen, de brillenhouder in de vorm van een houten hoofd met daarop een bifocale bril met lange poten, de wanden van onder tot boven gevuld met boeken, ook woordenboeken, onder meer de *North American Dictionary*, waarvan een deel opengeslagen lag op een lessenaar. Hij had ook ouderwetse apparaten: schrijfmachines, enorme camera's, een platenspeler en iets wat volgens mij een cassettedeck was, maar ook dingen die ik niet thuis kon brengen. Wankele stapels notitieboekjes met spiraal en oude jaargangen van de *International Journal of Lexicography*. Beduimelde kladjes met citaten en neologismen. Relicten van wat ooit de enige manier was om woordenboeken te maken.[16]

In één opzicht verschilde dr. Thwaites werkkamer van die van mijn vader: er hingen overal ingelijste foto's van naakte vrouwen. Of beter gezegd van één vrouw, vele malen vastgelegd. Op het eerste gezicht was ik zelfs even bang dat het mijn moeder was. Ze had hetzelfde golvende donkere haar als de jonge Vera Doran. Dezelfde roomblanke huid, hoge borsten, ranke taille. Haar beeltenis omgeeft me mijn hele leven al, ze staat in mijn geheugen gegrift. Maar deze vrouw was niet Vera. Ik was opgelucht, maar voelde me wel nog ongemakkelijk. Maar voor dr. Thwaite was ze gehuld in de deugdzame nevelen van de herhaling. Hij leek blind voor haar naaktheid, voor de kokette blik in haar glanzende ogen. Blind althans tot hij mij zag kijken. Toen zei hij, lichtelijk beschroomd: 'Het zal je verbazen hoe lang het je kan blijven achtervolgen.' De foto's zagen er inderdaad oud uit, veertig jaar of meer. 'Ik hoorde dat jouw hart onlangs ook is gebroken, dat spijt me voor je,' zei hij verder. 'Het is ongetwijfeld beter zo, maar moet toch erg zwaar voor je zijn.'

'Wacht even,' stamelde ik verbijsterd. 'Wat?' Een kille rilling van schaamte en verontwaardiging joeg door me heen. Het onthutste me dat Doug mijn vertrouwen zo had beschaamd en deze vreemde vreemdeling deelgenoot had gemaakt van mijn verdriet. Dat onze speciale vader-dochterrelatie kennelijk niets betekende.

Dr. Thwaites wenkbrauwen schoten omhoog en zijn voorhoofd

---

16. Dr. Thwaite, zelf ook een relict, was vermoedelijk met pensioen of hooguit nog freelance werkzaam. De NADEL was de laatste in zijn soort. Alle andere Noord-Amerikaanse woordenboeken waren inmiddels opgegaan in de Lexibeurs van Synchronic Inc., alle talige naslag-'tools' samengebracht in één digitale 'marktplaats'. Zelfs Doug erkende dat de derde editie, die binnenkort zou uitkomen, de laatste zou zijn. Hij had het staartje van de laatste van een lange reeks subsidies bereikt. Vanaf dat moment zou het woordenboek alleen nog online bestaan, continu in beweging. 'Editie' zou niets meer betekenen.

plooide zich. 'O,' zei hij. 'Niet?' Zijn stem klonk gespannen. 'Ik meende te hebben gehoord dat jij nu ook alleen was.'

'Nee,' zei ik. Ik deed mijn best om flink te klinken. 'Ik ben niet alleen.' Ik weet niet waarom ik loog. Misschien was het een restje gêne of wensdenken. Misschien was het een reflex, dat ik mijn privacy wilde beschermen achter een ogenschijnlijk kleine onwaarheid. Ik weet het niet zeker, ik flapte het er gewoon uit, zonder opzet, en daarna wilde ik niet terugkrabbelen. Ik wilde dat ik het niet had gezegd. De gevolgen waren verrassend ernstig. Maar op dat moment kwam het niet bij me op dat dr. Thwaite welbewust mijn stukgelopen relatie ter sprake had gebracht. 'Ik ben niet alleen,' zei ik nog eens, maar ik ontweek zijn ogen.

'Aha,' zei hij. Ik zag een ondoorgrondelijke wolk over zijn gezicht trekken. 'Excuses. Ik moet het verkeerd hebben begrepen.'

'Ja,' zei ik stijfjes. 'Geeft niets.'

We vervielen in een ongemakkelijke stilte. Ik voelde een warme blos op mijn gezicht opkomen en bukte me om de hond te aaien. Daarmee was de storing nog niet uit de lucht. Dr. Thwaite deed ook geen poging te helpen. Ik keek nog eens om me heen in zijn raamloze werkkamer. Dit keer vielen me ook zijn pneumatische buizen op. De vertrouwde geelkoperen pijp achter in een volgepropte hoek, die uitkwam in een grote, met schellak geverniste bak met het opschrift IN. In mijn vaders handschrift.

Ik voelde me ineens doodmoe. Mijn hersenen waren troebel van angst en zorgen. De pijn in mijn hoofd werd steeds erger, ik was bang dat het migraine was, en mijn Meme met het nieuwe Pax®-recept lag op de galerij. Ik had genoeg van dr. Thwaites flat en tastte in mijn zakken naar de opgevouwen briefjes die de vorige avond bij Doug met de buizenpost waren bezorgd. 'Wat kunt u me hierover vertellen?' vroeg ik, terwijl ik ze hem aanreikte.

Hij pakte een loep, die hem een reuzenoog bezorgde. Las zwijgend. Liet toen het vergrootglas ernstig kijkend zakken. Trok een bureaula open. Haalde er een opgevouwen papiertje uit en drukte me dat in mijn handpalm. Er stond op: 'diachroon, een methode om naar een taal te kijken die dreigt uit te sterven.' Dit was volgens dr. Thwaite Dougs sos. De code die ze gezamenlijk hadden afgesproken.

'Gezamenlijk? Wie allemaal? En wat afgesproken?' vroeg ik. Ik voelde me misselijk. Het witte licht achter mijn oog flitste schel. Het was niet onmogelijk, besefte ik, licht duizelig, dat dr. Thwaite beide briefjes zelf had getypt en dat ik in het gezelschap verkeerde van een gek die allerminst ongevaarlijk was. Welke andere verklaring was er voor al het omslachtige gepraat, de bizarre verwijzingen, de wisselende sfeer? En toch. Hij kwam gezond van geest op me over. Maar hij antwoordde niet. Hij bekeek me een hele tijd met tot spleetjes vernauwde ogen. Ik bedacht dat hij misschien Doug of iemand anders voor me afschermde. En dat ik gezakt was voor zijn persoonlijkheidstest.

'Dr. Thwaite,' zei ik. Ik was het zat, maar ook bang. 'Zit mijn vader in de problemen?' Het kostte me inspanning om die woorden te uiten en ik hapte naar lucht.

Na een korte stilte zei hij: 'Ik weet het niet.' Ik dacht dat dat het was. Toen verzachtte de blik in zijn ogen. 'Zou kunnen,' zei hij zachtjes. Hij trok één mondhoek op. 'Ik denk het wel.'

Mijn hart begon te bonzen, het gehamer van mijn hoofdpijn ging gelijk op. 'En dit briefje... dat zou het bewijs moeten zijn?' kaatste ik terug. Angst scherpte mijn tong.

Dr. Thwaite vernauwde weer zijn ogen. 'Ik heb de indruk dat je me verdenkt van overdrijving,' antwoordde hij. 'Heb ik het juist?'

'Neemt u me niet kwalijk,' zei ik. 'Ik ben gewoon erg bang en begrijp niet wat er aan de hand is. Ik weet niet wat de politie zal kunnen doen met deze... "sos'en". En ik maak me echt grote zorgen om mijn vader.' Ik probeerde het tegen te gaan, maar er kropen tranen in mijn stem.

Dr. Thwaite leek nerveus te worden. Hij gaf me zonder me aan te kijken een zakdoek. 'Rustig nou maar,' zei hij angstvallig. Hij streek onhandig over mijn rug. ''t Is niet nodig om de politie nu al in te schakelen.' En die eigenaardige uitspraak gecombineerd met de eigenaardigheid van zijn aanraking was genoeg om me te kalmeren. Hij vroeg me of ik nog eens precies wilde vertellen wat er de vorige avond was gebeurd en dat deed ik. Alleen vertelde ik nu ook over de Alef. En toen ik beschreef hoe Dougs lemma uit het woordenboek was verdwenen, verstijfde dr. Thwaite volledig. De woorden 'mijn god' vlogen van zijn doodsbleke lippen.

Hij wilde me niet zeggen waarom hij zo van streek was. Dat was ook niet nodig. Want terwijl ik naar hem keek, kreeg de onbestemde angst die ik al een tijdje voelde vorm. De Alef was natuurlijk afgestemd op Doug en geprogrammeerd in overeenstemming met de fluctuaties in zijn hersenen: zijn voorkeuren en besluiten, uitgavenpatroon, leeservaringen, wandelroutes, de namen van zijn contacten. Ik had geruchten gehoord dat soms als iemand overleed zijn of haar Meme blokkeerde. Of dat de Meme het profiel van die persoon op Life wiste. Bestanden voorgoed verwijderde. En op dat moment wist ik dat Dougs verdwijning uit het woordenboek op zijn Alef iets betekende in de echte wereld. Ineens wist ik zeker dat ik mijn vader nooit meer levend terug zou zien.

Onze gedeelde verslagenheid leek een ragfijn web van vertrouwen tussen ons te spinnen. Toen we weer voldoende bedaard waren om te kunnen praten, vroeg dr. Thwaite of hij de Alef mocht zien. Ik wilde hem ook nog eens bekijken. Maar ik had hem thuisgelaten.

Toen ik zei dat ik moest gaan, knikte hij vriendelijk. Legde een hand op mijn arm. 'Alice,' zei hij. Uitgesproken met zijn ruwe stem leek de naam ineens wel te kloppen. 'Wil je een colaatje voor onderweg?'

Ik zei ja. In de bus naar huis hield ik het koude blikje vrijwel de hele rit tegen mijn pijnlijke hoofd aan gedrukt in plaats van Pax® te downloaden van mijn Meme. De bus hotste me zachtjes heen en weer tussen een rumoerige groep kinderen die verkleed waren als pelgrimvaders. Ik liep snel het stukje van de halte naar huis en rende hijgend de vier trappen op naar mijn verdieping. Binnengekomen pakte ik meteen de Alef, waarvan de stekker in het stopcontact naast de broodrooster zat.

Toen ik hem aandeed, zag ik onmiddellijk dat er iets veranderd was. Hij was nog steeds geopend op dezelfde plek in de J. Dezelfde krullerige ongetemde letters lagen op de lichtgevende pagina op de loer. Maar dit keer stond Doug er wel tussen, keurig tussen de zeventiende president van de Verenigde Staten en een voormalige pointguard van de L.A. Lakers. Daar was Doug in zijn lichtgekleurde overhemd met korte mouwen en met krullend borsthaar dat bij de boord tevoorschijn piepte. Op zijn borstzak zat een piepklein vlekje, waarvan ik wist dat het een reversspeld in de vorm van een ananas was. Hij droeg zijn enorme bril en in elk glas schitterde een spookachtig bleek puntje. Hij lachte zijn kenmerkende lach van een man die overloopt van vrolijkheid. Wat me het allermeest geruststelde, was het bijbehorende lemma: 'Johnson, Douglas (1950 –)', zonder dat het sterfjaar was ingevuld.

Een golf van dankbaarheid sloeg door me heen en ik wist met een raadselachtige zekerheid dat Doug nog leefde. Maar ik wist niet hoe ik mijn ontdekking kon verklaren. In eerste instantie nam ik aan dat ik zijn lemma de vorige avond gewoon over het hoofd had gezien omdat ik zo van slag was geweest. Toen herinnerde ik me dat Bart het ook had gezien, of beter gezegd niet gezien. Zijn theorie dat Alefs allerlei gebreken hadden, leek het meest aannemelijk. Maar daardoor begon ik me weer af te vragen of er iets mis was met Doug. En waar hij was.

Ik wilde Bart vragen wat hij dacht. Ik zette mijn Meme aan in de hoop dat er een bericht van Doug zou zijn. Dat was er niet, alleen een beam van mijn vriendin Ramona met een RoBoLove-nummer voorzien van het poëtische bijschrift: 'Waar ben je, bitch?' Ik gaf mijn Meme opdracht Bart te bellen. Nog voordat hij bij het laatste cijfer was, overviel me een andere gedachte, stak me, kun je wel zeggen, als een knellende zenuw.

Doug was er weer! Gisteravond was hij om een specifieke reden vertrokken uit ons gebouw aan Broadway. En nu was hij terug. Helemaal niet vermist.

Het was zo'n lachwekkend idee dat ik ervan bloosde, al was ik alleen in mijn kleine keuken en was niemand getuige van mijn hersen-spinsels. Terwijl ik Dougs rechtstreekse nummer belde, hield ik mijn adem in. Zijn telefoon ging drie keer over. Vier keer. Ik wachtte op het geluid van zijn sonore basstem. Op een omstandig verslag van waar hij was geweest. Een voorstel om bij The Fancy linzensoep met roggebrood te gaan eten. Toen hield het rinkelen op en hoorde ik een haperende, onhandige opname van mijn eigen stem die me vertelde dat Doug op dit moment niet beschikbaar was. Ik belde de receptie, maar daar werd niet opgenomen.

Toch wist ik gewoon dat Doug op kantoor was. Het gevoel was tast-baar, als warme was. Ik wist het zo zeker dat ik mijn uitbrander alvast oefende. Overwoog voor te stellen dat hij naar een psycholoog zou gaan. Denkbeeldige woorden van verontschuldiging aan het adres van Bart en dr. Thwaite formuleerde. Met een zucht ritste ik mijn jas weer dicht en zette ik me schrap voor de lange koude wandeling naar kantoor.

Toen ik bijna bij het gebouw was, begon ik te twijfelen. Ik vertraag-de mijn pas. Ving een glimp van mezelf op in de zwarte glasgevel van het gebouw. Ik zag er frêle en angstig uit. Zo zag ik mezelf doorgaans niet. Net als het horen van een onverwachte trilling in je eigen stem ongevraagd kan omslaan in plankenkoorts, ondermijnde mijn schich-tige, schimmige spiegelbeeld mijn zelfverzekerdheid. De receptie zag er donkerder en killer uit dan ooit. Ik wilde dat Doug had opgeno-men. Of dat ik Bart had gevraagd mee te gaan. Ik bleef buiten op de stoep dralen. Maar het vroor en de wind was guur. Ik zei tegen mezelf dat wat ik voelde slechts smeulende restjes waren van mijn beklem-ming van de vorige avond. Ik haalde dus diep adem en hield mijn Meme voor de ID-lezer bij de deur.

Binnen meende ik een vage brandlucht te ruiken. Ik nam aan dat ik het me verbeeldde. De beveiliger van dienst was een vrouw. Ik had haar nog niet eerder gezien. 'Waar is Rodney?' vroeg ik met een mond die niet aanvoelde als mijn eigen mond. En ze antwoordde: 'Die is er niet.'

Ik ging naar de twintigste verdieping. Liep de hele donkere verdieping af. Riep 'Hallo? Is er iemand?' Maar er was alleen stilte. Toen ik bij Dougs deur kwam, beefde ik. Ik pakte de deurknop. Hij wilde niet draaien. Mijn hart bonkte in mijn keel toen ik besefte dat iemand anders hier dus moest zijn geweest. Er misschien nog was. Ik hapte naar lucht en ging er bijna vandoor. Toen herinnerde ik me dat ik de deur de vorige avond zelf op slot had gedaan. Ik legde een hand op mijn bonkende borstkas en ademde uit. Graaide in mijn tas naar de sleutels, maar mijn vingers trilden zo dat ik ze op de grond liet vallen. Ze raakten de vloerbedekking met een doffe klap waardoor mijn hart alweer op tilt sloeg. De duisternis dromde om me heen. Ik probeerde die te doorboren en hoorde het raspende geluid van mijn eigen ademhaling. Toen ik de deur eindelijk open kreeg, was ik alleen: Doug was er niet. Er was niemand.

Ook verder leek er niets veranderd. De telefoon knipperde vermanend rood. De bureauladen waren dicht. Dougs tas lag slap op zijn leunstoel. Ik liet mijn ogen door de kamer dwalen, tot ze bleven hangen bij de pneumatische buizen. Het IN-bakje zag er exact zo uit als zijn evenknie aan de Eastside bij dr. Thwaite. Ik overwoog een voortgangsbericht te sturen, als het me zou lukken. Toen dook er een andere gedachte op, als een kurk: ik moest maar eens een kijkje gaan nemen bij de centrale in de onderkelder.

Ik weet niet waarom een koude rilling door me heen schoot, als een slok te koud water, of wat ik hoopte aan te treffen. Op zijn minst dacht ik dat ik misschien zou kunnen achterhalen of Dougs noodsein van binnen in het gebouw of van buitenaf was verzonden.

Gezien de eigenaardige wind die door mijn weekend had geblazen, zal het waarschijnlijk niemand verrassen dat ik daarbeneden inderdaad iets aantrof. Veel meer dan ik had bedoeld.

Ik was al eerder in de onderkelder geweest, maar kon me niet herinneren ooit de centrale te hebben bezocht waar de weinige buizenpost die nog werd verstuurd als eerste heen ging en handmatig gesorteerd werd. De kelder werd ook gebruikt voor opslag van zogenaamd dood spul – oude proeven van gedrukte manuscripten – en incidenteel boekenzendingen. Het idee dat ik naar beneden moest gaan, al-

94

leen, riep een duizelingwekkende mengeling van moed en fatalisme op, in een nog sterkere verhouding dan tijdens mijn bezoek aan dr. Thwaite. Zoals de warme, werktuiglijke dapperheid die voor judo-toernooien bezit van me nam of bij schooluitvoeringen net voordat ik het toneel moest betreden.

En zo kwam het dat ik, nadat ik met de lift naar de receptie was afgezakt en vervolgens de twee trappen verder was afgedaald naar de onderkelder, de buizen volgend langs de serverruimte, repro en beveiliging, aan het eind van een lange gang achter de op een na laatste deur links het Creatorium ontdekte.

D

definitie /de·fi·'ni·tsi/ (de (v.); -s) 1 woordbetekenis, tegen een
geringe vergoeding aan te schaffen op de Lexibeurs 2 [veroud.]
term uit de wetenschapsleer en de lexicologie voor de omschrijving van een begrip in ondubbelzinnige termen

Op de trap naar beneden meende ik weer een brandlucht te ruiken,
wat raar was – ik wist dat de verwarming uit moest zijn; het was
zaterdagavond. Ik was misschien wel de enige aanwezige in het hele
gebouw, afgezien van de beveiligingsmedewerkster boven achter de
balie. Het was bovendien koud in het trappenhuis; mijn adem hing
als een geestverschijning voor me. Mijn tanden klapperden als porse-
lein in een servieskast.
   Toen ik de deur van de onderkelder opendeed, bleek het daar iets
warmer en werd de brandlucht sterker. Ik snapte er niets van en liep ongerust de gang in. Mijn voetstappen klonken hard op het beton. Ik
strekte mijn nek tot ik bijna het open plafond raakte en kneep mijn
ogen half dicht tegen de felwitte honingraat van licht. De koperen pneumatische buizen hingen er als dikke, stoffige slangen onder, kropen
loom over de hele lengte van de gang en maakten aan het eind een plotselinge draai naar links, uit het zicht. Ik liep onder ze door in dezelfde
richting, mijn hoofd iets naar boven gericht en mijn oor afgestemd op
het geluid van mijn voetstappen. Een of twee keer spetterde ik door de
ondiepe plassen die overal in de onderkelder lagen. Naar verluidt waren
die het gevolg van optrekkend grondwater na de verbouwing, waardoor
alles daar op pallets of planken moest worden bewaard.

Die avond had ik geen oog voor het water. Toen ik de hoek om was, werd het geluid van mijn stappen al snel opgeslokt door een ander geluid: een vaag gebrom. Het werd harder naarmate ik dichter bij de plek kwam waar de metalen slangen eindigden en met hun kop gretig het gips in doken. Er hing hier ook meer rook en het was warmer: mijn adem was niet langer zichtbaar.

Voor me zag ik een deur zonder aanduiding. Dat verbaasde me. Ik had pijltjes verwacht, tekens, blauwe bordjes zoals bij de portier, bij de reproafdeling en de bewaking. Maar de hele met schoensporen bevuilde gang leek aanduidingsloos. Ooit waren er waarschijnlijk wel bordjes geweest – er zaten hier en daar boorgaatjes in de muren en er waren rechthoeken waar de verf iets lichter leek – maar iemand had ze weggehaald. Wel hing er een verfrommeld stuk papier. Toen ik het gladstreek, zag ik dat er een slordig met rode pen geschreven woord op stond: CREATORIUM. De deur eronder was gloeiend heet. Het bulderen en brommen dat ik verderop in de gang al had gehoord, kwam duidelijk hierachter vandaan.

Ik was bang, maar werd nog steeds voortgedreven door de lenige energie waar ik vroeger altijd op terugviel om het op te nemen tegen tegenstanders die groter waren dan ikzelf en hen tegen de grond te werken. Een gevoel dat in mijn volwassen leven bijna altijd in de sluimerstand had gestaan, deels omdat het me als het opdook – zoals tijdens hoogoplopende ruzies met Max – vijandigheid had opgeleverd in plaats van winstpunten. Het was een gevoel dat ik had gemist en ik klampte me eraan vast, ademde uit en klopte op de deur. Er kwam geen antwoord. Na een tijdje wachten klopte ik nog eens, nu iets harder. Nog steeds gebeurde er niets. Ik voelde aan de deurknop en tot mijn verbazing gaf hij mee.

Meteen had ik er spijt van, want de deur zwaaide open, waardoor een handdoek die langs de drempel had gelegen wegschoof. En wat ik daarbinnen zag was uitermate vreemd en verontrustend. Twintig of meer werkers, allemaal in identieke donkerblauwe overalls, voerden een snelle, vaardige dans uit. Verschillende paren ogen schoten mijn kant op en meteen weer weg, als de eigenaren ervan snel weer doorgingen met hun werk.

Ik wist natuurlijk niet dat de bewaker voor de deur – degene die ze vast verwacht hadden te zien toen de deur openging en op wie ze wel anders zouden hebben gereageerd – er een paar uur tussenuit was. Vergeleken met hem zullen ze mij niet erg angstaanjagend hebben gevonden. En toch verbaasde het me, al deed ik mijn best om met een air van doortastendheid de ruimte te betreden, dat niemand me aansprak of probeerde tegen te houden of zelfs maar even ophield met zijn bezigheden. Iemand schoot langs me heen om de deur dicht te doen, maar dat was het enige.

Het is nu ruim twee maanden later, maar ik kan nog steeds moeilijk geloven dat ik er niet meteen uit werd gezet. Het enige wat ik kan bedenken is dat de werkers niet wisten dat de bewaker zijn post had verlaten. Ze moeten in de veronderstelling hebben verkeerd dat hij me had binnengelaten. En misschien werkte mijn geveinsde gezag ook wel; ze waren bereid te geloven dat ik daar hoorde. Maar ik denk dat er nog een andere, belangrijkere reden was. Namelijk dat wat hun te wachten stond als ze hun werk niet afkregen veel bedreigender was dan ik. Iemand die op de vlucht is voor een troep wilde honden maakt zich waarschijnlijk ook niet druk om een vogeltje dat opeens opduikt en om hem heen begint te vliegen. En dan is er nog een laatste mogelijkheid en die vind ik nog het verontrustendst: dat veel van de werkers al te ziek of te verdoofd waren om me op te merken.

Eenmaal binnen keek ik gebiologeerd toe. Het was een grote ruimte – vier of vijf keer zo groot als mijn atelier – maar het voelde er benauwd en chaotisch. Door de dikke betonnen steunpilaren leek het vertrek voller en kleiner; de postbuizen en niet weggewerkte leidingen maakten het plafond lager en ik voelde me opnieuw net Alice: ineens veel groter en alsof ik terechtgekomen was in een duistere, ingewikkelde droom. Een die vol was met grote oranje vuilnisvaten, wit betegelde muren met vieze vegen, het weerkaatsende gekletter van buizen en stampende voeten. Een droom waarin het licht dat van kale, hoog aan de muur bevestigde peertjes naar beneden scheen door een grauwe schuimlaag van rook werd gefilterd. De duidelijkste aanwijzing dat er iets heel erg mis was – die bij mij de vraag opriep of er boven iemand op de hoogte was van wat zich hier afspeelde – was dat het er smoorheet was en er een dikke, scherpe rook hing.

Ik maakte mijn jas open, kuchte in de voering en werd meteen opzijgeduwd door een man die dozen van hoge, rommelige stapels tilde die vlak bij de deur waar ik net doorheen was gekomen op pallets stonden en hoog boven me uittorenden – bijna tot aan de buizen. Kreunend tilde de man een van de dozen op en gaf hem met een trage zwaai door aan de man naast hem. Er stond een hele rij mannen in donkerblauwe pakken langs de linkermuur die in een golvende beweging de dozen aan elkaar doorgaven. Ik kon niet zien waar de rij eindigde, hij verdween in een ruimte om de hoek.

De man die aan het hoofd van de rij stond knikte dat ik opzij moest gaan. Ik knikte kort terug en deed een paar stappen achteruit, terwijl ik mijn t-shirt over mijn neus trok. Er viel bijna niet te ademen in de rook en de hitte en ook kijken lukte nauwelijks. Mijn ogen brandden en ik knipperde tranen weg terwijl ik de bewegende schaduwen in de rook om me heen probeerde te duiden.

Ik kon genoeg onderscheiden om te zien dat in tegenstelling tot de deinende beweging langs de muur het dichtst bij me, er maar één man aan de andere kant van de ruimte was, naast wat de buizenpostcentrale moest zijn: de dofkoperen buizen die langs het plafond liepen kwamen in die hoek samen, waar ze zo op een rij naast elkaar wel wat weg hadden van een enorm kerkorgel. Op elke buis zat een bordje dat ik niet kon lezen vanaf de plek waar ik stond – de plaats waar ze vandaan kwamen en heen gingen, nam ik aan – en ze kwamen uit in een lange sorteerbak. Langs de rand daarvan zag ik hier en daar onbemande metalen krukken, maar die ene man zat niet. Hij stond met zijn rug naar me toe en leek verdiept in zijn Meme, die oplichtte in wild knipperende kleuren. Ik bleef hem half verscholen achter een van de steunpilaren een tijdje scherp in de gaten houden, maar zag hem maar één keer een blik over zijn schouder werpen naar een lange tafel midden in het vertrek, tussen hem en de dozen doorgevende mannen, die zich dichter bij mij bevonden, in.

Van alles wat zich in die ruimte afspeelde, snapte ik nog het minst van het raadselachtige werk dat aan die volgebouwde tafel werd uitgevoerd. Een stuk of tien werkers zaten er verspreid omheen. Ik kon hen niet allemaal zien – sommige werden vanaf de plek waar ik stond aan het zicht onttrokken door de pilaren – maar degenen die ik zag zaten allemaal in dezelfde gebogen houding, overgeheld naar de violetblauwe gloed van beeldschermen. Hoofden die als vermoeide spoken boven ongemakkelijk zittende lichamen zweefden. Verschillende van hen hadden witte maskers over hun neus en mond, waardoor hun gezichtsuitdrukking moeilijk te peilen was. Wat ik ervan meende te zien was verontrustend: de doffe blik van mensen die verdoofd zijn door geestdodend computerwerk of hallucinaties. Of misschien is dat wel wat ik er nu in zie, met de kennis van nu. Op dat moment werd ik afgeleid door een nog opvallender kenmerk dat ze gemeen hadden: bij allemaal zat iets op het voorhoofd geplakt wat nog het meest op een muntstuk leek – iets groter en dikker dan een zilveren dollar (van horen zeggen dan, want ik heb er zelf nooit een gezien). Toen ik dichterbij kwam, zag ik dat er een spiraal op aangebracht was die zo nu en dan oplichtte in verschillende kleuren: rood, wit, blauw, goud, groen. Gefascineerd keek ik toe.

Ik wierp een snelle blik op de man die bij de buizenpostcentrale door zijn Meme in beslag genomen werd – uit het feit dat hij daar alleen stond en weinig te doen leek te hebben maakte ik op dat hij een soort opzichter was – en liep zo onopvallend mogelijk naar de tafel. Het meisje dat het dichtst bij me zat was tenger en stil en ongemeen ingespannen bezig; ze leek niet te merken dat ik nog geen meter van haar af stond. Op haar smalle knieën balanceerden twee enorm dikke opengeslagen boeken, het ene half over het andere heen. Ze keek eerst in het ene, toen in het andere en daarna in nog een boekwerk dat op tafel lag. Vervolgens tuurde ze naar haar monitor.[17]

---

17. Het kwam toen niet bij me op me af te vragen waarom ze eigenlijk beeldschermen gebruikten. Pas later realiseerde ik me dat die monitors ook kunnen zijn bedoeld om de werkers daadwerkelijk te kunnen monitoren – zodat de voorman kon zien of ze een beetje opschoten.

Het beeldscherm stond vol dichtbeschreven velden op een vaat-watergrijze achtergrond. Het had eerlijk gezegd erg veel weg van het corpus van onze NADEL.

Terwijl ik over haar schouder stond mee te kijken, kreeg een van de velden op haar scherm een fraaie lichtgroene kleur. Het woord – ik geloof dat het 'paradox' was, maar ik kon het niet goed zien – verdween en in plaats daarvan verschenen er vreemde letters: b-a-y-д-o-к-c. Vervolgens verdwenen ook de stukjes tekst eronder – de betekenissen en tekstvoorbeelden. Die werden vervangen door één enkel zinnetje: 'Dat wat waar is.'

Ik kwam er pas later achter wat ik had gezien: de vervaardiging van een term die zou worden gebruikt om meer verkeer op de Lexibeurs te genereren. Voor sommige Meme-gebruikers – degene van wie het apparaat besmet was met een nieuw virus dat onlangs was opgedoken – namen dit soort termen de plaats in van 'obscure' woorden – 'cynisch', 'morbide', 'integriteit' – die degenen van ons die steeds afhankelijker werden van hun Meme niet langer volledig aan hun eigen geheugen toevertrouwden. Ik wist toen nog niets van die neologismen, noch van het virus of waarom dit 'woord' zojuist verzonnen was.

Bij de nieuwe, vreemde lettercombinatie hoorde geen illustratie. Geen etymologie. Geen uitspraakhulp, zelfs. Het was enkel een hardvochtig, onvriendelijk woord waarvan het enige nut zijn nutteloosheid was, los als het stond van de denkwereld en geschiedenis van de mens. Een treurige, steriele geboorte, waarvan de dood van 'paradox' een voorafschaduwing was geweest. Het was ouroboros die zich openbaarde. De slang die zijn staart opat. *Facta non verba*. Mijn vaders grootste vrees bewaarheid, met andere woorden. Maar op dat moment keek ik alleen maar gehypnotiseerd en stomverbaasd toe hoe het volgende veld op het scherm van het meisje groen kleurde.

Ik bekeek haar nog eens. Zag de zilveren spiraal op haar voorhoofd van blauw eerst paars en daarna weer blauw worden toen ze haar hoofd boog om in het dikke boek te kijken dat vooral op haar linkerknie lag, weer naar haar scherm keek, toen in dat op haar rechterknie en vervolgens weer naar het scherm. Vervolgens boog ze haar hoofd om met pen een kruisje te zetten naast een van de rijen tekst in het boek dat open op tafel lag en dat volgekrabbeld stond met opmerkingen in wat me Chinees leek.

Toen ik iets dichterbij ging staan om het beter te kunnen zien, schrok het meisje, dat me nu eindelijk zag.

Ik trok mijn t-shirt weg van mijn gezicht. 'Waar ben je mee bezig?' vroeg ik zachtjes. Ik deed mijn best niet beschuldigend te klinken maar alleen nieuwsgierig. Ik wist niet zeker of ze me zou begrijpen.

Ze zei niets terug, knipperde alleen een paar keer snel met haar ogen. De spiraal gloeide rood op.

Zonder te vragen of het mocht pakte ik het volgekladde boek op en klapte het dicht. Hield het op zijn kant om de gouden letters op de rug te bekijken en zag daar wat ik al vermoedde: het was deel P van de derde druk van de *North American Dictionary of the English Language*. Ik keek wat beter naar het scherm van het meisje. Het was inderdaad ons corpus. 'Paradox' was weg. Het begon me te duizelen.

'W-wat gebeurt hier allemaal?' vroeg ik. Ik schudde met het zware deel en gebaarde vervolgens naar haar scherm. Mijn stem klonk harder en bozer dan ik had bedoeld, maar mijn hart ging dan ook als een razende tekeer en mijn gezicht gloeide. Toen ze nerveus werd maar nog steeds niets zei, alleen maar bleef knipperen onder de rode gloed van het geval op haar voorhoofd, schreeuwde ik zowat: 'Begrijp je me wel?'

Het was duidelijk dat dat niet zo was. Ze kromp bang ineen en een van de boeken viel van haar schoot. Het belandde met een harde klap op de grond en we schrokken allebei – ik ook, uit schaamte en schuldgevoel vanwege de manier waarop ik haar had benaderd. Ik beefde nog steeds van niet-begrijpende woede, maar dat was geen excuus.

Trillend bukte ik om het boek op te rapen, maar voordat ik er erg in had, dook de vrouw naast haar erop af. Daarbij liet de spiraal op haar voorhoofd los, misschien door het zweet – bij mij droop het van mijn gezicht – en viel op de grond. Hij rolde een stukje in mijn richting en kwam daar tollend tot stilstand.

Ik bukte me op hem op te rapen. En in een opwelling keerde ik de vrouwen de rug toe en liep een paar passen bij hen vandaan. Ik poetste het ding schoon aan mijn spijkerbroek, veegde met mijn arm langs mijn voorhoofd en drukte het schijfje op mijn huid. De kant waar de spiraal niet uitstak, leek bijna zelfklevend, als een elektrodeplakker – of eigenlijk meer als de pootjes van een vlieg, bedacht ik later. Het ging zonder plakband of lijm. Zo kwam het dat ik het nieuwste model van de Meme testte: de Nautilus. Nog niet op de markt.

Ik weet niet wat ik had verwacht. Als ik had gedacht dat ik iets zou gewaarworden – in de fractie van een seconde dat ik daaraan gedacht zou kunnen hebben – had ik me misschien min of meer voorgesteld een replica in miniatuur te zullen zien van wat er op het scherm van het meisje stond. Maar ik denk niet dat ik verwachtte iets te voelen. Toch gebeurde dat vrijwel meteen: eerst een tintelend gevoel, als een soort speldenprikjes op mijn voorhoofd, en daarna een ongelooflijke warmte die zich snel door mijn hoofd en over mijn gezicht verspreidde.

Dat was nog niet het merkwaardigste effect: terwijl ik keek, leek het alsof verschillende stralende, gouden rijen gekalligrafeerde karakters voor mijn ogen vervaagden als prachtige, uit elkaar vallende zonnevlekjes. Het was alsof ik zag dat ze op een of ander scherm werden geprojecteerd en die indruk was zo sterk dat ik over mijn gezicht streek alsof ik iets verwachtte te voelen – lenzen. Natuurlijk was er niets. Vreemder nog: terwijl de karakters vervaagden, voelde het alsof ze verontwaardiging en angst achterlieten, alsof dat werd teweeggebracht door wat daar geschreven had gestaan.

Het zou natuurlijk kunnen dat die herinnering onbetrouwbaar is; ik weet inmiddels dat de Nautilus in staat is zaken zwaar te vertekenen – ervaringen en gedachten te vervlakken en herschrijven. En hoewel de oudere vrouw het ding al snel teruggriste, en daarbij over mijn gezicht krabde, heb ik later die nacht urenlang rondgedwaald door de mist van een andere Nautilus, die mijn indrukken van die avond ook verhevigd kan hebben.

Ik herinner me nog wel goed dat ik, voor ze hem weggriste, een golf van kalmte door me heen voelde trekken. Een verrukkelijk, bijna dronken gevoel van bestemming en wording – hoe absurd (en gevaarlijk) dat achteraf ook klinkt. Toen dook het woedende gezicht van de vrouw van wie ik de Nautilus had ingepikt voor me op, gevolgd door een pijnlijk scheurend gevoel, lawaai en lichtflitsen. Ze hield het ding met haar ene hand vast, pakte met de andere een zilveren doosje, dat ze snel openmaakte. Het leek vol vloeistof te zitten. Behoedzaam legde ze het ding erin, deed het deksel er weer op en schudde het krachtig heen en weer.

Ze sprak hard en snel in het Chinees. Iedereen was gestopt met zijn werk en staarde naar ons.

'Hoor eens,' zei ik rillend en nog steeds lichtelijk verdoofd. 'Dit kan echt niet.' Ik liep weer naar het meisje en wees hoofdschuddend naar haar scherm. Engels tegen ze blijven praten leek niet alleen zinloos, maar ook vijandig, bevoogdend. Maar ik kon het niet laten. 'Ik weet niet hoe jullie aan de wachtwoorden zijn gekomen,' ratelde ik door. 'En ik neem aan dat dit allemaal ergens wordt bewaard' – ik had het nare gevoel dat ik mezelf gerust probeerde te stellen – 'maar dit is een slechte zaak. Heel slecht. Dit kan echt niet.' Ik wees nog eens naar het scherm en schudde van nee, hoezeer ik me ook schaamde voor mijn neerbuigendheid. Maar ik was te kwaad en te verbijsterd.

Wat gebeurde hier? Dit waren geen mensen die boven op kantoor werkten, zoveel was duidelijk. Dus hoe waren ze hier gekomen? Hoe lang waren ze hier al? Uren? Dagen? En waar waren ze mee bezig? In opdracht van wie? En stel dat het niet hun bedoeling was om de NADEL te vernietigen – hoe zou dat ook kunnen? het was een krankzinnige gedachte – dan nog waren per ongeluk gewiste lemma's ook een ramp. Elk lemma vertegenwoordigde ontelbare uren van noeste arbeid. Bijna drie decennia werk van Doug. En van Bart en van mij. En van tientallen anderen.

En krankzinnig of niet, niets van wat zich hier afspeelde leek per ongeluk.

Als er veel woorden waren veranderd of gewist... ik durfde niet verder te denken. De schade zou immens zijn. Vooral, dacht ik met bonzend hart, als de back-ups ook beschadigd waren. De serverruimte was verderop in de gang. Onze kantoren, met alle bestanden van ons digitale archief, waren maar een paar verdiepingen hoger. De derde editie moest over minder dan een week op de markt komen. De eerste exemplaren waren al gedrukt. Maar daarna? Hoe zouden we kunnen herstellen wat verloren was gegaan? Alle scenario's die ik me voorstelde om te vervangen wat verdwenen was, zelfs de beste, zouden monumentale inspanningen van maanden of meer vergen. Tijd die we niet hadden – onze fondsen waren nu al zowat opgedroogd. Ik wist niet of er iemand was, behalve Doug, die zou weten waar te beginnen.

Toen ik aan Doug dacht, stokte mijn adem. Ik moest weer hoesten, dit keer zo hevig dat mijn ogen traanden. Ik kon ternauwernood een snik onderdrukken. 'Waar zit je toch, pap?' fluisterde ik bij mezelf. Ik wreef mijn ogen droog. Bij de aanblik van de tafel met de rij werkers die het volkladden van de delen hadden hervat, stond ik mezelf eindelijk toe het ergste te geloven. Onwillekeurig greep ik de tafelrand vast uit angst dat ik door mijn benen zou zakken en keek zo recht in het angstige gezicht van het meisje dat ik ter verantwoording had geroepen en dat nog steeds hevig met haar ogen knipperde. Nu om haar tranen tegen te houden.

Precies op dat moment kwam de man die bij de buizenpostcentrale had gestaan haastig aanlopen, terwijl hij dingen naar de werkers aan de tafel riep. Het meeste van wat hij zei was onverstaanbaar – hij sprak iets waar ik geen touw aan kon vastknopen – maar ik meende hem in het Engels te horen zeggen: 'Hoe? Wie heeft haar binnengelaten?', wat vergezeld ging van een priemende vinger in mijn richting en witte stipjes speeksel die van zijn lippen sprongen toen hij enigszins over zijn toeren naar de deur keek. Hij wapperde met een opgewonden gebaar met beide handen dat ze weer aan het werk moesten en kwam vervolgens met een laatste zenuwachtige blik naar de deur op mij af.

Ik zette me schrap. Hout en lijm, dacht ik. Dat zou Doug tegen me gezegd hebben.[18]

Je weet niets, hield ik mezelf voor. Geef onzekerheid geen kans. Ik slikte moeizaam en keek de man recht in de ogen. Anders dan de anderen hier zag hij er Slavisch uit, met een flinke neus en een kuiltje in zijn kin. Hij was klein, ongeveer van mijn lengte, maar zeer stevig gebouwd. 'Alles is prima in orde,' zei hij bars. 'Gepek problemen hier. Ja?'

Ik stond nog steeds met één hand op de tafelrand en hij plaatste de zijne ernaast om iets neer te leggen: net zo'n zilveren doosje als waarin de oudere vrouw kort daarvoor zo ijverig haar apparaatje had staan schoonmaken. In zijn andere hand hield hij nog steeds zijn Meme, alleen had hij het geluid uitgezet bij wat het ook was waar hij naar had staan kijken. Toen hij zag dat ik ernaar keek, stopte hij hem in zijn broekzak.

'Hoor eens,' zei ik, en ik probeerde schappelijk te klinken. Mijn ogen werden onweerstaanbaar naar het zilveren doosje getrokken. Ik vroeg me af waarom hij het spiraalding dat erin zat niet gebruikte. 'Ik werk hier. Boven. Douglas Johnson, de hoofdredacteur van de *North American Dictionary*, is mijn vader.' Terwijl ik dat zei brokkelde mijn stem een beetje af, als een duin, en voelde ik een warme golf van trots door mijn borstkas spoelen. Hout en lijm, zei ik in gedachten nog eens tegen mezelf. 'Kunt u me vertellen... Wat heeft dit allemaal te betekenen?' Ik keek naar hem op. 'Het lijkt wel alsof ze met ons corpus bezig zijn. En zoals u vast wel weet...'

'Niets,' maakte hij korte metten met mijn pogingen om meer te weten te komen. 'Broffel aan de hand.' Een zweem van een lachje speelde om zijn lippen. Hij keek opnieuw naar de deur en het lachje verdween.

---

18. Toen ik acht was, had hij een prachtig blauw met zilveren zwaard voor me gemaakt, bedekt met glinsterende lovertjes (die er al snel af vielen). Verbijsterd vroeg ik hoe hij dat had gemaakt. 'Hout en lijm,' zei hij schouderophalend. Het werd een van onze vaste uitdrukkingen, een die we steeds weer andere betekenissen gaven – het kon voor iets magisch of iets heel prozaïsch staan. Het vaakst zeiden we het als we 'hou je taai' bedoelden: om uit te drukken dat we kracht konden smeden uit wat we maar wilden.

Getergd schudde ik mijn hoofd. 'Ik wil niet lastig zijn...' begon ik. Maar hij legde zijn hand resoluut op mijn schouder. Er trok een huivering door mijn rug.

'Alles is helemaal in orde hier,' zei hij, nu iets barser. 'U ziet niet wat u denkt te zien. Tijd om weg tuite gaan.' Even gleed er een vreemde grimas over zijn gezicht. Hij liet me los en greep met beide handen naar zijn hoofd. Voor ik het wist, was de vreemde aanval alweer voorbij. Hij pakte me beet en draaide me ruw om naar de deur.

Die onverwachte duw scheurde een soort psychisch vlies dat me er tot dan toe van had overtuigd dat ik veilig was. Ik realiseerde me opeens weer waar ik was: twee verdiepingen onder de grond op een zaterdagavond. En geen mens in de buitenwereld die wist waar ik was.

Toch zette ik geen stap in de richting van de deur. Ik gaf me niet gewonnen, voelde me wel wat gespannen, maar knikte. Ik keek over mijn schouder naar de Slavische man en zei: 'Het spijt me, maar ik moet eerst weten wat hier gebeurt.' Tot mijn opluchting kwam dat er heel kalm uit.

Hij keek me met fonkelende ogen aan. Hij duwde me niet langer, maar ik voelde zijn hand nog steeds op mijn rug liggen, als op de flank van een paard. De warmte in het vertrek was verbijsterend. Ik werd er duizelig van, draaide me om naar de deur en trok mijn t-shirt weer over mijn neus om beter te kunnen ademhalen. Zweet prikte op mijn slapen en in mijn nek en ik zag de mannen met de dozen die ze overgooiden inktzwarte bogen tekenen op het golvende gordijn van rook. Hier en daar lagen door schoenen bevuilde stukken papier op de betonnen vloer. Pagina's uit boeken. Ik zag het zwakke licht in een paar ondiepe plassen dansen en probeerde met mijn gedachten de man te dwingen zijn hand van mijn rug te halen. Ik vroeg me onwillekeurig af of ik een judoworp zou kunnen gebruiken om hem over mijn schouder te gooien als het erop aankwam. Ik had wel mannen die groter waren dan ik op de grond gekregen, maar dat was lang geleden. En stel dat het me zou lukken, wat dan?

Het bleek niet nodig te zijn. Uiteindelijk haalde hij zijn hand van mijn rug. 'Het lijkt me beter om Dmitri er niet bij te halen, denkt u ook niet?' Ik moest me weer omdraaien om hem aan te kijken. 'Hij komt matlof terug. Hij heeft liever niet dat we hem bellen.' Hij klopte zacht op de uitpuilende zak met zijn Meme – of iets anders. Dat onuitgesproken dreigement, en die andere man over wie hij het had, wist uiteindelijk door mijn harnas heen te breken. Misschien was het bluf, misschien ook niet. Maar hij leek erg verontrust en erop gebrand me weg te krijgen, zat er blijkbaar mee in zijn maag dat hij mijn aanwezigheid hier zou moeten verklaren tegenover die andere man, Dmitri. En angstige mensen zijn tot angstaanjagende dingen in staat.

'Goed dan,' stemde ik in, en ik grabbelde in mijn zak naar mijn eigen Meme, terwijl ik in gedachten de dingen op een rijtje zette waarmee ik naar de politie zou kunnen gaan. 'Ik ga al.'

'Mooi. Zal ik u begeleiden?' vroeg hij.

Ik schudde met een glimlach van nee. Hij glimlachte terug. Die twee lachjes betekenden heel verschillende dingen.

Wat hij niet wist was dat dat van mij ook een afleidingsmanoeuvre was: hij had zijn zilveren doosje open en bloot op tafel laten liggen en terwijl we stonden te praten, had ik mijn hand er langzaam naartoe laten glijden. Terwijl ik er nederig glimlachend en met neergeslagen ogen mee instemde om weg te gaan, legde ik mijn hand eroverheen. Met een steelse beweging liet ik het toen hij weer naar de deur keek in mijn zak bij mijn Meme glijden.

Ik liep snel naar de deur, over de plassen en besmeurde vellen papier heen en tussen de vieze, betonnen pilaren door, maar keek nog één keer achterom. Hij stond me nog steeds na te kijken bij de tafel, met één hand tegen zijn hoofd gedrukt. Hij kon elk moment ontdekken wat ik had gestolen. Mijn hart bonkte zo hard dat ik er misselijk van werd. De grond leek heel ver en hellend. Om elk beeldscherm dat ik zag gloeide een groezelig aura en de walm leek steeds dikker en heter te worden. Het donderende geraas in de ruimte werd zachter, alsof het door watten kwam. De tijd dijde uit.

Maar hij kwam niet achter me aan. Toen ik weer naar de deur keek, leek die verder weg te zijn gekropen. Struikelend haastte ik me langs de laatste pilaar, de toren van dozen, de mannen die ze doorgaven en naar me keken. Toen ik eindelijk bij de uitgang was, dwong ik mezelf nog een laatste blik over mijn schouder te werpen. De voorman maakte een wapperend gebaar en ik voelde de opluchting prikken in mijn gezicht. Ik knikte. Hij draaide zich om naar de buizen en stak zijn hand in zijn zak om zijn Meme te pakken. Ik liep de koele, helder verlichte gang in.

Ik trok de deur alleen niet helemaal dicht. En liep nog niet weg. Ik bleef een paar minuten staan om me te vermannen. Trok mijn jas en trui uit en wapperde mezelf koelte toe met de zoom van mijn shirt. Hoestte. Zocht trillerig steun tegen de muur. Sloot mijn ogen voor het pijnlijke licht en drukte hard op mijn oogleden tot ik een lichtgevende sneeuw zag die nog even bleef hangen toen ik ze weer opendeed. Ik telde twintig keer tot twintig. Haalde een paar keer hijgerig adem. Keek zoekend de gang door. Het enige wat ik zag waren witte muren, het felle licht van de tl-buizen, open plafonds vol stoffige buizen en leidingen en een grijze betonnen vloer.

Even meende ik een onmogelijk geluid te horen, als stromend water. Maar het was lastig te onderscheiden boven het aanhoudende gedreun in het Creatorium. Ik tuurde de gang zo ver mogelijk af – niet in de richting waar ik vandaan was gekomen, maar de andere kant – en zag dat de grond inderdaad nat leek. Het licht leek er glinsterend in te weerspiegelen. Maar mijn grootste zorg was dat er iemand aan zou komen en ik draaide me snel weer om.

Ik wapperde nog een laatste keer met mijn shirt en trok mijn donkere trui weer aan. Mijn groene jas liet ik op de grond liggen. Ik trok de capuchon van de trui over mijn hoofd en glipte stilletjes het Creatorium weer in. Er was nog één ding dat ik per se wilde zien.

De mannen die in een rij langs de muur dozen stonden door te geven hadden geen verlichte spiraal op hun voorhoofd, maar een paar droegen er een veiligheidsbril en de meeste hadden katoenen mondkapjes voor tegen de rook. Ik zag een man een doos van de toren bij de deur grijpen en hem in een vloeiende beweging doorgeven aan

de volgende in de rij, die hem weer met een sierlijke beweging over-
gooide naar de volgende, enzovoort.

Ik liep gehaast de rij langs en wierp intussen steeds zenuwachtige
blikken in de richting van de voorman. Die stond weer aan de andere
kant van de ruimte met zijn gezicht naar de buizen op zijn Meme te
kijken, maar kon zich elk moment omdraaien. Ik voelde de temperatuur stijgen en de lucht steeds dikker worden. Toen ik de nis had bereikt waar een voorovergebogen werker dozen opensneed, liep ik onophoudelijk te kuchen. Het zweet stroomde langs mijn neus.

Terwijl ik met prikkende ogen door de golvende hitte tuurde, deed
ik een volgende afschuwelijke ontdekking. Tot mijn afgrijzen en met
een ternauwernood onderdrukte gil zag ik dat er boeken uit dozen
werden gerukt en in het razende vuur van een oude en slecht geven-
tileerde kolenoven werden geworpen. Ik keek wat beter naar een van
de dozen die langsgegooid werden en mijn hart sloeg over. Op een
witte sticker op de zijkant stond: NORTH AMERICAN DICTIONARY OF
THE ENGLISH LANGUAGE: DERDE EDITIE − R. De man die de doos op-
ving keek me aan en ik zag hoe hij zijn ogen boven het witte mond-
kapje opensperde. Voor hij het ritme van de dozentoevoer zou verstoren, legde ik mijn vinger op mijn lippen. Schudde mijn hoofd. En
liep weer snel terug naar de deur. Vlak voor ik naar buiten schoot
wierp ik nog een laatste blik op de toren van dozen. Elk met zo'n witte
sticker.

Eenmaal weer buiten drukte ik mijn hand tegen mijn borstkas. Ik
veegde vochtige as uit mijn ogen. Leunde tegen de muur, hoestte en
hapte naar adem. Ik trok mijn jas weer aan en probeerde te begrijpen
wat ik had gezien. Ik had het gevoel dat ik zojuist uit een limn over
twintigste-eeuwse boekverbrandingen was gestapt: de vampierachtige
Goebbels met zijn ingevallen wangen die bij een inferno van gezags-
ondermijnende geschriften stond te schreeuwen, Stalin, Mao en zijn
Rode Garde, Iraanse troepen die in de republiek Mahabad alles verbrandden wat in het Koerdisch geschreven was, schoolkinderen in
het New York van halverwege de eeuw die in Binghamton strips in
het vuur gooiden, de brandweermannen van Ray Bradbury, bibliothe-

carissen uit het Apartheidstijdperk, Pinochet, Pol Pot, Servische natio-
nalisten die de nationale en universiteitsbibliotheek in brand staken.

Maar dit was geen gewone boekverbranding. Ook ons digitale corpus werd door bleke, vaardige handen ontmanteld. Wie zou ons
woordenboek willen vernietigen? Wist Doug hiervan? Was hij daarom verdwenen?

Ik wilde daar weg. De politie bellen om Doug als vermist op te geven.
Beschrijven waar ik zojuist getuige van was geweest. Maar ik was mezelf niet, had geen helder hoofd, en liep de verkeerde kant op – niet
naar de trap, maar de andere kant, wat ik pas in de gaten kreeg toen ik
gespetter hoorde en naar beneden keek. En terwijl ik met een schok
weer in de werkelijkheid belandde, zag ik dat de grote plas die me al
eerder opgevallen was in feite een beekje was. Een stroompje dat werd
gevoed door een stel zwarte slangen die uit in de muur geboorde gaten
staken. Het water leek daarnaast ook direct uit de vloer op te borrelen.
Er was zelfs een gootje gefreesd in het beton om het door de gang te
laten stromen, waar het naar links afboog door een open deur.[19]

Voorzichtig gluurde ik om de hoek. Het was gewoon een donkere,
vochtige voorraadkast, waar het koel was als in een grot en waar je het
water hoorde ruisen. Ik tastte naar een lichtknopje om te kunnen
zien waar het water heen ging, maar voordat ik het kon vinden, hoorde
ik een harde Russische mannenstem vanaf het andere eind van de
gang zeggen: 'Wil je weten wat we daar verbergen? Blijf dan vooral
rondneuzen, dan kom je er vanzelf achter.'

Dat was het dan. Ik wist dat ik was betrapt door de Slavische voorman. Een merkwaardig gevoel van rust daalde over me neer – net als
de berustende kalmte die bezit van je neemt bij het wachten op een
orkaan. Langzaam stapte ik achteruit de kast uit, terwijl ik koortsach-

---

19. Zoals de meeste inwoners van New York had ik wel eens geruchten gehoord over ondergrondse rivieren en beken; de plassen in de onderkelder
waren daarvan tot nu toe het enige bewijs dat ik kende. Toen ik aan Columbia
studeerde, had ik wel eens horen beweren dat er water onder Prentis Hall
stroomde. Maar er was een nog veel beroemdere ondergrondse beek, die meer
dan 120 jaar geleden onder de New York Athletic Club was ontdekt – maar een
paar straten bij het kantoor van de NADEL vandaan.

tig een geloofwaardig verhaal probeerde te verzinnen. Zodra ik me had omgedraaid, zag ik wat mijn oren al hadden geregistreerd, maar wat nog niet helemaal was doorgedrongen: het was niet dezelfde man. Hij leek verbaasd toen hij me zag. Maar minder verbaasd dan ik toen ik hem hoorde zeggen: 'Mevrouw Johnson.'

Ik had hem nog nooit gezien. Hij droeg het uniform van onze beveiliging. Stelde zich met een modderig accent voor als Dmitri Sokolov: de man, maakte ik daaruit op, die de voorman niet had willen storen. Hij was gigantisch: een gedrongen figuur, minstens 140 kilo, een kleine twee meter lang. Dezelfde bouw en dezelfde droevige, gevoelvolle ogen als mijn favoriete schilderleraar toen ik nog op de academie zat. Ik schatte hem halverwege de veertig met zijn haar dat meer zout dan peper was, maar met gitzwarte borstelwenkbrauwen die wel met houtskool getekend leken. Helderblauwe ogen. Op zijn kin glinsterden de stoppels van een baardschaduw. Zijn neus zag eruit alsof hij een keer of twee gebroken was geweest. Hij had een ondeugend, scheef lachje om zijn lippen. 'Wat een onverwacht genoegen u hier vanavond te treffen. Wat doet u hier?' zei hij plagerig.

Er was geen verhaal komen bovendrijven. 'Ik ben een beetje de weg kwijt,' zei ik. Mijn mond voelde onbetrouwbaar en droog, alsof ik zout had gegeten, maar mijn concentratie was nog messcherp.

'Aha,' zei hij. En knipoogde. 'En waarheen was u op weg?'

Terwijl de gedachten door mijn hoofd schoten, flapte ik er het verkeerde uit: 'Ik was op zoek naar iemand van de beveiliging,' zei ik. Dat wilde ik althans zeggen.

Hij keek me met een kille, niet-begrijpende blik aan. Er verscheen een rimpel in zijn voorhoofd. En na een stroperige pauze zei hij: 'Ik weet niet wat dat betekent, "obaisin".'

Ik had geen idee wat hij bedoelde. 'De beveiliging?' herhaalde ik. Ik voelde mijn stem afbrokkelen.

Hij trok een frons. Krabde over zijn kin. Het raspende geluid van nagels over stoppels irriteerde me. Hij staarde me aan en liet traag de knokkels van zijn hand knakken. Ten slotte zei hij, duidelijk articulerend: 'Gesloten.'

Mijn maag kromp ineen, alsof hij door touw werd ingesnoerd. Ik wilde alleen nog maar weg. Naar buiten. De politie bellen. Mijn vader terugvinden. Levend.

'Hoor eens, ik moet er nu echt vandoor,' zei ik. Ik grabbelde in mijn zak. Heel even was ik verbaasd toen ik het doosje met de spiraal voelde zitten en ik hoopte dat dat niet van mijn gezicht was af te lezen. Ik haalde mijn Meme tevoorschijn. Hij had geen bereik. Gek genoeg stond hij in de slaapstand.

Hij keek naar mijn scherm en ik zag dat hij zag wat ik zag: de gedempte gloed. Geen verbinding. 'O ja?' zei hij. Hij leek het grappig te vinden. 'Moet u ervandoor?'

'Ja,' zei ik. Ik probeerde mijn stem in bedwang te houden. 'Mijn vriend wacht op me.' Ik schudde met mijn Meme.

'Uw vriend?' zei hij spottend en hij trok zijn wenkbrauwen op. 'U hebt een afspraak met uw vriend?' Hij knikte en zijn mondhoeken wezen naar beneden. Met een misselijkmakende huivering besefte ik dat hij me niet geloofde. Alsof hij wist dat er niemand op me wachtte.

Ik wierp een steelse blik op het plafond en realiseerde me met dichtgeknepen keel dat er geen camera's in deze gang hingen. Als Dmitri zou besluiten me mee te nemen naar het Creatorium, zou niemand dat te weten komen. Het zou dagen duren voordat iemand in de gaten kreeg dat ik er niet was. Ik zag de koppen al voor me: VADER EN DOCHTER VERMOEDELIJK ALLEBEI DOOD.

Dmitri zei een hele tijd niets. Ik probeerde aan zijn gezicht af te lezen wat hij dacht, maar het was onleesbaar. Als een brief in een droom. Ik zette me schrap en voelde elk deeltje van mijn lichaam trillen met potentiële energie. Ik zou hem niet aankunnen in een gevecht, maar vroeg me af of ik zou proberen te vluchten. Ik wist dat ik als ik een fout maakte nog dieper in de puree zou raken. Ik aarzelde nog, stelde me voor hoe ik hem opzij zou duwen en de gang door zou rennen. Stond op het punt dat te doen.

Opeens was die lange, troebele stilte voorbij. Hij klapte zachtjes in zijn enorme, vlezige handen, trok een plagerig lachje waarvan zijn ogen oplichtten en zei: 'Prima, mevrouw Johnson. Gaat u maar snel naar uw vriend toe. Doe hem de hartelijke groeten van me.'

We bleven nog even staan, omdat hij de gang blokkeerde. Toen deed hij een stapje opzij – net niet genoeg om te kunnen passeren zonder elkaar aan te raken. Hij rook naar sigaretten en gebakken ui, een zweempje kaneel. Ik drong langs hem heen en zorgde dat ik met een krachtige, beheerste pas verder liep. Ik voelde zijn ogen in mijn rug, kon hem bijna voelen grijnzen. Maar ik keek niet om.

Ik begon pas te rennen toen ik bij de trap was – ik vloog naar boven met de Meme als een zaklamp voor me uit en een hart dat zowat uit mijn borstkas knalde. Eenmaal in de lobby holde ik zo hard over de marmeren vloer dat ik bijna uitgleed. Pas later realiseerde ik me dat de vrouw die eerst achter de balie had gezeten, er niet meer was. Er was helemaal niemand.

Op straat kreeg ik een hevige hoestaanval in de wind. De tranen sprongen me in de ogen. Mijn longen stootten de geïnhaleerde atomen van mijn vaders levenswerk weer uit. Mijn Meme had weer bereik en zoemde omdat er twee sms'jes van oude mobiele telefoons waren. Het ene was van Bart en dat voelde als een reddingsbootje: 'Al nieuws? Hoop dat het goed met je gaat.' Het andere was van dr. Thwaite. 'Alice,' luidde het, 'gebruik je Meme niet. En ga niet naar kantoor.' Ik probeerde hem te bellen, maar hij nam niet op.

Mijn Meme bestelde een taxi en deed, zodra ik was ingestapt, de deur op slot. Het was een auto met een echte chauffeur en ik zag hoe hij me in de achteruitkijkspiegel bekeek. Het communiceren met hem ging lastig: ik moest hem mijn adres drie keer geven voor hij uiteindelijk knikte. Er kon geen lachje vanaf. Ik weet niet wat me mankeerde, maar ik voelde me niet lekker: zweterig, licht in het hoofd. Mijn Meme zette het achterraampje open. Toch gaf ik over, een beetje maar, op de vloer van de taxi, en toen we bij mijn huis waren, beamde de Meme een fooi van veertig procent naar de chauffeur.

Ik dacht dat ik gewoon doodmoe was. Eenmaal boven was ik zo gesloopt dat ik met kleren en al op bed ging liggen.

Maar hoe moe ook, ik kon niet slapen. Mijn gedachten draaiden steeds hetzelfde akelige rondje langs al het vreselijks dat Doug kon zijn overkomen, dat mij had kunnen overkomen als alles vanavond anders was gelopen. Ik smeekte mijn hoofd te stoppen, liet het weten dat ik rust nodig had om weer genoeg mens te worden om de politie te kunnen bellen en verder te zoeken naar Doug. Ik probeerde zelfs goede herinneringen boven te halen, een trucje waarmee het me soms lukte om in te dommelen, maar de meeste werden onmiddellijk verdrongen door de ongerustheid en al snel greep ik naar mijn zak om mijn Meme tevoorschijn te halen.

Op dat moment stootten mijn vingers weer op het doosje met de spiraal. Ik vroeg me af of die iets zou kunnen streamen om mijn drukke gedachten tot rust te brengen. Dr. Thwaites waarschuwing om me verre te houden van Memes kwam weer bovendrijven. Enigszins opstandig hield ik mezelf voor dat hij niets had gezegd over dit apparaat, al leek het me sterk dat dit zijn goedkeuring wel zou kunnen wegdragen. Verlangend dacht ik terug aan de bedwelmende sereniteit die over me was neergedaald in het Creatorium toen ik de spiraal van de oudere vrouw had opgezet. Ik kon de drang om die van de voorman te proberen niet weerstaan.

Hij leek geen aan-uitknopje te hebben. Ik hoefde hem alleen maar uit het doosje te pakken, uit de vreemde, heldere vloeistof, en op mijn voorhoofd te plakken. Weer voelde ik die beklemmende, gonzende warmte. Al snel werd ik overspoeld door een wirwar aan indrukken die niet van mezelf waren, veel duidelijker dan eerst. Een slanke, topless vrouw die in een van mijn ooghoeken opdook riep een scheut lust en een mild verlangen op. Het leek bijna alsof ik haar parfum kon ruiken – jeneverbes en fruit. Op een ander visueel niveau kreeg ik een veel grotere kick van twee boksers die elkaar aan het aftuigen waren: ik voelde me meegesleurd door een opgewonden razernij, optimisme, alsof ik op het punt stond iets te winnen, een vaag kloppen in mijn kaak. In een andere hoek zag ik twee kleine kinderen elkaar opzij duwen in hun strijd om me met opgewonden piepstemmetjes een verhaal te vertellen in een taal die ik op de een of andere manier bijna verstond – misschien iets over een paard dat op iemands voet had gestaan (ik merkte dat ik meer voor het meisje dan voor de jongen voelde).

Al die herinneringen – mijn herinneringen, 'onze' herinneringen – dwarrelden ook weer heel snel weg, als as. Er was één ding dat verdween voordat ik dat wilde: mysterieus mooie muziek die me zo bekend voorkwam dat ik bijna wist wat het was – maar niet helemaal. Ik wilde het terug.

Het eigenaardige was dat het terugkeerde, nadat ik maar heel even had hoeven wachten – zo leek het tenminste, maar het moet veel langer zijn geweest, misschien zelfs wel een halfuur, begreep ik later. Volgens een oplichtende titel was het *Spiegel im Spiegel*, een stuk voor piano en viool van de Estse componist Arvo Pärt. Toen ik nog klein was, was het een tijdje een favoriet van Vera geweest en had ze het maandenlang vaak opgezet.

Die muziek zette de poort open naar een menagerie van gevoelens en herinneringen, sommige die ik zelf had geprobeerd op te roepen om mezelf in slaap te sussen, andere die ik vergeten was of die half verzonnen waren door het apparaat. Allemaal waren ze rijk aan levendige, aangenaam weemoedige details. Naderhand kon ik me er nog maar een paar van herinneren.

In een ervan neuriede Vera *Spiegel im Spiegel* terwijl ze citroenkoekjes stond te bakken[20] en lag ik vlakbij op mijn buik op een door de zon verwarmd stukje vloer een draak met heel veel ogen te tekenen en keek af en toe op naar de zwiepende groene bomen voor het raam, volledig opgaand in mijn bezigheden, tevreden en zeker van mijn plaats in die kalme, volmaakte wereld.

In een andere, nog vroegere, van wat mijn vierde of vijfde verjaardag moet zijn geweest, ging ik met Doug en haar met de metro van de Upper West Side naar de East Village voor mijn eerste echte tekenmaterialen. Terwijl ze me tussen hen in heen en weer zwierden over de stoep, grapte Vera: 'Volgens mij verkopen ze bij ons in de buurt

---

20. De geur dook op: gesmolten boter en geraspte citroenschil. Maar ook een recept, samen met een link naar een 'winkelwagentje' dat al gevuld bleek met alle ingrediënten. Ik moest 'geen interesse' denken om het weg te krijgen.

ook kleurpotloden,' en voelde ik me een tikje schuldig en blij en duizelig van opwinding.

Terwijl deze herinnering werd afgespeeld, verschenen er op andere
niveaus meer beelden: een metrokaart van dat jaar, afgebeeld naast
het nieuwste exemplaar, waarin de verschillen oplichtten (de Second
Avenue-lijn, de m, de verlengde g, de t en de u). Het weerbericht van
die middag verscheen (licht bewolkt en 17 °c), dat overvloeide in dat
van vandaag (veel wind, 3 °c). Ik zag rijkgeschakeerde kleurstalen
naast reclames voor gliefprojectoren die ze getrouw konden reproduceren. En er gleden kunstwerken langs die ik mooi vond – van Gerhard
Richter, Vija Celmins, Ed Ruscha, Kiki Smith, Louise Bourgeois,
Francis Bacon, Isamu Noguchi, Picasso, Caravaggio, Rubens – compleet met de namen en adressen van hun musea en verzamelaars. Er
waren tegelijkertijd ook andere herinneringen te zien op kleinere
'schermen': mijn eerste verschrikkelijke recensie van toen ik nog op
de academie zat, de tanninerijke wijn die geserveerd werd bij mijn
afstudeerexpositie, rollen koekjes die ik op een nacht toen we voor
een groepsexpositie in ons gedeelde atelier waren blijven slapen over
de muur naar Coco had gegooid (erna hoorde ik een gedempt 'au'; ik
schrok, maar even later werd er met volle mond gemompeld: 'Merci,
amour').

Er was ook een ijzig koude van Vera, Doug en mij toen we onze
armen lieten wapperen in de poedersneeuw van Riverside Park om
wat Doug 'sneeuwhippies' noemde te maken, geen engelen, want
volgens hem zagen ze er altijd uit alsof ze wijd uitlopende broeken
aanhadden. Om diezelfde reden noemde ik ze 'sneeuwmama's', omdat
Vera ooit als model in dat soort jeans had geposeerd. In een stel andere tekende Doug uitgebreide plattegronden met routes naar het
Natural History Museum en naar de jachthaven aan 79th Street
– respectievelijk drie en zeven straten verderop – en maakte ze met een
elastiekje aan mijn pols vast, waarna hij me de route hardop liet opzeg-
gen. In weer een andere, mijn favoriet, had Vera griep en probeerden
Doug en ik kippensoep voor haar te maken. We brachten haar een kom
op bed en ze proefde er dapper van, maar toen Doug vroeg: 'Is het heel

erg?' knikte ze en moest ze zo hard lachen dat de tranen over haar wangen stroomden en ze soep op de lakens knoeide. Ze zette de kom weg, spreidde haar armen, en we kropen bij haar in bed.

Er waren er nog veel meer, ook van Max en mij: onze eerste kus naast een druk handbalveld in Hell's Kitchen met een lawaaierige soundtrack van joelende kinderen. Max die erop stond dat we op zoek gingen naar een plekje om te vissen toen hij voor het eerst mee was naar het huis van mijn grootouders in East Hampton en vervolgens iedereen, zelfs mijn oma, liet proeven van onze magere vangst. De keer dat we 's avonds laat op de fiets over de Brooklyn Bridge reden – de handvatten van de fiets bonkten tegen mijn handen – en ik aan de Brooklyn-kant bijna werd overreden door een auto en mijn hart op hol sloeg door de dubbele kick van een ontsnapping aan de dood en verliefdheid. Max die onder de douche in onze hotelkamer op Dominica Donny Hathaways 'A Song for You' zong, toen hij dacht dat ik nog op het strand was.

Al die herinneringen – waarvan de meeste naar sentimentaliteit neigden – waren uitgebreid en gelaagd en er doken steeds weer 'toegevoegde content' en advertenties op. Het was ook in andere opzichten een vreemde beleving: op een gegeven moment, toen Ramona verscheen in een herinnering aan een schoolreisje naar de dierentuin in de Bronx, geloof ik dat ik haar zelfs begon te bellen – ik hoorde een reeks piepjes gevolgd door het overgaan van een telefoon – maar het apparaat meldde dat het 2.37 uur in de ochtend was en ik zorgde dat ik snel 'ophing', wat ik deed door het heel sterk te willen (en wat een opluchting dat ik niet het nummer van Max had gedraaid).

Tegelijkertijd was ik me heel erg bewust, zij het minder uitgesproken, van mijn lichaam in bed en de spiraal die als een derde oog op mijn voorhoofd geplakt zat. Ik voelde hoe hij tegen mijn huid klopte als een onophoudelijk prikkende lichte kwallenbeet. Terwijl het eigenlijk niet voelde als een oppervlakkige prikkeling, het leek veel dieper te gaan. Wat in zekere zin ook zo was, maar daar kwam ik pas later achter.

Eén ding dat ik wel heel duidelijk voelde, was hoofdpijn. Heel erge hoofdpijn. Steeds meer, totdat ik het niet meer kon negeren. En geen normale hoofdpijn, zoals ik bij dr. Thwaite thuis had gehad. Het voelde alsof mijn hersenen in ijs waren ondergedompeld, terwijl mijn voorhoofd juist warm was. Heel warm. En steeds warmer. Uiteindelijk kwam er een moment dat niet alleen mijn hoofd, maar mijn hele lichaam brandde en ik ontdekte dat ik zweette – al enige tijd, zo te voelen, want ik baadde erin.

En opeens sloeg het om en kreeg ik het ijskoud. Mijn tanden begonnen te klapperen, en niet zo'n beetje. Bij elke keer dat ze elkaar raakten joeg er een felle pijnscheut door mijn hoofd. En een bericht dat ik blijkbaar onbewust had genegeerd, werd opeens veel groter en gloeide rood op. Er stond dat mijn lichaamstemperatuur 38,4 °C was, maar de diagnose die daarop volgde luidde 'onbekend'. Zonder enige waarschuwing vooraf voelde ik me ineens hondsberoerd; ik wist nog net op tijd de badkamer te bereiken voordat ik begon te kokhalzen.

Ik weet niet hoe lang ik in elkaar gekrompen op de koude tegelvloer heb gelegen, maar het voelde alsof ik urenlang moest overgeven. Tussendoor trok ik de wc door en spoelde mijn mond met water uit de kraan, om vervolgens weer opnieuw te beginnen. Pas toen ik een beetje bij mijn positieven was en mijn gezicht met koud water had gewassen en afgedroogd, deed ik een ontdekking waar ik nogal van schrok: er zat niets meer op mijn voorhoofd.

Zo goed en zo kwaad als het ging begon ik te zoeken: in de wastafel, op de grond en daarna in alle kamers. Tot ik in paniek terugrende naar de badkamer en verslagen in de lege toiletpot tuurde. En op de grond zakte. Goddank moet ik het ding half bewusteloos per ongeluk hebben doorgespoeld. Had ik dat niet gedaan, dan was ik er misschien nog veel erger aan toe geweest – ik had wel dood kunnen zijn, maar op dat moment voelde ik alleen een allesverterende spijt.

Ik kroop op handen en voeten terug naar bed en viel in een diepe slaap tot de volgende middag. Toen ik wakker werd, voelde ik me nog steeds ziek: koortsig, pijnlijke gewrichten en een beurs gebeukt hoofd. Ik had op mijn armen gelegen, waardoor ze sliepen, wat voelde alsof ik hand in hand had gelegen met een elektrische man.

Vanuit mijn bed deed ik een belrondje met mijn Meme. Er was nog steeds geen spoor van Doug thuis, op kantoor of bij vrienden. Tante Jean had ook niets van hem gehoord en mijn moeder nam niet op.

Al die telefoontjes waren vreemd verlopen. Iedereen vroeg me steeds dingen te herhalen. De laatste die ik belde was Bart, die onmiddellijk opnam, nog voordat de telefoon was overgegaan. Hij bood aan de politie te bellen, wat ik met tranen in mijn ogen van dankbaarheid en ongerustheid aannam. 'Ik moet je nog iets vertellen,' zei ik, en ik begon het Creatorium aan hem te beschrijven, maar uit de stilte aan de andere kant maakte ik op dat Bart niet begreep wat ik wilde zeggen. Enigszins ongemakkelijk probeerde ik mezelf beter te concentreren op mijn verhaal. Maar het bleef me ontglippen.

'Volgens mij heb jij rust nodig,' opperde Bart meelevend. 'Ik zou maar thuisblijven morgen.'

Toen ik had opgehangen, werd de pijn in mijn hoofd al snel zo erg dat ik begon te huilen. Ik vroeg me af of ik eraan dood zou kunnen gaan – of er misschien iets geknapt was. Ik overwoog Bart nog eens te bellen, of een ambulance, maar ergens in een afgelegen hoekje van mijn hersenen doken Dougs cryptische waarschuwingen op voor een ziekte – ontzettende hoofdpijn, meende ik dat hij had gezegd – en ik herinnerde me de potjes met pillen die hij me had opgedrongen.

Met mijn laatste krachten sleepte ik me naar de badkamer en slikte een blauwe pil met een handvol koud kraanwater. Met een licht bittere metaalsmaak in mijn mond strompelde ik terug naar bed, waarbij ik onderweg twee keer door mijn benen zakte.

Dat is het laatste wat ik me nog herinner voor ik weer in slaap viel.

OPINIESTUK
Hoe de Meme het ik vervangt
door Het Internationaal Diachroon Genootschap
verschenen: 20 november

Velen van ons zullen zich slechts met moeite de tijd voor de geest
kunnen halen waarin het gedrukte boek volop verkrijgbaar was.
Zoveel moeite zelfs dat het gebruik van het woord 'boek' voor een
ingebonden in plaats van een 'beambaar' document verouderd en
vreemd klinkt. De meeste mensen gebruiken tegenwoordig natuurlijk het woord 'limn', ook voor gedrukte werken, maar wij, de
auteurs, hopen dat u ons dit kleine anachronisme zult vergeven.
Hoe moeilijk het misschien nog voor de geest te halen is, toch is
het nog niet eens zo gek lang geleden dat boeken, tijdschriften en
zelfs nieuwsberichten eerst en vooral op papier verschenen. Zeker
afgezet tegen het gigantische, bonte gordijn van de menselijke beschaving stelt zo'n periode niets voor.

Meer dan zevenhonderd jaar geleden bouwde de Duitse uitvinder
Johannes Gutenberg de eerste drukpers, waardoor de goedkope en
uniforme massareproductie van teksten mogelijk werd. Het bezit
van een bibliotheek was niet langer het exclusieve voorrecht van
kloosters en koningen, maar werd een haalbaar streven voor de gewone man. Binnen enkele decennia was het boek alomtegenwoordig en werd lezen een waar fenomeen. Gutenbergs vinding leidde
direct tot de renaissance, de protestantse reformatie en de wetenschappelijke revolutie. De ingebonden codex bleek verrassend duurzaam als technologie: boeken behielden tot het begin van deze
eeuw min of meer hun oorspronkelijke vorm.

Zelfs vandaag de dag verschijnt er zo nu en dan nog een boek of
tijdschrift op papier, maar dat zijn de uitzonderingen op de regel.
Aan die keuze ligt bij mediadirecties vaak de bedoeling ten grondslag nostalgische gevoelens op te roepen of publiciteit te gene-
ren, zoals toen de redactie van deze krant een paar jaar geleden de
60.000ste 'druk' ervan vierde met een bijlage die enkel in inkt ver-

krijgbaar was. Een ander voorbeeld is de nog niet zo lang geleden verschenen bestseller van Marcus Hapgood, *Boek: Hoe gebonden werken geestelijke banden opheffen*, waarvan bijna een half miljoen exemplaren als gedrukt werk verkocht zijn – ook al was het opmerkelijk genoeg alleen de eerste zes maanden na publicatie in gedrukte vorm verkrijgbaar.

Readers (aanvankelijk e-readers genoemd) zijn daarentegen nog maar iets meer dan tien jaar gemeengoed. En hoe onwaarschijnlijk het misschien ook lijkt, toch is de populaire Meme™ van Synchronic Inc. pas vier jaar geleden voor het eerst op de markt gebracht. Hoewel ongerustheid over de veiligheid van de gepatenteerde Kroon™-, Oortjes™- en Intuïtie™-technologie heeft geleid tot lagere verkoopcijfers in sommige delen van de wereld – dat wil zeggen Canada, het Verenigd Koninkrijk en de meeste voormalige EU-landen – zijn ze niettemin wereldwijd ongekend populair: meer dan 100 miljoen zijn er tot op heden van verkocht.

Zelfs de controversiële microchip, die vorig jaar op de markt kwam, was een verrassend, sommigen zullen zeggen schrikbarend, succes. Exacte implantatiecijfers zijn niet bekend; officieel zijn de microchips uiteraard alleen bedoeld voor mensen met specifieke lichamelijke of neurologische beperkingen en Synchronic is terughoudend met het bekendmaken van gegevens over oneigenlijk gebruik, maar we weten allemaal dat de reputatie van de chips wat betreft een verbeterde 'neuronale efficiëntie' heeft geleid tot een veel wijdverbreider gebruik: door ten minste twaalf tot vijftien miljoen gebruikers volgens sommige deskundigen. Memes die gebruikmaken van microchips kunnen naar verluidt veel beter de eeg-technologie van het apparaat benutten om elektrische signalen tussen het apparaat en de hersenen van de gebruiker te duiden en te verzenden. Er gaan geruchten dat de volgende generatie van de Meme, die zeer binnenkort zal worden uitgebracht, nog 'efficiënter' is. Hij schijnt al jaren in ontwikkeling te zijn en op een volkomen nieuwe manier te functioneren.

Het apparaat lijkt zijn naam te hebben waargemaakt. Het woord 'meme', dat in 1976 is bedacht door de Britse wetenschapper Richard Dawkins, staat voor een idee, gedragspatroon, gewoonte of stijl die zich binnen een gegeven culturele context razendsnel over mensen verspreidt. Het is afgeleid van het Griekse μίμημα, 'dat wat wordt geïmiteerd'.

Binnen enkele jaren heeft de Meme het technologische landschap volledig op zijn kop gezet. Hij heeft alles veranderd, van hoe we met elkaar omgaan tot hoe we worden vermaakt, van hoe we winkelen en dingen betalen tot hoe we bepaalde medische behandelingen ondergaan, van hoe we dingen leren tot hoe we ons creatief uitdrukken. Tot en met de manier waarop we eten en slapen. Er zijn mensen die beweren dat het apparaat en zijn gebruiker zo met elkaar verstrengeld zijn geraakt dat de veronderstelling dat er nog sprake is van een grens tussen die twee een misvatting is.

In vele opzichten zijn die opmerkelijke veranderingen een zegen. De overgang van drukwerk naar digitale media heeft uiteraard tientallen miljoenen bomen gespaard. En al vormen afgedankte apparaten op een andere manier een belasting voor het milieu, toch lijkt deze bescherming van de bossen een stap in de goede richting. Verder zijn de voordelen van de Meme op het gebied van de geneeskunde, de zorg voor kinderen en ouderen, het onderwijs, het vervoer, de veiligheid en zelfs de hervorming van het gevangeniswezen al veelvuldig en terecht geprezen.

Memes hebben aan de wieg gestaan van veel nieuwe ontwikkelingen, van het terugbrengen van dodelijke verkeersongevallen met Chauffeur™ tot en met een radicale omslag in het beveiligingswezen dankzij Safe™. Toen dit jaar de Artes Mundi naar een twaalfjarig meisje ging werd dat grotendeels op het conto geschreven van Artiste™. Het omstreden Waak™ helpt de gangen van kleine kinderen en ouderen na te gaan, om nog maar niet te spreken van gevangenen op proefverlof. Volgens sommigen is de verbetering van testscores van leerlingen op scholen in kansarme buurten te danken aan Mentor™. De bijdragen van de Meme aan de geneeskunde zijn misschien nog wel het best gedocumenteerd: MD™ heeft artsen veel werk uit handen genomen met het faciliteren van ontelbare diagnoses. Ook hebben Memes diverse medicijnen overbodig gemaakt met hun aanbod van een uitgebreid palet aan behandelingen voor klachten als angst, pijn, hoge bloeddruk, ADD en zelfs verslavingen. De therapieën schijnen vooral effectief te zijn bij gechipte gebruikers. Een kleinschalig klinisch onderzoek dat in augustus is gepubliceerd (*Journal of Affective Disorders*) duidt erop dat ze het suïciderisico in bepaalde groepen met bijna zestig procent zouden kunnen verminderen door in te grijpen als ze negatieve gedachten gewaarworden en familie en vrienden te bellen of, in extreme gevallen, zelfmoordhulplijnen of een alarmnummer. Memes zijn zelfs in staat tot het toepassen van een milde vorm van elektroshocktherapie. Voor velen zijn Memes levensreddend.

Toch hebben ze natuurlijk, zoals alle nieuwe technologieën, ook hun nadelen. Zo zijn er verschillende veelbesproken rechtszaken geschikt in zaken waarbij sprake was van 'miskleunen' van Memes, zoals ze intussen worden genoemd: gevallen waarin Memes gebruikersgegevens niet slechts inzetten om gedrag te voorspellen, maar het ook te sturen. Dingen die even onschuldig zijn – en moeilijk te bewijzen – als het opwekken van wraakzuchtige beams en de gebruiker verleiden tot het versturen daarvan, het bestellen van meer drank als het beter zou zijn naar huis te gaan of het versturen van een 'knipoog' naar een mooie jongedame die niet je vrouw is. Er zijn echter ook gevallen bekend waarin Memes versneld tot rampzalige resultaten hebben geleid: verlies van kredietwaardigheid, bankroet, uitzetting. Of erger.

In plaats van een lange litanie van gevaren van de Meme op te sommen, willen we ons richten op het domein dat ons de meeste zorgen baart: de communicatie. Hoe we lezen en schrijven. Hoe we luisteren en spreken, ook naar en met onszelf. Met andere woorden: hoe we denken. Het is een prettige gedachte dat we als we de kleine beslissingen overlaten aan een apparaat, meer ruimte in ons hoofd zouden creëren voor belangrijkere zaken. Dat roept wel een aantal vragen op. Welke dingen beschouwen we als belang-

rijker? En waarvoor is nu meer plaats in ons naar verluidt zo opge-
ruimde hoofd? Om ons te uiten? Te concentreren? Na te denken?
Of hebben we alleen maar meer vrije tijd gecreëerd? Meer tijd voor
zorgen? Voor angst?

Wij zijn bang dat de Memes een paradoxaal effect hebben. Dat
ze in feite, in weerwil van wat Synchronic beweert, het bewustzijn
eerder vernauwen dan verruimen, tot het punt waarop ons meest
fundamentele besef van ons zelf – ons innerlijke ik – overscha-
duwd is geraakt. Ons reflectievermogen is vervaagd en heeft en
passant onze capaciteit voor diepe en vrije gedachten meegesleurd.
En dat is niet de enige verandering die plaatsvindt: ook ons com-
municatievermogen neemt steeds verder af.

In het uiterste geval raken Meme-gebruikers zelfs hun taal kwijt.
Geen obscuur linguïstisch gruis, maar alledaagse woorden als 'am-
bivalentie', 'paradox' en 'naïef'. Hoe meer ze vergeten, hoe afhankelijker ze worden van het apparaat, een beangstigende spiraal die
zichzelf alleen maar versterkt; en een spiraal waar intussen ook een
andere innovatie van Synchronic deel van uitmaakt: de Lexibeurs.

Zoals de meesten van u zullen weten is de Lexibeurs een exclusieve onlinemarktplaats met honderdduizenden termen waarvan
definities, vertalingen, synoniemen en antoniemen te downloaden
zijn voor twee cent per woord (de koers van deze ochtend). Hij lijkt
te zijn geïnspireerd op vroegere digitale muzieksites en Synchronics eigen razend populaire internetbazaar voor limns, die niet alleen op het web maar ook als app voor verschillende apparaten beschikbaar is.

Ooit – en dat is nog niet zo lang geleden – werd de Lexibeurs
als een betrekkelijk nutteloos randverschijnsel beschouwd. De doelgroep bestond zeker niet uit logofielen of degenen die zich beroeps-
matig met de studie van woorden bezighouden. De kwaliteit was
om te beginnen zeer matig; toen Synchronic begon met het verzamelen van materiaal en op grote schaal woorden verwierf, zwakte ze
de meeste ervan af en gooide 'redundanties' overboord. Verder zijn
er nog steeds erkende bronnen beschikbaar, met name de *North*

American Dictionary of the English Language (hierna aangeduid met NADEL) en de *Oxford English Dictionary* (OED). Beroepsbeoefenaren – de enkele die nog over zijn – geven daaraan de voorkeur.

De Lexibeurs leek ook geen hulpmiddel waar de gewone man snel op terug zou vallen, vooral niet omdat er tot voor kort nog genoeg gratis onlinewoordenboeken en naslagwerken bestonden. We moeten bekennen dat we toen deze soms niet bepaald zorgvuldig samengestelde bronnen de afgelopen twee jaar een voor een begonnen te verdwijnen, minder rouwig om hun verlies waren dan we hadden moeten zijn, en dat we misschien onvoldoende hebben stilgestaan bij de oorzaak van hun verdwijning: of hun makers eenvoudigweg geen zin meer hadden ze nog te onderhouden of dat ze misschien wel systematisch werden ontmanteld. Natuurlijk is het mogelijk dat mensen die een onbekend woord tegenkwamen dat zo nu en dan opzochten in de oude, gedrukte woordenboeken. Het lijkt aannemelijker dat ze ze vaker gewoon oversloegen zolang dat nog kon, zolang ze zich nog begrijpelijk konden maken en de woorden die ze tegenkwamen nog konden duiden zonder terug te hoeven vallen op de Lexibeurs of hun Meme.

Enkele jaren geleden zouden we als ons gevraagd was om de doelgroep van de Lexibeurs te benoemen, dat niet een-twee-drie hebben geweten. Eerstejaarsstudenten misschien, zouden we hebben verondersteld. Of analisten die onder zware tijdsdruk rapporten moesten ophoesten of misschien mensen die snel een vertaling nodig hadden – van een waarschuwingsetiket bijvoorbeeld. Wat we niet hadden voorzien, was dat er een dag zou komen dat gewone, intelligente volwassenen gedwongen zouden zijn de Lexibeurs te raadplegen om alleen maar hun mail van die dag te kunnen lezen, tijdens ouderavonden op school en voor het nieuws (misschien gebruiken sommigen van u de Lexibeurs op dit moment wel bij het lezen hiervan). Laten we volstaan met de constatering dat nu onze woordenschat krimpt, de Lexibeurs aanmerkelijk lucratiever is geworden.

We hopen dat u ons een korte schets van de historische achtergrond van de Lexibeurs vergeeft; we hebben de indruk dat die buiten het uiterst beperkte (en immer kleiner wordende) kringetje van de uitgeverijwereld niet zo bekend is. Zeven jaar geleden, toen Synchronic nog een relatief klein beginnend bedrijf was, benaderde de topman ervan, Steve Brock, de directies van verschillende grote uitgeefconcerns om hun een aanbod te doen: een substantiële, eenmalige betaling voor het digitale copyright op alle woordenboeken, thesaurussen en andere lexicale naslagwerken; elk daaropvolgend jaar een jaarlijkse bijdrage (maximaal 25 procent en minimaal 12,5 procent van het oorspronkelijke bedrag) voor toegang tot en eigendom van alle nieuwe termen, en royalty's voor de leverancier (maximaal 10 procent en minimaal 4 procent) voor elke gedownloade term. Velen van hen weigerden dat aanvankelijk ronduit. De meesten gingen uiteindelijk toch overstag toen de eenmalige vergoeding naar boven werd bijgesteld en ze hun concurrenten zagen zwichten.

Feit is dat de uitgeverijwereld zich op dat moment in zwaar weer bevond. Hoewel ze nog niet was ingestort, stond ze wel aan de rand van de afgrond. En hoewel de meeste uitgevers niet genegen waren om zelfs maar het digitale copyright op hun materiaal te verkopen, werd er door hun moederbedrijven zware druk op hen uitgeoefend. Uiteindelijk gaven de meesten vooral toe omdat ze niet geloofden dat er ooit echt een markt zou ontstaan voor downloadbare definities. In zekere zin leek het geld van Synchronic makkelijk verdiend. En de belofte van royalty's hielp het aanbod aantrekkelijker te maken, mocht alles toch anders uitpakken.

Voor niets gaat de zon op. De ene uitgever na de andere stootte zijn woordenboekendivisie af in een poging kosten te besparen en andere divisies gezond te houden. Later, toen steeds meer uitgeverijen failliet gingen, werden steeds meer woorden het exclusieve eigendom van de Lexibeurs. Uiteindelijk was er geen enkele uitgever meer die nog definities bezat (de enige die stug bleef volhouden in de VS was de NADEL, die dankzij haar non-profitstatus aan de druk van aandeelhouders wist te ontsnappen).

Voordat de woordenboeken verdwenen, had iedereen de indruk dat de uitgevers het gelijk aan hun zijde hadden: gebruikers zouden nooit gaan betalen om betekenissen te downloaden van de Lexibeurs. Dat alles veranderde echter met de komst van de Meme. Opeens konden gebruikers hun definities rechtstreeks op hun apparaat krijgen: wie een term aantikt, krijgt een pop-up in beeld en betaalt rechtstreeks en automatisch met zijn Synchronic-account.

Aanvankelijk maakte men slechts spaarzaam gebruik van deze dienst: bijvoorbeeld voor wetenschappelijke of medische termen, maar sneller dan wie ook had gedacht – naarmate de eigen taalvaardigheid van de Meme-gebruikers begon af te brokkelen, is ons vermoeden achteraf – werd de nieuwe interface omarmd en naadloos opgenomen in de taalbeleving. Sommigen zullen misschien zelfs stellen dat naarmate de apparatuur sneller en 'slimmer' werd – en behoeftes en wensen bijna leek te kunnen voorspellen – de beslissing om woorden te downloaden steeds minder bewust gemaakt werd. En de woorden zijn zo goedkoop – vijftig voor een dollar – dat het het wel waard leek om elke term op te zoeken waarvan de betekenis niet helemaal duidelijk was (waarvan de aantallen exponentieel stegen, zoals we al eerder opmerkten).

En inderdaad, de woorden zijn goedkoop. Ironisch genoeg zijn woorden, sinds er 'een prijskaartje aan hangt', alleen maar minder waard geworden. Door geld (heel weinig geld) te vragen voor taal heeft Synchronic die onmetelijk gedevalueerd. In de loop van de tijd is de houding ten opzichte van woorden veranderd. In plaats van ze in hun eigen geheugen op te slaan, gebruiken velen nu gewoon een extern geheugen en laten ze die taak over aan hun Meme.

Zo zijn we in de huidige crisis terechtgekomen: ons taalvermogen – en misschien als gevolg daarvan ook ons denkvermogen – is zo ernstig aangetast dat zelfs het lezen van krantenkoppen, het vertellen van verhaaltjes voor het slapengaan, het verwelkomen van de familie die voor Thanksgiving langskomt klussen zijn geworden waarvoor hulp nodig is van een apparaat.

Dan is dit misschien een even opportuun moment als elk ander om wat dieper in te gaan op de betekenis van de naam 'Synchronic', dat 'synchroon' betekent. Volgens de NADEL is de term 'synchroon' in 1913 ontwikkeld door de Zwitserse taalkundige Ferdinand de Saussure. Toegepast op de taalkunde betekent het datgene wat een bepaald vast moment in de tijd, meestal het heden, beschrijft in plaats van bezien in het licht van wat er historisch aan vooraf is gegaan. Het is een buitengewoon toepasselijke naam voor een bedrijf dat, bewust of niet, een ethos voorstaat van versnelde teloorgang, kortzichtigheid en een voorkeur voor het heden boven de toekomst of het verleden, dat niet alleen de potentiële verdwijning van individuele herinneringen propageert, maar ook van het collectieve geheugen van de mens. 'Diachroon' betekent in wezen precies het tegenovergestelde. Misschien zal het dan ook geen verbazing wekken dat de auteurs van dit artikel, toen een paar jaar geleden het moment aanbrak dat zij een naam moesten kiezen, voor 'het Diachroon Genootschap' kozen. Het is een wat speelse analogie – in de taalkunde zijn beide termen waardenvrij – maar we vonden de benaming desalniettemin toepasselijk. Waar het de lexicografie betreft geven wij, zoals bij de meeste andere zaken, de voorkeur aan langetermijnvisie. Woorden zijn alluviaal, als rotsformaties. Fonemen zijn arbitrair, betekenis is dat niet: die krijgt steeds meer diepte door gedeelde ervaring.

Die twee op het oog verschillende trends – de toenemende alomtegenwoordigheid van de Meme en de groeiende populariteit van de Lexibeurs – leiden samen tot een nieuw belang in de ophanden zijnde publicatie van de derde editie van de NADEL die komende week op de markt zal komen. Momenteel zijn de NADEL en de OED in het Verenigd Koninkrijk de laatste degelijke Engelse woordenboeken die nog niet onder Synchronic ressorteren. Naar verluidt zijn er zeer onlangs nog onderhandelingen geweest over een bod dat bij acceptatie de termen van beide instituten ten langen leste ook bij de Lexibeurs zou onderbrengen.

De gevolgen van een dergelijke deal zouden snel, onomkeerbaar en rampzalig zijn. Met een dergelijk monopolie op de verkoop zou niets Synchronic ervan kunnen weerhouden de woordprijs op te drijven. Ze zouden ook heel goed in staat kunnen blijken de markt dusdanig te beïnvloeden dat woorden alleen nog beschikbaar zouden zijn via Memes. Geen enkel ander apparaat, geen gedrukte naslagwerken. Waarmee de berekening van vraag en aanbod nog meer zal veranderen.

Wat nog veel zorgwekkender is: als de taal steeds verder verdwijnt uit het hoofd van de mens en in steeds grotere mate wordt opgeslagen op één enkele plaats, namelijk de Lexibeurs, die slechts met één apparaat toegankelijk is, de Meme, is het denkbaar dat mensen die dat willen onze woorden gaan manipuleren op bepaalde subtiele manieren die door de meesten niet meteen opgemerkt zouden worden. Dat klinkt misschien onrealistisch, maar nog niet zo lang geleden dachten we datzelfde over wijdverbreid gebruik van de Lexibeurs. Veel dingen die vroeger ondenkbaar leken, zijn tegenwoordig heel gewoon. Er zijn deskundigen die ook andere gevaren vrezen – ziekte zelfs (we kunnen helaas niet verder ingaan op details over potentiële gevaren voor de volksgezondheid als gevolg van een vrijwillige afspraak tussen de redactie van deze krant en de overheid).

Nu meer en meer van onze interacties met tussenkomst van apparaten plaatsvinden – nu al ons bewustzijn en alle communicatie gestreamd worden via Kronen, Oortjes, schermen en alles wat Synchronic nog meer voor ons in petto heeft met de nieuwste Meme – is niet alleen onze taal maar in zekere zin ook onze beschaving vogelvrij. Het einde van het woord zou het einde van het geheugen en het denken betekenen. Met andere woorden, ons verleden en onze toekomst.

Misschien lijkt de dystopische toekomst die we hier schetsen sommige lezers vergezocht. Of minstens nog heel ver weg. We kunnen alleen maar hopen, in het belang van ons allemaal, dat zij gelijk hebben. Anders zou het namelijk goed kunnen dat deze en alle andere woorden zeer binnenkort hun betekenis verliezen. En dan zijn wij allen verloren.

empanada /'em·pa·'na·da/ (de (v.); -'s) een bron van groot spijsverteringsongemak

Woensdag 21 november

Ik heb een paar rare, slopende dagen achter de rug. Maar ondanks het feit dat ik (zeg maar chronisch) single ben, heb ik geleerd woord te houden. Ik denk bijvoorbeeld nog steeds dat er niks aan de hand is met Doug. Waar ik ben opgegroeid, gebeurt het wel vaker dat kerels ineens verdwijnen; neem mijn eigen vader en Tobias, die mijn moeder zo nu en dan gek van de zorgen maakten als ze weer eens waren vergeten te zeggen dat ze gingen kamperen of jagen. En ik weet dat het waar dr. D is opgegroeid niet veel anders is.

Zondag beloofde ik, in lijn met het duivelse pact dat ik vrijdagavond had gesloten (dat ik een glimp mocht opvangen van Ana in pyjama was op zich al bewijs dat de duivel in het spel was), de politie te bellen en Doug als vermist op te geven. (Ik denk trouwens dat Ana misschien wel koorts had of anders in een lichte shocktoestand was. We hadden een steeds raarder wordend gesprek zondag, ze sloeg wartaal uit en mompelde iets over creaturen of een kelder of...? Ik maak me eerlijk gezegd op dit moment meer zorgen om haar dan om D. Hoewel het misschien iets beter met haar lijkt te gaan, althans in talig opzicht.)

Het bizarre is dat we intussen drie dagen verder zijn en Doug nog steeds spoorloos is. Nou is het natuurlijk wel zo dat de politie zich er pas sinds gisteren echt mee is gaan bemoeien. Hij duikt vast wel weer op. Het zou me eerlijk gezegd niets verbazen als hij zich gewoon ergens gedeisd houdt tot na het feest vrijdagavond als de derde editie wordt gepresenteerd. (Ik zou dat zeker doen: zeshonderd gasten! Ik begin het nu benauwd te krijgen dat als hij niet komt opdagen, ík straks nog iets zal moeten zeggen. Mijn god, ik hoop dat hij snel terecht is.)

Gisteren waren Ana, Rodney en ik op het politiebureau. (Rodney deed nogal vreemd. Hij probeerde me apart te nemen en begon iets te vertellen over het beveiligingssysteem op het werk, wat ik niet echt kon volgen.) Vandaag zijn er agenten bezig met sporenonderzoek op ons kantoor en werk ik vanuit huis. Nou ja, werken. Ik probeer het. Maar ik kan me moeilijk concentreren, een probleem waar ik niet vaak last van heb. Ik weet dus niet precies wat er vandaag met me aan de hand is. Misschien maak ik me wel echt zorgen om dr. D. Of misschien komt het door het bericht dat ma heeft ingesproken, met de weinig subtiele opmerking dat ik Thanksgiving morgen kennelijk niet thuis zal vieren. Het was een lang bericht: een opgewekte, slinkse oefening in schuld aanpraten, dusdanig ingebed in een batterij banaliteiten dat een ongeoefend oor er geen valse noot in zal horen. Dat doet ze vrijwel elk jaar, ook al volg ik juist haar raad op door het weinige dat ik kan missen te sparen en dus hier blijf.

Het valt echt niet mee om nu niet in Illinois te zijn. Niet met pa buiten in de tuin pogingen te doen om houtblokken te splijten terwijl we vrijwel geen woord wisselen. Niet door ma volgestopt te worden met warme broodjes ham terwijl ze me uithoort over mijn 'liefdesleven'. Geen stomp in mijn borst te incasseren van Tobias en een dot pruimtabak te krijgen die ik later, ongebruikt, in de heg stop. Of te scrabbelen met Emma, die collegevrij heeft en thuis is van Illinois State University. Dat ik in deze tijd van het jaar niet bij hen kan zijn, geeft mijn hart altijd een knauw.

Maar misschien heeft mijn atypische lethargie een andere oorzaak.

Misschien is het zo (oké, dit is de echte reden) dat ik sinds ik die ene nacht ben blijven slapen bij A heel veel aan haar moet denken. Wat automatisch heeft geleid tot een innerlijk onderzoek naar wat ze in Max zag.

Zeker niet zijn smaak, die bijna niet slechter had kunnen zijn. Hij houdt van het vage, zonzieke jarenzestigwerk: Bob Marley, The Beatles, Jerry Garcia (het liefst nummers van meer dan 25 minuten), etc. Duidelijk heel anders dan A's muzikale voorkeuren. En, uiteraard, de mijne. Mijn lievelingsplaten op de middelbare school (en de reden waarom ik Zuid-Illinois heb kunnen overleven) zijn van Wire, The Jam, Television, Gang of Four, The Only Ones, et al; Neil Young, Gram Parsons, The Stooges, Amon Düül II (met wiens lp *Phallus Dei* uit 1969 krautrock het licht zag); vreemde, natuurverbonden Bulgaren die liturgische liederen zingen, etc.

Max leest ook niet echt meer, bijna niemand trouwens. Toen ik na een overstroming in de kelder een doos met lievelingsboeken moest wegdoen en (terwijl ik mijn best deed om rustig te blijven) die gasten van Hermes mijn tragische verlies beschreef – een doorweekt exemplaar van *Lolita* dat ik ten minste drie keer had gelezen, *De gebroeders Karamazow*, *De Maltezer valk* en *De man zonder eigenschappen*, *De spektakelmaatschappij*, Hegels *Filosofie van het recht* (of, zou Max beweren: van rechts), *Zwart gat* en ook (nogal toepasselijk) Ustinovs *De verliezer* – reageerde Max geamuseerd met de opmerking: 'Leg nog eens uit waarom je geen Meme hebt.' (Hij omarmt het afzweren van een gehechtheid aan 'dingen', met inbegrip van bijvoorbeeld mensen, en brengt dat zelf ook in praktijk.)

Het allergrootste verlies had ik niet eens genoemd: het opgezwollen, drassige heengaan van Samuel Johnsons *A Dictionary of the English Language*. Ik had nog, vergeefs, geprobeerd het woordenboek op het dak te laten drogen, met als enige resultaat barstjes in de pagina's. Het was uiteraard geen eerste druk, alleen maar een of andere twintigste-eeuwse ingekorte bewerking. Vera heeft Doug bij hun huwelijk een uitgave uit 1755 gegeven en daar destijds praktisch een aanbetaling voor een koophuis voor neergeteld. Mijn nederige imitatie was het arme, tandeloze neefje van de twee delen die dr. D thuis achter slot en grendel bewaart. Maar mijn moeder had het me in een zeldzame aanval van het Midden-Westen overstijgende scherpzinnigheid gegeven en daarom was ik er bijzonder op gesteld.

Maar het leven is meer dan muziek en boeken, dat zeggen ze althans. Ik denk dat ik in sommige opzichten best een beetje meer op Max zou willen lijken. Meer dan eens heb ik Ana bijvoorbeeld willen vertellen waarom ik mijn leven aan deze enorme, puddingachtige taal van ons wijd en willen uitleggen waarom ik ervoor heb gekozen te gaan werken voor een woordenboek in plaats van, zeg maar, een eigen bedrijf te beginnen. Maar ik denk dat ze daar niet op zit te wachten. En ik wil haar dan tenminste de verveling daarvan besparen.

Mocht ik echter ooit een aantal van mijn motieven noemen, dan zou ik haar misschien zoiets als onderstaande lijst geven. Hoewel ik haar natuurlijk nooit specifiek deze lijst zou geven. Het spreekt voor zich dat ik niet van plan ben haar dit dagboek ooit te laten lezen.

Nu ik het toch over dit dagboek heb: om te beginnen een korte apostrof. Tijdens het meest recente van de tamelijk veelvuldige gesprekken tussen dr. D en mij, waarbij het betreffende gesprek een maand geleden plaatsvond, of nee, het moet eerder zijn geweest: we hadden iets te vieren want eindelijk was alles terug van de drukker en we dronken een borrel in de Ierse pub een eind hiervandaan aan 10th Street. D weidde weer eens belachelijk uitvoerig uit over een oeroud kort verhaal van mij dat ooit in *Yale Lit Mag* is verschenen en dat ik hem stom genoeg vijf jaar geleden heb laten lezen toen hij het op mijn cv had gezien.

Ik zal het meeste overslaan – hij maakte verschillende gênante, overdreven literaire vergelijkingen, zoals te doen gebruikelijk. En hoewel het natuurlijk leuk is om te horen, is hij ook weer niet bepaald het toonbeeld van de ingetogen, onbevooroordeelde criticus. (Ik hou echt van die man, maar dit soort dingen moet je bij hem met een flinke korrel zout nemen.) Maar toch, gedurende zijn betoog waarom ik mijn 'denkbeelden moest bundelen' zei hij iets wat door mijn kundig opgetrokken verdedigingswal heen wist te breken en me echt raakte.

134

Dat wil zeggen, eerst stak hij zijn gebruikelijke verhaal af: dat het feit dat heden ten dage niemand meer leest komt a) doordat zoveel 'media' tegenwoordig worden gegenereerd door algoritmen en machines en geen ware 'beroering van de ziel' teweeg kunnen brengen (waar ik het trouwens mee eens ben) en b) doordat mensen door de Meme niet alleen hun interesse voor de wereld om zich heen verliezen, maar zelfs niet meer in staat zijn tot betrokkenheid. Vervolgens begon hij een aantal behoorlijk bezopen complottheorieën op te dissen – dat Iemand of Iets probeert de taal te confisqueren, die wil overnemen, 'infecteren', compleet laten verdwijnen. En dat een dagboek bijhouden me op de een of andere obscure wijze niet alleen zou kunnen beschermen maar ook, eventueel, als een belangrijk (ha!) tijdsdocument zou kunnen dienen, mocht het echt zover komen (deze tirades houdt hij tegenwoordig zorgwekkend vaak, ik hoop dat ze vanzelf ophouden als hij na de publicatie eindelijk wat meer rust krijgt). Om de een of andere reden greep hij dat moment aan om me weer eens uit te nodigen mee te gaan naar die Samuel Johnson-bijeenkomsten die hij altijd bezoekt, hoewel hij weet dat dat niet echt mijn ding is. (Nu herinner ik me trouwens dat hij me ook vroeg om hierover niets te schrijven, mocht hij me ervan hebben overtuigd een dagboek te beginnen…)

Maar goed, vervolgens wees hij erop dat we een monumentale prestatie hadden geleverd, waar hij nagenoeg zijn volledige werkzame leven aan had besteed en waar ik tot mijn grote geluk nog voor mijn dertigste aan had mogen meewerken. En toen zei hij: 'Als ik je daarmee nog niet heb kunnen overtuigen, Bartleby, kijk dan naar mij. Ooit wilde ik dat ook: "schrijver" worden. Nu ben ik bijna zeventig en het enige wat ik kan laten zien, zijn lemma's in een woordenboek. Begrijp me niet verkeerd: ik ben er ongelooflijk trots op. Maar ik zeg je dit, en luister goed want ik zeg het maar één keer: maak jezelf niet wijs dat je slechts via een omweg huiswaarts naar Ithaca vaart. Desgewenst een korte pitstop bij de Lotuseters of Calypso. Geen Athene die zich er ten behoeve van jou mee gaat bemoeien. Geen garantie dat je uiteindelijk je bestemming zal bereiken. Als er iets is wat je vanuit de grond van je hart in het leven wilt, en dan met name iets wat je angst inboezemt of waarvan je denkt dat je het niet verdient, dan moet je daar achterheen gaan en wel meteen. Anders zul je binnen niet al te lange tijd gelijk krijgen: dan heb je het niet verdiend.'

Hoewel Doug wel vaker nogal melodramatisch kan zijn, moet ik toegeven dat zijn betoog me niet koud liet.

Daarna merkte hij nog op dat zijn dochter nooit zou vallen voor een man wiens enige obsessie de lexicografie was en beweerde hij dat ze (al zou je dat gezien haar meest recente partnerkeuze niet direct zeggen) hopeloos verslingerd was aan creativiteit. Ook dat was aan geen dovemansoren gezegd, ik moest er zelfs zo van blozen dat ik naar de wc vluchtte.

Dus hier komt-ie dan maar, denk ik. Een korte bundeling van mijn denkbeelden over taal:

I. GESCHIEDENIS

Taal is onze enige band met de anderszins verdampte denkbeelden van de doden. Ze laat ons de schallende melodie van de geschiedenis horen en haakt de schakels van ons eigen tijdperk aan die lange keten.

Elk woord vormt op zichzelf een herinnering aan het verleden. Neem bijvoorbeeld het Engelse woord *lousy* (een favoriet van D). Tegenwoordig vooral gebruikt in zijn moderne betekenis van waardeloos, verachtelijk, etc., die omstreeks 1951, mede dankzij Holden Caulfield, breed ingang vond. Maar die betekenis kan herleid worden naar op zijn minst 1532 en Sir Thomas Mores *Confutacyon of Tyndales answere*. Daarvóór werd het woord in andere, meer stoffelijke zin gebruikt (vies, vuil, smerig), maar dat zal wellicht minder verbazing wekken als we een sprong maken naar 1377, het jaar van zijn eerste vindplaats. In die tijd betekende het 'onder de luizen'. Dezelfde ontwikkeling naar een breder gebruik zien we ook in andere talen: *lausig* in het Duits, *pouilleux* in het Frans, *piojoso* in het Spaans, en ga zo maar door.

En wat dacht je van het wendbare woordje *larva* in het Latijn, dat tot in de achttiende eeuw niets met insecten van doen had? In een eerder leven betekende het geest of spook. Ook *nightmare*, Engels voor nachtmerrie, komt uit de spectrale dimensie. Het stamt af van het Oudengelse *niht* (nacht) + *mare* (schrikbeeld) en beduidde een kwaadaardige, vrouwachtige geestverschijning die (net als Ana?) op onschuldig slapenden neerdaalt.

Buxom, dat tegenwoordig mollig betekent, betekende ooit gedwee, en *crazy* (gek) iets wat aan diggelen lag. En hoewel sommige woorden allengs pijnlijk pejoratief zijn geworden, waren andere pittig genoeg om hun mindere afkomst te ontstijgen en als herboren voort te bestaan. Er zijn ook woorden die hun algemene betekenis mochten inwisselen voor een meer specifieke: een *deer* (nu: hert) duidde ooit elk viervoetig dier aan, een *girl* elk kind en *meat* elk stuk voedsel. *Naughty* (nu: ondeugend) zijn betekende ooit dat iets geen waarde had en *nice* (nu: aardig) betekende in het Middelengels dom.

Woorden zijn levende legendes, staan bol van betekenis. We rijgen ze aan elkaar om verhalen te maken, maar ze zijn op zichzelf al verhalen, volgepakte, veelgelaagde, vloeibare vertellingen.

2. TALIGE EVOLUTIE EN DIACHRONIE

Taal is vleesgeworden. Ons lichaam is zo geëvolueerd – dat we rechtop staan, dat we lopen – dat we alleen daardoor kúnnen praten. Onze zintuigen geven ons daar ook reden toe. Wat we lijken waar te nemen willen we aan anderen toetsen. Het is ook ons lichaam dat onze woorden urgentie verleent: de piepkleine tikkende klokjes in elke cel van ons geheel.

Woorden komen voort uit werelden. Maar ze nemen ons ook mee naar oorden waar we niet fysiek kunnen zijn: Constantinopel en Mars. Het Walhalla. De Apenplaneet. Taal komt van wat we hebben gezien, aangeraakt, bemind, verloren. En ze gebruikt kenbare zaken om ons glimpen te laten opvangen van wat niet is. Het Woord is tenslotte God. Er zijn er zelfs die zullen zeggen dat wij zijn gemaakt naar het goddelijk evenbeeld (*Bildung*) in de zin dat wij, van alle wezens, de enige zijn die werkelijk kunnen praten.

Hoe dat zo is gekomen, is nogal opmerkelijk. Menselijke baby's zijn net als andere spraakloze zoogdieren niet in staat te praten; hun luchtwegen zijn gescheiden van hun voedingswegen opdat ze liters melk naar binnen kunnen werken. Een bijkomstigheid is dat ze alleen geluid kunnen produceren. Om zijn stembanden en middenrif te kunnen ontwikkelen, moest de mens rechtop gaan staan. Elke keer dat een kind leert lopen, verschuift het strottenhoofd, wordt het zachte gehemelte gesloten en neemt het wonder van de evolutie weer zijn aanvang.

3. EXACT EN EVOCATIEF

Taal is oneindig. Ze kan net zo creatief en ijzingwekkend precies zijn als het menselijk brein. Neem bijvoorbeeld het Duitse *Bombenbrand-schrumpfleichen,* een woord dat is bedacht voor een typisch twintigste-eeuws fenomeen, te weten door brandbommen verschrompelde lijken. Minder akelig (in zekere zin) is *shitta* (Farsi): kliekjes van de vorige dag waar 's ochtends mee wordt ontbeten. Of het Indonesische *jayus*: een mop zo beroerd vertellen dat je gesprekspartner uit beleefdheid er toch maar om lacht. *Koi no yokan* betekent in het Japans het onontkoombare gevoel dat je hebt als je iemand voor de eerste keer ontmoet en meteen weet dat je op een dag verliefd op elkaar zult worden.

Woorden persen indrukken samen tot feiten die ijskoud zijn als bevroren kwartjes. Eén woord, bijvoorbeeld noodgeval of liefde, kan een complete nacht op zijn kop zetten. Een compleet leven.

4. POËTICA

Net zoals taal plooibaar genoeg kan zijn om een woord te vormen voor gezichten die door een brandbom zijn gekaramelliseerd, is zij ontwijkend genoeg om zaken te vermommen in een metafoor. Ze kan ongelijksoortige zaken op elkaar laten lijken, gescheiden ideeën met elkaar verbinden, dingen die in het volle zicht liggen verbergen (zoals volkeren, landen, oorlogen).

Definiëren is, net als poëzie, het proces waarin we reactiveren wat bekend is. Zaken die we menen te kennen weer vreemd maken. Vervreemding is, volgens Hegel, voorwaarde voor bewustwording. Hij dacht ook dat herinnering verinnerlijking van taal vereist. Om de plek te beschrijven waarvandaan herinneringen worden opgehaald, gebruikt hij een metafoor: die plek is een 'nachtelijke schacht waarin een wereld van oneindig veel beelden en voorstellingen opgeslagen ligt'.

En uit onze schacht halen we op: een wereld als een schouwtoneel, het getal zeven, kleine handen als regen, tijd als geld, leeuwen die naast lammeren gaan liggen, scheetkussens, gebroken harten.

5. LIEFDE

Taal lijkt het enige middel om het ene bewustzijn met het andere te verbinden, de effectiefste manier om eenzaamheid tegen te gaan en ons uit nachtelijke schachten te trekken. (Misschien niet de allereffectiefste. Sommigen zullen van mening zijn dat dat voor lichamelijk contact geldt. Maar woorden zijn toegankelijker. Voor mij althans wel.)

Taal fungeert ook in vorm als liefde. Het teken is volgens Hegel een verbinding: tussen het externe woord en zijn innerlijke betekenis. Maar die idee kun je ook extrapoleren. Een paar jaar geleden heb ik een nogal overtuigende filosofische theorie gelezen waarin werd beweerd dat je bij Hegel een pleidooi voor een universele grammatica kunt lezen. Dezelfde gedachtegang kan worden toegepast op liefde. Aan elk lexicon ligt een hoopvol vertrouwen in het bestaan van orde ten grondslag: dat woorden zo worden geordend dat ze betekenis vormen. Evenzo veronderstelt het gevoel van liefde het bestaan van een object van liefde waaromheen je alles organiseert. Anders gezegd: het concept van een universele grammatica veronderstelt de aanwezigheid van bepaalde lexica (bijvoorbeeld Duits, Hebreeuws, Japans), net zoals het universele gevoel 'liefde' een mogelijke, specifieke liefde (bijvoorbeeld voor Anana Johnson) veronderstelt.

6. VERSTROOIING

Tot slot is taal een goede afleiding. Ze helpt ons niet te denken aan andere zaken (zoals liefde).

Oké, schrijven is moeilijk. En nu verga ik van de honger. Ik ga naar buiten voor empanada's.

21 november (veel later)

Dit is wat er gebeurde toen ik het huis verliet om eten te halen.

Het was ongebruikelijk zacht buiten en ik besloot op mijn stoepje te eten. Hete koffie (uit een zak, als een alcoholist met een fles in een papieren zak) en twee knapperige empanada's met kip. (Dat klinkt misschien als een slechte combinatie voor iemand met een spastische darm, maar gezien het opruiende karakter van zowel spijs als drank vind ik het efficiënter om ze samen te voegen.)

Nippend van mijn koffie dacht ik aan werk, in zekere zin dan, want mijn gedachten dreven af naar A. Je kunt je daarom vast mijn ongemak voorstellen toen Max ineens voor mijn neus stond. Hij sabbelde op een tandenstoker en keek met een snaakse grijns naar me, waardoor ik me nog ongemakkelijker ging voelen. Waarom was hij helemaal naar dit deel van de stad gekomen om als een soort tovenaar uit het niets op te duiken? Het voorspelde weinig goeds. Maar het enige wat ik, non-nonchalant, zei was: 'Hé.'

'Kom,' zei hij met een lijzige stem. 'We gaan lunchen met de mannen.'

Ik fronste onwillekeurig mijn wenkbrauwen. 'En mijn empanada's dan...' zei ik met een halfslachtig gebaar naar de gevulde halvemanen met kartelrandje die op mijn knieën balanceerden. Ik wist het toen nog niet, maar het vet was door het inmiddels doorschijnende papier gedrongen en had op elke broekspijp een vlek ter grootte van een kwartje gevormd.

'Vergeet die nou maar. Jij haat empanada's,' zei Max. Hij beweerde dat zo stellig dat ik even in verwarring raakte. Wanneer had ik hem dat verteld? Empanada's zijn toevallig het hoofdbestanddeel van mijn dieet. Ik voelde de drang om te zeggen (tegen mezelf): Nee, kerel, je vergist je. Maar toen waren we bijna bij de metro en had Max de empanada's al opgegeten.

De terloopsheid waarmee hij had gezegd dat we gingen lunchen met 'de mannen' verdoezelde de delicate verhouding tussen hun vier-manschap en mij. In theorie zijn we allemaal met elkaar bevriend, in werkelijkheid zijn we allemaal vrienden van Max. We zijn door de jaren als gemuteerde motten op zijn licht afgekomen: Johnny op Harvard (na Deep Springs), Floyd in Londen, waar Max aan de LSE in korte tijd zijn master op zak had, en Vernon op Columbia University, de plaats waar Max zijn MBA heeft behaald. Nog voordat hij de hand van de decaan had geschud ter gelegenheid van die laatste Ivy League-bul had hij zijn team voor Hermes Corp. al samengesteld. (Niet om het een of ander, maar ik ben de uitzondering: mij heeft hij nooit gevraagd.)

Ik trek wel vaker op met 'de mannen'. Meestal is dat best oké. Ik zou het wel beter naar mijn zin hebben als ze zich van Floyd zouden ontdoen. Hij is een soort met krijt op straat getekend silhouet van Max: platter, meer stripfiguurachtig, en hij laat vegen achter waar je moeilijk vanaf komt. Hij is een man van kritiekloze voorkeuren waarvan hij zelf meent dat ze innemend en uniek zijn. Hij houdt van rondborstige roodharigen (ook: alle dronken meisjes), whisky met ijs en, na die te hebben genuttigd, ruzie zoeken. Hij laat enorme pluizige bakkebaarden staan, 'marmotjes', en spoort meisjes aan ze te aaien. Je zou het iemand niet kwalijk nemen als hij niet meteen in de gaten heeft dat hij ook een soort genie is, dat prijzen heeft gewonnen voor zijn werk op het gebied van de gametheorie.

Gezien de concurrentie zijn Vernons pretenties nog best te verteren. Hij is een doorsnee net-niet-doctor in de vergelijkende literatuurwetenschap: korte kroeskop, stijlvolle duffelse jas en een maar een tikkeltje aanstellerige stok voor zijn kapotte knie die hij heeft overgehouden aan een Vespa-crash in 2003 (waarover ik mijn oordeel voor me zal houden). Volledig vrijstellen van kritiek doe ik hem niet, maar al met al is hij een geschikte kerel. Grappig weetje over Vern: zijn proefschrift gaat over Samuel Johnson, net als dat van dr. D.

Er is ook een ruwe diamant: het beste, minst aanstootgevende lid van de groep is de kalme, cynische Johnny Lee, ook wel genaamd

Hongkong Johnny of Long John Johnny of Johnny de Job (bijnamen © Floyd Dobbs). Johnny is echt geboren in Hongkong, maar opgegroeid in Bergen County. Zijn bovennatuurlijke aanleg voor programmeren heeft voor hem de deur naar Hermes geopend – dat en zijn onverstoorbaarheid: 'uh' en 'zal wel' voeren de boventoon in zijn woordenschat. Hij zit meer in mijn kamp, dat wil zeggen hij is verlegen en slungelig, reden waarom hij een deel van Floyds overvloedige pesterijen op zijn bord krijgt. Op papier is hij net zo ambitieus als de rest, maar hij lijkt vooral een zwak te hebben voor energiedrankjes, wiet, schietspelletjes uit de Time Crisis-serie en muziek van de rapper Lil' Big. Hij is al sinds zijn twintigste met hetzelfde meisje, Lizzie.

Zoals ik al zei zie ik de mannen vaak genoeg. Maar dat wil niet zeggen dat we regelmatig met z'n vijven gaan 'lunchen'. Het feit dat Max speciaal hierheen kwam om me uit te nodigen was op zijn zachtst gezegd raar en dat hij het uitgerekend nu deed opmerkelijk. De presentatie van de NADEL was al over twee dagen en kreeg waanzinnig veel publiciteit. Ik bedacht dat Max misschien wilde dat ik hem ervoor zou uitnodigen, wat een revolutionaire rolomkering zou betekenen. Het was een zoete gedachte. En een vluchtige. Want plotseling schoot me benauwd te binnen dat hij op de een of andere manier lucht gekregen kon hebben van mijn logeerpartij vrijdag bij A. Misschien was de lunch in feite een uitnodiging voor een executie. Of misschien, dacht ik hoopvol, wilde hij alleen maar horen hoe het met haar was. Wat er ook achter zat, ik voelde me bepaald niet op mijn gemak terwijl we de metrotrap af sjokten. 'En waarom gaan we lunchen?' vroeg ik zo nonchalant mogelijk.

Max gooide de verfrommelde prop papier waar mijn lunch in had gezeten in de prullenbak. Hij hield zijn Meme voor het toegangspoortje en zei droogjes: 'Het is gewoon lunch, Hortus. Daar hoef je niet zo wijverig over te doen.' Ik haat het woord 'wijverig', maar het zet me ook aan tot actie. Allebei dingen die Max donders goed weet.

Toen ik toch nog draalde, gaf hij een ongeduldig rukje met zijn hoofd en deed een opmerkelijke uitlating. 'Kom nou maar, wij betalen,' zei hij.

Even later kwamen we weer boven de grond in die zorgvuldig verwaarloosde speeltuin genaamd de Lower East Side. Onze bestemming heette Premium Meats en deed zijn naam zonder meer eer aan. (Helaas zaten we niet ver van de dames-wc's, waardoor onze maaltijd verziekt werd door Floyd. Zijn sprankelende geestigheid – 'Wat een heerlijk stuk vlees' – begon na de vierde keer haar schittering te verliezen. Later, toen ik Johnny, die zijn eten niet aanraakte, een deel van mijn lunch aanbood, maakte ik de fout op te merken dat ik meer dan genoeg vlees voor twee had. 'Grappig,' zei Floyd, 'zo heet mijn pik.' En weg was mijn eetlust.)

Maar goed, toen we binnenkwamen waren de anderen er al en zaten te drinken en hun Life-status bij te werken. De hoek waar onze tafel stond was bekleed met vurig rood vinyl, het tafelblad dooraderd met nepgouden lijnen. Aan de muren hingen litho's van fraaie lappen vlees en het stoffige licht uit de peertjes die aan het plafond bungelden wierp een romantische gloed over de plek van zo'n twee bij twee meter waar wij knus op elkaar geprop zaten. (Zelf zat ik tegen de gelambriseerde muur aan gedrukt met Vernon en Johnny naast me.) Iedereen beaamde zijn bestelling door – Max, die bij vlagen vegetariër was, bestelde slakken, konijnenniertjes en geroosterd buikspek, Floyd wilde ossenhart, Vernon nam gerookte paling, Johnny koos biefstuk en patat – en ik vroeg Max om een zwarte koffie voor me te bestellen.

'Kom op, man,' zei Floyd. 'Geniet een beetje van het leven. Doe er dan tenminste melk in.'

'Ik ben lactose-intolerant,' legde ik hem, misschien wel voor de vijftigste keer, uit.

'Natuurlijk ben je dat,' zei Floyd, en hij schudde zijn hoofd en grinnikte, zoals altijd.

'Jongens, hou het wel leuk,' zei Max. 'En echt, Hortus, bestel wat je wilt. Wij betalen. Hermes heeft een goed jaar achter de rug.'

Daar had ik niet van terug. Ik haalde mijn schouders op en bestelde biefstuk en zwezerik.

Max haalde zijn afgekloven tandenstoker uit zijn mond. Er bleef een glinsterend spuugsliertje aan hangen. 'Hortus,' teemde hij, 'we hebben je hier vandaag uitgenodigd omdat we graag willen dat je deel wordt van ons team. Hermes heeft je hard nodig. We hopen dan ook allemaal dat je ja zegt.'

Ik had zo lang gehoopt die woorden te horen dat je zou denken dat ze hun glans hadden verloren. Hij bracht zijn verzoek ook niet bijzonder subtiel of fraai. Ik weet eerlijk gezegd ook niet zo gek veel van hun product. (Ik had voor vanavond nog nooit een van hun games gespeeld. Ik heb zelfs geen Life-profiel. En ik zit uiteraard ook niet veel op de Lexibeurs.) Maar wat veel belangrijker is: ik héb al een baan. Eentje waar ik heel erg blij mee ben. Die ik voor vrijwel niets zou willen ruilen. Desondanks zei ik: 'Wat zou dat precies inhouden?'

Max legde uit dat ze op grond van hun nieuwe contract met Synchronic een lexicograaf konden aannemen en beweerde dat ik hun eerste keus was. (Ik vroeg me af hoeveel lexicografen hij kende. Afgezien van Doug dan, van wie ik aannam dat hij, als Ana's vader, niet op zijn lijst stond.) Max legde uit dat de eerste klus op freelancebasis zou zijn, zodat ik een indruk van het werk zou kunnen krijgen. Het kwam erop neer dat ze me ervoor zouden betalen om tijdens een feest 'definities op verzoek' te schrijven voor woorden ('geldwoorden' noemde Floyd ze) die gasten ter plekke verzonnen. ('Welk feest?' vroeg ik. Max haalde zijn schouders op. 'Gewoon zo'n galading.')

Vernon, die zijn bril aan zijn zwarte coltrui poetste, legde uit: 'Het is eigenlijk niets anders dan Meaning Master live.'

Ik knikte begrijpend, alsof ik zijn uitleg vatte. Een beproefde methode van me. En eentje die Max elke keer doorziet. 'Hij weet niet wat dat is? Toch, Hort?' zei hij. Ik deed een halfslachtige poging om mijn schouders op te halen. Max nam een flinke teug bier en zei: 'Dacht ik al. Geeft niets.' Er klonk geen verwijt in door.

Ik heb het daarna opgezocht. Meaning Master™ is de jammerlijke naam van een computerspel, uitgebracht door Hermes®. Je kunt het downloaden van de Lexibeurs. (Ik wist trouwens niet eens dat Synchronic inmiddels ook spellen verkocht. Het verklaart wel hun belangstelling in Hermes.) Zover ik de werking van Meaning Master™

heb doorgrond, gaat het er primair om dat een speler nieuwe woorden verzint. Elke ronde duurt twee minuten. In de eerste minuut komen er letters langs op het scherm en moet je bij elkaar passende kleuren aan elkaar koppelen door ze in te toetsen of met duim en wijsvinger bij elkaar te brengen. In de tweede minuut verzin je zoveel mogelijk definities, maar je kunt ook automatische 'betekenistoekenning' kiezen. (Ik moet toegeven dat het best leuk is. Je kunt een enorme productie draaien.)

De meest 'inventieve' neologismen worden kennelijk op de Lexibeurs aangeboden en zijn te downloaden. Per week is er één winnende 'Meaning Master', die duizend dollar krijgt en op de homepage van Synchronic wordt genoemd. Ik geloof zelfs dat PI News een kort item aan hen wijdt. Ik las dat de eerste winnaar, de zestienjarige Haley Rutherford uit Cleveland, had gewonnen met het afgrijselijke bedenksel 'nuïg /'ny·əg/ (bn): als al het belangrijke gebeurt'. Ik vond verder een verbluffend persbericht van Hermes waarin werd beweerd dat het spel in de eerste twee weken van deze maand voor een verdrievoudiging van het aantal bezoekers op de Lexibeurs had gezorgd.

Maar tijdens de lunch nam Max niet de moeite een en ander toe te lichten. Zoals je van hem kon verwachten, begon hij gewoon aan zijn pitch. Om het spel uit te leggen (uit het niets woorden verzinnen, zoals je om een cake te bakken met een lege kom begint) haalde hij G.W.F. aan. 'Volgens Bodammer geeft Hegel aan dat de geest naam en betekenis uit elkaar moet halen (*treten Name und Bedeutung auseinander*) teneinde "namen als zodanig" – betekenisloze woorden – te scheppen, woorden die blanco zijn en zuivere gedachten kunnen opnemen.'

Dat betekent, denk ik althans, dat Max Hegel gebruikt om het maken van nepwoorden te rechtvaardigen: beweren dat ze beschouwd kunnen worden als 'namen als zodanig', een van Hegels minder bekende concepten. Ik weet alleen niet of Max dat zelf ook echt gelooft, of intellectueel lui is, of vindt dat hij profijt trekken van het knoeien met taal moet rechtvaardigen of echt denkt dat hij mij voor de gek kan houden en ik het verschil niet zou zien. Maar dat bedoelt Hegel natuurlijk niet met 'namen als zodanig'. Hij heeft het expliciet niet over het verzinnen van onzinnige 'woorden'. Hij heeft het over woorden die we geestelijk van alle betekenis hebben ontdaan zodat we woorden als woorden kunnen beschouwen, in een formele relatie, als een bewustzijnsoefening. De geest verwerft taal ter voorbereiding op een gemeenschappelijke uitwisseling van ideeën. Het heeft geen zin om privéwoorden te leren die alleen hijzelf kan gebruiken.

Ik besloot daar op dat moment niet op in te gaan. Ik heb een bloedhekel aan wedstrijdjes ver piesen met Max. Ik word altijd ondergezeken. Zijn betoog viel bovendien samen met de komst van ons eten. Wel vroeg ik me af wat er gebeurd was met zijn al lang bestaande stokpaardje 'context': zijn overtuiging dat taal een wankele ecologie van betekenissen doet vermoeden en dat woorden nooit ontdaan kunnen worden van het wie, wat, waar, wanneer en waarom ze worden gebruikt. Dat ík een rechtse fanaat ben omdat ik beweer dat woorden mallen zijn waarin we gedachten kunnen gieten. Nadat ik een paar frietjes had weggewerkt, zei ik dat ook.

'Bart,' zei Max en hij keek me strak aan met die griezelig glanzende ogen van hem. 'Ik ben blij dat je dat zegt. Context ís namelijk ook belangrijk. Zeer belangrijk. Context vormt zelfs een groot deel van onze motivatie.' Vervolgens stak hij van wal met een verwarrende verhandeling over hoe de methodes van Hermes de historisch gemarginaliseerden en stemlozen een 'nieuwe kans bieden om deel te nemen aan de sociaal-culturele dialoog'. Door zich woorden toe te eigenen en 'nuttiger woorden te scheppen' konden onmondig gemaakte mensen 'een taal herwinnen die eeuwenlang heeft samengespannen om hen op hun zogenaamde plaats te houden. Ga eens na hoe krachtig het zou zijn als "primitief" transformeerde in "soeverein" of als "imperium" de betekenis van "zout" zou krijgen of van een ander woord dat nog niet eens is verzonnen.'

Toen haalde hij grover geschut tevoorschijn: 'Ik denk niet dat het toeval is,' zei hij met een scheve lach, 'dat Samuel Johnson het catalogiseren van het Engels vergeleek met het cultiveren van een primitief land. Johnson zei...' Max veegde de jus van de konijnenniertjes van zijn vingers, pakte zijn Meme en las: '"Ook als ik de verovering niet zal kunnen voltooien, zal ik op zijn minst de kust verkennen, een deel van de bewoners beschaven en de weg bereiden voor een volgende avonturier, die hen tot volledige onderwerping zal brengen en onder het gezag van de wet zal plaatsen."' Hij keek op en zijn groenbruine laserscherpe ogen doorboorden me weer. 'Ons opdringen aan anderen – hun onze taal, onze vorm van bestuur, onze manier van leven opleggen – dat deugt gewoon niet. Zelfs al lijkt het doel het allemaal waard: democratie uitdragen, meer open communicatielijnen. "Vrijheid" en "vrije meningsuiting". Maar hoe vrij zijn mensen echt als jij bepaalt wat ze zeggen?'

Ik wilde hem eigenlijk op een aantal gapende gaten in zijn retorische verhandeling wijzen en hem vragen hoe het verzinnen van nepwoorden tijdens een 'galading' precies zou kunnen helpen om de hegemonie omver te gooien, maar je hebt van die mensen die alles kunnen rechtvaardigen. Althans voor zichzelf.

'Ik zou willen dat het antwoord eenvoudig was,' zei hij. 'Maar we kunnen de boel niet rechttrekken met alleen maar slimme weglatingen of door Urdu te leren of Kazachs of wat dan ook. Hoewel het misschien geen slecht begin zou zijn. Maar als we echt willen proberen elkaar te begrijpen, moeten we niet alleen beter gaan communiceren, maar juist ook anders. Een volledig nieuwe soort uitwisseling verzinnen.'

Op dat moment lonkte Floyd naar een meisje dat terugkwam van de wc's. Toen ze achteruitdeinsde (verrassing) stootte ze tegen Vernons stok. De stok kletterde op de grond en haalde zowat een ijverige hulpkelner, armen volgeladen met zware borden, onderuit. Vernon (niet Floyd) begon zich omstandig te verontschuldigen, het meisje kreeg een kleur als rauwe biefstuk en Max stortte zich heldhaftig in de consternatie, greep de kelner bij zijn schouder, zette de stok rechtop en verzekerde het meisje dat het Floyds fout was geweest en dat er niets aan de hand was. Later kwam ze nog even terug en gaf ze, alweer fel blozend, Max een servet waarop ze in een schattig nostalgisch gebaar haar naam en nummer had geschreven. (Normaal gesproken kijken meisjes gewoon brutaal naar hem en zeggen 'Contact delen', vaak zonder dat hij daar zelf om heeft gevraagd, en dan belanden hun gegevens kennelijk rechtstreeks in zijn Meme. Ik geloof zelfs dat het Hermes-team die app heeft bedacht.) Toen ze weer weg was, scande Max haar in zijn Meme – die hem onder andere liet weten dat ze tweeëntwintig was, oorspronkelijk uit Phoenix kwam en het probeerde te maken op Broadway – gaf Floyd een high five en overhandigde hem zonder verdere omhaal het servet.

De onderbreking bracht me van mijn à propos (het was echt een erg knap meisje). In plaats van mijn voorgenomen weerlegging zei ik alleen maar: 'Het idee klinkt goed. Maar hoe gaat het precies in zijn werk?'

'Dat klinkt alsof iemand zich een beetje bedreigd voelt,' hoonde Floyd sabbelend op een mondvol ijs van de bourbon die hij net achterover had geslagen. 'Een interactief woordenboek zou mooi je baan overbodig kunnen maken, kerel.' Hij knipoogde naar Johnny.

'Ik weet niet wat ik me precies moet voorstellen bij een "interactief woordenboek", maar het is hoe dan ook een verschrikkelijk slecht idee,' zei ik. 'Hoezo? Ze hebben het ook al met de encyclopedie gedaan,' onderbrak Floyd me, maar ik praatte snel door om hem de mond te snoeren. 'Ik bedoel, het lijkt er niet op dat jullie echt een nieuwe, gedeelde taal willen introduceren, maar een eenzijdige versie ervan die continu verandert,' zei ik. 'Jullie leggen de nadruk op het destructieve deel: de oude heiligdommen neerhalen of zoiets. Maar wat moet er in plaats daarvan verrijzen?'

'Dít,' zei Floyd grinnikend en hij maakte rukbewegingen in de lucht. Max bracht zijn vuist zachtjes tot stilstand.

'Goed, Hortus,' zei Max. Hij ging verzitten. 'Habermas zou zeggen dat Hegel taal beschouwt als een middel voor onderwerping aan de staat. Waarmee Hegel uiteraard zou hebben ingestemd. Taal is, net als werk en net als gedomesticeerde "liefde", een middel om het individu gehoorzaam te maken aan het bredere bestuurlijke domein. Wat wij bepleiten is niet per se ongehoorzaamheid. Wel vrijheid van gehoorzaamheid. We kunnen ervoor zorgen dat woorden betekenen wat we maar willen.'

Ik had zoveel tegenwerpingen dat ik niet wist waar te beginnen. Ik begreep ook niet waarom Max zich opzettelijk van de domme hield. Misschien kwam het daardoor dat ik ongeveer op dat punt geen puf meer had voor verdere discussie. En trouwens: mijn afwegingen of ik wel of niet op zijn aanbod zou ingaan, hadden ook niets met ideologie te maken. Het honorarium dat Max had voorgesteld, was obsceen hoog. Daarvan zou ik een auto voor mijn moeder kunnen kopen. En dan nog iets overhouden. Ik haalde mijn schouders op en zei dat ik er een nachtje over wilde slapen.

'Fantastisch,' zei Max. 'Ik stuur je morgen verdere info.'

Hij rommelde wat onder de tafel en trok een zwart doosje tevoorschijn met op de ene kant in glinsterende letters MEME en op de andere NAUTILUS. Er stond ook een afbeelding op, maar die leek in de verste verte niet op de Memes die ik kende. Ik dacht dat een Meme gewoon een plat, zilverkleurig scherm was met een stel Oortjes die eruitzien als opgerolde varenbladen en die verbonden zijn aan de ongelukkige genaamde Kroon (ook wel hoofdband) met dat rare zilveren haakje dat licht naar voren gebogen is zodat het je voorhoofd precies in het midden raakt en dat eruitziet alsof het elk moment kan afbreken. Dit was iets anders. Het zag er niet zo bijzonder uit: enkel een zilveren schijfje met daarop een afdruk van een spiraal die op de foto een blauwachtige gloed had.

'Alsjeblieft,' zei Max. Hij hield me het doosje voor.

'Dank je wel,' zei ik nee schuddend. 'Maar nee.'

'Sorry, m'n beste,' zei Max met een strijdbare glimlach. 'Het is een arbeidsvoorwaarde. Jij bent slecht bereikbaar. Het wordt tijd dat je mee gaat doen met de eenentwintigste eeuw.'

Toen ik het nog steeds niet wilde aanpakken, strekte Floyd zijn hand ernaar uit. 'Shit, dan neem ik hem wel,' zei hij lallend. 'Ik wilde er al een tijdje zo een. Hoorde dat-ie veel beter werkt met de chip.'

'Je kunt er zelf een krijgen,' zei Max, die Floyds hand ruw wegsloeg.

'Nee, dat kan ik niet,' zei Floyd. Hij wapperde met de hand die Max een mep had verkocht. 'Je weet best dat we de nieuwe nog niet hebben.' Max negeerde hem, gaf het doosje aan Vernon en gebaarde dat Vern het in de capuchon van mijn hoodie moest stoppen. 'Sorry,' mompelde Vernon bijna onhoorbaar, alleen tegen mij. Hij zat zo dicht tegen me aan gebogen dat ik de sigarettenrook die in zijn trui hing kon ruiken. 'Je hoeft hem niet te gebruiken.'

Dat was een beetje raar.

Maar ik had een vraag voor Floyd. 'Zei je "chip"? Als in "microchip"?' vroeg ik vol ongeloof. 'Ik dacht dat alleen mensen met zeg maar rugletsel die kregen.'

'Ach wat, ezel,' zei Floyd. Hij klonk chagrijnig en daarom helderder. Langs de randen van zijn pluizige marmotjes waren zijn wangen rood aangelopen. 'Wij hebben er allemaal een. Behalve Vern. Mietje.'

Ik staarde verbijsterd naar Floyds grote, onnozele hoofd. Stelde me voor dat er een microchip onder zijn schedel geïmplanteerd was. Dat er elektroden in zijn hersenen zaten. Maar zoals wel vaker wist ik niet of hij de waarheid sprak of me in de zeik nam.

'De chip heb je trouwens niet per se nodig,' zei Max. 'Net als met andere Memes.'

'Wat doet-ie eigenlijk precies?' zei ik terwijl ik het doosje behoedzaam uit mijn capuchon viste.

'Bedoel je de Nautilus?' vroeg Vernon, die van vinaigrette glanzende rucolablaadjes naar binnen zat te schuiven. 'Of heb je het over een Meme?'

Ik haalde ontwijkend mijn schouders op. (Ik had Memes van dichtbij gezien en zelfs wel in handen gehad, maar er nog nooit een echt gebruikt.)

Floyds ogen rolden zowat uit zijn hoofd en hij zei lachend: 'Meen je dat fokking serieus?'

Voordat ik me al te onnozel kon voelen, antwoordde Max kalmpjes: 'Alles.' En ze ratelden met z'n allen een lijst af die me daadwerkelijk wist te overdonderen. De Meme deed alle 'voor de hand liggende dingen', legden ze uit: hij voorvoelde je verlangens en behoeftes. 'Hij doet boodschappen voor je,' zei Vernon van achter zijn servet. 'Dat is best handig. En o, ook je aangifte, dat is nog het beste. Ergens in maart krijg je een pop-up met de vraag of hij je aangifte moet doen en dan tik je gewoon op "ja".' Dat was het moment waarop ik echt geïnteresseerd raakte.

Hij veranderde je leven ook in meer bijzondere opzichten. Max beweerde bijvoorbeeld dat iedereen een 'meesterwerk' kon maken. Om dat aan te tonen, stootte hij de minst voor de hand liggende kunstenaar in ons midden aan. Floyd zette zijn Kroon op, concentreerde zich een minuut en beamde het resultaat naar Vern zodat ik het kon zien. En het was verbazingwekkend genoeg waar: de afbeelding van badende vrouwen was adembenemend. Zeg maar barokachtig, met een gouden, Vlaamse lichtval, de vrouwen vol gevoel en gratie. 'En het is dialectisch,' lichtte Max toe. 'Dat zorgt er ook voor dat het ons "raakt" of wat dan ook – het voelt aan wat je wilt zien en versterkt die aspecten. Er is geen "vaste" afbeelding. Hetzelfde kun je ook doen met elk ander medium: muziek, film, gliefen.'

Als ik bereid was een microchip te nemen (een kleine, poliklinische ingreep), zou mijn Meme nog veel meer voor me kunnen doen. Het makkelijker maken om bepaalde gebeurtenissen in geuren en kleuren te onthouden of er juist voor zorgen dat ik dingen waar ik liever niet (steeds weer) aan terug wilde denken vergat. De chip kon mijn visuele beleving beïnvloeden zodat lopen of rijden of in de trein zitten zou voelen alsof je in een game zit.

'En wat als je de chip wilt laten verwijderen?' vroeg ik. Ik keek de kring rond. 'Is dat ook zo'n kleine ingreep?'

Er viel een gespannen stilte. Ik voelde dat Vernon naast me ging verzitten.

'Tja,' gaf Max toe. 'Dat ligt wat ingewikkelder.' Hij veranderde snel van onderwerp door nog meer functies van de Meme op te sommen. Hij kon complete onderzoeksterreinen voor je ontsluiten: macro-economie, zeventiende-eeuwse Italiaanse dichtkunst, mixologie. 'Je "leert" het niet per se allemaal,' aldus Max. 'Maar dat doet er niet toe. Je hebt er direct toegang toe zolang je het nodig hebt.' Hij kon je eetlust onderdrukken of vergroten. Je helpen concentreren. Je coachen om bepaalde fysieke vaardigheden te verbeteren.

Mijn weerstand werd kortom op bijna pijnlijke wijze afgebroken. En Max was nog niet eens begonnen de Nautilus te beschrijven.

Toen hij dat wel deed, verried zijn gezicht niets. Maar zijn stem was net iets te ingetogen en ik wist dat het groot was. 'De Nautilus is het eerste commercieel verkrijgbare apparaat dat elektronica en celbiologie integreert,' zei hij.

Uiteraard had ik meer uitleg nodig. Plotseling had ik ook het ongemakkelijke gevoel dat het ding dat op mijn schoot lag meer kostte dan het huis waarin ik was opgegroeid.

In tegenstelling tot zijn eigen Meme, zei Max, die gebruikmaakte van elektro-encefalografie, een enorm aantal chips, sensoren en zenders ('Genoeg voor een kleine eilandstaat') en (hij tikte tegen zijn schedel) een microchip, draaide mijn nieuwe Nautilus-Meme met veel minder 'lompe hardware', omdat hij gebruikmaakte van de reeds bestaande infrastructuur van de hersenen.

Hij zei dat ik de hersenen moest beschouwen als iets wat alle functies van een computer heeft: iets wat kan rekenen en in staat is gegevens en prikkels te filteren, sorteren en rangschikken (bepalen wat aandacht verdient en wat genegeerd kan worden). Iets wat het vermogen heeft om auditieve sensaties via de verbeelding en dromen te visualiseren en op te roepen en wat door sterke neuronale verbindingen aan te leggen bepaalde dingen heel efficiënt kan doen. Maar de hersenen kunnen ook, net als een computer, nieuwe netwerken vormen. 'En daardoor kunnen ze samenwerken met de Nautilus,' zei Max geheimzinnig.

Synchronic had jarenlang gewerkt aan het perfectioneren van een apparaat dat in plaats van te werken met twee aparte, parallelle systemen die continu gegevens met elkaar moeten uitwisselen, die twee eenvoudig samenvoegt. Letterlijk. De cellulaire componenten van de Nautilus gaan een verbinding aan met zintuiglijke neuronen. Daarom heeft de Nautilus geen scherm of mondstuk of microfoon nodig of 'zo'n omslachtige van-licht-naar-sensor-naar signaal-overgang'. (Ik krabbelde snel aantekeningen mee op mijn vettige servet.)

Met zijn elektronische en digitale elementen schept de Nautilus een poort waardoor informatie rechtstreeks van het internet naar de hersenen kan worden overgebracht. Het vereist alleen een kleine aanpassing in de neurale 'bedrading', aldus Max. Maar met name bij uitvoerig gebruik kan de Nautilus een nieuw 'relaiscentrum' (term van Max) aanmaken, door optimaal gebruik te maken van de plasticiteit van de hersenen en de 'natuurlijke topologie aan te passen' zodat hij rechtstreeks in verbinding kan treden met visuele, auditieve en andere zintuiglijke systemen.

Op die manier kon je volgens Max een 'sms' ontvangen zonder een schermpje waar de tekst op stond: die verscheen gewoon voor je geestesoog. Op termijn, legde hij verder uit, zou je zelfs geen conventionele aanwijzingen meer nodig hebben, zoals een 'rinkelend' geluid dat je op een oproep attendeert. Na een paar maanden, of misschien al een paar weken, van gebruik 'voel' je gewoon dat er een oproep is. En misschien kun je dan zelfs reageren zonder woorden.

Op mijn verzoek vertelden ze nog veel meer over de ins en outs van de Nautilus. Hij heet zo naar zijn gedraaide ontwerp, dat doet denken aan de schelp van het gelijknamige weekdier, en moet net als zijn naamgenoot worden bewaard in vloeistof. ('Wordt geleverd met genoeg voor de eerste zes maanden,' zei Max met een kingebaar naar mij.) Hij bestaat deels uit elektronische onderdelen, maar als hij niet op de huid zit, moet hij in een speciale oplossing blijven omdat hij ook biologisch weefsel bevat. 'Dat ligt in zekere zin in het logische verlengde van biologische gegevensverwerking,' zei Max luchtig.

De Nautilus schijnt een halfdoorlaatbaar membraan te hebben; als je hem draagt, schept zijn naaldloze 'bioject'-technologie de voorwaarden voor de 'infiltratie' van cellen. Dat klonk uiteraard in mijn oren nogal ongewenst, maar Max beweerde dat het volledig veilig was: het enige wat er gebeurt is dat de Nautilus-cellen integreren met de cellen van de dichtstbijzijnde zintuiglijke neuronen, waardoor nieuwe chimerische cellen ontstaan die kunnen communiceren met hun corticale tegenhangers in de hersenen.

'Wat dat dan ook moge betekenen,' zei ik. Ik wierp weer een blik rond de tafel en verwachtte instemmend geknik te zien. Maar iedereen hield de ogen rustig op Max gericht.

'Wat het betekent,' zei Max, maar hij onderbrak zichzelf meteen weer om een slok van zijn rumcocktail te nemen, 'is dat de Nautilus zelf een ingang maakt om digitale gegevens door te sluizen. Het komt erop neer dat hij gegevens door het apparaat naar de huid van de gebruiker laat stromen en vervolgens gebruikmaakt van bestaande zenuwkanalen om signalen over te brengen van de huid naar de hersenen.'

'Waar moet je hem precies dragen?' vroeg ik wantrouwig.

'Volgens de handleiding op je voorhoofd,' antwoordde Max met volle mond, want hij had net een hap buikspek genomen. 'Dat is deels om marketingredenen, want dan kunnen anderen zien dat je er eentje hebt. Hij werkt daar vermoedelijk ook iets effectiever, de signalen hoeven dan geen grote afstand af te leggen naar de hersenen.' Daar moest ik even van rillen, wat Max vermoedelijk zag, want hij kauwde, slikte door en vervolgde zijn verhaal. 'Je zou hem moeten kunnen dragen waar je maar wilt, zolang je hem altijd op dezelfde plek bevestigt.'

Floyd boog zich over de tafel naar me toe. In zijn ogen gloeide een zeldzame opwinding. Hij onderbrak Max: 'Dat kan alleen maar omdat zoals Max al zei de Nautilus gebruikmaakt van biologische gegevensverwerking. Hij slaat gegevens op in DNA-code, niet in nullen en enen, hoewel hij natuurlijk wel de hele tijd heen en weer vertaalt tussen die twee. Hij gebruikt ook proteïnen in plaats van logische poorten. Er is dus sprake van een zekere... een naadloze integratie tussen het apparaat' – hij hield één hand op – 'en het zenuwnetwerk waar het op aansluit.' Hij stak ook zijn andere hand op en sloeg beide handen in elkaar. 'Met andere woorden: tussen de buitenwereld en de geest.'

'We hebben hem allemaal getest,' zei Max geruststellend.

'Jij ook, Vern?' vroeg ik. Ik meende dat ik hem naast me op de bank voelde verstrakken. Maar hij knikte licht. 'Jazeker,' zei hij, en hij kuchte.

Vervolgens drukte Max me met zachte stem op het hart dat ik absoluut niemand mocht vertellen dat hij me een Nautilus had gegeven. 'Anders ben je nog niet van me af,' zei hij grappend (geloof ik). Het apparaat zou pas over enkele weken in de winkel liggen. Max verwachtte ook binnen een paar dagen een nieuwe versie te ontvangen waarin een paar 'minimale foutjes' waren hersteld. Als ze de nieuwe binnen hadden, zou hij er een voor me apart houden, beloofde hij.

Ik schudde mijn hoofd. 'Dat is niet nodig,' zei ik.

Max tuurde met min of meer dichtgeknepen ogen naar me. Zijn ene mondhoek trok zenuwachtig, wat bij hem duidt op teleurstelling. 'Je gaat hem niet gebruiken, hè?' zei hij.

Ik haalde mijn schouders op. Zuchtte. Max zei: 'Tja, ik vermoedde al dat je zo zou reageren. Je zou hem echt eens moeten proberen. Hij is geniaal. Maar...' Hij greep weer onder de tafel en haalde een tweede doosje tevoorschijn, dit keer met een afbeelding van een gewone Meme. 'Vang, Hortus,' zei hij en hij gooide hem naar mij.

En toen gebeurde er iets anders. Floyd liet zich weer horen. 'Hé, trouwens. Heeft een van jullie gisteren dat bericht in de *Times* gezien over Memes?'

'Het was een opiniestuk,' verbeterde Vernon hem. Floyd stak in een reflex zijn middelvinger naar hem op.

Vernon liet zich er niet door uit het veld slaan. Hij had het stuk overduidelijk gelezen (ik niet) en leek zich zelfs terdege voorbereid te hebben om het in detail door te nemen: hij ging overal minutieus op in, van het gebruik van de term 'boek' ('manipulatief en larmoyant') tot en met een kritiek op de voormalige EU. Wat hem het meest leek te storen, was nog wel dat een serieuze auteursvermelding ontbrak. 'Het is het einde van de journalistiek,' zei hij meen ik letterlijk, wat op mij een beetje overdreven overkwam. Max leek het met me eens te zijn, hij zat tijdens Vernons preek aan één stuk te grijnzen. Gek genoeg ging hij echter niet tegen hem in.

Maar dat was het niet wat het vreemdst was aan het gesprek, dat al snel nog veel eigenaardiger werd.

De aanzet vormde Vernons opmerking over de auteursvermelding, die weer leidde tot een verhitte discussie over het zogenaamde Diachroon Genootschap, dat het stuk zou hebben geschreven. Ze leken er allemaal van overtuigd dat ik om de een of andere reden wist wat dat was. Toen ik hun verzekerde dat dat niet het geval was ('Ik weet nooit iets,' gaf ik als uitleg), zei Floyd: 'Zeg vriend, zit je nou te liegen?' Maar na een voorzetje van Max gaf Floyd al snel toe dat liegen een van de vele dingen is die ik niet beheers. Dat was niet wat me verbaasde. Wel de daaropvolgende woordenwisseling.

'Wat denk jij, Johnny?' vroeg Vernon, en hij wees met een van mijn frietjes naar Johnny.

'Ja, ventje,' zei Floyd. 'Zelfs voor jouw doen ben je vandaag griezelig stil.'

Johnny haalde zijn schouders op, maar keek een tikje ongemakkelijk. 'Uh,' zei hij. 'Zal wel.'

'Serieus, John.' Vernon vlocht zijn lange, aristocratische vingers in elkaar en strekte zijn hoofd naar links om Johnny zijn kenmerkende blik over de bril te schenken. 'Het is het eerste geval van openbare kritiek op de Meme waarin die expliciet in verband wordt gebracht met de Lexibeurs. Ik wil graag horen wat jij ervan vindt.'

Het klinkt misschien naïef, maar dat was misschien de eerste keer dat ik besefte dat mijn dis- en vakgenoten met iets werkelijk groots bezig zijn. Dat hetgeen ze met Synchronic aan het doen zijn een rol speelt op het nationale toneel. Los daarvan was ook ik benieuwd naar Johnny's mening, aangezien ik zeker weet dat hij de enige is die de technische aspecten echt begrijpt. Maar Johnny zag er beroerd uit.

Wat hij zei was: 'Echt, man. Ik voel me een beetje kakabo.'

We keken hem allemaal aan. Ik weet niet waarom, maar mijn nekharen stonden overeind.

Na een korte stilte zei Floyd: 'Kakabo? Verdomme, wat betekent dat nou?'

Johnny keek hem stomverbaasd aan. 'Kakabo?' herhaalde hij. Hij zag nu groen. 'Huh?'

Vernon schraapte zijn keel. 'Dat zei jij net,' legde hij vriendelijk uit.

'W-wat? Ik?' stamelde Johnny. 'Echt?' Hij trok een schouder op en rilde. Drukte even tegen zijn slapen. 'Geen idee wat dat betekent.' Toen probeerde hij te lachen, maar het klonk vreemd en gesmoord, als bij iemand die in zijn slaap lacht. 'Een kater bedoelde ik denk ik. Ik voel me een beetje ka-katerig.'

'Niets om je voor te schamen, jongen,' zei Floyd, die een vers gevuld glas hief. 'Hier, een borrel tegen de dorst. Medicijn van Moeder Natuur.' Waarmee hij er een vrolijke draai aan trachtte te geven, ogenschijnlijk om de boel te ontzenuwen.

Maar het incident had me danig van slag gebracht op een manier die ik niet kan verklaren. Het bracht me het vreemde, rare telefoontje in herinnering dat ik zondag met Ana had gehad, toen ze om de haverklap van die rare versprekingen had gemaakt. Eerlijk gezegd leek iedereen geschrokken. Ik zag het aan hun aangeschoten gezichten.

Max hield ons echter bij de les. 'Wie heeft het volgens jou geschreven?' vroeg hij, en hij keek Vernon aan.

Voordat Vern kon antwoorden, zei Floyd iets wat een volgende vreemde opeenvolging van kettingreacties uitlokte. 'Geen idee, man,' zei hij. Hij gorgelde met zijn bourbon. 'Wat dacht je van je ex? Die haat jou nu toch? Misschien wilde ze ons in diskrediet brengen.'

De hoeken van Max' mond zakten naar beneden en tussen zijn wenkbrauwen vormde zich een diepe rimpel. 'Onmogelijk,' zei hij, en hij schudde zijn dikke blonde haarbos. Maar zijn ogen waren dof geworden. Hij richtte ze op mij en begon te praten. In zijn stem klonk een scherp kantje van bezorgdheid.

Wat hij me vroeg, had niets met Hermes te maken. 'Hé, Hortus,' zei hij in een poging nonchalant te klinken (dat had ik wel door). 'Heeft ze trouwens al iets gehoord? Of anders jij? Ik weet dat ze al in paniek raakt als iemand twintig minuten zoek is.'

Ik voelde de kou tot in mijn nieren. Alsof ik een spijkerbroek had aangetrokken die te vroeg uit de droger was gehaald. 'Wie zegt dat er iemand zoek is?' vroeg ik Max.

'O...' begon hij. De rimpel op zijn voorhoofd werd nog dieper. 'Ik dacht dat ik zoiets had gehoord... op het nieuws. Over haar vader?' Iedereen keek inmiddels zijn kant op, zelfs Floyd, en Max' frons sloeg om in een gegeneerd lachje. Ik was zo mogelijk nog onthutster dan na de verspreking van Johnny. Wat had het te betekenen dat Max wist dat Doug verdwenen was? Wie zou het hem hebben verteld? Ana? Dat leek me hoogstonwaarschijnlijk.

'Op het nieuws?' zei ik. 'Echt? Ik heb niets gezien.' Ik wist bovendien, na mijn gesprek gisteren met de rechercheur die Dougs zaak leidt, dat het bericht nog niet naar buiten was gebracht.

Max boog zijn hoofd en mompelde in een poging zijn zenuwachtige lachje te onderdrukken: 'Jawel, ik heb het gisteren ergens gehoord. Of misschien eergisteren.' Ik zag dat hij nadrukkelijk naar Vernon keek, die alweer deed alsof zijn onderzoekende blik hem koud liet. Maar weer zou ik zweren dat ik zijn schouder voelde verstrakken. Max nam een flinke slok uit zijn glas en toen hij het neerzette, had hij zich herpakt. In een opzettelijk aanstootgevend gebaar pikte hij het laatste, sneue frietje van mijn vettige bord, keek me aan en zei: 'Geef toe, Hortus. Jij staat niet bepaald bekend om je kennis van het laatste nieuws.'

En als om Max' onbetwist superieure actualiteitenkennis te bewijzen, begon zijn Meme op dat moment te luiden. Hij wierp er een blik op, keek toen naar ons en zei spottend: 'Zeg, wisten jullie dat iemand net weer heeft geprobeerd het Pentagon te hacken?'

Ik besloot de Doug-kwestie te laten voor wat het was. Max' favoriete belediging aan mijn adres is 'schijtlaars'. En ik heb een hekel aan onnodig geruzie. Eerlijk gezegd was ik inmiddels ook behoorlijk dronken. Met een aantal gulle handelingen van zijn Kroon had Max verschillende rondjes voor ons besteld. Ik haalde daarom mijn schouders op en deed blijmoedig alsof ik me gewonnen gaf. Vernon, onze vaste diplomaat, bewerkstelligde een verandering van onderwerp door de vraag naar de auteur van het opiniestuk in de *Times* nieuw leven in te blazen.

Helaas besloot Floyd zich ermee te bemoeien. 'Misschien heeft Douglas Johnson het geschreven,' zei hij peinzend. Hij liet een onderzetter rondtollen, wierp mij een duivelse blik toe en vervolgde: 'Tenzij hij dood is of zo.'

Ik weet dat het als provocatie bedoeld was. Normaal gesproken zou ik ook niet hebben gehapt. Maar ik had een notige, herfstige Märzen te veel op om de gewenste mate van gelatenheid te veinzen. (Bovendien zal ik wel last hebben gehad van sublimatie.) 'Jij bent echt een eikel, weet je dat,' zei ik. 'Het is serieus niet cool om zoiets te zeggen.' (Floyd lijkt me beter te begrijpen als ik zijn eigen taaltje gebruik.) 'De politie en Anana en ik zijn allemaal naar hem op zoek,' liet ik hem kwaad weten. 'Hij zou best in moeilijkheden kunnen zitten. Dus doe me een lol. Hou je alsjeblieft voor één keer nou eens...' Ik maakte mijn zin niet af, schudde alleen mijn hoofd. Ik voelde de vertrouwde aandrang opkomen om ervandoor te gaan.

'En jij, Max?' vroeg Vernon, die zijn servet over de restanten op zijn bord vlijde en het geheel een stukje van zich af schoof.

'Hoe bedoel je?' vroeg Max. Hij leek afwezig, maar zeker wist ik dat niet: hij had de zonnebril opgezet die eerst aan zijn overhemd hing.

'Wie heeft volgens jou dat stuk geschreven?' ging Vernon stug door.

Max brak een nieuwe tandenstoker af. Wurmde vlees van tussen zijn tanden. 'Doet er niet toe wat ik denk,' zei hij. (Wat hij duidelijk niet meende.)

'Heb je wel een idee?' vroeg Vernon, die Max doorzag. Net als wij allemaal.

'Wil je echt weten wat ik denk?' zei Max. Het enige wat ik kon zien was de gebolde weerspiegeling van Vernon, Johnny en mezelf in zijn donkere glazen. Maar het leek alsof hij zijn ogen op Vernon gericht hield. Zijn kaak stond strak. Ik merkte dat Vernon het ook voelde: hij kromp iets ineen, stak zijn lange vingers in de boord van zijn trui en trok die weg van zijn hals.

Het was Floyd die, zich nergens van bewust, de impasse doorbrak door te zeggen: 'Ja, gast, dat wil ik.'

Max stak zijn gebruikte tandenstoker in Johnny's nagenoeg onaangeroerde biefstuk. 'Ik denk dat Hortus het heeft geschreven. Klopt dat, Hortus?'

Zonder enige reden brak het zweet me uit en een tel later knoeide ik bier over mezelf en vrijwel iedereen aan tafel.

Daarna droop ik schaapachtig af naar Washington Heights. Maar dit wil ik wel zeggen: ik heb dat opiniestuk niet geschreven. Ik weet niet waarom mijn klunzige vingers het anders deden voorkomen, maar Max heeft zich een paar van de grillige methodes van een dictator aangewend en daar word ik zenuwachtig van. Zijn aantijging was overduidelijk uit zijn duim gezogen. Ik weet niet wat hij ermee bedoelde of wie hij vooral van zijn stuk wilde brengen. Misschien was het niet meer dan wraak omdat ik hem had betrapt bij die Doug-kwestie. Wat ik wel zeker weet is dat er iets gaande is tussen hem en Vernon. Daar zal ik Vern dan vermoedelijk naar moeten vragen.

Wat dat opiniestuk betreft, dat ik net heb gelezen: ik geloof er allemaal niets van. Synchronic dat eropuit zou zijn de NADEL in te lijven? Uitgesloten. Ik waag het zelfs te beweren dat het alle schijn heeft van een publiciteitsstunt en dat Chandra van Marketing nog sluwer is geworden dan ze al was. Misschien verklaart dat waar Doug is? En hoort dit allemaal bij een grotere toestand, om de spanning op te drijven in de aanloop naar de presentatie vrijdag? Dat zal wel te onwaarschijnlijk zijn. Waarom zou Doug het me niet gewoon hebben verteld? En veel relevanter nog, waarom A niet? Tenzij ook zij me een rad voor ogen draait. Lieve god, laat dat alsjeblieft niet zo zijn. Alsjeblieft?

Goed, dat is dan bsjò voor vanavond. Maar er zijn wel net nog een paar superrare dingen gebeurd.

Ik heb de Meme geprobeerd. Ik weifelde eerst nog even, ta6en na lezing van dat opiniestuk. Maar ze gebruiken hem tenslotte allemaal, ez Vern. En na hun uitleg was ik ook tychen nieuwsgierig. Ik bedacht dat ik gewoon snel in bed mijn mail zou checken en als ik het niets vond, zou ik hem meteen weer afdoen. Je moet wel even wennen aan de Kroon, ash was het echt erg gaaf. Ik vond het vooral geweldig dat hij begon Neil Young te iezof op de stereo voordat ik zelf wist dat ik daarbij in slaap wilde vallen.

Maar toen ik mijn mail checkte, zaten er een paar tussen die echt tjik waren. Sommige leken op spam: vol willekeurige, onbegrijpelijke woorden. Ik heb er maar eentje van geopend, omdat die afkomstig leek van Johnny. Nu hoop ik echt dat me dat niet zuur zal opbreken. Er was er ook eentje van Ana, waarin ze me uitnodigde voor Thanksgiving morgen bij haar moeder. Is dat echt mogelijk? Heb ik dat verzonnen? Dat moet ik owsjong vroeg nog maar even nagaan. Het was de laatste mail, een verzamelmail aan alle NADEL-medewerkers, die me het meest alarmeerde. Er stond in dat het feest vrijdag in de openbare bibliotheek van New York – het feest ter gelegenheid van de presentatie van de derde editie aanstaande vrijdag, twee dagen züvve – zou zijn 'uitgesteld tot nadere kennisgeving', ten gevolge van 'Douglas Johnsons onverwachte afwezigheid' en 'andere factoren'. Jezus. Fokking. Hel.

F

Fancy /fænsi/ (the, g.mv.) 1 een van de laatste eetcafés met menselijke bediening 2 plek waar vaders niet altijd verschijnen

Toen ik dinsdag haastig op de blauwe deur van het politiebureau van Midtown North afliep, voelde ik ondanks alles wat er gebeurd was een schuchtere, aangename kriebel in mijn buik bij de vertrouwde aanblik van Bart die ineengedoken bij de vlaggenstok stond met zijn capuchon op vanwege de kou en een witte wolk adem die zijn gezicht omineus aan het zicht onttrok. Ik was zo blij hem te zien na de afgelopen afschuwelijke dagen, zo blij een medestander te hebben die het bijna net zo belangrijk vond als ik dat mijn vader werd gevonden.

En ik geneerde me een beetje. De laatste keer dat ik Bart had gezien, was zaterdagochtend geweest, de ochtend nadat Doug was verdwenen en mijn vette haar in slordige klitten zat. Ik had nauwelijks geslapen en had geen beha aangehad. We hadden elkaar daarna alleen nog zondag gesproken, toen ik zo ziek was dat ik me niet eens kon omdraaien in bed. Ik wist me nauwelijks nog iets van het gesprek te herinneren, maar nu ik hem daar zo onder die monter klapperende vlag zag staan, kon ik aan de geschrokken, schaapachtige blik op zijn gezicht zien – keek ik soms net zo? – dat wat ik toen had gezegd op de een of andere manier ongepast moest zijn geweest. Het telefoontje had zijn werk in elk geval gedaan: het had ons naar het bureau gebracht voor een gesprek met de politie.

Bart wierp me een flauw, weemoedig lachje toe, waardoor hij nog meer op Buster Keaton leek. 'Hoe is het nu met je?' vroeg hij. Ik voelde het bloed naar mijn wangen stijgen, wat me verwarde. Sinds wanneer kon Bart me laten blozen? Ik dacht terug aan zijn aangenaam verraste blik toen hij door de doos met wrakhout uit mijn vorige leven rommelde, en aan hoe hij op de grond had liggen slapen, waarbij ik uitzicht had gehad op zijn zachtroze voetzolen die onder de deken uitstaken.

En alsof hij me de moeite van het antwoorden wilde besparen – of misschien, realiseerde ik me later, was hij bang dat ik daar niet toe in staat was – wachtte hij niet tot ik wat zei (dit alles speelde zich uiteraard af op de dag voordat Bart zelf afatische verschijnselen begon te vertonen). Hij knikte en zei: 'Kom maar gauw mee naar binnen, het is veel te koud. Rodney wacht op ons in de hal.'

Maar toen we binnen waren, kregen we te horen dat Rodney al was meegenomen voor een gesprek. Bart en ik gingen op de metalen stoelen bij de deur zitten. Ik was nog steeds rillerig: ik was twee dagen van de wereld geweest. Was misschien wel zieker dan ooit geweest. Pas die ochtend had ik me bij het wakker worden weer iets meer mezelf gevoeld. Het was me gelukt om te douchen en wat droge geroosterde boterhammen naar binnen te werken. Ik was er zelfs even uit geweest om naar een winkel in Church Street in TriBeCa te gaan waar ze nog mobiele telefoons verkochten. Daarom was ik laat voor mijn afspraak met Rodney en Bart.[21]

Toen ik Bart beschreef hoe beroerd ik eraan toe was geweest, keek hij bezorgd. Vervolgens sprong hij op en verdween. Eerst was ik een beetje beledigd, bang dat hij op veilige afstand wilde blijven. Maar ik begreep het ook wel: hij had een erg wankele gezondheid – allergieën, misschien astma, en ik weet niet wat nog meer. Zodra er op kantoor iemand begon te sniffen, bleef hij uit de buurt, maar die dag op het politiebureau kwam hij al snel terug met een gebloemd wit

---

21. Ik had dr. Thwaite een sms gestuurd: 'Mag ik deze telefoon wel gebruiken? Hebt u al wat van mijn vader gehoord?' Maar hij had niet geantwoord.

kartonnen bekertje in zijn hand, waaruit hij water knoeide op de grond. 'Alsjeblieft,' zei hij, en door het trillen van zijn hand morste hij ook op mijn jas en verschenen er donkere vlekken. Hij liep meteen weer weg om een papieren handdoekje te halen.

Verlegen probeerde ik hem tussen een paar slokjes water door uit te horen over ons telefoongesprek van zondag – of hij in verwarring was geraakt door wat ik zei of door de manier waarop ik het zei, maar voor ik over het Creatorium kon beginnen, zag ik een bezorgde uitdrukking op zijn smalle gezicht verschijnen en met groeiende paniek vroeg ik me af of ik nog steeds niet begrijpelijk was voor anderen.

Ik kreeg niet de kans het hem te vragen: een schriel agentje kwam Rodney terugbrengen naar de hal en riep mijn naam. Ik kon Rodney nog net toeknikken – en hem naar Bart toe zien lopen – voor de politieman me meenam. Bij het piepende geluid van onze schoenen in de gang stelde hij zich voor als agent Maroney. Hij was ongeveer even oud als ik en had een glimmend gezicht dat eruitzag alsof het net iets te kort gebakken was, een zware snor en donkerbruin haar zo dik als turf. Hij deed een stap opzij om me binnen te laten in een keurig, eenvoudig ingericht kantoor zonder diploma's of oorkondes aan de muur.

Een knappe man sprong met uitgestoken hand achter een groot metalen bureau vandaan.

'Rechercheur Billings,' bulderde hij, en hij bood me een stoel aan nadat hij mijn hand krachtig tot overgave gedwongen had. Zijn blazer was voorzien van koperen knopen en een badge en hij had een zwarte das om, die strak om zijn nek geknoopt zat. Zijn hoofd was zo kaal dat het glom. Hij leek goed gevuld onder zijn jasje. Niet zo erg als Doug, maar ik heb altijd de neiging om mensen met een gezonde eetlust te vertrouwen en had dan ook meteen het gevoel dat ik op deze rechercheur kon bouwen.

Helaas werd het een kort en frustrerend gesprek. Aanvankelijk was er niets aan de hand: agent Maroney bleef bij de deur staan en rechercheur Billings vroeg me te beschrijven wat er precies was gebeurd op de avond waarop Doug was verdwenen. Terwijl ik praatte, bracht

Billings steeds zijn hand naar zijn oor en vroeg me mijn zinnen te herhalen. Een paar keer keek hij langs me heen naar Maroney. Halverwege onderbrak hij me om te vragen of ik me wel goed voelde. Toen ik knikte, gebaarde hij dat ik door moest gaan. Hij maakte wel aantekeningen, dus blijkbaar sloeg ik niet alleen maar wartaal uit.

Toch sloeg de angst me om het hart. Ik had de pillen geslikt die Doug me had gegeven en voelde me beter, maar blijkbaar was ik nog steeds niet helemaal in orde – al was niet duidelijk wat ik had. Iets waarmee ik was besmet toen ik die geheimzinnige spiraal had opgezet (het leek net zo gek om dat met mijn ziekte in verband te brengen als om het niet te doen). Ik bedacht dat dr. Thwaite het over een ziekte had gehad – een pandemie, had hij het genoemd. Ik kreeg het opeens erg warm, al voordat het gesprek met Billings een nog verwarrender wending nam.

Dat gebeurde toen ik probeerde uit te leggen dat Dougs late afspraak op vrijdag niet in zijn agenda had gestaan (zoals de helft van zijn afspraken). 'Maar ik weet zeker dat zijn bezoekers op de beveiligingsbanden staan,' zei ik, of lukte het me na een paar pogingen te zeggen. 'Daar hebt u het vast met Rodney al over gehad.'

Rechercheur Billings trok zijn ene mondhoek opzij en keek weer naar Maroney. Hij harkte met zijn boventanden over zijn onderlip. 'De banden zijn leeg,' zei hij op vlakke toon.

'Leeg?' zei ik ongelovig. 'Hebt u het daar met Rodney over gehad?' Mijn hart begon harder te kloppen.

'Heb ik...? O, de heer Moore. We hebben het er met hem over gehad, ja,' zei Billings met een stem zo droog als vuursteen. 'We zijn nog niet klaar met hem – de bezoekerslijst van die avond is ook leeg.'

'Dat kan niet,' riep ik geschrokken. Ik zag zijn kaak bijna onmerkbaar verstrakken. Ik voelde hoe hij me opnam en vroeg me af of het een test was. Of hij probeerde me iets te laten zeggen wat Rodney in een kwaad daglicht zou stellen. Of mezelf. Als ik dat niet al had gedaan. Met een mond van rubber zei ik slap: 'Rodney is absoluut te vertrouwen.' Ik legde uit – deed daar althans een poging toe – dat om bij de lift van kantoor te komen iedere bezoeker die lijst moest tekenen. Dat de camera's altijd aanstonden. Dat ik de opnames zelf wel eens had bekeken nadat een kleptomane stagiair van de zomer een ketting van me had gestolen.

Dit keer onderbrak hij me niet, maar ik wist niet of dat kwam omdat ik begrijpelijke dingen zei of omdat hij zich had voorgenomen dat niet te doen. Ik probeerde meer informatie van hem los te peuteren – hadden ze al enig idee wanneer of hoe de opnames gewist konden zijn? Had Rodney verdachten kunnen noemen? – maar nee, vanaf dat moment hield Billings zijn lippen stijf op elkaar. Hij ontweek mijn pogingen beleefd en trok aan zijn oor alsof hij net had gezwommen.

'Rodney wordt toch niet verdacht?' flapte ik er ten slotte uit. Billings legde zijn enorme knuisten op het bureaublad voor zich. Verstrengelde zijn mammoetvingers. Zei: 'Op dit moment sluiten we nog niets uit.'

Mijn maag kromp ineen. Ik wilde vragen of dat ook voor mij gold, maar dat leek niet handig. Ik vroeg dus maar wat ze van het Creatorium dachten.

Opnieuw tuurde Billings me met samengeknepen ogen en een opgetrokken wenkbrauw aan. Zijn beweeglijke mondhoek schoot weer omhoog. 'Het wat?' vroeg hij.

'Het Creatorium. In de onderkelder?' probeerde ik. 'Op kantoor?' Billings schudde zijn hoofd.

Ik zei het nog eens en toen hij niet-begrijpend bleef kijken, vroeg ik me af of het probleem niet was dat hij me niet begreep, maar dat Bart het helemaal niet over het Creatorium had gehad toen hij de politie had gebeld. En als dat zo was, waarom dan niet? Dacht hij dat ik het had verzonnen? Dat ik ijlde, misschien. Of gek was – zoals Doug. Misschien had de politie er gewoon niets mee gedaan. Maar het leek het waarschijnlijkst – en het verontrustendst – dat het me niet was gelukt om Bart door de telefoon over het Creatorium te vertellen. Dat op dat moment niemand wist dat het bestond. Of het ooit had geweten.

Ik huiverde en dook met mijn hoofd tussen mijn schouders, een onwillekeurige beweging. Ik probeerde zo goed en zo kwaad als het ging uit te leggen wat ik zaterdag in de onderkelder had gezien. Beschreef de gang waarin ik de bloedhete, volle ruimte had gevonden. Het gezwoeg van de werkers in het blauw. De Slavische voorman. Ons elektronische corpus dat lemma voor lemma weggeschreven werd. De honderden boeken die in het vuur verdwenen. De kolossale, knokkelknakkende gedaante van Dmitri Sokolov. Terwijl mijn verslag zich met horten en stoten ontvouwde, wist ik niet hoe het de rechercheur in de oren klonk, maar zelf begon ik het steeds idioter te vinden. Als hij aan het waarheidsgehalte ervan twijfelde, wist hij dat goed te verbergen. Hij hoorde me met een neutrale uitdrukking op zijn gezicht aan, onderbrak me alleen als er verduidelijking nodig was en hield zijn emoties weggeborgen als handbagage tijdens een vlucht.

Ik moest daar de volgende middag, woensdag, aan denken toen ik voor het eerst die week wat later dan anders weer aan het werk ging. Een van zijn collega's belde. De politie was op de twintigste verdieping aan het zoeken naar sporen van Doug en daarom zaten we met een aantal mensen tijdelijk op de dertiende. Ik was net begonnen de honderden mails in mijn mailbox door te vlooien in de hoop er een van mijn vader tegen te komen, of van iemand anders die misschien wist waar hij was, toen mijn nieuwe mobiel tot mijn verbazing overging.[22]

'Ik was zojuist in de kelder,' zei de agent bars. Zijn stem klonk hard door de metalen gaatjes van het nog niet vertrouwde toestel. 'Er is daar niets. Wat had u daar nou gezien?'

Ik hield de telefoon een eindje van me af en bleef roerloos zitten. Het bloed steeg naar mijn hoofd en ik hoorde een zwak gerommel, als onweer in de verte. Had ik het verzónnen? Wat zou Billings wel niet denken – welke twijfels zouden er rijzen of zou hij bevestigd zien – als deze agent verslag bij hem uitbracht? Wat hij vermoedelijk al had gedaan.

---

22. Hij moest vier keer overgaan voordat ik in de gaten had dat het de mijne was.

'Zullen we er nog een keer samen heen gaan?' hoorde ik mezelf zeggen. Ik zei het voor de zekerheid twee keer.

Aarzelend ging de agent akkoord. Hij was net naar de kantine gegaan voor een kop koffie en vroeg of ik over een kwartier bij de receptie kon zijn. Toen ik hem bij de balie van de beveiliging de hand schudde, hoopte ik dat hij niet te veel conclusies zou verbinden aan de klamheid van mijn handpalm.

We gingen door het schemerige, galmende trappenhuis naar beneden en liepen de vochtige, naargeestige gang door, onder de pneumatische buizen met hun bontlaagje van stof, precies dezelfde route als ik zaterdag had gelopen. En het was waar: het Creatorium was weg. Alles. Foetsie. Het enige teken dat het ooit had bestaan, was een zwarte roetvlek op de grond bij de kachel en een vage brandlucht. Voor de rest was alles verdwenen: het papier op de deur, de dozen, de tafel, de stoelen, de werkers. Zelfs het buizenpoststation was dicht en aan een van de buizen hing een briefje waarop TIJDELIJK BUITEN GEBRUIK stond. Enkele glimmende kokers lagen her en der op de grond. Weer voelde ik de dreiging van misselijkheid. En kreeg ik het gevoel alsof mijn hoofd op barsten stond. De agent haalde alleen onverstoord zijn schouders op en nam een slok koffie.

En dat was nog maar het begin. Toen ik in de kantine in de rij stond om heimelijk een zak snoep te kopen voor de lunch, hoorde ik twee etymologen praten over een anoniem artikel over Memes dat de dag ervoor in de *Times* had gestaan. Toen ik het in de lift naar boven begon te lezen, had ik kunnen zweren dat het van de hand van Doug was. Ik had zoveel van wat erin stond al eens eerder gehoord dat ik het bijna zelf had kunnen schrijven. Dat was enigszins geruststellend. Ik hoopte dat het betekende dat alles goed met hem was – dat ik zeer binnenkort zou horen waar hij was en wat er aan de hand was.

Met die gemoedsrust was het al gedaan voordat ik weer bij mijn tijdelijke bureau op de dertiende was. Toen ik ter hoogte van de receptie mijn tanden in een zacht dropje zette, kwam Chandra van marketing langsrennen. Ze was bleek en had mascaravlekken op haar wangen.

Toen ik vroeg wat er was, leek ze te begrijpen wat ik zei. Haar handen gingen naar haar keel. Toen gooide ze het eruit. 'Het is afgeblazen.'

'Wat?' probeerde ik te vragen en ik slikte de zoete dropmassa door. Mijn tanden waren vast zwart.

'De presentatie,' zei ze met trillende stem. Haar vingers zochten haar slapen.

In mijn hoofd begonnen alarmbellen te rinkelen. Chandra liet zich doorgaans niet makkelijk van de wijs brengen. Ik wist zeker dat ze iets over mijn vader had gehoord wat nog niemand me had verteld. Ik probeerde kalm te blijven en vroeg zo duidelijk mogelijk articulerend wat er precies aan de hand was. Toen ze haar hoofd vragend scheef hield, vroeg ik het nog eens. Ik verontschuldigde me voor het geval ik onduidelijk was – ik was ziek geweest en erg van streek doordat Doug was verdwenen. Ze knikte fronsend en legde haar hand voorzichtig op mijn arm. Ze begon te zeggen dat ze niet wist waarom de presentatie was afgelast, maar boog zich na een korte stilte naar me over en voegde er zachtjes aan toe dat het wel eens te maken kon hebben met 'de deal'.

'Welke deal?' vroeg ik verbijsterd. Het artikel stond nog open op mijn telefoon, ik had het nog niet uitgelezen.

Heel even lichtte Chandra's gezicht op, een rimpel trok over haar voorhoofd, maar direct daarna werd haar blik weer glazig. Ze veegde de mascara weg. Zei dat ze bedoelde dat het waarschijnlijk vanwege Dougs verdwijning was en toen verdween ze met klikkende stilettohakken zelf ook. Over haar schouder riep ze nog naar me dat ze de trein moest halen. De mail die ze me later die avond stuurde maakte niets duidelijk.

Weer achter mijn bureau las ik, toch al van mijn stuk gebracht, het artikel in de *Times* uit. Zo hoorde ik voor het eerst van 'de deal': dat al onze definities misschien wel aan de Lexibeurs verkocht zouden worden. Ik kon het nauwelijks geloven. En toch. Een flakkerend beeld verscheen voor mijn geestesoog: van het woordenboek dat beneden tot as werd verbrand. Van onzinnige reeksen letters die ons corpus versmoorden. Diep in mijn hart wist ik dat die twee dingen met elkaar te maken hadden. Maar niet hoe of wat ze betekenden. Waar Dougs verdwijning in het plaatje paste en of hij in gevaar was. Of – misschien wel bijna net zo erg – er op de een of andere manier bij betrokken was.

Ontdaan probeerde ik Bart te bellen – iemand had me verteld dat hij die dag thuis werkte. Maar ik kon hem niet bereiken: tot gek makens toe verdween het signaal telkens weer.[23]

Ik stuurde nog een sms naar dr. Thwaite. Weer kwam er geen antwoord. Gefrustreerd en geïrriteerd ging ik van de telefoon weer op de Meme over. Hem niet gebruiken was meer dan een beetje lastig – ik voelde me geamputeerd. Hij was een deel van me.[24]

Er waren dingen waarvoor de Meme onmisbaar leek die door niets anders konden worden overgenomen. Zoals toen ik later die avond thuiskwam en met behulp van de Meme en de Lexibeurs de onbegrijpelijke, bijna verbleekte instructies in traditionele Chinese karakters

---

23. Mobiele netwerken werkten vandaag de dag niet altijd meer even vlekkeloos, had de jongen van de winkel in TriBeCa me meesmuilend gewaarschuwd.

24. Pas toen ik hem voorgoed de deur uit deed besefte ik hoeveel ik eigenlijk aan de Meme had overgedragen: de namen van mensen natuurlijk en allerlei informatie over hen op Life (nummers, gênante verhalen, sociale contacten) maar ook instructies voor bijna alles. Hij vormde een schakel met mijn andere apparaten. Hij kon verkeerslichten van kleur laten veranderen. En hij informeerde me hoe lang ik erover zou doen om van Williamsburg naar Turtle Bay te komen, rekening houdend met aansluitingen en vertragingen. Hoeveel minuten ik met mijn huidige schrijftempo nodig zou hebben om een stuk af te krijgen (om eerlijk te zijn schreef hij het zelfs meestal voor me – en betaalde automatisch alle woorden die hij van de Lexibeurs haalde). Mijn Meme vertelde me hoe laat ik het beste op een feest kon arriveren – kon me vrij nauwkeurig vertellen wie er al waren – en hoe ik het beste de mensen die ik er tegenkwam kon benaderen.

En zoveel meer. Ik had geen idee wat hij allemaal wist – en wat ik niet meer wist. In de paar jaar dat ik hem had, had hij het meeste van mijn verleden en heden opgeslokt. En de toekomst trouwens ook: zijn voorspellingen waren ongelooflijk accuraat. Hem wegdoen voelde als het afhakken van mijn eigen hand of het uitmaken met mezelf. Pas later bekroop me het afgrijzen om het feit dat ik een ding had toegestaan me jarenlang af te luisteren. Niet enkel mijn profijtelijke praktische organisme, maar ook de particuliere, stille chaos van mijn gedachten. Open en bloot als een getoonde hand kaarten.

vertaalde op de pillenpotjes die Doug me had gegeven en erachter kwam dat het virusremmers waren en dat je ze driemaal daags moest nemen 'ter bestrijding van de symptomen' – de symptomen waarvan stond er niet bij. Ik had er op de gok tweemaal daags een genomen, 's ochtends en 's avonds.

In de tijd dat mijn Meme uit had gestaan, was er een stortvloed aan sms'jes en beams binnengekomen. Verschillende van Coco. In een ervan vroeg ze zich af waarom ik zondag niet naar het atelier was gekomen en ze stuurde een paar uitnodigingen voor dingen. Van haar laatste bericht kreeg ik een brok in mijn keel. Ze schreef: 'Gaat het wel goed met je, mignon? Ik maak me zorgen. Hou van je.' De beam van Ramona, de enige die ik de afgelopen dagen nog had gesproken, luidde: 'Leef je nog? Al nieuws over je vader?' En er was een sms van mijn huisarts, die schreef dat ze over twee maanden een gaatje had (het was me al opgevallen dat naarmate Memes steeds meer artsen werkloos maakten, het almaar lastiger werd een afspraak te maken met de mijne). En er was er een van Bart waar mijn hart sneller van ging kloppen: ik opende hem in de hoop dat hij nieuws zou hebben. Maar het was ook een oude, van de vorige ochtend toen ik te laat was bij het politiebureau omdat ik nog naar de telefoonwinkel was gegaan (hij vroeg of hij de afgesproken tijd soms verkeerd had genoteerd). Ik beamde een nummer van Françoise Hardy naar Coco met de tekst: 'Je t'aime aussi. Ik bel je snel.' De andere berichten liet ik even voor wat ze waren.

De laatste was van mijn moeder, in reactie op mijn telefoontje van dat weekend. Ze wilde weten of ik al plannen voor vanavond had. Helaas stelde ze voor dat ik bij haar en Laird kwam eten.

Toen ik klein was, was ik dol op Laird geweest: hij kende de meest verbazingwekkende trucjes met munten, had altijd snoepjes bij zich en als ik iets deed wat ook maar een klein beetje slim was, zei hij steevast (meestal zonder dat er anderen bij waren): 'Zie je wel! Ik zei toch dat ze niet alleen maar een mooie meid is.' Hij liet me aan zijn sterke arm schommelen en vertelde me geheimen (dat Vera ooit verliefd was geweest op een hertog; dat Doug stiekem hoogtevrees had). Maar toen ik dertien was, vielen de schellen me van de ogen. Bijna alles aan Laird leek namaak: de manier waarop hij de magnaat speelde, zijn stem die hij van jarenveertigfilms had gejat. Hij was zo'n man die zich scrubde en zijn nagelriemen liet verzorgen. Zelfs zijn naam was vals: hij was geboren als Larry Shifflett en werd pas eind jaren zeventig Laird Sharpe, toen hij voor het eerst op de Bostonse zender WNAC-TV verscheen. In de loop der jaren was zijn gezicht ook veranderd: zijn neus was zo smal geworden dat hij eruitzag alsof hij zou bezwijken onder het gewicht van een metalen montuur en hij had zijn haar in een artistiekerige zilvergrijze kleur geverfd. Met andere woorden: hij was de anti-Doug. Misschien was Vera daarom juist op hem gevallen.

Daarom en om de manier waarop hij naar haar keek. Sommigen zouden het misschien waakzaam noemen, de scherpe blik van de goede journalist die alle signalen opvangt, ook de kruimeltjes die gewone stervelingen misschien zouden ontgaan. Ik kreeg daar de kriebels van. Maar ik wist dat Vera zich de afgelopen jaren onzichtbaar was gaan voelen, wat deels Doug te verwijten was. Dat was trouwens nog iets van Laird wat ik niet uit kon staan: de aandacht waarmee hij mijn moeder overstelpte. De snelheid waarmee hij ten tonele was verschenen, misschien zelfs wel, vermoedde ik, voordat Doug en zij definitief uit elkaar waren.

Ik wist dat dat onredelijk van me was, dat mijn vooroordelen kinderlijk waren, een overblijfsel uit mijn jongere jaren en aangescherpt door mijn verdriet om Doug. Laird was heel attent voor mijn moeder, liet zich geduldig meetronen naar alle speciale openstellingen van de Botanische Tuin, die Doug zo stomvervelend had gevonden, kocht de eenvoudige, zilveren sieraden waar ze zo van hield en bijzondere stoffen en eindeloos veel potplanten voor haar, was altijd bereid mee te gaan naar gala-avonden en andere feesten, gaf royaal aan al haar goede doelen (zonder sarcastische opmerkingen), ging met haar skiën, zeilen en wandelen – en toen ze een keer was gevallen, zorgde hij wekenlang voor haar toen ze met haar been omhoog moest zitten: kookte en vermaakte haar. Al brak het mijn hart, ik moest toegeven dat Vera bij hem vrolijker en rustiger leek dan ik haar in tijden had gezien. En dat was me veel waard.

Dat betekende alleen nog niet dat ik opeens weer van Laird ging houden of wilde dat hij tot de familie ging behoren.

Niettemin was ik bereid zijn gezelschap te trotseren als dat betekende dat ik met mijn moeder kon praten. Ze was extreem rationeel, soms op het pijnlijke af. Ik wist dat ze in staat zou zijn me te kalmeren. Een logische verklaring zou weten te bedenken voor wat ik alleen maar als angstaanjagende chaos kon zien. Als ik als kind onder de rare uitslag zat of lelijk was gevallen, als ik ruzie had met een vriendinnetje of een voor mijn doen wat minder goed rapport had gekregen, was zij altijd degene die mij en Doug gerust wist te stellen. Als mij wat naars overkwam, vooral als ik ziek was, werd Doug ook altijd zenuwachtig en moe. Dan kon hij alleen nog ijsberen en enorme hoeveelheden mineraalwater naar binnen klokken. Vera liet zich nooit van de kaart brengen.

Maar de werkelijke reden waarom ik besloot naar de andere kant van het eiland te reizen was dat ik haar miste. Ik wilde mijn moedertje in mijn armen sluiten. En dus stapte ik in een bestuurderloze taxi en belde haar terug. Net voor ze opnam, tingelde mijn Meme om me te waarschuwen dat er niet veel meer op mijn rekening stond. Ik realiseerde me dat ik voortaan niet meer om de haverklap een taxi moest nemen als ik wilde voorkomen dat ik bij haar of mijn grootouders zou moeten gaan bedelen. Ik zat een stuk krapper bij kas sinds ik de huur weer alleen moest opbrengen.

'Och, schatje,' zei ze, en ze trok haar welgevormde wenkbrauwen op voor de camera van haar Meme. 'Ik had het niet over vanavond. Vanavond gaan we uit eten met het echtpaar Perelman. Ik bedoelde morgen, met Thanksgiving.' Ik was vergeten dat ik bij wijze van hint had laten vallen dat de moeder van Max 'ziek' was en ons gebruikelijke schema om de feestdagen door te brengen daardoor 'last minute' op losse schroeven was komen te staan. Onverwacht voelde ik mijn ogen prikken. Deze kleine teleurstelling was er net één te veel na alle andere. Ik had er echt naar uitgekeken haar te zien.

Ik legde mijn duim over mijn eigen camera en plengde een paar stille tranen in mijn mouw, vooral vanwege Doug en wat intussen was opgelopen tot vijf dagen taal noch teken – zijn vertrek dat zo vreemd en zo verwarrend was, de timing zo verkeerd dat die alleen maar te verklaren viel door iets wat ik niet hardop durfde te zeggen. Maar het verdriet beperkte zich niet alleen daartoe en er vielen ook een paar tranen omdat ik ziek was en alleen en bang. En om wat ik had gezien in het Creatorium – en de leegte daarna. En dan nu de afgelaste presentatie en de deal met Synchronic.

Het was de laatste keer in lange tijd dat ik zou huilen en het duurde niet heel lang. Nadat ik op zwart was gegaan en een minuut of twee niets had gezegd, kwetterde mijn moeders stem vanaf mijn schoot: 'Is er iets, Anana?'

Ik vermande mezelf, veegde mijn ogen droog en haalde mijn duim van de lens. 'Sorry,' zei ik, zo beheerst als ik kon. 'Je was op de grond gevallen.' Maar ik wist dat ze met haar geheime moederlijke intuïtie mijn teleurstelling zou aanvoelen en zei dus snel, terwijl ik mijn schouders ophaalde: 'Ik was totaal vergeten dat het morgen Thanksgiving is. Best raar eigenlijk.' Dat was nog waar ook.[25]

Mijn moeder keek me wantrouwig aan en op dat moment ging ik ervan uit dat dat was omdat ze erachter probeerde te komen wat er echt aan de hand was. Ik meende haar gedachten bijna te kunnen horen: is ze van streek omdat het nog maar de tweede Thanksgiving is dat Doug en ik uit elkaar zijn? Het heeft niets met jou te maken, had ik bijna willen zeggen. Maar eigenlijk was dat natuurlijk wel zo. Gedeeltelijk, in elk geval. 'Dat klinkt wel zorgwekkend,' probeerde ze voorzichtig.

Intussen was mijn taxi in de buurt van Fifth Avenue aangekomen,

---

25. Er was een hoop gebeurd in de week nadat ik Vera mijn 'hint' had gebeamd over de gewijzigde plannen voor Thanksgiving. Ik had geen antwoord gekregen, zodat Doug en ik vaag hadden afgesproken om The Fancy te proberen, maar het verklaarde wel waarom het op kantoor zo leeg was, wat ik aanvankelijk aan het politieonderzoek had geweten. En ook waarom Chandra zo'n haast had gehad om haar trein te halen en waarom de enige taxi die ik had kunnen vinden er eentje zonder chauffeur was.

niet ver van wat ik nog steeds, na meer dan een jaar, beschouwde als mijn moeders 'nieuwe huis', en de Meme zette zichzelf op stil zodat ik de auto weer naar de andere kant van de stad kon sturen.

'Dus?' vroeg Vera even later. Ik zag Lairds gemanicuurde hand haar een bedauwd glas witte wijn aangeven. Toen hij met zijn vingers over haar arm streek, kromp ik even ineen.

'Dus wat?' vroeg ik. Vera antwoordde niet, nam een slokje. Mompelde iets tegen Laird. Lachte naar hem. 'Mam?' zei ik geërgerd, maar realiseerde me toen pas dat ze me niet kon horen. Ik zette de microfoon van de Meme weer aan en zei: 'Nee goed, donderdag komen eten is prima.'

'Wat zeg je nou?' vroeg ze en haar blik verhardde zich enigszins. Ik controleerde de Meme, maar hij stond niet meer op stil. Pas toen drong het met een schok tot me door dat ze me misschien niet had verstaan. 'Ja, morgen,' herhaalde ik, en ik probeerde te glimlachen.

'Goed zo.' Ze lachte terug. 'Dan verwacht ik je om zes uur.' Op de achtergrond hoorde ik Laird zeggen: 'Vijf uur is beter.' Hij mompelde nog iets en zij voegde eraan toe: 'Zeg maar tegen Max dat hij geen pak aan hoeft.'

Heel even voelde ik mijn ogen weer prikken, maar ik knikte opgewekt. Terwijl de taxi twee trage, in dons gehulde toeristen ontweek die de kruising met 66th Street overstaken, zag ik dat ze zich opmaakte om het gesprek te beëindigen. Even aarzelde ik, maar toen zei ik: 'Mam? Kunnen we het nog even ergens over hebben?'

Er viel een stilte. Een lichte frons trok over haar voorhoofd. 'Waarover, Anana?'

'Papa.'

Ze wierp een blik over haar schouder en deed een paar stappen in de richting van de ijskast. 'Wat is er met hem?' zei ze met gedempte stem en ietwat gespannen.

'Ik maak me zorgen. Ik ben bang dat er iets met hem is gebeurd,' zei ik.

Dat is wat ik probeerde te zeggen. Maar Vera keek verward. 'Wat ben je?'

'Ik zei dat ik me zorgen maak om Doug,' probeerde ik nogmaals gefrustreerd en bang. Veel liever had ik onder vier ogen met haar gesproken, zonder Laird die bij haar rondhing.

'Gaat het wel goed met je, Anana?' vroeg mijn moeder fronsend. 'Ik versta je niet.'

Ik knikte. Probeerde te zeggen: 'Met mij is alles best.'

Maar dat lukte niet. En dat kwam niet alleen doordat ik van streek was. Ik had het warm en had hoofdpijn. Was misselijk. Ik hoopte dat het wagenziekte was of iets psychosomatisch. En niet de symptomen die terugkwamen. De Meme zorgde dat de taxi wat vaart terugnam in de bocht. Ik vroeg me af of ik de wagen naar een inloopkliniek moest sturen, maar wat zouden ze daar zeggen? De Meme had geen diagnose paraat gehad, de spiraal evenmin; zou een arts het dan wel weten? En ik had er ook het geld niet voor.

Ik ademde in en uit. 'Ik zei dat ik me zorgen maak,' probeerde ik opnieuw. 'Over papa.'

'O, zórgen,' zei ze, en ze nam nog een slokje wijn. 'Tja, dat verbaast me niets.'

Ik kreeg kippenvel. 'Wacht even,' zei ik doodsbenauwd. 'Hoe bedoel je?'

Mijn moeder zuchtte alleen. 'Dat effect heeft hij soms op mensen,' zei ze. 'Gaat het om iets speciaals?'

'Ja,' zei ik. 'Hij is verdwenen.'

'Verdwenen?' Ze trok haar wenkbrauwen op.

Ik knikte, met pijn in mijn buik. 'Ik neem aan dat je niets van hem hebt gehoord?' Ik moest het nog eens zeggen.

Ze bekende dat het al een tijd geleden was dat ze hem had gesproken – sinds voor haar reis. 'Maar ik moet zeggen... hij leek de laatste tijd wel wat onrustig,' erkende ze. 'Ik dacht dat het door de ophanden zijnde presentatie kwam.'

Onrustig. Ik had het me dus niet verbeeld. Ik dacht terug aan de avond in de metro, toen hij me Alice had genoemd. Het leek eeuwen geleden, maar het was minder dan twee weken.

'Hoe lang is hij al weg?' vroeg Vera. Ze beet op haar onderlip.

En om een reden die ik destijds zelf niet begreep, loog ik. 'Sinds gisteravond,' zei ik, en ik sloeg mijn ogen schuldig neer naar de vieze vloermatten. Ik had mezelf altijd als een oprecht persoon beschouwd, maar de laatste tijd had ik veel gelogen. Soms is ons onderbewustzijn verstandiger dan wijzelf.

Mijn moeder fronste haar voorhoofd. 'Gisteravond? Dat lijkt me niet voldoende om het predicaat "verdwenen" te verdienen, Anana,' zei ze op de toegeeflijke toon die ze reserveerde voor mijn 'aanstellerij'. Die ik schijnbaar van Doug heb geërfd. Vervolgens zei ze nog iets wat van onschatbare waarde zou blijken. Ze dronk het laatste restje wijn uit haar glas en vroeg: 'Ben je al bij de murk geweest?'

Eerst wist ik niet wat ze bedoelde. 'De murk?' vroeg ik. Het klonk als een duister moeras waar Doug met een hoofdlamp en lieslaarzen doorheen aan het waden zou zijn.

Ze had nog niet verduidelijkend 'De Mercantile Library' gezegd of ik wist dat ze gelijk had.

De Merc was Dougs favoriete verstopplaats: een kleine privébibliotheek aan de East Side. Een van de laatste in haar soort. De meeste bibliotheken waren, net als boekwinkels, theaters en bioscopen, ter ziele gegaan, verbouwd tot appartementen, winkels, restaurants of wellnessruimtes. Zelfs de New York Public Library werd vrijwel alleen nog gebruikt voor congressen en voorstellingen. Maar toen ik klein was, had Doug me vaak meegenomen naar de Merc. Waar ik me altijd stierlijk had verveeld.

'Kijk dan vooral in de leeszaal op de eerste verdieping,' raadde Vera me aan. 'Het personeel heeft hem daar wel vaker slapend onder de piano aangetroffen. Het zou goed kunnen dat hij daar nu ook ligt, de arme ziel. Hoewel ik denk dat ze al dicht zijn.'

Ik was vlak bij 49th Street, mijn buurt. Het leek slimmer om naar huis te gaan, maar ik kon het idee niet loslaten dat Doug op enig moment in de afgelopen vijf dagen inderdaad die bibliotheek bezocht kon hebben. Het was een dwaze gedachte, maar ik zag hem in gedachten liggen snurken onder de babyvleugel die daar stond. Natuurlijk zou hij er niet nog steeds zijn, als hij er al geweest was, maar misschien had iemand hem gezien of gesproken. Het was in elk geval de moeite van het proberen waard. Ik was intussen bereid om zelfs het vaagste spoor te volgen.

Ik nam bovendien aan dat Vera ongelijk had: de Merc kon niet al dicht zijn. Het was nog geeneens vijf uur. Mijn Meme gaf me gelijk. Toen de taxi vaart minderde bij het gebouw waar ik woonde, zei ik: 'Bedankt, mam. Ik zie je morgen,' en hing op. Vervolgens gaf ik de auto opdracht me weer naar de andere kant van de stad te rijden, ook al protesteerde mijn Meme nog harder met de mededeling: 'Er is onvoldoende tegoed voor de terugreis.'

Tegen de tijd dat de taxi me bij de Merc afzette, was het donker. Een sirene liet een spoor van geluid achter terwijl ik op de stenen gevel afliep. Ik probeerde de deur. Die zat op slot. Op een bordje voor het raam stond dat de bibliotheek eerder dicht was vanwege de komende feestdag. Ik zag dat er binnen nog licht brandde en aan de andere kant van de glazen deur meende ik wat schaduwen te zien bewegen. Toen ik op de ruit tikte, gebeurde er niets. Als ik iemand binnen had gezien, had hij of zij mij ook gezien, want de beweging stopte. Ik wachtte nog wat langer, maar er gebeurde niets.

Ik schoot een nabijgelegen traiteur binnen om een beker thee te kopen voor de terugweg. Toen ik een paar minuten later weer naar buiten kwam, zag ik iemand met een rode bivakmuts op naar de bibliotheek lopen. Hij was onherkenbaar in zijn dikke winterkleren, maar iets in zijn lengte en bouw en de manier waarop hij voorovergebogen liep, deed me aan dr. Thwaite denken.

Ik riep, maar hij leek me niet te horen. Ik riep nog eens toen hij de deur openmaakte en dit keer keek hij wel om. Heel gespannen. Maar ik werd opgeslokt door de schaduw onder de luifel van de traiteur. Hij tuurde het donker in, haastte zich toen naar binnen en liet de deur achter zich dichtvallen. Toen ik even later aanklopte, werd er niet opengedaan.

Met een hoofd vol zorgen sjokte ik verkleumd naar huis, al wilde ik daar helemaal niet aankomen. Thuis zou het donker zijn. Ik zou er alleen zijn met mijn gedachten. Ik maakte een lange omweg langs de trage draaikolk van schaatsers bij het Rockefeller Center. Langs de manische lichten van Times Square, waar ik getuige was van het enigszins ouderwetse tafereel van een vermoeide, maar fanatieke wereldverbeteraar die folders uitdeelde. Misschien had ik hem eerder gezien, misschien ook niet; hoe dan ook, ik gooide de folder die hij me in de hand drukte ongelezen in een afvalbak zodra ik de hoek om was (de meeste mensen namen die dingen natuurlijk niet eens aan). Daarna liep ik weer een stukje in noordwaartse richting, langs de paar zijstraten van Eighth Avenue die nog steeds door peepshows ontsierd werden. Toen ik de hoek om sloeg naar mijn straat en vol in het gezicht getroffen werd door een gure windvlaag meende ik een man haastig te zien weglopen van de entree van het gebouw waar ik woonde.

Mijn adem stokte. Om zeker te weten dat hij een product was geweest van mijn overspannen verbeelding, bleef ik even wachten bij de nagelsalon aan de overkant van de straat. Ik hield mijn deur in de gaten. Dacht erover om Bart te bellen, maar toen niemand zich vertoonde, stak ik toch maar over en ging naar binnen. Enigszins moeizaam beklom ik de trap met intussen stijf bevroren tenen in mijn schoenen.

Schoenen waarmee ik een paar uur later – nadat ik een paar lepels soep had gegeten en met mijn hoofd op de keukentafel in slaap was gevallen – bijna op een kleine witte rechthoek op de vieze vloer ging staan. Het was een envelop. Een die ik niet had zien liggen toen ik binnenkwam. Wat kwam doordat iemand hem onder mijn deur door had geschoven terwijl ik lag te slapen – het zachte geluid van het schuiven van het papier had me waarschijnlijk gewekt.

Met kriebels in mijn buik deed ik de deur open om de galerij in te kijken. Maar de koerier was al vertrokken. Met de deur op het nachtslot en alle jaloezieën dicht ging ik op de rand van het bed zitten om de brief open te maken. Door mijn onwennigheid om met enveloppen om te gaan sneed ik mijn vinger. Er zaten verschillende velletjes papier in, die merkwaardig kromgetrokken en omgekruld waren. Ze waren met een hoog contrast afgedrukt en er lag een zijdezwart rijplaagje overheen. De brief eindigde abrupt – onder de laatste regel zat een kartelrand en hij was ondertekend met 'Doug' in een schuin handschrift dat duidelijk niet het zijne was. Ik heb hem hierbij gedaan.

G

G–d /ɣ–t/ (de (m.); g.mv.) 1 het woord 2 het onzegbare

Lieve Alice,

Het primaire doel van deze brief is je te laten weten dat met mij alles goed is. Sterker nog, het gaat uitstekend met me: ik doe tabasco op mijn eieren, krijg overal brood bij en voer ellenlange gesprekken met m'n vrienden. Roger is hier trouwens ook. Dat wilde ik je eerst en vooral schrijven, want mijn vertrek zal je vast hebben verrast. Ik was die vlucht vrijdag zelf bijna vergeten en heb hem maar op het nippertje gehaald. Het spijt me dat ik je heb laten zitten in The Fancy.

Ik weet hoe jij denkt over analoog lezen en zal deze brief daarom kort houden. Maar ik wil je ook laten weten, uit voorzorg, gezien de kans dat je dit misschien niet uitleest, dat je de reddingsoperatie kunt afblazen. Het is nergens voor nodig om de politie in te schakelen. Verder – en dat klinkt misschien vreemd – moet je deze brief onmiddellijk vernietigen.

Ik hoop dat je nog niet bent afgehaakt, want er zijn een paar dringende zaken die ik je had willen zeggen voordat ik vertrok:

1. Ga niet naar de onderkelder van kantoor. Neem alsjeblieft van mij aan dat je daar uit de buurt moet blijven. Misschien is het

wel het veiligst als je het gebouw voorlopig min of meer helemaal mijdt.

2. Laat alle Memes links liggen, gebruik er geen een, ongeacht of hij een Kroon of Oortjes heeft. Ik weet dat ik dit tot vervelens toe herhaal. Maar het is echt van levensbelang. En zorg alsjeblieft dat je de pillen die ik je heb gegeven niet kwijtraakt.

3. Ga niet naar de site van Synchronic of een van de sites van haar zusterbedrijven en open geen mails van Synchronic-medewerkers. Download zeker geen woorden van de Lexibeurs. Ook dit is van levensbelang. Alle apparaten waarmee deze sites zijn bezocht, moeten misschien wel vernietigd worden.

4. Ik vind het vreselijk dit te moeten zeggen, maar mijd elk contact met Max en zijn vrienden.

5. Zorg ervoor dat je absoluut niets te maken krijgt met ene Dmitri Sokolov, een Rus. Mocht hij contact zoeken met jou... Enfin, laten we maar hopen dat hij dat niet doet.

6. Vertel alsjeblieft je moeder noch Laird iets over deze brief. En voor de zekerheid ook Bart Tate niet, hoewel ik dat met pijn in het hart opschrijf. Maar hij schijnt bevriend te zijn met Max.

7. Phineas kun je onvoorwaardelijk vertrouwen   .

8. Als je je mijn Alef hebt toegeëigend, bewaar hem dan alsjeblieft op een veilige plek. Hij moet waarschijnlijk vernietigd worden, maar ik weet niet zeker of dat wel zo makkelijk is.

Doug

H

heuristiek /hø·rɪs·'tik/ (de (v.); g.mv.) 1 methode om problemen op te lossen die alleen maar meer problemen veroorzaakt 2 woord dat vooral studenten graag gebruiken, *heuristisch* (adj.) eigenschap van leden van de bromeliafamilie

Dr. Thwaite trok de deur van nummer 6B met een ruk open. Hij zag er geschrokken en verkreukeld uit. Het was zeven uur 's ochtends en ik had op de deur staan bonzen. Hard.

De portier had al gebeld om hem te waarschuwen dat ik eraan kwam, zei hij buiten adem. Hij vroeg me niet binnen. En bood me, dat moge duidelijk zijn, ook geen cola aan. 'Wat heeft dit te betekenen?' vroeg hij. Met zijn kromme vingers zocht hij steun bij de deurpost.

'Dr. Thwaite,' begon ik. 'Phineas. Volgens mij moeten we nodig nog eens praten.' Ik haalde de gekreukte brief uit mijn jaszak.

Ik had geoefend op wat ik wilde zeggen en hoopte dat het er verstaanbaar uit was gekomen. Toen ik de brief gisteravond had gevonden, had ik even overwogen om meteen naar dr. Thwaite te gaan, maar bij nader inzien leek het me beter om hem te overvallen door 's ochtends vroeg voor de deur te staan, wat in mijn voordeel zou kunnen werken. Verder hoopte ik dat nog een dosis medicijn en een goede nachtrust een gunstige uitwerking zouden hebben op mijn symptomen, zodat ik beter zou kunnen communiceren. Dat leek ook inderdaad het geval. Onderweg naar Beekman Place had ik geprobeerd iemand op straat de weg te vragen en die zei 'Gewoon de M50 nemen', zonder me raar aan te kijken.

Ik had alleen erg weinig geslapen – ik was zo over mijn toeren en vol vragen geweest dat ik eerst nog onderzoek had zitten doen. Op weg naar bed was ik bijna over de oude, gehavende doos gestruikeld. Ik had er een paar boeken uit gehaald, met het idee dat die me misschien slaperig zouden maken. Maar het lezen ervan bleek allerminst slaapverwekkend; ik werd overspoeld door herinneringen aan vroeger: Doug die met piepstemmetjes *Max & Moritz* voorlas voor het slapengaan, Doug die 'Schildpadsoep' uit *Alice in Wonderland* zong, Vera die *Persepolis* van me pikte en daarna, nog verbazingwekkender, mijn *Black Hole*-strips. Zelfs een stel aftandse judohandboeken kon ik raar genoeg niet meteen wegleggen. Uiteindelijk was het me toch gelukt in te dommelen. Ik weet het niet zeker – de virusremmers hadden natuurlijk ook al een paar dagen de tijd gehad om hun werk te doen – maar ik vraag me nu af of die paar uur lezen misschien deels hebben bijgedragen aan het afnemen van mijn afasie.

Hoe dan ook, het leek erop dat wat ik tegen dr. Thwaite zei duidelijk overkwam.

Hij viste zijn bril uit zijn pyjamabroekzak. Wilde de brief aanpakken. Maar die gaf ik niet uit handen.

'Mag ik binnenkomen?' vroeg ik. Zo makkelijk gaf ik niet op.

Hij aarzelde. Keek me onderzoekend aan met zijn waterige, wazig blauwe pupillen. 'Hoe gaat het met je?' vroeg hij achterdochtig. Nu ik daar voor hem stond schoot me opeens weer het woord te binnen dat hij bij onze eerste ontmoeting had gebruikt: 'woordengriep'.

'Goed, hoor,' zei ik met een stem die een beetje oversloeg, als een ongestemde viool. 'Hoezo?'

'Geen hoofdpijn?' vroeg hij met iets toegeknepen ogen. 'Of koorts?'

Ik schudde van nee. Vanochtend niet, dacht ik.

'En ze klinkt normaal,' mompelde hij bij zichzelf.

Een uit de kluiten gewassen buurman stak zijn ongekamde hoofd uit een deur verderop. 'Alles in orde daar?' riep hij slaperig en geërgerd.

'Niks aan de hand,' antwoordde dr. Thwaite kortaf. Toen richtte hij zijn wantrouwige blik weer op mij. 'Waar is je Meme?' vroeg hij achterdochtig.

Even overwoog ik een zonde van nalatigheid maar ik haalde het zilverkleurige apparaatje toen toch uit mijn tas. Borg het op in de Kroon. Zette het uit en legde het zonder verder iets te zeggen op de grond.

'Goed dan, Alice,' zei dr. Thwaite overdreven gedienstig knikkend. Ik schuifelde naar binnen en keek toe hoe hij vier zware grendels achter ons dichtschoof. Ik wist niet meer of hij dat vorige keer ook had gedaan. Hij zag er brozer uit dan ik me herinnerde met zijn dunne witte haar dat alle kanten op stond en zijn met een netwerk van gesprongen adertjes overdekte gezicht. Zijn blauw-wit gestreepte pyjama was bijna doorschijnend, waardoor de omtrekken van een hemd en onderbroek zichtbaar waren. Hij verspreidde een scherpe, metalige geur. Zweet.

Op een stoel vlak bij hem hing een blauwe velours ochtendjas en toen hij die aantrok en de ceintuur strak dichtknoopte, leek hij meteen een stuk groter en stelliger. 'Ik heb nog geen koffie gehad,' zei hij enigszins gebiedend, en ik voelde me meteen beter op mijn gemak. 'Ga zitten,' droeg hij me op. Hij gebaarde naar de tafel terwijl hij naar de keuken slofte, maar ik bleef met mijn jas aan staan. Canon, met zijn bruin omrande ogen met elk een andere kleur, kwam met veel misbaar vanuit de hal naar binnen gerend en ik bukte me om hem te aaien.

Dr. Thwaite keerde terug met de koffie. Zwijgend nam hij kennis van mijn kleine daad van verzet. 'Oké,' zei hij verbaasd, en hij zette mijn mok op de rand van de tafel. Voorzichtig liet hij zich op een stoel zakken. 'Vertel me nu eerst maar waarom je hier bent,' zei hij.

Ik legde de gekreukelde velletjes die ik had ontvangen bij zijn elleboog, maar liet een paar vingers op de rand ervan liggen. 'Dit is een nogal vreemde brief,' begon ik op geveinsd neutrale toon. Ik hoopte dat ik nog steeds begrijpelijke taal uitsloeg. Ik bladerde van het tweede vel naar het eerste en wees naar het lettertype. 'Deze letters zijn anders. Kijk.' Ik hield het zo bondig mogelijk. 'Ze zijn groter. En het lettertype lijkt me eerder Times, geen Garamond.'

'Laat eens zien.' Hij duwde zijn bril een stukje omhoog. Likte aan zijn duim. Bladerde quasibelangstellend heen en terug.

'Het lijkt erop,' vervolgde ik nu met wat meer zelfvertrouwen, 'dat iemand de eerste pagina heeft vervangen. De toon is anders – luchtiger – en past ook niet bij deze opsomming. Verder ziet het ernaar uit dat diegene de laatste bladzijde eraf gescheurd heeft' – ik wees naar de kartelrand – 'en toen deze heeft gekopieerd.'

Op dat punt viel dr. Thwaite me enigszins geërgerd in de rede. 'Zou je wat harder willen praten? Ik kan je niet goed verstaan.'

Ik onderdrukte een huivering van ongerustheid en zei het allemaal nog eens, nu wat gejaagder. 'Ziet u dit wittere stukje?' Ik wees naar een lege plek net na 'Phineas kun je onvoorwaardelijk vertrouwen'. 'Daar is iets gewist. De punt is erbij geschreven, die is niet geprint. En deze...'

'Ik geloof dat ik begin te begrijpen waar je heen wilt,' zei dr. Thwaite. Hij keek me indringend aan, op een manier die ik niet prettig vond.

Toch lukte het me om afgemeten en stellig door te praten. 'O ja?' vroeg ik. Ik laste een kleine pauze in, al kostte dat moeite. 'Dan heb ik een vraag voor u.'

Hij trok zijn wenkbrauwen op.

'Bezit u een fax?' vroeg ik.

'Pardon?' zei hij. Niet omdat hij me niet begreep, geloof ik. Hij leek eerder verrast.

'Ik weet vrijwel zeker dat ik er een in uw werkkamer heb zien staan,' blufte ik door mijn zenuwen heen. Ik had nog nooit een fax gezien, maar toen ik mijn Meme boven het gekreukelde blaadje had gehouden, was er een plaatje op het scherm verschenen van een vierkant beige apparaat en net zulke door warmte gerimpelde velletjes papier als dit. 'Wat ik zou willen weten,' zei ik, terwijl mijn zelfverzekerdheid weer groeide, 'is waarom u dit bij mij hebt bezorgd – en wat eruit is weggelaten. En waarom u, of Doug, of wie dan ook, me deze lijst met waarschuwingen heeft gestuurd. Ik wil weten bij welke "vrienden" hij is. En waarom u me waarschuwde om mijn Meme niet te gebruiken. Ik zou meer willen weten over die "woordengriep" waar u het over had. En ik wil ook graag weten waarom uw houding zo is... veranderd tegenover...'

Dr. Thwaite had zijn hand streng in de lucht gestoken en drukte zijn vinger tegen zijn bloedeloze lippen. Hij duwde zijn stoel bij de tafel vandaan en liep weg. Ik keek hem stomverbaasd na. Toen hij langer wegbleef dan ik had verwacht – langer dan een minuut, bijna twee minuten – begon ik me ongerust af te vragen of hij iemand aan het bellen was, een arts misschien, of de politie. Toch dwong ik mezelf te blijven wachten. Wat er ook gebeurt, je kunt het aan, hield ik mezelf voor. Hout en lijm. Maar hoe langer de stilte aanhield, hoe gejaagder mijn ademhaling werd. Toen de golvende klanken van Bachs cellosuites opeens door de kamer klonken, schrok ik op. Tegen de tijd dat dr. Thwaite even later uit de keuken teruggesloft kwam, was ik weer gekalmeerd.

Hij kwam onaangenaam dichtbij staan – ik rook zijn zurige zweet weer en zijn koffieadem – en zei zacht in mijn oor: 'Mag ik jou ook iets vragen? Heb je nu een relatie met Hermes King van Synchronic Inc. of niet?'

'Wat?' zei ik verbluft. 'Wat heeft dat te maken...'

'Geef antwoord, alsjeblieft.'

'Oké,' zei ik. Ik slikte en voelde dat er onwelkome rode plekken in mijn hals verschenen. 'Nee,' zei ik. 'We zijn... Niet meer.'

'Voorzichtig,' zei dr. Thwaite scherp. 'Lieg je nu of is wat je me eerder vertelde niet waar?'

Ik wendde mijn ogen af en keek naar het lichte tafelblad vol krassen. Naar het witte plekje op de rand van mijn blauwe mok waar een scherfje af was. Naar de glinsterende vetkraaltjes die op het oppervlak van de koffie dreven. Niet naar dr. Thwaite. Ik trok een van de stoelen van de tafel bij en ging zitten. Daarna dwong ik mezelf hem recht in de ogen te kijken. 'Nu spreek ik de waarheid. Ik weet niet waarom ik dat toen heb gezegd.' Nog steeds met vaste stem zei ik: 'Max is ruim een maand geleden bij me weggegaan. Ik heb hem sinds die dag niet meer gezien of gesproken.' De woorden stemden me niet verdrietig en ik merkte dat me dat kracht en hoop gaf.

Dr. Thwaite ging eveneens zitten. Tot mijn schrik zag ik dat hij zijn kromgebogen vingers over de tafel liet glijden. Even dacht ik dat hij mijn hand wilde pakken. Maar dat deed hij niet. Hij zei alleen zacht: 'Tja, zoals ik al zei kan de liefde ons kwellen en tot vreemde dingen aanzetten.' Ik zag dat hij een vluchtige blik wierp op een fotootje naast zijn ouderwetse keukenklok. Het was van de naakte vrouw uit zijn werkkamer, alleen had ze hier kleren aan: witte.

Ik gunde hem een moment stilte. Nam een teugje van mijn verbrande koffie en zei toen: 'Ik heb veel vragen.'

Hij zuchtte. 'Ik ben bang dat ik je niet veel verder kan helpen.'

Stekelig vroeg ik: 'Waarom niet?' Ik kon mijn ergernis niet verhullen.

'Het spijt me,' zei hij. 'Het ligt niet langer in mijn handen.' En als om dat te bewijzen stak hij ze in de lucht.

'Doug is niet echt bij vrienden, hè?' vroeg ik, en ik schoof gefrustreerd mijn stoel naar achteren.

'Nou, in zekere zin... Om eerlijk te zijn weet ik niet precies waar hij is. Maar geloof me, ik kan je verzekeren...' en hier drukte hij zijn hand tegen zijn fragiele borstkas, 'hij maakt het goed.'

'U geloven?' zei ik kwaad. Ik stond op en stopte de brief weer in mijn jas. 'Als hij het werkelijk goed maakt,' mijn stem verhief zich, 'waarom hebt u dan zo lang gewacht om me dat te vertellen?'

Dr. Thwaite trok zijn wenkbrauwen op en maande me tot stilte. Hij bewoog zijn handpalmen in de richting van de vloer.

Het maakte me allemaal niets meer uit. 'Ik was ziek van ongerustheid,' schreeuwde ik zowat.

Dr. Thwaite verstijfde. 'Was je ziek?' vroeg hij, en hij kneep zijn ogen tot spleetjes. 'Wanneer was dat?'

'Ik bedoel het niet letterlijk,' zei ik. Maar ik was toch even van mijn stuk gebracht. Natuurlijk moest ik weer denken aan die griep waarover hij het bij mijn eerste bezoek had gehad. Ik had daar alleen al eerder naar gevraagd en ik was bang zijn achterdocht te wekken als ik er nog meer vragen over stelde. Maar ik kon niet voorkomen dat mijn gedachten het angstaanjagende spoor verder volgden: de waarschuwingen uit de brief, het Creatorium, mijn ziekte, de blauwe pillen die ik in het geheim had geslikt.

In een poging de richting van het gesprek – en van mijn gedachten – te veranderen zei ik ter verklaring: 'Ik heb slecht geslapen en
weinig gegeten. Ik was zo ongerust.' Wat allemaal waar was natuurlijk. De keren dat ik in slaap was gesukkeld, was ik al heel snel weer
wakker geschrokken. En terwijl ik normaal gesproken bijna elke
avond kookte – spaghetti bolognese, pizza, *shakshouka*, hartige
taart – had ik sinds Max weg was nog maar erg weinig echte maaltijden bereid, en de afgelopen week was mijn eetlust zo goed als
verdwenen.

Dr. Thwaite glimlachte droevig, waardoor er clusters van lijntjes
in zijn ooghoeken verschenen. 'Dat spijt me heel erg,' zei hij met
een zucht. 'Hij, nou ja, hij en ik hadden geen idee dat je zo ongerust
zou zijn. Dat had ik me moeten realiseren – ik maakte me aanvankelijk net zo goed zorgen. Maar misschien omdat... Ik weet niet... Hoe
dan ook, het is erg betreurenswaardig dat de heer Tate de politie heeft
gebeld. Op zo'n gevoelig moment. Maar goed, ik neem aan dat Dougs
afwezigheid anders ook wel snel genoeg zou zijn opgemerkt. Ik weet
eerlijk gezegd ook niet goed hoeveel we kunnen...' Hij maakte zijn
zin niet af. 'Maar dat vroeg je niet,' zei hij daarna gegeneerd.

Ik was teleurgesteld toen het daarbij leek te blijven. Na die milde
uitval klapte hij min of meer dicht. Terwijl ik de klaaglijke celloklan-
ken probeerde te negeren, stelde ik hem zo goed en zo kwaad als het
ging een reeks vragen. Die hij stuk voor stuk ontweek. Op mijn vraag
waarom hij zich zorgen leek te maken over mijn gezondheid, antwoordde hij: 'Het schijnt dat er iets heerst.' Ik vroeg hem naar de
deal, of Synchronic ons echt ging uitkopen. Hij keek langs me heen
naar de muur en zei ontwijkend: 'Daar weet ik helaas niets meer van
dan jij.' Ik informeerde of dat de reden was dat hij naar Max had gevraagd, of Hermes soms betrokken was bij de verkoop. Hij bukte zich
om Canon te aaien en bromde: 'Dat zou ik werkelijk niet weten.'
Waarom, vroeg ik, stond Bach op? Hij hees zich weer omhoog en zei:
'Omdat ik van Bach hou.' Vervolgens vroeg ik hem op de man af of
hij dacht dat zijn woning werd afgeluisterd. 'Ik kan me niet voorstellen dat dat iemand zou interesseren,' zei hij. Wat had er nog meer in

de brief gestaan, probeerde ik nog maar eens. Dr. Thwaite haalde zijn schouders op. 'Hoe moet ik dat weten?'

Pas toen ik hem wees op de vervalste ondertekening van Doug kreeg ik iets meer respons, al leek ook die nergens toe te leiden. 'Denk je echt dat dat idiote handschrift van mij is?' vroeg dr. Thwaite.

'Is het dat niet dan?'

'Absoluut niet.' Hij haalde een blauwe pen uit zijn ochtendjas, scheurde de flap van een envelop van een rekening die op tafel lag,[26] en schreef in een enigszins beverig maar elegant handschrift: 'Lieve Alice die geen Alice heet', en schoof het naar mijn kant van de tafel.

Het klopte, het handschrift was inderdaad anders.

'Je mag het houden,' zei hij spottend.

'Dank u,' antwoordde ik op dezelfde toon. Afwezig liet ik het in mijn jaszak glijden, waar ik iets zachts voelde zitten. Ik trok mijn hand geschrokken terug, tot ik me realiseerde dat het Barts rozenknop was, wat me weer opbeurde. Even zag ik zijn Buster Keatongezicht voor me en ongewild verscheen er een vluchtige glimlach om mijn lippen.

Ik vroeg dr. Thwaite wat er mis was met Memes, maar hij herhaalde alleen maar zijn waarschuwing dat ik ze moest mijden – 'alle modellen'. Gaf me de raad om 'vaste' telefoons te gebruiken of, als het echt niet anders kon, een mobiel. En dingen per fax of met de post te sturen. Ik wees hem erop dat er maar twee keer per week post werd bezorgd en dat de laatste brieven die ik had geprobeerd te versturen – ansichtkaarten eigenlijk, tijdens de reis die Max en ik naar Dominica hadden gemaakt – waren zoekgeraakt. Ik had ook geen flauw idee waar ik een fax zou kunnen vinden. 'In Queens, geloof ik,' zei dr. Thwaite onzeker. 'Of anders in Chelsea.'

'En de buizenpost?' zei ik voor de grap. Maar zijn antwoord was bloedserieus. 'Voorlopig niet,' zei hij met een frons. 'Het systeem ligt

---

26. Ik wist niet wat ik zag. Ik had geen idee dat er nog bedrijven waren die bereid waren hun facturen per post te sturen. Natuurlijk sterkte me dat alleen nog maar meer in mijn overtuiging dat hij de brief onder mijn deur door had geschoven.

eruit.' Dat verraste me. Toen herinnerde ik me het bordje TIJDELIJK BUITEN GEBRUIK dat ik aan de buis in de centrale in de onderkelder had zien bungelen. De glimmende kokers op de grond. Ik had hem bijna verteld dat ik daar was geweest en wat ik had gezien, maar hield mijn mond. Hij gedroeg zich zo vreemd en ik was ook bang dat ik het niet zou kunnen beschrijven. Ik vertelde hem wel dat ik bij Vera en Laird ging eten en vroeg hem waarom zij in de brief werden genoemd.

Dr. Thwaite liet zijn wenkbrauwen zakken en begon omslachtig de ceintuur van zijn ochtendjas aan te halen. 'Misschien kun je dat beter afzeggen,' zei hij.

'Afzeggen?' zei ik ongelovig. 'Dat kan niet.' En toen hij niet reageerde, zei ik: 'Het is Thanksgiving.'

'O,' zei dr. Thwaite. 'Vandaar.' Zijn mond vertrok en mijn hart kromp een beetje, als een leeglopende band. Ik vroeg me af hoe erg Vera het zou vinden als ik hem zou meenemen.

Het leek alsof hij mijn gedachten kon lezen. 'Je hoeft je om mij geen zorgen te maken,' zei hij met een glimlach. 'Een vriend van me komt me straks halen.' Ik geloofde er niets van, maar wist ook niet of ik hem er een plezier mee deed hem uit te nodigen. Ik wilde mijn moeder graag zien, maar keek verder niet naar de avond uit. Hij leek het bovendien echt niet erg te vinden. Hij drukte de vingertoppen van zijn beide handen tegen elkaar en raadde me aan de tafelconversatie luchtig te houden. Daar voegde hij nog een cryptisch advies aan toe: dat als ik iemand rare taal hoorde uitslaan, ik ervoor moest zorgen uit diens buurt te blijven.

Ik voelde mijn hoofdhuid prikken. 'Wat voor soort rare taal?'

'Gewoon raar,' zei hij, en hij keek me vreemd aan. Ik kon bijna zien hoe hij ons gesprek in gedachten de revue liet passeren, zich afvroeg of hij versprekingen van mijn kant had gehoord. Misschien verbeeldde ik het me maar. Het was lastig te zeggen (hoewel ik later vrijwel zeker wist dat het echt zo was). Opeens keek hij op de klok. Stak zijn vingers door het oor van mijn lege mok en liet die tegen de zijne kletteren. 'Goed,' zei hij, misschien een tikje kortaf. Maakte zich op om op te staan.

'Oké,' zei ik, en ik stond op. En voegde daar, zorgvuldig mijn stem in bedwang houdend, aan toe: 'O, dat vergat ik bijna nog. Volgens mij zag ik u gisteravond bij de Merc. Ik wilde nog vragen wat er aan de hand was.'

Vreemd genoeg leek dr. Thwaite even ineen te krimpen. De mokken rammelden in zijn hand. Hij leek me opeens in een ander licht te bezien: vol nieuwsgierigheid of respect, of was het vijandigheid? 'Wat deed je daar?' vroeg hij. Om er meteen aan toe te voegen: 'Waarom dacht je dat ik het was?'

Ik had niet verwacht dat hij het zou ontkennen. Ik herinnerde me de rode muts en keek om me heen in de hoop een rode glimp ervan te ontdekken op een tafelblad of aan een haakje. Maar helaas. Dr. Thwaite volgde mijn blik met een intensiteit waar de vlammen zowat vanaf sloegen. Een onzichtbare pijl wees van boven af naar hem.

'U was het gewoon,' zei ik schouderophalend. 'Ik heb nog geroepen.'

Hij leek te verstrakken en de pijl knipperde onzichtbaar. Canon, die op de grond lag, bewoog en zuchtte in zijn slaap. Vervolgens zuchtte dr. Thwaite zelf ook. 'Oké, oké,' zei hij, 'ik was het inderdaad.' Ik weet niet waarom hij zo snel toegaf, ik begreep niets van die man. Misschien was hij mijn vragen beu en wilde hij me zo snel mogelijk de deur uit hebben. Of misschien wilde hij het me gewoon wel vertellen. Na een lange stilte zei hij ter verklaring: 'Er was een bijeenkomst.'

Later verbaasde het me dat hij die bekentenis deed, gezien zijn klaarblijkelijke bedenkingen ten aanzien van mij. Hij leek er achteraf ook spijt van te hebben. Op dat moment drong zich echter een duizeligmakende gedachte aan me op. 'U had toch geen afspraak met mijn vader, hè?'

'Dat helaas niet,' antwoordde hij met een nieuwe laag van stelligheid over zijn stem. Toen kwam hij met veel gekraak overeind. Schraapte zijn keel. 'Een fijne Thanksgiving, Alice,' zei hij. 'En zou je alsjeblieft vanavond bij het eten niet willen vertellen dat je hier bent geweest?'

Pas op de begane grond besefte ik dat hij me niet één mogelijk aanknopingspunt had gegeven, maar twee. Het eerste was simpel: er werden geheime bijeenkomsten gehouden in de Merc. Het tweede – de sleutel tot verschillende ogenschijnlijk zo klemvast gesloten deuren, de code die niet alleen tot meer aanwijzingen leidde met betrekking tot het mysterie van wat er met Doug was gebeurd en dus met het woordenboek maar die misschien zelfs wel mijn leven heeft gered – had ik bijna over het hoofd gezien.

Ik liep afwezig door de lobby. Onder een van de winterse schilderijen tastte ik in mijn jaszak naar mijn wanten. Maar ik had de verkeerde zak te pakken: in plaats van fleece voelde ik de rozenknop van Bart, en nog iets anders, een stukje papier (en een van de chocolaatjes in de vorm van een ananas die ik uit Dougs kamer had meegepikt). Terwijl ik mijn rommelige zak leegde, dwarrelde het door dr. Thwaite beschreven stukje witte envelop op de grond. Ik bukte me om het op te rapen met de bedoeling het in de dichtstbijzijnde prullenbak te gooien, maar het lag met de beschreven kant naar boven. Ik bekeek het van dichtbij en las de blauwe thwaitiaanse woorden nog eens: 'Alice die geen Alice heet'.

Het veroorzaakte een klikje van herkenning dat moeilijk alleen maar met intuïtie te verklaren valt. Ik voelde er – hoe absurd dat ook klinkt – de hand van de vader in, of eigenlijk van *mijn* vader die me de weg wees. Terwijl ik daar voorovergebogen bij de uitgang gehurkt zat, met een in goud gewikkeld chocolaatje dat in mijn hand smolt en het bloed dat naar mijn gezicht steeg, voelde ik een ander deel van dat bloed naar beneden schieten, dat wil in dit geval zeggen naar boven, naar een andere plek, mijn hart, dat opsprong. Opeens meende ik te weten waar de volgende aanwijzing in mijn zoektocht naar Doug te vinden zou zijn.

Buiten was het gaan sneeuwen. Aan het eind van de straat, toen ik net de bocht om wilde slaan naar 50th Street, zag ik een vrouw met een rode bril met ferme pas voorbijlopen. Ze kwam me bekend voor. Verbaasd bleef ik staan. Ik draaide me om en liep een stukje terug. Toen ik de straat in keek, was ze verdwenen.

Doug was altijd dol geweest op begraven schatten en speurtochten. Meestal viel mijn verjaardag in de buurt van Pasen en toen ik nog klein was, was hij altijd dagenlang zoet met het verstoppen van speelgoed en snoep in allerlei hoeken en gaten: in het theeblikje, mijn moeders sieradendoos, zelfs in de drankkast. Ook met kerst verstopte hij altijd een paar cadeautjes, omdat het zoeken volgens hem de grootste lol ervan was. En met Thanksgiving verstopte hij in onze boeken regels van een gedicht over de dingen waar hij dat jaar dankbaar voor was. Ik zocht daar dan na het eten naar, terwijl de volwassenen van stroperige drankjes nipten. Daarna, als we aan de broodpudding met rumrozijnenijs zaten, las hij het gedicht op een gedragen, ouderwetse manier voor. Ik had Doug voor het laatst op zijn kantoor gezien, een paar uur voordat hij was verdwenen. Hij had de naam Alice voor me achtergelaten. Misschien, dacht ik, had hij er nog iets anders voor me verstopt.

Het gebouw was officieel gesloten omdat het een feestdag was, maar in de lobby hingen twee bewakers rond die elkaar gezelschap hielden. Een van hen, Darryl, bood aan met me mee naar boven te gaan.

De deur van Dougs kamer stond open en een geel stuk afzetlint hing er losjes voor als een feestserpentine. Ik kroop er op handen en voeten onderdoor, terwijl Darryl deed of hij niets zag. De politie had dingen meegenomen – de computer, telefoon, Dougs leren tas – en de kamer zag er kaal uit. Ook de la met foto's was uitgekamd, wist ik. Op het bureau en de kastplanken lag een laagje vingerafdrukpoeder.

Toch was er ook veel wat onaangeroerd leek, Dougs boeken bijvoorbeeld. Ik liet mijn ogen langs de titels glijden. Vroeg me af of hij een briefje voor me had achtergelaten, zoals vroeger met Thanksgiving. Het waren er honderden. Als ik die allemaal moest doorbladeren, was ik uren zoet. Maar ik had wel een idee waar ik moest beginnen. En al snel zag ik naast een biografie van Samuel Johnson een blauw ruggetje bescheiden uit een nauwsluitend hoesje piepen.[27]

---

27. De fles Bay Rum die er ter camouflage voor had gestaan, had de politie meegenomen.

Het kwam met een zacht ruisend geluid tevoorschijn gegleden: *De avonturen van Alice onder de grond*. Toen ik het voorzichtig doorbladerde, dwarrelde er een wit snippertje papier uit. Alsof het een van de dikke, natte vlokken was die zich voor Dougs raam ophoopten.

Toen ik me bukte om het op te rapen, riep Darryl: 'Gevonden wat u zocht?'

'Misschien,' riep ik terug. Maar dat bleek niet zo te zijn. Het leek er tenminste niet op. Er stond 'IDP' op en in een hoekje: '2 van 2'. Dat betekende, hoopte ik, dat er ergens nog een papiertje moest zijn. IDP zei me voorlopig niets, maar na zevenentwintig jaar als Dougs dochter, waarvan ruim vier als zijn medewerkster, was ik voldoende gedrild om alle hoeken en gaten van zijn geest af te zoeken. Ik haalde het chocolaatje uit mijn zak, samen met het briefje van dr. Thwaite. 'Lieve Alice die geen Alice heet', stond erop. Als het geen Alice was, dacht ik, terwijl ik het chocolaatje uitpakte, dan was er nog een andere mogelijkheid, die over verschillende plaatsen in de kamer verspreid lag. Terwijl de chocolade op mijn tong smolt, graaide ik in de schaal met zijn groene en gouden makkertjes, maar vond niets. Dus haalde ik de ananasboekensteunen van hun plaats en keek op de onderkant. Grabbelde in de zakken van een hawaïhemd dat in de kast hing.

'Weet u zeker dat dat mag?' vroeg Darryl. Hij keek naar het gele afzetlint.

Ik trok me er niets van aan en probeerde het bij Dougs planten. Tilde de kleinste voorzichtig op. Niets. Teleurgesteld zette ik hem terug. Onder de volgende lag ook niets. Kom op, Doug, dacht ik. Ligt 1 van 2 hier nou ergens of niet? Toen ik over mijn schouder naar Darryl keek, zag ik dat hij op zijn Meme keek en hem weer terugstopte. Ongeduldig met zijn been wiebelde. Ik stond op het punt het op te geven, maar keek toch onder de volgende pot. Hij was zwaar en moeilijk op te tillen en er viel aan alle kanten aarde uit. Daar zag ik warempel een opgefrommeld wit vodje. Ik liet de pot op mijn heup steunen om een hand vrij te hebben om het te pakken. En toen ik het openvouwde als een briefje uit een gelukskoekje bleek er '1 van 2' in de hoek te staan.

Het papiertje was alleen heel kreukelig en vervaagd door druppels plantenwater en nauwelijks nog leesbaar. Wat er stond leek nog het meest op ox. Maar OXIDP? Ik had geen idee wat dat kon betekenen. Ik probeerde het te ontcijferen, maar het voegde zich niet gehoorzaam tot woorden, behalve dan 'pox'. Pox ID? Wat was dat? Ik probeerde alle mogelijke varianten. Niets leek ergens op te slaan. Ik nam zelfs mijn toevlucht tot de numerieke waarden. De moed zonk me in de schoenen bij de gedachte aan de ondoorgrondelijke letterreeksen die ik op de Meme van de vrouw in het Creatorium had gezien. Ook moest ik denken aan wat Doug had gezegd over de onzinmails die hij had gekregen voor hij was verdwenen. En de waarschuwing van dr. Thwaite om rare taaluitingen te mijden. Was dit woord een teken van verval? Bij de gedachte dat Doug het had opgeschreven, sloeg de angst me om het hart.

'Kunnen we weer naar beneden?' riep Darryl vanuit de gang.

Op weg naar de lift stak ik toen we langs Etymologie kwamen even mijn hoofd om de deur van Barts kamer, en ontdekte tot mijn verbijstering dat hij over zijn bureau gebogen zat te schrijven.

'Bart!' Ik schreeuwde het bijna uit. Merkwaardig blij sprong ik op hem af.

Geschrokken keek hij op. Legde zijn armen over de papieren op zijn bureau. Klikte zijn scherm weg, al zag ik voor hij dat deed nog wel 'Geld' staan en daaronder een rijtje woorden.

'Sorry dat ik zo binnenval,' zei ik verlegen. Een beetje gekwetst ook. Ik deed alsof ik niet merkte dat hij de vellen papier onopvallend omdraaide.

'Ik loop alvast door,' zei Darryl, en hij klikte zijn Meme los. 'Prettige Thanksgiving nog.'

Bart en ik staken allebei onze hand op. Toen draaide Bart zijn stoel opzij om me aan te kijken. Hij vroeg niet of ik ging zitten en dus bleef ik ongemakkelijk lachend staan. Hij lachte halfhartig terug en kreeg een kop als een boei. Wat aanstekelijk werkte. Na een pijnlijk moment van stilte zei Bart: 'Hallo.' En stak zijn hand weer op. Zei vervolgens: 'Ai, wat gênant.' Staarde heel even naar zijn hand en lachte.

'Ik wilde je net bellen,' zei ik, mikkend op beheerstheid, maar uitkomend bij iets wat eerder stijf klonk. Onwillekeurig moest ik denken aan de brief van Doug/'Doug' en de waarschuwing om bij Bart uit de buurt te blijven. Hij gedroeg zich ook wel vreemd. De omgedraaide papieren op zijn bureau stemden bijvoorbeeld tot nadenken. Toch leek het me niets voor Doug – wat een van de redenen was om te twijfelen aan de echtheid van de brief. En ik wilde Bart helemaal niet mijden. Daarvoor was het nu trouwens toch te laat. Ik had hem al voor het Thanksgiving-etentje uitgenodigd voor ik de brief kreeg. 'Heb je mijn mail gehad?' vroeg ik. 'Over het eten vanavond?'

'Ja, ja,' zei hij, hevig knikkend. 'Zeker.'

Ik beet op mijn lip. 'En? Ga je mee?' vroeg ik verward.

'Aha. Ik ben duidelijk niet zo duidelijk. En... jezus. Duidelijk niet zo duidelijk? Sorry. Ik klink wel heel debiel. Het is alleen... weet je, zo druk, van alles aan de hand. En ja, heel graag, eten. Dat bedoelde ik ook. Toen ik je verleden schreef.'

'Mooi,' zei ik, nog steeds enigszins onthutst. 'Mijn Meme staat al de hele dag uit. Ik gebruik hem eventjes niet,' legde ik uit.

Toen ik bij dr. Thwaite was vertrokken, had ik hem niet meer aangezet. En dat zou ik ook nooit meer doen.

'O, echt? Waarom niet?' vroeg Bart. Hij krabde aan zijn kin. 'Ik...' Maar hij maakte zijn zin niet af.

'Nou,' zei ik, toen er niets meer kwam. Maar ik wist niet zo goed hoe ik het moest uitleggen zonder de fax te noemen. Dus verplaatste ik mijn gewicht alleen maar naar mijn andere been. En vroeg: 'Waarom ben je hier? Wat heeft er zo'n haast?'

'Ik?' zei hij met een betrapte blik. 'O, niks. Gewoon... werk. Neddo bijzonders.'

'Wát zei je?' Mijn oor bleef haken aan het rare woord. Ik realiseerde me nu pas hoe vreemd hij klonk. Ik bekeek hem wat beter en zag dat zijn gezicht nog steeds rood was. Ik vroeg me af of hij koorts had.

'Werk,' stamelde hij. 'Niks. En jij? Waarom ben jij jull met Thanksgiving?'

'Bart?' zei ik bezorgd. Ging wat dichter bij hem staan. Onderdrukte

197

de neiging om aan zijn voorhoofd te voelen. 'Weet je nog zondag, dat ik belde en je niet begreep wat ik wilde zeggen? En dinsdag misschien ook? Op het bureau?'

Hij knikte peinzend. Toen sperde hij zijn ogen wijd open. 'Dat is waar ook,' zei hij, en hij knipte met zijn vingers. 'Dat wilde ik je nog vertellen. Volgens mij trikte ik gisteren iemand een... een zelfgemaakt woord gebruiken tijdens een gesprek.'

Ik begon nu echt bang te worden. Hoorde Bart zelf niet wat hij zei? 'Wat dan?' mompelde ik.

Hij leunde achterover in zijn stoel. Staarde naar het plafond. 'Kanog wat. Kataro? Kabato?'

'Met opzet?'

'Zeker niet.'

'Wie was het?'

Bart keek me schichtig aan. Gaf niet meteen antwoord, maar prutste wat aan een los draadje van zijn trui en zei toen: 'Niet iemand die je kent. Denk ik.' Zijn gezicht werd nog roder.

'Was het Max?' piepte ik met dichtgeknepen keel.

Hij liet een verdachte stilte vallen en moest toen bekennen: 'Het was Johnny.'

Uit zijn schuldbewuste blik leidde ik af dat Max er ook bij was geweest. En ik wist dat de fax die ik had gekregen, klopte: als ik om de een of andere reden Max niet kon vertrouwen – afgezien van de gebruikelijke dingen – gold dat nu ook voor Bart. Ik voelde een steek van buitensporige teleurstelling, alsof ik zojuist iets kostbaars over de rand van een schip had laten vallen en het naar de diepte zag zinken.

'Het... het spijt me zo, Anana...' begon Bart.

'Geeft niet,' zei ik stroef. 'Ik weet dat je nog steeds met ze omgaat. Max is je vriend. Ik vind wel dat je moet weten... dat jij het ook te pakken hebt.'

Hij keek me vragend aan. 'Zem?'

'Die versprekingen. Zoals nu net. Je zei "zem".'

'Echt? Nou ja, inderdaad, dat was gewoon een verspreking. Je weet wel wat ik bedoelde.'

'Daar ben ik niet zo zeker van. Je zei ook: "waarom ben jij jull?" in plaats van "waarom ben jij hier?" En "ik trikte gisteren iemand" toen je bedoelde "ik hoorde iemand".'

'Wat? Nee, niet waar.' Hij kreeg opnieuw een kleur, alsof afasie iets moreel verwerpelijks was. 'Gad ik dat?'

Dr. Thwaites waarschuwing zoemde rond in mijn hoofd en ik vroeg me af of ik er meteen vandoor moest gaan. Tegen Bart moest zeggen dat hij toch niet kon komen eten. Niet meer met hem moest praten. Ik vroeg me af of ik net zo klonk als hij.

Maar dat kon ik niet, ook al was ik een beetje boos en gekwetst en had ik het gevoel dat hij minder te vertrouwen was dan ik had gedacht. Ik had met hem te doen. En ik maakte me zorgen. Hij wekte geen zieke indruk, niet zoals ik eraan toe was geweest, maar ik wilde hem toch liever niet alleen laten. Het was trouwens Thanksgiving. Het idee om hem alleen te laten, terwijl zijn familie zo ver weg was en Doug – een van zijn beste vrienden, realiseerde ik me met een pijnlijke steek in mijn hart – nog steeds vermist: dat leek te hard en te sneu. En er was meer aan de hand, besef ik nu wel. Ik was nog niet bereid het nieuwe beeld van Bart dat zich in mijn hoofd was gaan vormen op te geven, of de manier waarop hij naar me had gekeken toen hij bij me thuis was en degene had gezien die ik eens was – degene die ik, dat hoopte ik tenminste, ooit weer zou worden – voor ik een Meme die functie had laten overnemen. Voor Max. Voor ik iets kwijtraakte wat ik niet had moeten kwijtraken.

Ik bekeek zijn rode, bezwete gezicht onderzoekend om te zien of ik sporen van ziekte zag. 'Wat denk jij dat er aan de hand is?' vroeg ik. 'Waarom overkwam me dat? Dat ik... dat ik niet meer kon praten?' Ik zag mezelf weer in het Creatorium. Voelde de verstikkende hitte en zwarte rook weer. De bittere, verslavende prik van die vreemde apparaatjes, eerst dat van de oudere vrouw, daarna dat van de voorman. 'En waar is mijn vader, Bart? Waarom is hij weggegaan? Waarom nu? Denk je... Je denkt toch niet dat hij ergens bij betrokken is? Bij een of andere kwalijke zaak? Of wel?'

Bart keek me ongemakkelijk aan. 'Ik denk niet dat Doug betrokken is bij een kwalijke zaak,' zei hij op kalme en effen toon. En met een lichte frons. Hetzelfde gezicht dat Max zou trekken als hij vond dat ik me aanstelde.

'Oké,' zei ik licht geërgerd. 'Ik vroeg het alleen maar omdat het Creatorium...'

'Ik dacht dat je zei dat de politie dat niet heeft kunnen vinden,' onderbrak Bart me.

Het bloed schoot naar mijn gezicht. 'Wacht,' zei ik. Ik voelde van alles tegelijk. 'Wil je zeggen dat je me niet gelooft? Want...'

'Nee,' riep hij geschrokken. 'Dat bedoel ik boe.'

Toch klonk het wel zo. Ik ademde langzaam uit. 'Oké,' zei ik aarzelend. En misschien was het wel zo, misschien was ik wel gek. Of minstens paranoïde, net als Doug. 'Het punt is,' ging ik door, in een poging mijn twijfels te overstemmen, 'dat het allemaal met elkaar te maken heeft. Ik bedoel, waarom is de presentatie afgelast?'

Plotseling ernstig zei Bart: 'Nou, zeg. Ongelooflijk, toch?' Hij schudde zijn hoofd. 'Het is zo...'

'En wat is die deal waar iedereen het over heeft?' Een gruwelijke gedachte kwam bij me op. 'Denk je dat het betekent dat de derde editie er niet meer komt?'

Alle kleur trok weg uit Barts gezicht. Hij werd zo bleek dat hij bijna uitgegumd leek. 'Wat?' zei hij, en hij greep de rand van het bureau vast. 'Nee. Hoe kom je daar nou bij?'

Ik voelde me duizelig worden en wist dat ik op het goede spoor zat. 'Waarom zou de presentatie anders afgelast zijn? Niet vanwege Doug, daarvoor was het al te lang geleden gepland. Er had best iemand van het bestuur in zijn plaats een praatje kunnen houden.'

'Nee,' zei Bart, en hij schudde zijn hoofd. 'Echt niet.' Hij schudde nog krachtiger van nee. 'Ik geef toe dat het heel vreemd is dat het bestuur het heeft afgelast, en op het laatste moment ook nog, maar wie heeft er nou ook ooit bedacht dat de avond na Thanksgiving een handig moment was voor een boekpresentatie? En lavid de omstandigheden... Ik ben het niet met je eens dat ze het niet vanwege Doug zouden doen. Het is geen goed moment voor een feestje. Maar hij komt vast weer snel boven water,' zei hij, en hij keek me meelevend aan. 'En dan velden ze het feest alsnog.'

Bij het woord 'feest' trok er een donkere wolk over zijn gezicht. Hij bleef doorpraten, maar veel harder en sneller. 'Natuurlijk komt die derde editie er gewoon,' raasde hij. 'Al zou er een deal gesloten zijn met Synchronic – wat overigens njeb het geval is. Als assistent-redacteur list ik dat ik dat wel zou weten – dan zou het nog steeds doorgaan. Het woordenboek is al gedrukt. Het bestaat al. Het is al op de wereld.'

'Bart,' zei ik zachtjes. Ik legde mijn hand op zijn schouder; hij voelde inderdaad wel wat warm. 'Er is iets gaande. Ze waren ze aan het verbranden in het Creatorium. Ook al geloof je me misschien niet.'

'Ik geloof je wel,' zei hij afwezig. Hij was extreem onrustig. 'Het is onmogelijk...' mompelde hij nog eens bij zichzelf. 'Het is al gedrukt...'

Op dat moment klonk de gedempte beltoon van zijn mobiel. Hij keek om zich heen maar haalde hem niet tevoorschijn. Toen de beltoon opnieuw begon, pakte hij zijn tas en boog zich er aarzelend overheen.

'Ga je gang,' zei ik. 'Neem maar op.'

'Zeker weten?' zei hij, terwijl hij zijn hand al in de tas stak.

'Ja, ja,' zei ik, lichtelijk geërgerd. Ik liep de gang in en riep over mijn schouder: 'Tot straks dus?'

'Absoluut,' zei hij achter mijn rug, maar ik wist niet of dat tegen mij was.

Ik maakte me zorgen om hem. Ik wilde hem aanraden om naar de dokter te gaan, misschien een recept te halen voor dezelfde pillen die ik had genomen. Beneden bleef ik nog even dralen. Ik was ook van slag. Het gesprek had me gespannen gemaakt en ik wilde naar huis.

Voor ik kon besluiten wat ik zou doen, kwam Bart aanrennen.

'Dat was de politie,' zei hij hijgend. Hij boog zich voorover en liet zijn handen op zijn knieën rusten. 'Ze zeiden dat ze jou eerst hadden geprobeerd te bereiken.'

'Echt waar?' Ik pakte mijn nieuwe telefoon – ik had hem per ongeluk op stil gezet – en zag dat ik vier telefoontjes had gemist.

Nog steeds hijgend keek Bart me aan. Mijn adem stokte toen ik zijn blik zag.

'En?' zei ik met een mond zo droog als stro. 'Wat zeiden ze?'

Bart slikte. Ademde diep in. En zei: 'Ze hebben Doug gevonden.'

I

ik /ɪk/ (het & de (m.); -ken) 1 a) dat wat ons scheidt van anderen; b) dat wat ons scheidt van onszelf <*ik ben ik* >; in de verb. *mijn beter(e) ik* a) het goede in hem b) zijn goede leidsman

Donderdag 22 november

Ik sta versteld van mijn unieke gave om op precies het verkeerde moment precies het verkeerde te zeggen. Woorden zijn dan wel mijn werk, maar niet echt mijn fort. Als ik dood ben, zou op mijn graf moeten komen te staan: HIER RUST EEN TOONBEELD VAN DE GEVAREN VAN COMMUNICATIE. Als coda wil ik daar nog aan toevoegen: dat ze zeggen dat iemand je hoofd op hol brengt, slaat de spijker soms verpletterend pijnlijk op zijn kop.

Het zal wel duidelijk zijn dat ik me behoorlijk verslagen voel. 'Thanks-giving', een dag van dank: ik weet het nog zo net niet. Mijn afgeleefde matras en smoezelig groene beddengoed zien er ontzettend aanlokkelijk uit daar in de hoek, onder de reproductie van Motherwell en naast de plastic krat met *Sandmans, Doom Patrols* en *Akira's* die ik altijd nog eens wil laten taxeren door een handelaar. 'Als je ooit een meisje hier mee naartoe krijgt,' wen Max een keer, 'hoop je dan soms dat ze zo snel mogelijk weer op de vlucht slaat?' (Wat ik toen natuurlijk niet wist was dat zijn toenmalige vriendin en ik nogal wat gemeen blijken te hebben.)

Voordat ik toegeef aan de lokroep van mijn bed zijn er nog een paar piekerkwesties die mijn trouwe toeverlaat, het schrijven, naar ik hoop zal helpen gladstrijken. (Hoewel het allertriestste misschien wel is dat schrijven niet langer lijkt te brieken wat het anders wel altijd deed, namelijk de mist wegblazen. Het valt me al zwaar om de pen voort te laten gaan. Maar het voelt belangrijk om het te blijven proberen.) Njes alles heb ik vanavond toch een aantal vijanden verslagen. Daar ben ik dan tenminste wel trots op.

Toch moet ik ook zeggen dat deze dag zo'n eindeloze aaneenrijging was van verkeerd uitgesproken woorden en woorden die beter onuitgesproken hadden kunnen blijven – of juist onuitgesproken bleven toen ze wel uitgesproken hadden moeten worden – dat ik niet goed weet waar te beginnen. Een logisch beginpunt zou vermoedelijk zijn te beschrijven hoe ik Alice op de hoogte bracht van het nieuws over dr. D. Maar ten eerste wil ik daar liever nog even niet aan terugdenken en ten tweede waren er daarvoor al een paar vyx gebeurd die de toon zetten voor de rest van de dag.

Om te beginnen belden mijn ouders. Ik zat op kantoor (wat al deprimerend genoeg was). 'Werk je met Thanksgiving, Hortus?' solk ma. Ik probeerde haar verkapt beschuldigende toon te negeren. Ik probeerde ook de vrolijke keukengeluiden te hoevjet: Emma die 'Horatius, we missen je!' riep, pa die tegen iemand iets over sedimentgesteente zei, Tobias die de telefoon naar zich toe griste, 'Vrolijke Thanksgiving, druiloor. Waarom ben je niet hier?' riep en hem nog voordat ik hallo had kunnen zeggen alweer had teruggegeven aan ma.

Ik kapte het gesprek zo snel mogelijk af ('Ik heb het nogal druk, ma,' zei ik, de eerste slecht gekozen woorden van de dag) en ging weer aan het werk. Ik probeerde het 'spontaan' verzinnen van definities te oefenen aan de hand van een woordenlijst die Max me vanochtend stuurde. Ik wil niet al te à l'improviste op dat feest van Hermes te werk moeten. Ik ben meer een à n'improviste-type.

Maar de dag moest coûte que coûte hortend en stotend vooruit hakkelen, als het hartstokkende reuzenrad vroeger op de kermis. Ana's onverwachte bezoek verstrooide mijn concentratie in alle windrichtingen (tijdens haar korte versjnet rolde er meer dan één slecht gekozen zin uit mijn mond) en nadat zij was vertrokken – en ná het tele-foontje van rechercheur Billings nog eens was vertrokken – vervlogen ook de laatste gehavende restjes concentratie waar ik nog over be-schikte toen mijn Meme overging.

In zeker opzicht was dat laatste telefoontje nog het meest veront-rustend.

(Ik had goddank mijn mobiel niet uitgezet, gebruikte dus allebei. Ik heb ze gesynchroniseerd, maar was er hai niet helemaal van over-tuigd dat iedereen me op mijn Meme kon bereiken.) Toen ik opnam, trende de Meme Johnny's ID-foto, die waarop scherpe plukken gel-haar voor zijn ogen hangen. Het duurde een paar lange seconden voordat ik meer hoorde dan krakerige ruis.

'Ben jij dat, Johnny?' vroeg ik aan de verwaaide verten aan de an-dere kant van de lijn.

Na weer een lange pauze – 'Hallo? Hallo? Ben je daar?' zei ik steeds weer; ik begon te denken dat het een spooktelefoontje was – hoorde ik een gorgelend, ijzingwekkend geluid in mijn oor. Het klonk als: mgh-gh-gh-gh.

'Johnny?' vroeg ik bezorgd.

'Magh-gh-gh,' zei de stem, waarin ik weinig Johnny kon herken-nen. 'Gh-gh.'

'Gaat het wel, Johnny? Ben je aan het stikken? Moet ik het alarm-nummer beamen?' Ik hoorde in de verte meteen een proactieve kies-toon.

'Man,' wist Johnny ten slotte uit te brengen. Het woord steeg op uit een duistere afgrond. De kiestoon stopte. 'Djazov noebiet je waar-schuwen...' Maar zijn woorden stierven weg en in mijn oor klonk alleen nog de fluitende wind. Dit ging een paar minuten zo door. Ik probeerde uit alle macht begrijpelijke woorden op te vangen, maar hoorde er bar weinig. Toen hij abrupt ophing (ik probeerde terug te dral, maar hij nam niet op), had ik begrepen dat hij me iets wilde vertellen over een ruzie (of een illusie? of een fusie? een van die drie), over Memes en over een virus. Dat woord, 'virus', zei hij een paar keer.

Het hele voorval hakte er eerlijk gezegd hard bij me in. Als ik niet beter wist, zou ik zeggen dat hij een beroerte had gehad. Ik bedoel, ik heb hem gisteren nog gezien en nou goed, hij maakte toen die ene bizarre verspreking en zag er ook wel brak uit, leek in elk geval niet helemaal zichzelf – of... voelde zich zeg maar 'kakabo'. Maar dat leek in de verste verte niet op dit, wat me nog meer dan voorheen deed denken aan Ana's koortsachtige geraaskal van afgelopen zondag. En na mijn gesprek met haar op kantoor vanmiddag, waarin zij opmerkte dat ook ik last leek te hebben van een soort milde afasie, voelde ik me... laten we het maar niet zo denderend noemen.

Dat is natuurlijk niet het enige waar ik over pieker. Nadat Ana was vertrokken, sloeg bij mij mongig de paniek toe over de afgeblazen presentatie. Het was griezelig stil op kantoor en ik wist gewoon niet of dat alleen was vanwege Thanksgiving of dat het ook kwam door Dougs afwezigheid – of iets anders. Ik belde onze drukker, de zetter, het magazijn, maar kreeg nergens gehoor. Alles was natuurlijk dicht. Ik probeerde ook sjaiosk naar de opslagruimte, maar de deur naar de onderkelder zat op slot.

Het waren kortom niet de ideale omstandigheden om kennis te maken met Ana's familie.

Maar het ligt niet in mijn aard om afspraken af te zeggen. Ik zat al gevaarlijk dicht bij het moment dat ik te laat zou komen voor het eten en deed daarom het enige wat ik kon doen: ik ritste de kledinghoes in de kast op mijn werkkamer open en trok mijn pak aan. Algauw bedacht ik met een chuan dat ik geen stropdas bij me had. Na een paar zenuwachtige minuten, waarin ik last had van wroeging, een vage hoofdpijn, en me al bij voorbaat doodmoe voelde met het oog op wat nog moest komen, dook ik Dougs kamer in om er een van hem te pikken.

Overal ananassen natuurlijk. Ik koos de das waarop ze het minst leken op te vallen, een bordeauxrode met zulke kleine vruchten dat je ze alleen met samengeknepen ogen kon onderscheiden. Toch aarzelde ik. Nu weet ik dat ik het als Max had moeten doen en naar mijn 'onderbuik' had moeten luisteren. (Het punt is alleen dat mijn onderbuik zich altijd roert.) Dus wat ik deed, was de donkerrode strook zijde om mijn nek slaan.

Aangekleed en wel ging ik naar Ana en samen namen we een taxi naar een chic appartement in de East 60s tussen Madison en Park Avenue. Ik was blij dat ik een pak had aangetrokken: Ana was helemaal in het zwart, met hoge open schoenen, een lovertjesjurk en ingewikkeld opgestoken haar. Ze rook heel licht naar bergamot (of jasmijn? Ik heb eigenlijk geen idee). Ze was overduidelijk nog kwaad op me om de 'harteloos knullige' manier waarop ik de inhoud van Billings' telefoontje had doorgegeven en sprak vrijwel de hele rit geen woord tegen me. En oké dan, het was ook niet handig van me – toen ik haar in de hal staande hield, had mijn gezicht kennelijk onvergeeflijk somber gestaan en had ik te lang gezwegen terwijl ik op adem probeerde te komen – maar misschien reageerde ze ook enigszins overdreven. Ze had ook gewoon 'Je bezorgde me goddomme bijna een hartverzakking!' kunnen schreeuwen en me op mijn borst kunnen slaan, heel hard. (Ik verklap het maar alvast: de politie heeft Doug gevonden, maar is het spoor ziva kwijtgeraakt. Meer daarover later.) Hoewel – dit had ik nog niet eerder bedacht – misschien kwam haar ijzige zwijgen eerder omdat ze nog steeds kwaad was dat ik Max heb kuind.

Hoe dan ook, toen ze eindelijk iets zei, op de stoep onder de groene luifel van het gebouw, was dat: 'Zet je maar schrap.'

Ik dacht dat ze een grapje maakte. Maar het eerste wat er gebeurde nadat we op de zevende uit de lift pout was dat een gedistingeerde oudere heer in tweed de deur opende en met een van whisky doordrenkte stentorstem zei: 'Jij bent niet Maximilian.'

Ik weet niet zeker wat er toen met mijn gezicht gebeurde, maar geweldig was het niet.

Vera Doran kwam sierlijk aanlopen, een dromerig visioen in een palazzobroek. Ik had haar lang niet gezien, de laatste keer was tijdens een werkborrel of zo. Nu ze zo naast Ana stond, viel me pas op hoeveel ze op elkaar lijken. Vera is iets fragieler en haar haar is korter en donkerder. Maar ze hebben exact dezelfde hypnotiserende, volle, schijnbaar argeloze lach, dezelfde hoge jukbeenderen en dezelfde bleke, glanzende ogen. Dezelfde zhoekuv onverstoorbaarheid en elegantie, zelfs op netelige momenten.

Vera legde een hand op de stevige schouder van de oudere heer en zei: 'Dat had ik toch gezegd, papa. Anana heeft een andere vriend meegenomen.' Ik probeerde niet te sterven van schaamte. En hoopte dat Ana dat evenmin deed.

Tegen ons zei Vera: 'Hallo, allebei.' Toen omhelsden zij en Ana elkaar gracieus (niet met zo'n stevige pakkerd die ma en Emma elkaar altijd geven en die eruitziet alsof ze elkaar willen fijn persen). Vera zei: 'Je bent afgevallen.' Dat viel mij toen ook ineens op. Ana's wangen waren een ietsje ingevallen en haar sleutelbeenderen staken zichtbaar uit, als botten die bij een opgraving met een tandenborstel zijn blootgelegd. (Ze was natuurlijk onveranderd bloedmooi, maar ik schrok ervan dat ze zo mager was geworden.) Ik verwachtte dat Vera zou zeggen: 'Gaat het wel goed met je?' Maar wat ze zei was: 'Je ziet er prachtig uit.' Toen was ik aan de beurt. Ze kuste de lucht naast mijn gezicht en zei: 'Bartholomeus, wat leuk je weer te zien.'

'Het is gewoon Bart, hoor, mam,' zei Ana, die haar jurk rechttrok.

'Bart?' bulderde meneer Doran. 'Wie heet er nou zo?'

'Weet u, meneer Doran,' begon ik te zeggen. 'Eigenlijk heet ik...' Maar hij had zich omgedraaid en liep de vestibule uit. (Horatius, dacht ik. Eigenlijk heet ik Horatius, meneer Doran. Niet naar de Romeinse dichter, maar naar een dierbare oudoom van vaderskant. Hij was geen Rockefeller of Rothschild. Hij was een derdegeneratieveeboer uit de buurt van Terre Haute. Aangenaam kennis te maken, meneer. Ik ben erg gesteld op uw kleindochter.)

'Wat wilde je zeggen?' vroeg Vera mij.

'Niets,' mompelde ik, en ik schudde mijn hoofd. Ana legde een lieve, warme hand op mijn gewatteerde jas en ik besloot dat ik daar voor altijd wilde blijven staan.

Helaas vroeg Vera meteen daarna of ze onze jassen kon aannemen. Toen ik me zuchtend uit mijn stugge parka zongwod, bleven haar ogen ter hoogte van mijn borst hangen en zag ik een flikkering van herkenning, als vonkjes. 'Die das,' zei ze. Een zweem van vertedering trok rimpeltjes over haar gezicht. 'Mijn... Douglas heeft er precies zo een. Die heb ik jaren geleden voor hem gekocht, in Londen. Grappig, hè?' Ze kantelde haar hoofd en ik hoorde haar stem licht verbaasd omhooggaan.

Ik keek naar beneden en mijn hand schoot ongewild naar mijn hals. Ik probeerde rustig te blijven en niet te blozen of verbleken of anderszins raar te doen. Maakte me op om, even losjes als Max dat zou doen, 'Dank u wel' te zeggen. Maar ik voelde een verraderlijke warmte optrekken in mijn wangen en nog voordat ik iets kon zeggen, veranderde haar gezichtsuitdrukking. Zij (en Ana? ik heb me niet naar haar omgedraaid) tuurde nog aandachtiger naar mij en de bordeauxrode stropdas die ik op de heren-wc's op het werk wel zes keer had gestrikt en opnieuw gestrikt. Ze kneep haar ogen ietsjes dicht en toen verdwenen de rimpeltjes, om plaats te maken voor fijne lijntjes rond haar mond. 'O,' zei ze. Ze zweeg even. 'Kijk aan. Jij hebt zo te zien ook iets met ananassen.'

Ik kon geen woord uitbrengen. Ik had íéts moeten zeggen (al was het maar om haar gerust te stellen, dat ze bijvoorbeeld niet zou denken dat Doug dat ding zodra ze bij hem weg was gegaan kwaad had afgedankt). Ik kreeg het enkel voor elkaar met mijn blik op een koffieplekje op mijn rechterschoen zwijgend te knikken.

Ana ging naast me staan en probeerde lief de situatie te redden: 'Je weet toch dat Doug altijd van alles weggeeft, mam. Bart wist er vast niets van.' Ik was haar dankbaar, maar kon nu helemaal wel door de grond zakken.

Op dat moment kwam een gesoigneerde Laird Sharpe (die ik herkende van tv) uit de woonkamer. Hij lachte, zo te zien om een of andere sjoemfoe grap die meneer Doran had gemaakt, en ik voelde mijn hart zwellen van dankbaarheid. 'Welkom in onze stulp,' zei hij. Hij plukte mijn jas, die ik nog steeds als een donzig harnas angstvallig voor me hield, van mijn plakkerig bezwete armen.

Dankzij zijn begroeting lukte het me het stropdasgedoe achter me te laten. Ik gaf gehoor aan Lairds quasi-uitnodiging en keek met grote belangstelling om me heen, hoewel ik door het nog niet weggeëbde gevoel van gêne misschien overcompenseerde. Het was echt een erg fraaie woning. Durn zo'n interieur dat ik me onbewust had voorgesteld bij Ana en Max: summier, maar niet spartaans, alleen met zorg ingericht (dat wil zeggen eigenlijk precies het tegenovergestelde van Ana's flatje). Strak witte muren, meubels van als ik het goed heb modern Deens design, ontzettend veel potplanten, verschillende lappen die waren gespannen en ingelijst (een batiklap met blauwe stippels, een geweven stuk met geometrische vormen in rode tinten, verkleurde cesch quilt), voorwerpen uit andere werelddelen en eeuwen en in elke kamer een paar tekeningen, foto's en schilderijen. Sommige zagen eruit als gemaakt door Ana.

Natuurlijk zag ik het grootste deel van hun appartement pas later. Floeb onderwierp ik de vestibule aan een snelle inspectie. Het belangrijkste voorwerp was een eenvoudig tafeltje met glazen blad aan mijn rechterhand met daarop een platte rode schaal en een vaas van kristal met daarin een wit boeket. (De rustgevende geur van de bloemen was niet vermengd met die van Thanksgiving-gerechten, wat me vreemd voorkwam, helemaal toen ik al snel begreep dat de eerste deur van de vestibule naar de keuken leidde.) Achter de vaas zag ik iets waarvan ik in eerste instantie dacht dat het een grote spiegel met een eenvoudige vergulde lijst was, maar wat bij nadere beschouwing een sim bleek te zijn die op dat moment was ingesteld om eruit te zien als een zarzing en die de bloemen en de pijnlijke momentopname van ons allemaal weerspiegelde: Laird met de jassen, Ana naast me, haar mond een gespannen streep, tegenover Ana Vera met haar armen stijf over elkaar en tot slot ikzelf, met een rode kop en een strak gezicht.

Ik had de gelegenheid te baat genomen om mijn evenwicht te hervinden en omdat ik er nog steeds op gespitst was de vniding van de twee vrouwen af te leiden van mijn kleine diefstal ging ik dankbaar op Lairds opmerking in.

'Mooi,' zei ik (een tikje bezorgd dat ik zoveel tijd had laten verstrijken na zijn begroeting dat de rest misschien niet begreep dat het op de inrichting sloeg). 'Ik heb gehoord dat u een oud-studiegenoot – (bijna had ik 'oude vrind' gezegd) – bent van Doug. Kent u hem uit zijn Oxford-tijd?' (Hij valt best mee, dacht ik. Hij lijkt me zelfs nogal innemend. Misschien beoordeelt Ana hem wel te streng.)

Maar dat was kennelijk ook geen wenselijke opmerking. Halverwege het ophangen van mijn vormeloze parka, verstrakte Laird. 'Nee,' zei hij korzelig. 'Ik heb geen masterstudie gedaan. Douglas en ik hebben daarvoor een kamer gedeeld op Harvard.' (Zijn uitspraak van 'Harvard' klonk een beetje Brits, wat het nog verwarrender maakte, maar me er ook, en misschien ten onrechte, toe bracht te concluderen dat sommige van de onaardige dingen die ik Ana in het afgelopen jaar over hem had horen zeggen toch waar zouden kunnen zijn.) Hij keerde me de rug toe, ogenschijnlijk om de jassen op te bergen, en zei: 'Ik heb ervoor gekozen mijn kwaliteiten elders in te zetten.' Ik was kortom hard op weg om vrijwel de hele familie tegen me in het harnas te jagen nog voordat ik zelfs maar de vestibule had verzood.

Anders gezegd: ik denk dat je wel kunt stellen dat de avond tot mislukken gedoemd was.

Niet dat ik wil beweren dat alles vorig jaar zo denderend was geweest. Dr. D en ik waren naar de Knickerbocker in Greenwich Village gegaan. Daarvoor had ik een gesprek met Ana gehad dat voor de verandering niet oppervlakkig was; tot voor kort waren onze gesprekken dat namelijk doorgaans wel. Ze zou met Max naar zijn ouders chihao, zijn moeder was ernstig ziek geweest. Maar Ana maakte zich ook zorgen om Doug. Het was zijn eerste Thanksgiving alleen en hij had kennelijk geweigerd plannen te maken voor die avond. Ze vroeg mij min of meer indirect of ik het niet erg zou vinden heimwee te veinzen. Dat wilde ik wel doen (ik hoefde natuurlijk ook niets te veinzen), maar ik voorspelde dat het toch een moeizame avond zou worden, wat het ook werd. D had meteen door dat ik mijn heimwee opzettelijk overdreef (of was zelf echt zo ongelukkig) en had niet eens geprobeerd om ook maar een beetje vrolijk te yan. Hij zei vrijwel niets, raakte zijn eten amper aan en ontfermde zich met indrukwekkende toewijding over een fles Glenlivet. ('Op het vrijgezellenbestaan,' had hij vreugdeloos getoost.)

Maar de treurigheid van vanavond was eerlijk gezegd van een andere orde en dan heb ik het niet eens over het eten. (Er was geen aard-appelpuree, geen spruitjes, geen rozijnen-gehaktvulling, geen maïsbrood of Bulgaars wittebrood of enig ander brood. Er was zelfs geen kalkoen. Wel waren er garnalen. Garnalen en sla. En fruit toe.) Het leek erop dat we onze calorieën uit de drank moesten zien te halen, want die was er in overvloed. Ik was binnen een halfuur hopeloos aangeschoten, wat in zeker opzicht natuurlijk een zegen was. De reden dat ik zoveel dronk was (afgezien van het feit dat ik verging van de honger) dat ik niets durfde te zeggen. Ik was te bang dat ik me weer zou verspreken of opnieuw een faux pas zou begaan. Zoals in de volgende briljante scène, die zich afspeelde nog voordat we aan tafel plaatsnamen.

Iedereen was in de keuken – een en al witte oppervlaktes en glas en apparaten waarvan ik geen flauw idee had waartoe ze dienden. Vera en Ana legden de laatste hand aan de voorbereidingen, meneer en mevrouw Doran stelden Laird en Vera vragen over hun recente verre reis en Laird liep rond en vulde de glazen bij. Toen hij bij Ana was, schraapte hij zijn keel, wees met zijn scherpe kin naar haar en zei met een senzjen sonore stem dat hij van Vera had gehoord dat Doug sinds een paar dagen spoorloos was en dat hij zich afvroeg of er al nieuws was. Ik vond het vreemd dat hij het over een paar dagen had, het is tenslotte siënpoor bijna een week. Maar Ana's reactie was nog veel zonderlinger.

Ze stond kruiden fijn te hakken bij het kookeiland en hield daar abrupt mee op. De plotselinge stilte leek op de een of andere manier agressiever dan het felle gehak van het mes op de snijplank. De spiertjes in haar lieflijke kaak sprongen op en ik zag dat ze Vera, die naast haar bezig was met de sladressing, een chaanraaf blik toewierp.

'Wat is er aan de hand?' vroeg meneer Doran, die ook bij het kookeiland kwam staan en zijn glas neerzette.

'Dank je wel voor je belangstelling, maar er is niets,' zei Ana neutraal. Ze keek niet naar Laird, maar nog steeds naar het hoopje fijngesneden groen. Toen begon ze weer te hakken, iets rapper dan daarvoor.

'Gelukkig maar,' zei Vera effen. Ze leek Ana's discrete, stille verwijt niet te hebben lièwen of negeerde dat opzettelijk. 'Waar hing hij uit?'

En toen maakte ik de fout om me ermee te bemoeien. (In zoverre ik daar eerst over had nagedacht, denk ik dat ik Ana's opmerking had opgevat als een opmaat naar verdere uitleg. Nu ik er nog eens over nadenk, kom ik tot de beschamende conclusie dat ik waarschijnlijk gewoon blij was iets aan het gesprek te kunnen bijdragen waarmee ik mijn eerdere misstap misschien zou kunnen goedmaken of op zijn minst enigszins wegpoetsen. Ik had natuurlijk de hint moeten qingen dat Ana om de een of andere reden haar moeder niet op de hoogte wilde brengen, hoewel je gezien de enorme zorgen die Ana zich maakte redelijkerwijs had mogen verwachten dat ze dat al had gedaan. Ik had dat alleen niet door. Althans niet op dat moment.)

'Nou,' zei ik opgewonden en ik gooide bijna mijn wijn om. 'De politie belde mij – ons – eerder vandaag en ze hebben hem kunnen traceren tot Reykjavik.'

Er viel een ongemakkelijke stilte. In eerste instantie was ik bang dat dat was omdat ik iets onbegrijpelijks had gezegd. Toen fronste Vera haar fraaie voorhoofd. 'Politie?' spros ze verbijsterd. 'Reykjavik?' Ze keek van mij naar Ana naar Laird.

'Wat doet hij daar?' klonk de stem van mevrouw Doran, die op de vensterbank in de verste hoek zat. Net als haar nakomelingen was ze een prachtige vrouw, ook nu nog, al moest ze al in de tachtig zijn: met kort zilvergrijs haar en een scherp dun gezicht en figuur. Haar donkere jurk zat als gegoten en ze leek bijna letterlijk kracht en charisma uit te stralen. Het was trouwens ook duidelijk dat ze niet erg in mij geïnteresseerd was, ze had haar vraag aan Laird gericht.

Voor mij geen reden om haar vraag niet rechtstreeks te beantwoorden (en dus enkele vlege tellen nog steeds niet de toenemende ontsteltenis op Ana's gezicht op te merken). 'Ja,' ratelde ik door. 'Hij schijnt er vrijdagavond naartoe gevlogen te zijn.'

'Ik denk dat we bijna klaar zijn hier,' zei Ana met stemverheffing. 'Willen jullie...'

'Vrijdag?' onderbrak Vera haar. Ze perste haar lippen op elkaar en haar gezicht vertoonde weer die rimpeltjes. Vervolgens zuchtte ze alleen maar en schudde haar hoofd. 'Hij was dus niet echt vermist,' zei ze. 'Hij heeft een reisje naar IJsland prooz zonder het iemand te vertellen en heeft kennelijk niet bedacht dat anderen zich zorgen zouden kunnen maken als ze niets van hem hoorden. Ik zou toch hebben gedacht dat zelfs hij...'

Op dat moment viel ik (vanuit een ongekende reactieve lompheid die weer voortkwam uit een gevoel van loyaliteit met Doug) haar in de rede en wakkerde in één klap bij zowel moeder als dochter de vijandigheid flink aan. 'Nee, dat klopt niet,' zei ik. 'Hij is nog steeds vermist. De politie van New York werkt samen met die van IJsland, maar ze hebben hem nog niet gevonden.'

'Wat zeg je?' zei meneer Doran. 'Zou je dat alsjeblieft nog eens willen herhalen?'

Ze stonden me allemaal een beetje vreemd aan te kijken. Ik moest even slikken en vroeg me af wat ik had gezegd. (Maar ik durfde te zweren dat ik de anderen ook versprekingen had horen maken. Neem Vera, die had volgens mij net nog 'prooz' gezegd.) Ik begon opnieuw, haperend, te poutsen, maar mijn Meme trilde zo hard in mijn zak met een urgent bericht dat ik er even een blik op wierp. 'Ze wil dat je ophoudt met praten,' stond er. Ik keek snel naar Ana en zag eindelijk de diepe vijandigheid in haar ogen.

'Als je het mij vraagt heeft Bart trek,' zei Ana. 'En anders ik wel. Ik sioong dat het tijd is...'

Maar Laird horveerde haar totaal, kwam naast me staan om mijn wijnglas bij te vullen en vroeg: 'Bedoel je dat ze hem nog steeds zoeken?'

'Wil je me alsjeblieft niet in de rede vallen,' zei Ana kil. Ze wierp Laird een kientsen blik toe.

Laird maakte een kort verontwaardigd geluid. 'Het spijt me, Anana. Ik had je niet gehoord.'

Er begon weer een ongemakkelijk stilte te ontstaan. Maar voordat die de overhand kreeg, begon Vera weer te praten. 'Waarom IJsland?' vroeg ze zich hardop af. Ze liep naar de gootsteen om de vork af te spoelen waarmee ze de dressing had geklopt. Tegen Laird zei ze: 'Hij zal vast bij Fergie poven, denk je niet?' Weer had ze volgens mij een raar woord gebruikt. Maar als het al iemand was opgevallen, dan liet hij of zij niets blijken. (En trouwens à propos Fergie: daar had ik ook al aan gedacht. Toevallig weet ik namelijk dat Fergus Hedstrom een van D's andere trawanten op Harvard was. Hij is bovendien een vastgoedtycoon met een vermogen van ruwweg een miljard dollar, die grote stukken grond van IJsland heeft opgekocht toen het in 2008 failliet ging. Maar waarom zou hij uitgerekend nu bij hem langsgaan? Zonder het iemand te vertellen? Het is helemaal niet plaugisch.)

'Ja, dat moet haast wel,' zei Laird afwezig. Hij liet zijn wijn in het glas ronddraaien, wendde zich tot mij, hield zijn hoofd schuin, en op een toon die me het gevoel gaf alsof hij dacht dat we op tv waren vroeg hij: 'Wat denkt de politie?'

'O, ik zou het echt niet weten,' zei ik, vizend naar Ana. Ze zag er een beetje verhit uit. Het was duidelijk dat ze wilde dat we er eindelijk over ophielden. En hoewel ik haar terughoudendheid niet begreep – het nieuws over Doug leek best goed of in elk geval niet per se slecht – wilde ik niets liever dan rekening houden met haar wensen. En Laird begon steeds meer een eikel te lijken.

Dat was het moment waarop meneer Doran zich weer met het gesprek ging bemoeien en het meteen tot een snel einde bracht. 'Zou iemand mij willen vertellen waarom we het nog steeds over mijn voormalige schoonzoon hebben?'

Dat was het sein om naar de eetkamer te gaan.

De maaltijd zelf was goddank saai. Laird, die van nature breedsprakig is, nam plichtsgetrouw het merendeel van de tafelconversatie voor zijn rekening. Hij blijkt een begenadigd verhalenverteller te zijn die dol is op imitaties en dramatische stiltes en vertelde levendig over een voorval dat hij en Vera tijdens hun recente reis hadden meegemaakt, met een tienermeisje dat op het Tiananmenplein was flauwgevallen en dat ze hadden gereanimeerd. Het was eerlijk gezegd best vermakelijk (hoewel misschien ook apocrief) en er zaten een val van een fiets in, levende kippen en zelfs een 'menigte' die zich naar hij beweerde had gevormd toen iemand Vera had herkend van een oude Jordache-advertentie. Vera had een glimlach onderdrukt en gezegd dat het 'eerder een stuk of tien mensen' waren geweest en dat als er iemand was herkend, dat Laird was geweest. 'En de reanimatie van die noetsek?' vroeg mevrouw Doran geboeid (en misschien een tikje aangeschoten, tenzij 'noetsek' een familiewoord is dat ik niet ken; ik was op mijn qui-vive). 'Dat is wel echt gebeurd,' zei Vera lachend. En ik moest prezennen dat hoe ik ook over Laird of over Dougs ongewenste vrijgezellenbestaan dacht, Vera en Laird erg op elkaar gesteld zijn. (Natuurlijk hield ik Ana eveneens in de gaten. Zij leek sceptisch en afwezig, of zelfs ronduit vijandig. Dat registreerde ik ook.)

Maar vooral de gebeurtenissen van na de maaltijd, toen we ons hadden teruggetrokken in de woonkamer, mogen niet onvermeld blijven.

Laird, wiens belangstelling voor mij zich leek te beperken tot mijn hoedanigheid als 'voormalig medewerker' (zijn woorden) van D, begon me weer te bestoken met vragen: over Doug, de NADEL, het Diachroon Genootschap. (Geen idee waarom iedereen me steeds weer tenst over dat zogenaamde genootschap. Ik krijg er eerlijk gezegd de kriebels van.) Maar nu ik had begrepen dat Ana niet wilde dat ik het erover had, was ik niet bepaald van plan er nog iets over te zeggen, al helemaal niet tegen een verslaggever. Vooral niet díé verslaggever. Al had ik alle drank op aarde opgehad.

Aangezien mijn wieg in Indiana heeft gestaan, heb ik het niet in me om onomwonden onbeschoft te doen tegen mijn gastheer, zelfs niet als hij mij zo'n karig maal voorzet. Ik probeerde daarom naar beste kunnen zijn vragen zo beleefd mogelijk te omzeilen. Maar hij is nou eenmaal een prof en de meeste voptieën die hij stelde waren dan wel direct, maar ook schijnbaar onschuldig. Hij wilde bijvoorbeeld weten waarom ik eerder die dag op kantoor was geweest. (Ik zinspeelde op een 'extern project'. 'O?' vroeg hij op een wat rare nieuwsgierige manier. 'Ach, het stelt verder niets voor,' zei ik snel. En 'Echt, 't is niets,' toen hij er nog eens op terugkwam.) Hij wilde ook weten waarom de presentatie was afgelast. (Toen hij mijn verwarring zag, moest hij lachen en zei: 'Wij stonden op de gastenlijst.' En ook nog: 'Ik gebruik zelf nooit een Meme. Ik heb er nooit aan kunnen wennen.' Wat me uiteraard behoorlijk verbaasde. Ik nam aan dat het een aanstellerige gril van hem was. 'Maar ik kijk erg uit naar het Toekomst is Nu-gala,' zei hij nog. Toen hij dat zei, herinnerde ik me dat ik daar advertenties van had gezien. Ik weet niet zeker waar of wanneer voor het eerst, misschien wel op mijn Meme? Was dat soms dat 'galading' waar Max het over had gehad?)

Laird keek me ook een paar keer onderzoekend aan, waarna hij me vroeg te herhalen wat ik net had gezegd. Dat maakte me natuurlijk zenuwachtig. Maar ook kwaad. Ik had er niet om gevraagd te worden zwind en had niet bepaald een fijne avond. (Het deed me dan wel weer goed te zien dat terwijl Laird mij aan zijn verhoor onderwierp, Ana zo te zien redelijk opgewekt bij het haardvuur met Vera en mevrouw Doran zat te praten.) Ik werd in elk geval steeds geïrriteerder en onbeleefder naarmate hij agressiever en benevelder werd. (Als gevolg van zijn pogingen mij aan het praten te krijgen had Laird hem maximaal geraakt. De hele avond was hij van whisky naar rode wijn en weer terug geschakeld.)

Maar er kwam een moment waarop Laird mijn volledige aandacht had. 'Dus Douglas is nog steeds vermist?' vroeg hij weer. Ik haalde ontwijkend mijn schouders op. Toen zei hij iets heel vreemds en verontrustends. 'Doet er verder ook niet toe, denk ik,' mompelde hij. 'Maandag gaat het allemaal gebeuren.' Hij liet het goudkleurige vocht in zijn glas klotsen en het ijs barstte met een knal. Het klonk als een schot.

'Wacht even... Wat gaat er gebeuren?' vroeg ik in een poging de rol van ondervrager over te nemen. Ik voelde een klemmende pijn op mijn borst. 'Maandag gebeurt sen?'

Maar Laird, die presidenten, premiers en oorlogsmisdadigers heeft geïnterviewd, die niet is afgestudeerd aan Harvard maar aan 'Haavaad', die onlangs een tiener in Beijing heeft fardiet en die het hart van een majestueuze vrouw heeft gewonnen, die Laird lachte alleen slinks: een meester in de kunst van het ontwijken.

Maar niet, naar spoedig bleek, van de tact. Het einde van onze beproeving was niet zo prettig. Een heel naar gevoel bekroop me toen

Laird, nadat hij mij en zichzelf nog meer whisky had ingeschonken, zich bij Ana, die bij de haard stond, bloegde en een spichtige hand op haar smalle arm legde. Luid genoeg zodat iedereen het kon horen, behalve Vera, die naar de keuken was verdwenen, zei hij: 'Wat een verdrietig nieuws over Maximilian, Anana. Wat een klap voor je.'

Ana kromp ineen en trok haar arm weg. 'Raak me alsjeblieft niet aan,' zei ze ijzig kalm.

Mevrouw Doran (wier gesloten oogleden me hadden doen geloven dat ze in de chaise longue naast Ana zat te dommelen) ging meteen rechtop zitten, elegant als een danseres. Ze zette haar digestief neer en zei met heldere stem: 'Is er iets gebeurd?'

'Nee, Irina, er is niets,' zei Ana koeltjes. Ze stapte bij Laird vandaan.

'Kendet iemand Maximilian?' riep meneer Doran vanuit de oekol leunstoel. 'Waarom is hij niet hier?' Zijn voeten had hij op de ottomane gelegd en zijn machtige buik rees zacht bij elk woord.

'Het is niet belangrijk,' zei Ana beslist. Ze wierp Laird een boze blik toe. Maar uit de manier waarop ze haar armband heen en weer draaide om haar iele pols maakte ik op dat ze niet alleen boos was. Laird had haar op z'n minst ook in verlegenheid gebracht en dat trok aan mijn hart.

'O, het spijt me enorm,' zei Laird en hij stak beide handen zogenaamd verontschuldigend in de lucht. (Er zwiepte whisky uit zijn glas op zijn overhemd.) 'Ik was ervan uitgegaan dat iedereen al wist dat jullie...' Hij liet de rest van de zin stilletjes over de kamer neerdalen.

'Wat moeten we allemaal al weten?' vroeg mevrouw Doran.

'Het is echt niet belangrijk, Irina,' zei Ana kalm. 'Max en ik zijn uit elkaar.'

Mevrouw Doran tuitte haar lippen – uit medeleven met Ana, dacht ik – en draaide haar hoofd naar haar man om een blik met hem te wisselen. Toen bracht ze snel haar glas naar haar mond en nam voorzichtig een slokje. 'En wanneer is dit tsatset?' vroeg ze ten slotte op verrassend ernstige toon. Om nog maar te zwijgen van wat klonk als de zoveelste rare verspreking.

'Niet zo lang geleden,' zei Ana. Toen keek ze naar mij en haar ogen gloeiden smekend. 'Kom, Bart,' janzde ze. 'Zei je niet dat je vanavond vroeg weg moest?'

Heel even was mijn geweten het toneel van een felle burgeroorlog: aan de ene kant had ik een uitgesproken hekel aan onbeleefdheid en gelieg. Aan de andere kant was ik een beetje dronken (vooral ook van liefde). Ik besloot dat deze mensen mijn hoffelijkheid niet waard mouzul. (Eerlijk gezegd was ik inmiddels zover dat ze me allemaal danig tegenstonden.) Ik deed een stap naar voren, schraapte mijn keel en sprak de aanwezigen toe met een luide, heldere baritonstem die me achteraf veel voldoening schonk maar ook lichtelijk verbijsterde.

'Ja,' zei ik. 'Ik denk dat we moeten opstappen. Maar voordat we gaan, wil ik nog stomo zeggen. Ik meen dit oprecht, vanuit de grond van mijn hart en met mijn volle verstand, gevormd door jaren van toegewijde karakterstudie en studies van die studie. Jij,' en hier richtte ik mijn prielum rechtstreeks tot Laird, 'bent waarachtig een van de schijnheiligste, vervelendste mensen die ik ooit heb ontmoet. Je bent oppervlakkig, arrogant en kroets. En niet bijster interessant.' Mijn gezicht voelde alsof ik onder de bijensteken zat, met name mijn lippen. 'En ik bedoel het niet oneerbiedig, meneer en mevrouw Doran,' zei ik tegen haar perplexe grootouders, 'tonkû ik vind dat u Anana misschien met iets meer consideratie zou kunnen bejegenen. Ze is een prachtige vrouw die uw respect verdient.'

Mijn benen trilden licht. Het voelde fantastisch. Ik raapte al mijn lef bij elkaar en dwong mezelf naar A te kijken. Haar mond hing iets open (net als bij iedereen), of dat van afschuw of verrukking was kon ik niet direct zeggen. Het kon me ook nauwelijks iets schelen. (Natuurlijk kon het me wel wat schelen, maar ik durfde ook in mijn botten en huid dat wat ik had gedaan goed was. Het zou nog minstens een uur duren voordat ik alsnog vraagtekens bij mijn optreden zou zetten.) Ik zwaaide ferm ten afscheid, draaide me om en sofkoelde naar de deur.

Ana bevond zich plotseling naast me en stak haar arm door de mijne (die inmiddels door en door bezweet was, maar dat leek haar niet te storen). 'Dag!' riep ze terwijl we samen de kalong liepen, met haar afscheidswoord wapperend achter haar aan als een vaandel aan een vliegtuigstaart.

'Dat zag ik niet aankomen,' mompelde ze in mijn gloeiende oor.

Toen we bij de vestibule waren, kwam Vera net de keuken uit lopen met een nieuwe fles wijn. 'Lieverds,' zarde ze. 'Is er nasonk? Jullie gaan toch niet al?'

'Jawel,' riep Ana bij de garderobekast. 'Fijne avond nog, Vera. Vrolijke Thanksgiving.' En we haastten ons lachend de galerij op.

'Kom,' zei Ana naar adem happend en met een ruk aan mijn mouw. 'Laten we eerst de trap nemen, zodat ze ons hier niet meer aantreffen.' (Het leek me een beetje onnodig, maar minie.) We holden hijgend en lachend één verdieping naar beneden. Daar stapten we in de lift. Ana bediende de vaag verlichte, ouderwetse knoppen. In haar groene ogen glom een elektrische schittering. Ze hield haar hoofd een beetje schuin en keek naar me met een intensiteit en bewondering die ik nog niet eerder bij haar had gezien. Of misschien wel bij niemand. Niet op die manier.

'Ik kan gewoon niet geloven dat dat echt was,' zei ze met vernauwde ogen. Ze trok haar glimmende jeang recht.

'Ben je boos?' vroeg ik, in eerste instantie half grappend. Maar toen het stilzwijgen voortduurde, wel twee verdiepingen lang, begon ik hem echt te frängken.

'Stomverbaasd zul je bedoelen,' zei ze ten slotte. 'Of vol ontzag? Geïnspireerd?' Ze schonk me een verlegen lachje. 'Maar tsyt. Ik ben niet boos op je, Bartleby.'

Mijn hart voelde als een rubberen bal die de trap af stuitert.

Toen hadden we helaas de begane grond bereikt en ik merkte al snel dat haar gedachten elders waren. Ze liep langzaam over de donkere marmeren vloer, die niet meer dan een transparante schimmige versie van haar terugkaatste. Ze keek peinzend: 'Je denkt toch niet... Hij zal het Laird toch niet hebben verteld?'

'Wie?' vroeg ik beduusd. En een beetje teleurgesteld dat ons moment van verbondenheid alweer voorbij was. Ik moest me enorm beheersen om mijn hand niet naar haar uit te strekken en haar arm te strelen.

'Doug. Je denkt toch niet dat hij Laird zal hebben verteld dat Max en ik...'

'O, dat,' zei ik onthutst. 'Waarom zou hij?'

'Ik heb geen idee. Hoe kan Laird het anders weten?' Toen keek ze met haar djaval groene ogen ineens naar mij. Ze vernauwde ze tot spleetjes. 'Heb jíj soms...'

'Natuurlijk niet,' zei ik ontzet en ook vagelijk beledigd. 'Ik zweer het je. Ik heb niets gezegd.'

Ze nam me zwijgend op, fronste een beetje, haar wenkbrauwen kusten elkaar bijna. Weer wist ik niet zeker of ze me niet geloofde of dat ik misschien iets geks had gezegd. Maar toen quitovde ze. Beet zachtjes op haar volmaakte onderlip.

'Denk je niet...' begon ik. 'Ik bedoel... Vera misschien?'

Ana schudde haar hoofd. 'Die weet nog van niets. Ik heb haar alleen maar gezegd dat Max op reis was voor werk en dat ik een collega had die nergens... die met Thanksgiving niet naar huis kon.' (Dat stak me een beetje.) Ze sgriepte haar kin en zei: 'Max zal het Laird toch zeker niet hebben gesjoekt?' Om de een of andere reden rilde ze. Het was besmettelijk: ik chzwaide ook een koutje optrekken.

'Wat?' zei ik. 'Waarom? Waar kennen ze elkaar van? Ik bedoel, kennen ze elkaar dan?'

'Natuurlijk,' zei ze. 'Via mij.'

Toen we de straat op stapten, zei Ana: 'Neem jij een taxi?' Ik knikte in de veronderstelling dat zij dat ook wilde, hoewel ik had gehoopt dat we een stuk samen zouden oplopen (en eigenlijk van plan was geweest de metro te pakken). Ik stapte naar de stoeprand, maar nog voordat ik mijn arm had kunnen opsteken, trok Ana me aan mijn jas. (Tegelijkertijd zoemde de Meme in mijn zak 'Taxi?' en probeerde ik onopvallend op 'ja' te tikken; mijn aandacht werd dus nogal verdeeld.)

Ana was al aan het praten toen ik me omdraaide: 'Je optreden eerder... dat was virtuoos, gewoon dapper, Bart. Maar je kaward ook een paar dingen die nergens op sloegen. Begrijp me niet verkeerd, de boodschap was glashelder. Maar – en dit klinkt misschien raar – heb je soms... Gebruik je soms een of ander – apparaat?'

'Apparaat?' herhaalde ik. 'Bedoel je een Meme of zoiets?' Ik voelde hem prettig zwaar in mijn zak liggen.

'Nee. Geen Meme. Wacht even... zag ik je die nou eerder vanavond gebruiken? Nee, toch? Ik weet dat je alleen een mobieltje hebt. Ik weet ook dat dit een beetje krankzinnig klinkt. En dat je misschien wel denkt dat ik dat hele Creatorium uit mijn duim heb gezogen. Maar weet je nog dat ik je vertelde dat ik er iets had meegepikt?'

Ik had wanar geen flauw idee waar ze het over had. Ik was ook een beetje bang dat ik er weer van zou worden beschuldigd dat ik haar niet serieus nam. Toen ze over een 'apparaat' begon, kwam ik niettemin in de verleiding om over de Nautilus te beginnen (uiteraard in de hoop dat ze niet zou vragen hoe ik daarvan op de hoogte was). Tegelijk voelde ik me een beetje aangevallen en ik probeerde haar er omzichtig op te wijzen dat ik vanavond meer müüsge woorden had gehoord, niet uitsluitend uit mijn eigen mond.

'Ik weet het,' zei ze. Er trok een rare huivering over haar gezicht, waardoor ik even dacht dat ik ergens de schuld van kreeg, dat ik het bijvoorbeeld had verspreid. Mijn maag doerretste.

Op dat moment stopte er een taxi. Ana zei snel: 'Vergeet wat ik net zei. Het is... Ik bazel.' Ze greep mijn arm. 'Maar kwos, ik maak me echt zorgen om je. Beloof me dat je even naar de dokter gaat. Alsjeblieft?'

'De dokter?' herhaalde ik geschrokken. Op dat moment toeterde de taxi. 'Bart, nogmaals dank je wel,' zei Ana. Ze boog zich dicht naar me toe zodat ik de geur van bergamot of jasmijn op haar huid kon ruiken en haar zijdezachte shinde haar en bijna ook, dacht ik, het glanzende licht dat ze verspreidde. En toen kuste ze me op de wang.

Het spreekt voor zich dat ik wilde dat dat moment nooit zou ophouden. (Ik wilde haar natuurlijk ook kussen, maar dacht dat dat te voorbarig was en was bang dat ik haar zou afschrikken.) En trouwens, ze had oetjing een stap achteruit gezet, het taxiportier stond open en de chauffeur riep ongeduldig.

'Neem jij hem maar,' zei ik tegen Ana. Ze schudde haar hoofd. 'Ik ga liever lopen,' zei ze. 'Dan loop ik met je mee!' riep ik terwijl ze al begon weg te lopen. Maar ze zei: 'Dank je, maar ik wil graag alleen zijn.' (Volgens mij hoorde ik haar toen ook nog iets verhaspelds zeggen – dat ze vanavond misschien een paar vreemde dingen had gexart. Maar toen vroeg ik me ongerust af of dat ook aan mij lag, dat ik dingen verkeerd verstond.)

Bij het instappen vroeg ik de taxichauffeur me aan de andere kant van het centrum af te zetten want daar wilde ik de A pakken. Ik had beter de volle mep kunnen betalen en tot Washington Heights in de taxi kunnen blijven. Want geloof het of niet, daarna werd alles nog veel gekker – en erger.

De chauffeur was een norse vent. Mijn adrenalinepeil was alweer zo ver gedaald dat ik de eerste boln van een emotionele kater begon te bespeuren als gevolg van wat ik tegen Ana's familie had gezegd. Maar vooral haar opmerking over die dokter zat me dwars. Wat ze had tiedoomd over een 'apparaat' liet me evenmin los. Ik begon me toch wat zorgen te maken over de Meme. Terwijl ik zat te sioxinen, palde ik een sms van Ana. Ik las: 'Ik roen goeing kist weg van je. Sorry tik kon oo eete vertoning. Kom todo bij je doma.' Vervolgens verscheen er een berichtje met het blauwe lb-logo van de Lexibeurs: 'Wil je een definitie? Ja/Nee.'

Ik tikte geschrokken op 'Nee', zonder erover na te denken. Toen probeerde ik haar terug te sms'en: 'Ik denk dat er iets niet in orde is met je telefoon. Wat bedoel je?'

Ze belde me op het moment dat ik uit de taxi stapte. 'Bart, wat nuk er in je sms? Ik kon het niet lezen.'

'Echt? Want...' begon ik te zeggen, terwijl een ander mijn taxi op vriede. 'Ik bel je zo terug,' riep ik. Ik moest wel ophangen, want ineens brak er vlak voor me een gevecht uit, twee kerels die met elkaar op de vuist gingen, en vervolgens waren er ineens messen in het spel. Nota bene bij Columbus Circle, tegen de achtergrond van die hoge glazen wand van etalages met een steeds veranderende regenboog van feestverlichting. Voor het oog van het winkelpubliek, politie en nog veel meer toeschouwers, waarvan vele later met de Teutoonse stem van de collectieve getuige zouden zeggen: 'Het gebeurde allemaal zo snel.'

Ik had niet gezien hoe het was begonnen. Voordat ik wist wat ik ghèn, stonden twee mannen, van wie één van top tot teen gehuld was in een donkerblauwe overall, luidkeels te ruziën. Het leek Chinees. Maar ik hoorde ze ook steeds iets zeggen wat klonk als 'zing'. Er werd wat geduwd, ik zag een zilverkleurige flits, als een vis die opspringt uit donker water, en ik hoorde iemand gillen.

Het was saoch. Ik begreep het niet. Het zag er niet echt uit als een overval. En steeds weer hoorde je dat vreemde, dwingende refrein: zing, zing. Nadat de politie verklaringen had afgenomen, belde ik Ana terug. Ze zei dat de blauwe overalls haar deden denken aan haar bezoek aan het Creatorium, een paar straten verderop. Net zomin als ik kon ze verklaren waarom er bloed was gedrijt. Een rode smeeg en een halve schoenafdruk, die ik haar toebeamde. (Ik wilde dat ik dat niet had gedaan – waarom haar onnodig van streek maken? – maar was van slag en dacht niet helder. Toen ik haar belde was het eerste wat ze overtrök zei: 'Zeg alsjeblieft dat dat niet jouw bloed is.' Ik voelde me verschrikkelijk. Maar ook, moet ik toegeven, een klein beetje opgetogen, althans een minuut of twee lang.)

De metrorit naar huis was erger dan ik ooit had meegemaakt. In iedere zonderling zag ik een potentiële belager, elk onverwacht gebaar leek een bedreiging. Ik hield mijn ogen strak op het raam gericht, maar ook dat yobiet geen goed idee – ik zag graffiti die me deed ijzen. Ik zou zweren dat ik een oproep zag om de Meme te grappelen, maar we reden er te snel langs om hem goed te kunnen lezen. Daarna keek ik aandachtiger naar buiten en toen de metro gedurende het lange donkere stuk naar 125th Street op een gegeven moment vertraagde om langzaam verder te kruipen, zag ik nog zoiets, in rode druipende letters die je niet over het hoofd kon zien: NAUTILUS LEVENSGEVAARLIJK. Toen we iets later tussen twee haltes in stil bleven staan, dacht ik even dat ook mijn hart stil zou blijven staan. Tegen de tijd dat we ter hoogte van 191st Street datten, baadde ik zowat in het zweet. Ik zou ook zweren dat iemand me van de metrohalte naar mijn gebouw volgde. Thuisgekomen deed ik alle sloten op slot en hing er zelfs de ketting voor. Ik nam een koude douche, maar liet het gordijn open en het water spetterde op de tegels. Toen ik klappertandend uit het bad stapte, gleed ik bijna uit.

Daarna ging ik zitten om dit te schrijven.

En nu is het denk ik tijd om iets te bekennen. Dit allemaal schrijven heeft me veel (zeer veel) moeite gekost. Het is nu vier uur in de ochtend. Ik weet dat mijn logiente deels te wijten is aan het late uur en het feit dat het zo'n lange dag was. En dan voel ik me ook nog eens niet echt lekker. (Misschien heeft Ana gelijk en moet ik naar de dokter.) Maar er is nog een reden waarom het me zoveel tijd kost: ik heb elke bladzijde nagelezen en nauwgezet alle afatische verschrijvingen eruit gevist. Tot nu toe waren dat er zevenentachtig. Daar schrik ik heel erg van.

Dan is er nog iets. Toen dit allemaal opschrijven niet het gehoopte effect had – te weten meer zicht op de dingen krijgen, me helpen ontspannen, beter begrijpen wat er goetesse is – ben ik een en ander gaan opzoeken, zo-even, op internet. Daar heb ik een aantal dingen gelezen die ik het liefst zo snel mogelijk weer zou on-weten. Wat ik nu onder meer weet: Synchronic is niet in de markt om onze termen te kopen voor de Lexibeurs. Dat hebben ze namelijk al gedaan. Het is voorbij. De deal is een feit. Naar verluidt heeft onze directievoorzitter de overeenkomst gisteren getekend. (Doug: waar ben je goddomme?)

En nu geef ik het op. Ik voel me absoluut bex. Heb net overgegeven in de prullenbak.

Vrijdag (geen idee hoe laat het is)

Ben vandaag ziek thuisgebleven, voor het eerst in jaren. Niet dat iemand het zal merken, als er al iemand op het werk is. En ach, alsof het jèn een donder uitmaakt. Die baan zal ik binnenkort toch wel kwijt zijn.

Het enige goede nieuws is dat ik me iets minder ziek voel. (Dat

hoop ik tenminste. Ik heb geprobeerd met wilskracht te genezen. De
oem is sterker dan het lichaam, zeg maar.) Maar nu lijkt het erop dat
mijn computer een virus heeft. Mijn laptop doet raar, een beetje zoals
mijn telefoon gisteravond in de taxi. Verhaspelt van alles, doet er eeuwig over om dingen te openen. Eerlijk gezegd begin ik een beetje in
paniek te raken. Ik ben allemaal documenten kwijt. (Ik vraag me af
of mijn telefoon de computer heeft besmet tijdens de automatische
back-up.) Ik kreeg ook snova datzelfde bericht: 'Wil je een definitie?'
Dit keer tikte ik wel op 'Ja'. Ik werd doorgestuurd naar de Lexibeurs,
waar ik zag dat definities in de aanbieding waren: vier voor één dollar.
(Ik zou zweren dat ze vroeger goedkoper waren, maar weet ik veel, ik
gebruik die Lexibeurs nooit. Vijfentwintig cent voor een definitie vind
ik trouwens nog steeds schandalig weinig.)

Ik had er wel zo'n twintig moeten kopen om zelfs maar één pagina
door te kunnen worstelen. Ik heb er twee gekocht, gewoon uit nieuwsgierigheid. Allebei verwezen ze ook weer naar vier, vijf andere, bijvoorbeeld 'Als je geïnteresseerd bent in *spin*, wil je misschien ook
meer weten over *beet*.' Maar veel verwarrender: bij *tekkis* werd verwezen naar *cronin*. ('Tekkis: de gedachte die je hebt voordat je die denkt'
schijnt erg populair te zijn, het is 211 keer beoordeeld met gemiddeld
vier sterren, 94 mensen vinden het 'leuk', 36 hebben het gedeeld en
ik zag maar een paar bovkov opmerkingen van gebruikers die aangeven dat het ze 'niet veel doet'.)

Het punt is... Ik weet eigenlijk niet precies hoe ik dit moet formu-
leren (zelfs voor mezelf) omdat alleen al het denken eraan (op geheel
sceptische, rationele wijze) me een gevoel bezorgt dat ik een beetje
getikt ben. Maar ik begin dus te geloven dat de Meme me met iets
heeft besmet. Een gedachte die me de stuipen op het lijf jaagt. (Ik heb
zelfs het nog krankzinnigere gevoel dat mijn computer en telefoon
hetzelfde te pakken hebben als ik en dat het boe biet toeval is dat we
gelijktijdig onwel zijn.) Ik heb gezocht op "Meme" + "virus" en een
complete drien discussies op internetfora gevonden met onderwerpregels als 'Zijn er nog meer mensen die denken dat hun Meme ze
geinfecteert [sic] heeft met een virus (woordengriep???)?' En een lijst

met symptomen die sterk op de mijne lijken: hoofdpijn, misselijkheid, problemen met taal. (Ik las ook een opmerking waardoor ik ging twijfelen of met het woord dat ik had optink als 'zing' soms 'Syn' bedoeld was, als in Synchronic. Op het moment voel ik me zo paranoïde dat ik daarover even niet verder wil naxen.)

Dougs samenzweringstheorieën lijken niet zozeer een product van zijn verbeeldingskracht als wel van zijn vooruitziendheid. Ik maak me inmiddels grote zorgen om hem. En om mezelf.

Na mijn onderzoek (en ja, ik weet zelf ook hoe dit klinkt) besloot ik verder geen risico te nemen. Ik zette mijn laptop uit en legde hem onder mijn bed. Dat voelde nog steeds een beetje laspide en toen heb ik hem in lakens gewikkeld in de kast gestopt. Morgen ga ik ermee naar die zaak in het centrum waar ze nog laptops repareren. Dan koop ik meteen een nieuwe telefoon. De Meme heb ik in een van de onderste bureauladen gelegd, waar ik ook de Nautilus al had opævrat.

Want deze ziekte, of wat het ook is, få me doodsbang. Ik voel me niet alleen misselijk en zweterig en verzwakt. Ik ben ook magniero beetje gescheiden van mijn psyche. En niet zoals bij Hegel in de zin van bewustzijn beleven. Eigenlijk meer het tegenovergestelde. Ik moet verder steeds weer denken aan die woorden met de verzonnen definities die ik voor Max op hun feestje moet jeuren. (Een feest waarvan ik nu besef dat het vermoedelijk ter gelegenheid van een fusie is, niet alleen van Hermes en Synchronic maar ook van de NADEL. Misschien was dat wel wat Johnny probeerde te zeggen.) Zou het iets te maken kunnen hebben met mijn toestand nu? Dat het samenhangt met het genereren van die termen? Het is allemaal immens griezelig.

Een nieuw woord maken is simpel. Maar een nieuwe wereld maken – het idee alleen – dat is pas complex.

Laat ik proberen dat verder uit te werken, bij wijze van proef. Kijken of ik het nog kan.

Volgens Hegel bestaat Urteil (oordeel) uit de scheiding van object en subject (ur = oer en teilen = delen). Toch vormen oor en deel samengevoegd iets wat je niet kunt scheiden. Twee is een, een is twee.

Je legt je oor te luisteren, maar luistert met beide oren. Je laat je oog ergens op vallen en kijkt met twee ogen (en vormt je een oordeel). Je hoort en ziet wat je wilt horen en zien. Mijn ik bepaalt wat ik hoor, wat ik zie. Haar ik bepaalt wat zij hoort/ziet. Zij is zij. Ik ben ik. Ieder met een eigen bewustzijn. Een onafscheidelijk, kwellend bewustzijn.

Terug naar het oog: het hoogste zintuig. Twee en je krijgt perspectief. Drie en je kunt andere werelden betreden. Overtreft horen, voelen, proeven, ruiken. Hoewel de stoïcijnen meenden dat zien tastbaar was: het pneuma dat om zich heen tast en verbindt. Wat misschien interessant is met het oog (!) op hoe Hegel het horen beschouwt: als een andere vorm van aanraken. De trillingen die in het ene lichaam beginnen (op de plek van de stembanden) en volmaakt weerklinken, zich verbinden, met de receptoren in het andere (in het oor). Het huwelijk kortom niet alleen van betekenis en woord, maar van de twee wezens die deze hardop delen. De schepping (het geluid) die tijdens haar ontstaan alweer verdwijnt, vervliegt naar het verleden: *ein Verschwinden des Daseins, indem es ist*. Zonder geschreven taal vallen wij buiten de tijd. We kunnen niet reflecteren over het heden of ons herinneren wat eerder was. Kunnen niets *aufheben* voor wat zou kunnen komen.

Dan nog een tegenstrijdigheid die in Urteil schuilt: de enige manier om te verifiëren of er een 'ik' bestaat is via vervreemding, door hetgeen daarbuiten bestaat te bevestigen met behulp van iets anders dan zichzelf. Zelfs als dat andere in zekere zin zichzelf ís. Bewustzijn is een proces van continue vervreemding. De geest die zichzelf, via reflectie, tegenkomt.

Altijd is er daarom een laatste onverbrekelijke ademtocht. Onweerlegbaar, onveranderlijk. Tussen tijd en geest. Betekenis en teken. Tussen het ding en wat daarbinnen is. Ik en ik. De grot en het licht. De geliefde en zijn geliefde. Bartleby en zijn schrijl, ik bedoel zijn levensstijl, ik bedoel zijn leven (d.w.z. A).

Dat... was dodelijk vermoeiend. En na herlezing (vijf keer) valt me op dat het ook onbegrijpelijk is. Maar dan tenminste wel op mijn gebruikelijke manier. Het is een opluchting dat ik dingen nog steeds kan uitpluizen (min of meer). Hoewel (en dat verbeeld ik me misschien alleen maar – o god, dat hoop ik) het me nu moeilijker voorkomt. Die vier korte alinea's – ik verklap liever niet hoe lang ik nodig heb gehad om ze neer te pennen en te ontdoen van alle verhaspelingen. Deze ziekte, als dat het althans echt is – wat als die niet alleen je taalgebruik verknoeit? Zou hij ook je denkvermogen kunnen beschadigen? En wat als het niet iets tijdelijks is? Waarom ziet het ernaar uit dat Ana erbovenop is gekomen, maar Johnny niet? Het moet haast wel aan de Meme liggen, toch? Ik moet het A vertellen. Maar aangezien ik hem niet meer gebruik, zou het met mij goed moeten komen. Toch? (Klinkt het nu alsof ik compleet de weg kwijt ben?)

Misschien zag Hegel het fout: misschien bestaat er geen mystieke verbinding tussen de spreker van een woord en de ontvanger van de klank ervan. Misschien is taal niet eenheid, maar overheersing. Eenzijdig. Vijandig.

Het gehoor is het bepalendste eerste zintuig. Als foetus, opgerold in je moeders tent van roze huid, zag je eeuwige duisternis, proefde je zilte soep, zoewadde je warmte en rook je – tja, wie weet? – maar je hóórde een alles omhullende stroom van geluid. Het geklots van je eigen omdraaiing. Het daverende gebonk van je moeders hart. De wereld van buiten die binnendrong. En jij niet meer dan een lijdzame, lome erwt. Je kon dan wel met heel je piepkleine kunnen denken 'liever niet'. Maar daar veranderde je niets mee.

II.

Antithese

december

J

Job /jɔp/ naam van een door God zwaar beproefde man;
[in samenst.] *jobslijden*, zeer zwaar lijden, *jobstijding*, slechte,
verpletterende tijding

Er zaten bijna twee weken tussen de ochtend dat dr. Thwaite me vertelde over de geheime bijeenkomsten in de Merc en de avond dat ik
zeker wist dat die daadwerkelijk plaatsvonden. In de tussentijd was
de bibliotheek gesloten. Wegens 'renovatie', aldus een nietszeggend
briefje op het raam.

Het waren twee sombere, zware weken. In de moeilijkste, eenzaamste momenten voelde ik me versplinterd van angst, elk van mijn
zorgen een glazen eilandje in een gebroken spiegel. Ik had nog steeds
niets gehoord van Doug. Voorzover ik wist had niemand dat. Hoewel
dr. Thwaite me had verzekerd dat alles goed met hem was en vlucht-
gegevens aantoonden dat hij op 17 november veilig in IJsland was geland, kon ik toch niet anders dan het ergste vrezen. Als ik zijn vriend
Fergus Hedstrom op zijn werk in New York belde, wilde zijn assistente niet meer zeggen dan: 'Meneer Hedstrom is in het buitenland.'
Op een gegeven moment nam ze niet meer op, net als haar collega's
in Reykjavik en Londen.

De politie was ook niet veel meer op het spoor gekomen. In het
begin leek het erop dat Billings elke dag wel iets nieuws te melden
had. Doug had zijn ticket naar IJsland gekocht op de avond dat hij
was vertrokken, een enkeltje voor vijftienhonderd dollar. Op Newark

Liberty had hij bij Brooks Brothers met zijn creditcard betaald en op Keflavík Airport had hij tweeduizend dollar contant gepind. Hij had drop en stokvis gekocht bij Inspired by Iceland, maar zijn creditcard daarna niet meer gebruikt. (Het contante geld zouden ze vermoedelijk hebben kunnen traceren, dat wordt tenslotte amper nog gebruikt.) Wat betekende dat hij het niet had uitgegeven. Op camerabeelden was te zien dat hij met een rijzige blondine de bagagehal uit liep. Ze reden weg in een zwarte auto die op naam stond van ene Arinbjörn Hermannsson, een werkloze aannemer. Maar Doug was nog steeds zoek. En de politie van IJsland scheen niet met zekerheid te kunnen zeggen of hij nog wel in IJsland was.

De realiteit was dat het onderzoek naar Doug inmiddels feitelijk geleid werd door de jongere, veel minder competente agent Maroney, die ik al eerder had ontmoet. Billings had het te druk met andere zaken. Omstreeks Thanksgiving was het aantal geweldsdelicten in de stad fors gestegen, de New York Post had het zelfs over 'een epidemie'. Maar misschien nog veel verontrustender was dat er steeds luider gespeculeerd werd dat het vreemde 'taalvirus' het gevolg was van bioterrorisme. Er gingen bovendien geruchten dat het niet alleen in onze stad om zich heen greep, maar in steden in het hele land.

Het was moeilijk om informatie te verifiëren, want ook het nieuws kwam deels verhaspeld naar buiten. Net als vele anderen keek ik er nauwelijks meer naar. Nieuwslezers zeiden dan wel dat de ziekte niet via radiogolven kon worden overgebracht, maar echt zeker wist niemand dat. Incidenteel kwamen berichten naar buiten waarin werd beweerd dat besmetting via de telefoon had plaatsgehad.

Eigenaardig genoeg leken de meesten in de eerste dagen en weken geen last te hebben van andere symptomen dan afasie. De weinigen die het anders verging, werden doodziek, vaak binnen zeer korte tijd. Sommigen kregen last van koude rillingen, anderen van gewelddadige woedeaanvallen. Sommigen waren euforisch of juist compleet apathisch. Vrijwel allemaal werden ze geveld door verblindende hoofdpijn, misselijkheid, braken, algemene zwakheid, koorts. Ze hadden pijn in hun botten en spieren. Allemaal vertoonden ze in meer of mindere mate problemen met taal. Het ziekteverloop verschilde. Sommigen bezweken binnen een paar dagen, maar je hoorde ook over mensen die veel langer, soms wel weken, overleefden en zelfs nog redelijk functioneerden.

We wisten niet hoe de besmetting verliep en hadden er bovendien geen idee van dat er weliswaar maar één dodelijk ziekte rondging, maar dat er daarnaast nog iets was, wat eveneens zeer besmettelijk was en bij de slachtoffers vergelijkbare symptomen veroorzaakte. Het enige wat we wisten was dat er een virus was, dat in de volksmond al snel de 'woordengriep' heette en dat zich via spraak en taal leek te verspreiden. Iemand die met een geïnfecteerd persoon had gesproken, begon vaak kort daarna eveneens wartaal uit te slaan. Virusremmers leken de dood niet altijd te kunnen voorkomen, ook niet als ze vroegtijdig werden toegediend. Degenen die het overleefden werden vaak nooit meer helemaal de oude.

De politie was in opperste staat van paraatheid, evenals de gewone bevolking. Er hing een bijna tastbare sfeer van paranoia: overal waar ik kwam – op straat, in de winkel, in de metro – voelde ik de vijandige straling van extreme waakzaamheid die de mensen afgaven. Als iemand in de metro ook maar iets mompelde, wierpen medereizigers hem grimmige blikken toe. Stopten hun vingers in de oren. Wisselden van rijtuig. Veel mensen droegen maskers van stof of papier, zoals die ik ook in het Creatorium had gezien. Er was een run op oordopjes. Mensen die wisten dat ze bestonden, kochten Japanse zwijgpistolen op. De gevoelens van angst werden nog versterkt door het gebrek aan informatie – en omdat men ervoor terugdeinsde die in te winnen. 'Het schijnt dat de assistente van mijn huisarts het ook heeft,' hoorde ik een vrouw zeggen. 'Wat moet ik nou?'

Er waren er natuurlijk genoeg die onbezorgd hun gang bleven gaan. De ernst van het virus ontkenden. Het lot omarmden. 'Angstzaaiers en samenzweringsdenkers,' zei Ramona schamper door de telefoon. 'Wat moeten we dan? Niet langer onze zyong dennen?' 'Je moet naar de dokter, Ramona,' zei ik streng. 'Je hebt medicijnen nodig. Ik heb er wat van in huis, die kan ik je wel geven.' Ik had maar een flinterdun moment van twijfel nadat ik dat had gezegd. Ik wist niet hoe snel ik aan meer pillen zou kunnen komen, of dat überhaupt wel zou lukken. Maar ik was blij en opgelucht dat mijn mond namens mijn hart had gesproken en niet namens mijn hoofd. Niet dat het wat uitmaakte: Ramona lachte mijn bezorgdheid weg. 'Nans, jij zoft ut zelf ook,' zei ze. Haar woorden bezorgden me een hol gevoel in mijn maag. Het was waar. Ik maakte mezelf dan wel steeds wijs dat ik alleen maar last had van wat hardnekkige symptomen, geen nieuwe. Maar echt zeker wist ik dat niet. 'Ramona, ik hou van je, maar ik hang nu toch op,' zei ik. 'Laat je alsjeblieft door iemand helpen. Of laat mij je helpen. Stuur me een of ander teken als je van gedachten verandert. En doe die Meme weg, gebruik hem niet meer.'

Ik probeerde Audrey in te schakelen om Ramona te helpen, maar ze liet me – zo goed en zo kwaad als ze kon – per sms weten dat ze ook ziek was, virusremmers nam en doodsbang was. Ze verbood me bij haar langs te komen en zei ook dat ik haar niet meer moest bellen. Ze zou zelf contact met me opnemen zodra ze beter was.

Met Coco ging het goddank nog goed, net als met Jesmyn en onze gezamenlijke vriend Theo. We besloten wel dat we vanaf nu niet meer klakkeloos alle telefoontjes zouden aannemen. Ik vroeg ze alleen nog het nummer van mijn nieuwe mobiel[28] te gebruiken en probeerde ze over te halen ook over te stappen.

Het viel niet mee hen ervan te overtuigen dat ze hun Memes beter konden vervangen door een verouderd, onbetrouwbaar toestel, helemaal omdat de advertenties voor de Nautilus, het nieuwste model van Synchronic, in die twee weken koortsachtig over elkaar heen buitelden. Zelfs aan mij ging de campagne niet voorbij, terwijl ik de media nagenoeg links liet liggen. Maar vrijwel overal waar ik keek – bussen en taxi's, de metro, reclameborden, liften, wc-spiegels – zag ik: NAUTILUS: DE TOEKOMST IS NU, met daaronder de tekst: JIJ KUNT EEN MEANING MASTER ZIJN / MIS HET FEEST NIET: WIN OP 7 DECEMBER

---

28. Spiksplinternieuw zelfs. Ik had na Thanksgiving, toen die van mij zo raar ging doen, weer een nieuwe moeten kopen.

$ 100.000. (Op sommige van die advertenties was een apart teken geklad: Ø.)

'Memes zijn er al eeuwen, Nans,' zei Coco. Haar stem kraakte door mijn telefoon. 'Ik heb nog nooit gehoord dat ze niet veilig zouden zijn. Je weet toch dat ze geen virussen kunnen krijgen?' Dat was wat altijd werd beweerd.

'Alsjeblieft, Coco'tje,' smeekte ik. 'Geloof me nou. Zullen we afspreken? Bij jou? Of in het atelier? Ik zeg je...'

Ze onderbrak me met een zucht. 'Hou op, Anana. Al dat... die idiote beweringen over Memes en andere apparaten... Je hebt hulp nodig. Dat weet je zelf ook. Je weet dat je sublimeert. Of projecteert of hoe psychologen dat ook noemen.' Ze klonk getergd. 'Vergeef me, lieverd,' zei ze. 'Maar je begint net zo te klinken als je vader.' Daarna hebben we elkaar een hele tijd niet gesproken.

Wat Doug betrof was ik alleen maar opgelucht dat Billings zich niet langer met zijn zaak bezighield. In ons laatste gesprek had hij gezegd: 'Zodra ik iets hoor, spaat ik, mevrouw Johnson.'

Ik had toch al niet zulke hoge verwachtingen van de politie en was bezig met mijn eigen onderzoek naar mijn vader.

De waarschuwingen in de brief had ik in de wind geslagen en ik was vaak op kantoor, waar al snel alles in het teken van de aanstaande fusie stond. Synchronic had daadwerkelijk onze termen gekocht. Of dat ten behoeve van de Lexibeurs was of alleen om ze achter de hand te kunnen hebben, wisten we niet. Een paar dagen na Thanksgiving had Bart ontdekt dat de deal echt was gesloten, maar na het weekend daarop hadden verschillende nieuwskanalen het ook gemeld: de snelle deal en het dramatische afblazen van de presentatie – wat vooral opmerkelijk heette te zijn omdat er tegenwoordig nog maar zo zelden uitgeversevents werden gehouden (volgens een paar journalisten was dat het bewijs dat het gedrukte woord officieel dood was). Men schreef ook over de geplande datum voor het Toekomst is Nu-gala slechts een paar weken later ter gelegenheid van de fusie en om de Nautilus te presenteren. Menig artikel opende met het raadsel van Dougs aanhoudende onvindbaarheid. Anderen schreven over de gedrukte editie van de NADEL die van de aardbodem verdwenen leek te zijn. Hij was nergens meer te koop. Letterlijk nergens. Mensen die probeerden de NADEL online te kopen, kregen steevast de melding: 'Product is uitverkocht en tijdelijk niet verkrijgbaar. Probeer het later nog eens.'

Al snel verdrong het nieuws over het virus het Synchronic-verhaal en was dat alleen nog relevant voor ons, oud-medewerkers van de NADEL. Er vond een snelle reorganisatie plaats om overtollige functies te schrappen. Vrijwel iedereen werd ontslagen. We kregen twee weken de tijd om onze spullen in te pakken, in mijn geval die van Doug en mij. Ik zag af en toe Synchronic-managers door de gangen lopen en als makelaars de halflege werkkamers in kijken, een misselijkmakende aanblik. Natuurlijk probeerde ik iedereen van het bestuur die ik kende te bellen. Ze leefden met me mee en het speet ze met name dat ik nog niets van Doug had gehoord, maar na de verkoop konden ze helaas niets meer doen, zeiden ze. (Een aantal van hen bracht die boodschap nogal onsamenhangend over.)

Bart was gek genoeg een van degenen die wilden aanblijven, ook nadat Synchronic de NADEL-termen had overgenomen. Hij vertelde me het schokkende nieuws dat hij door Max et al. was ingehuurd om een project te doen met Hermes, dat uiteraard ook ingelijfd was door Synchronic. Hij zei dat het te maken had met Hermes' nieuwe game Meaning Master en het gala op 7 december.[29]

(Voordat hij het noemde, had ik nog nooit van Meaning Master gehoord. Ik wist al helemaal niet dat het gedurende november was uitgegroeid tot een heus fenomeen en dat Max en zijn vrienden het hadden ontwikkeld. Kennelijk hadden mijn eigen vrienden besloten dat ze me van al het nieuws over hem moesten afschermen.)

Toen we die week na Thanksgiving een keer een middag even aan het werk waren ontsnapt, vertelde Bart me tersluiks dat hij er met name mee had ingestemd te blijven om erachter te komen wat er

---

29. Ik ontving kort daarna een uitnodiging voor die avond, via Chandra van marketing en in een doorgestuurd bericht van Vera. Beide mails heb ik ongelezen verwijderd.

met de NADEL was gebeurd en in de toekomst zou gebeuren, als er al sprake van een toekomst was. Tot dusver waren zijn telefoontjes naar het magazijn en doorverkopers eenzijdig geweest: niemand belde terug. Tijdens de paar dagen dat hij nog in ons onlinecorpus had kunnen inloggen, had hij er steeds grotere gaten in zien vallen en vreemde tussenvoegingen opgemerkt, precies zoals ik ook in het Creatorium had gezien. Hij had geen van onze vele back-ups kunnen vinden. Natuurlijk had hij navraag gedaan bij IT. Dat leverde hem alleen maar vragen op van hogergeplaatste Synchronic-mensen die wilden weten waarom hij in de baas zijn tijd informeerde naar zaken die hem niets aangingen.

Dit nieuws van Bart – dat hij, ongeacht zijn beweegredenen, voor Synchronic werkte én Max regelmatig zag – maakte het voor mij lastig te besluiten of ik nog wel met hem wilde optrekken. En dan leed hij ook nog eens aan afasie.

Omdat ik nog steeds een tweede kuur van Dougs pillen had (die ik trouwens altijd bij me droeg), nam ik in het begin nog wel een zeker risico door met zieke mensen te praten, wat ik misschien beter niet had kunnen doen. Het viel me met name erg zwaar het contact met Bart te verbreken, vooral omdat hij, hoewel hij vaak onbegrijpelijke taal uitsloeg, op mij geen zieke indruk maakte, tenminste niet met het soort symptomen waar Doug me voor had gewaarschuwd.

Bart was trouwens na Thanksgiving wel ziek geweest, net als wij allemaal, maar alleen voor de duur van het weekend: nog een laatste afscheidsgeschenk van die geweldige avond. Hoewel ik ook nog een soort echt afscheidsgeschenk kreeg. In de week dat we er weer bovenop waren en ik druk bezig was met dozen sjouwen uit kantoor, trakteerden mijn grootouders me op een nogal geforceerd gezellige lunch met mijn moeder en drongen ze me wat geld op. (Tijdens de lunch liet ik weten bang te zijn dat ze allemaal het taalvirus hadden. 'Misschien van die eigenaardige vriend van je,' zei mijn grootmoeder, en ik moest toegeven dat die kans bestond, maar misschien hadden ze het ook van mij. Ze negeerden mijn voorstel om hun Memes weg te doen, maar vertelden wel dat ze al virusremmers hadden meegekregen toen ze vanwege de voedselvergiftiging naar de dokter waren gegaan.)

Officieel beamden mijn grootouders geld naar me omdat ze zich zorgen maakten hoe ik moest rondkomen 'nu je, je weet wel, op jezelf bent'. Wat ze bedoelden was: niet langer de echtgenote in spe van Een Veelbelovende Jongeman. Eigenlijk schaamden ze zich volgens mij een beetje over wat Bart, afatisch of niet, had gezegd en dit was nou eenmaal hun manier van het goedmaken.

Dat was misschien wel de echte reden waarom het me zwaar viel Bart uit mijn leven te bannen. Met Thanksgiving had ik een andere kant van hem gezien. Eigenlijk had ik sinds Doug was verdwenen voortdurend nieuwe kanten van Bart ontdekt. Ik was hem echt gaan zíén en kreeg beter door wie hij was. Het zorgde er ook voor dat ik mezelf opnieuw bekeek. Veel van wat ik zag leek nieuw als ik het met zijn ogen beschouwde, dat wil zeggen met de mijne waarbij ik probeerde me voor te stellen wat hij zou zien.

Gedurende die twee weken gingen Barts problemen met praten niet over, ze leken alleen maar te verergeren. Mijn aanbod om samen naar een ziekenhuis te gaan of mijn medicijnen te nemen sloeg hij af. Ik maakte me echter niet alleen zorgen om zijn afasie, maar ook om zijn samenwerking met Hermes en Synchronic. Met pijn in het hart begon ik uiteindelijk toch afstand van hem te nemen. Vooral nadat een gesprek met Rodney mijn bezorgdheid flink had aangewakkerd.

Dat was precies een week na Thanksgiving geweest. Ik ging pas laat weg van kantoor, het was al acht uur geweest. Ik was moe en plakkerig van het stof van het inpakken en versjouwen van mijn en Dougs spullen. Het was een moeizame en tijdrovende klus, want ik zocht ook naar informatie en aanwijzingen, waaronder iets wat me zou kunnen helpen Dougs tweedelige boodschap 'OXIDP' te ontcijferen.

Rodney had dienst en ik was opgelucht hem te zien. De laatste keer was afgelopen dinsdag geweest, toen Bart en ik met hem op het politiebureau van Midtown North waren, en ik was bang dat de politie hem nog steeds op zijn nek zat. Ik was ook blij hem te zien omdat ik het met hem wilde hebben over de avond waarop Doug was verdwenen.

Toen ik vermoeid, maar met een glimlach dichterbij kwam, zag ik tot mijn verrassing dat zijn arm in een blauwe mitella hing. Daarom was hij een paar dagen niet op het werk geweest, legde hij uit terwijl hij zijn arm optilde. 'Ik weet trouwens niet hoe lang ik hier nog kan blijven,' zei hij met een zucht.

'Wat? Waarom?' vroeg ik geërgerd. 'Toch niet Synchronic?' Hij knikte aarzelend van ja. Maar het was niet logisch, hij werkte tenslotte voor het gebouw, niet voor de NADEL.

Ik vroeg hem tot hoe laat hij die avond dienst had. Misschien zouden we als zijn werk erop zat samen naar de metro kunnen lopen. Hij wierp een onopvallende blik door de lege receptie, wreef over zijn nek waar de blauwe draagband schuurde, liet zijn vingers wapperen en vertrok zijn gezicht. 'Oké dan,' zei hij ten slotte met weer een kort knikje. 'Darryl neemt het over een halfuur van me over.'

Toen ik terugkwam om hem te halen, pakten we ons stevig in tegen de kou, kochten buiten koffie bij een kiosk waarop een Toekomst is Nu-affiche hing en liepen vervolgens richting Columbus Circle. Rodney liet de metro-ingang links liggen en loodste me in plaats daarvan Central Park in. Hij keek herhaaldelijk achterom, tot we in de donkere beschutting van een groepje bomen waren. We bleven met onze rug tegen een boom staan en daar vertelde hij me een verhaal dat de bodem onder mijn voeten wegsloeg.

Hij was op weg naar zijn zus voor Thanksgiving door het noordelijke puntje van het park gelopen toen een man hem had aangeschoten met de vraag hoe laat het was. 'Ik wist meteen dat het niet deugde,' fluisterde Rodney, 'ik had die kerel namelijk al eens gezien.' Hij had zijn armen vol cadeaus voor zijn neefjes en kon zich niet verweren toen de man een mes trok. Eerst dacht hij dat het een overval was, maar toen begon de man te praten. Hij zei tegen Rodney dat hij maar beter niet meer met de politie kon praten. Dat Rodney niet had gezien wat hij dacht te hebben gezien op 16 november (de avond waarop Doug verdween). Er waren geen beveiligingsopnames zoekge-raakt, beweerde de man. En Rodney had niemand herkend die het gebouw had betreden.

Terwijl Rodney me dit uit de doeken deed, begonnen mijn oren steeds harder te suizen. 'Wie was die man?' vroeg ik.

'Een reus van een vent,' zei Rodney. Met zijn gave arm gaf hij een plek ver boven zijn hoofd aan. 'Vet accent, Russisch volgens mij.'

Mijn zicht verbleekte aan de randen en ik kon hem moeilijk ver-staan. Maar ik begreep hem toch wel: Dmitri Sokolov. De man die ik in de onderkelder van kantoor had gezien. Doug had me voor hem gewaarschuwd. 'Mocht hij contact zoeken met jou... Enfin, laten we maar hopen dat hij dat niet doet,' had hij geschreven. Ik haalde hor-tend adem. 'Weet je waarom hij je bedreigde?' vroeg ik. 'Wat staat er op die opnames?'

Rodney vroeg of ik mijn vraag kon herhalen. Dat deed ik, rillend. Hij begon te zeggen dat hij niet veel had gezien, maar toen schudde hij zijn hoofd, wreef nog eens over zijn nek en zei: 'Ik wist gewoon dat er iets niet in de haak was die avond.' Hij keek van links naar rechts en vertelde me toen wat er was gebeurd. 'Er kwam een groepje mannen binnen. Dat was zo rond halfzeven, kwart voor zeven. U had ik geloof ik al een tijdje eerder weg zien gaan. Die mannen zeiden dat ze een afspraak hadden met uw vader. Ik vertrouwde het niet hele-maal. Een van hen had een zonnebril op en het was al donker buiten. Ze wilden ook de bezoekerslijst niet tekenen of zichzelf identificeren. "Het spijt me, heren, dat is hier vast beleid." Die met de bril op, een gedrongen vent, zei: "Belachelijk. Ik weiger dat." En zo ging hij maar door. "Absurd" was het woord dat hij gebruikte. Toen belde hij zelf uw vader en gaf vervolgens de telefoon aan mij. En Mr. J zei: doe maar, laat ze maar binnen.' Rodney zweeg even. Keek naar me met volgens mij berouw in zijn ogen, maar het was donker en ik kon het niet goed zien. 'Ik deed het niet graag,' zei hij. Zuchtte. 'Ik deed het niet graag. Maar ik deed het wel. En toen, in de lift...' Hij maakte zijn zin niet af. Wreef zachtjes over zijn arm.

Ik hield mijn adem in.

Even later hervatte hij zijn verhaal. 'Die man,' zei Rodney, en hij stak zijn mitella omhoog, 'die was er ook bij. Ik zag hem lachen. Op de monitor zag ik dat. Een van de anderen wees naar hem. Zei iets. En toen deed die man zo.' Rodney trok met zijn vinger een streep over zijn hals. Een kilte bekroop me en ik trok mijn jas dichter om me heen. 'Misschien maakte hij maar een grapje,' zei Rodney. 'Toch heb ik Mr. J gebeld om te vragen of hij wilde dat ik, of Darryl, naar boven kwam. Maar hij moet toen al zijn kamer hebben verlaten om ze op te halen. Hij verwachtte ze tenslotte ook. Dus toen dacht ik: goed dan, niets aan de hand. Mr. J weet vast van de hoed en de rand.' Rodney hoestte. Schudde weer zijn hoofd. 'Het zat me niet lekker,' zei hij. 'En daarna, toen ze alweer waren vertrokken, kwam u omdat u uw vader zocht en toen kon u hem nergens vinden... Ik wilde u niet ongerust maken,' zei hij, 'maar heb later op het politiebureau wel geprobeerd het meneer Tate te vertellen.'

Mijn keel zat dicht en ik kon mijn gezicht niet voelen. Maar ik hield mijn stem kalm. 'Heb je kunnen achterhalen wie die mannen waren?'

'Niet allemaal,' zei Rodney. 'Niet meteen. Maar een van hen...' Hij zweeg weer even. Verplaatste ongemakkelijk zijn gewicht van de ene op de andere voet. 'Hij kwam vroeger wel eens voor u,' zei hij zachtjes, zijn blik op de grond gericht.

Mijn huid gloeide en prikte. Ik dacht terug aan de avond waarop Doug was verdwenen en herinnerde me in een flits dat ik me had verbeeld Max in een zwart pak over Broadway te zien lopen. Ik voelde me misselijk.

Rodney vertelde dat hij Max later had opgezocht op internet en vervolgens nog een aantal mensen van Synchronic had herkend, die diezelfde dag het gebouw in en uit gelopen waren.

Ik had nog één laatste vraag voor Rodney. Die ik ook weer moest herhalen. Toen hij me wel had verstaan, was al snel zonneklaar dat hij nooit iets van het Creatorium had gezien of gehoord.

'Het wat?' vroeg hij met zijn hoofd schuin. Hij legde zijn gezonde hand gebogen om zijn oor.

Ik schudde mijn hoofd. 'Laat maar.' Ik bedankte hem en omhelsde hem voorzichtig met één arm, waarbij ik mijn best deed zijn arm te ontzien. We gingen met beleid uit elkaar: Rodney vertrok eerst, ik even later ook.

Ik keek behoedzaam om me heen voordat ik mijn huis betrad om zeker te zijn dat niemand me stond op te wachten. Zodra ik boven de deur achter me op slot had gedraaid, haalde ik *Het grote judoboek* uit de kapotte doos. Ondanks mijn angst en vermoeidheid oefende ik stilletjes ruim een uur vallen en *kata's* en vallen en kata's. Daarna opdrukken en opzitten en weer vallen, tot ik tegen middernacht uitgeput in bed viel.

Als ik al twijfels had over mijn nieuwe regime toen ik de volgende ochtend met spierpijn en blauwe plekken wakker werd, vervlogen die al snel. Na mijn gesprek met Rodney begon ik het gevoel te krijgen dat ik werd gevolgd. Mijn bel ging op rare tijdstippen. En op straat kon ik me een paar keer niet aan het gevoel onttrekken dat iemand me in de gaten hield. Van iedere in het zwart geklede man werd ik onrustig. (In New York had je er daar alleen erg veel van.) Toen ik een keer dossiers van kantoor naar Dougs flat aan de Upper West Side had gebracht en weer beneden bij de receptie kwam, vroeg de portier: 'Heeft hij u nog te pakken gekregen?'

'Mij te pakken gekregen?' vroeg ik. Mijn hoofdhuid verstrakte. 'Wie?'

'Die man buiten. Kwam net na u binnen. Zei dat hij me niet wilde ophouden en dat hij u wel zou bellen.' Toen ik de portier vroeg hem te beschrijven, zei hij: 'Ik zou het niet kunnen zeggen. Gewoon iemand. Ik heb hem wel vaker gezien.'

Een kille huivering joeg over mijn rug. Ik nam een taxi en gaf opdracht een uur rond te rijden en een paar keer voor de schijn te stoppen terwijl ik al die tijd ineengedoken op de vloer zat. Daarna ben ik niet meer teruggegaan naar Dougs flat. Ik vertelde Maroney over het voorval en hij liet een burgerauto bij mij in de straat posten.

Maar ik weigerde binnen te blijven als een bange gevangene in een piepkleine woning die stijf stond van het vuil van nare herinneringen. Ik werd verlamd door de onmogelijke taak om onderzoek te doen en gelijktijdig internet en telefoon te vermijden, geen Meme[30] te gebruiken en alle telefoontjes die ik ontving eerst te screenen.

Maar ik was vastbesloten om mijn vader te vinden. Of erachter te komen wat er met hem was gebeurd.

Zo kwam het dat ik verschillende leden van het Diachroon Genootschap ontmoette. Een paar van hen waren me al eerder opgevallen.

Het is een gevarieerde groep mensen met uiteenlopende achtergronden en van allerlei leeftijden. Veel zijn er ouder dan ik: oudboekverkopers en -bibliothecarissen, leraren, schrijvers, redacteurs en literair agenten, uitgevers en publicisten, lexicografen en taalkundigen. Er zijn ook jongere leden: vertalers en dichters, critici en lezers en verzamelaars van oude bladen. Ze gaven evenzo verschillende redenen voor hun betrokkenheid bij het genootschap. Bij sommigen bespeurde ik een gevoel van ballingschap uit een manier van leven die niet meer bestaat, bij anderen plichtsgevoel, maar ook anarchistische en activistische neigingen en een hekel aan grote bedrijven. Sommigen waren lid geworden vanwege het gevoel van gelijkgestemdheid, anderen uit bezorgdheid om de volksgezondheid. Wat ze met elkaar gemeen hebben is een liefde voor woorden en de werelden die ze ontsluiten. En een vijandigheid jegens alles wat de taal zou kunnen bedreigen.

Velen van hen, maar niet allen, hebben een voorkeur voor drukwerk. Geen van hen gebruikt een Meme. Ze communiceren van mens tot mens, via de telefoon of e-mail, soms met brieven en kaartjes, faxen, graffiti, affiches, strooibiljetten. (Sommigen versturen ook wel berichten met de buizenpost.) Niemand weet precies met hoeveel ze zijn. In New York zijn er misschien een paar honderd, mogelijk ook meer. De vaste kern bestaat zeker uit enkele tientallen. Er zijn er ook in andere steden, zowel in de VS als daarbuiten. Uiteraard zijn er meer en minder toegewijde leden, komen er steeds nieuwe bij en val-

---

30. Ik had nog steeds Dougs Alef, maar die had ik veilig opgeborgen in een grote geruite rolkoffer die ik onder mijn bed had verstopt. Ik had de Alef wel een paar keer tevoorschijn gehaald en door de inhoud gebladerd, maar had niets nieuws kunnen ontdekken.

len andere weer af. Sommigen houden hun lidmaatschap geheim, anderen dragen hun opvattingen openlijk uit. Dat gebeurde met name nadat het virus de kop opstak en zich begon te verspreiden.

Een van de eerste leden die ik sprak, had ik ruim een week daarvoor al eens gezien. Ik had een foldertje van hem aangenomen en op Times Square ongelezen in een prullenbak gegooid vol uitgedrukte peuken en papieren borden die grauw waren van het vet. Ik woonde niet ver van Times Square, maar probeerde er zoveel mogelijk uit de buurt te blijven. Maar ik was in Jackson Heights geweest bij Jesmyn, die op het punt stond naar Portland te vliegen omdat een van haar zussen ernstig ziek was geworden van wat ze vreesden dat het virus was. Ik liep naar huis vanaf de metro toen ik die man weer zag. Hij had een flinke stapel rode folders in zijn handen en stond bijna op exact dezelfde plek als waar ik hem de eerste keer had gezien, op de hoek van 42nd Street en 8th Avenue. Dit keer zag hij er niet zo moe uit. Hij dreunde steeds dezelfde tekst op terwijl hij de folders uitdeelde aan voorbijgangers: 'Memes zijn levensgevaarlijk! Stop de verspreiding van de woordengriep!' En dit keer negeerde ik hem niet.

Hij heette Rob, was een vriendelijke gepensioneerde leraar Engels en had de bouw van een atleet en een lange, grijze paardenstaart. Hij zei dat hij slecht tegen de kou kon en daarom zo'n dikke jas droeg. Toen hij zijn jas noemde, viel mij niet zozeer op hoe dik die was als wel dat vreemde teken dat ik al eerder had gezien: Ø. Het was gedrukt op een wit stuk stof dat op zijn revers was gespeld.

'Het betekent niet besmet,' legde hij uit. 'Zodat mensen weten dat ze gerust met me kunnen praten.'

'Waar heb je het vandaan?' vroeg ik verwonderd. De media hadden pas die week de eerste berichten over het virus naar buiten gebracht. Dat werden er wel snel meer, maar toch vond ik het vreemd.

'Nergens van,' zei hij. 'Ik heb het zelf gemaakt.' Hij vernauwde zijn ogen en bekeek me een beetje achterdochtig. Ik wist niet of dat kwam omdat mijn vraag hem niet aanstond of omdat ik iets afatisch had gezegd. Ik werd er erg nerveus van en controleerde voor de zoveelste keer of de pillen nog in mijn zak zaten. Vroeg me eens te meer af of ik aan een tweede kuur zou moeten beginnen. Rob poeierde me al snel daarna af. Hij moest weer aan het werk, zei hij.

Thuisgekomen las ik de folder zorgvuldig door. Veel nieuws stond er niet in, maar er werd ook beweerd dat Memes overbrengers van het virus waren. Het was voor het eerst dat ik die beschuldiging zo openlijk zag. Veel opmerkelijker was dat de argumentatie me bekend voorkwam: die kwam overeen met die in het opiniestuk in de *Times*, leek op wat Doug al jaren zei en ik had het sindsdien ook van dr. Thwaite gehoord. De dagen daarna sms'te en belde ik Phineas vergeefs en liet ik verschillende berichten voor hem achter. Ik probeerde zelfs twee keer bij hem langs te gaan. Beide keren beweerde de portier dat hij niet thuis was en stuurde me weer weg.

In de tweede week na Thanksgiving breidde ik de straal van mijn onderzoek uit, van Union Square tot Zuccotti Park, van het noorden nabij Columbia tot aan het zuiden bij de universiteit, van het gebied onder Atlantic Terminal tot en met de ruimte boven de Merc.[31]

Mijn stapel folders groeide rap. Toen ik eenmaal op zoek ging naar het Diachroon Genootschap, bleken de leden minder moeilijk te vinden dan je zou denken. Nog voordat de Merc heropende had ik al kennisgemaakt met een stuk of twintig van hen. Ik doorkruiste de hele stad op zoek naar leden, als ik tenminste niet bezig was na te gaan of alles goed was met mijn familie en vrienden en hoe op kantoor de vlag erbij hing. Terwijl ik continu in de gaten hield of iemand mij in de gaten hield.

Ik ontmoette Archie Rodriguez, vroeger werkzaam bij een universiteitsbibliotheek, tegenwoordig fulltime vader van twee kinderen, Tommy Keach, die vanuit zijn opnamestudio in Chelsea het tijdschrift *Best* samenstelde, Martha Hertzberg, een dichteres en pianiste die op de Juilliard School had gezeten en ongeveer van mijn leeftijd was, Zheng Weiming, een bio-ethicus en vertaler van Chinese en Franse korte verhalen, Winifred Brown, een gepensioneerde mana-

---

31. Zo kwam het dat ik het briefje op het raam zag met de mededeling dat de Merc gesloten was.

ger met een zwak voor oude gedrukte boeken en tijdschriften, en Matt Falstaff en Mara Levy, die allebei aan NYU studeerden. Ze behoorden allen tot de groep vrijwilligers die uren buiten in de kou stonden en hun eigen veiligheid op het spel zetten om ons te redden.

Sommigen die folders uitdeelden, spraken voorbijgangers aan, anderen niet. Er waren er die alleen stapels folders achterlieten in de metro en op andere drukke openbare plaatsen. Vrijwel allemaal hadden ze het Ø-teken op hun kleding gespeld en droegen ze katoenen maskers en oordopjes of enorme koptelefoons die uitpuilden als de ogen van insecten. Hun voorzorgsmaatregelen leken te werken: geen van hen scheen het virus te hebben.

Misschien kwam het daardoor dat ze er niet allemaal happig op waren om met mij te praten, helemaal niet als ik over Doug begon. Sommigen leken wel te geloven dat ik zijn dochter was en uitten hun bezorgdheid over het feit dat hij nog steeds vermist werd. Een aantal gaf aan niets van hem te hebben gehoord. Als er al bij waren die wisten waar hij was, dan hielden ze dat voor zich. Niemand wist wat OXIDP betekende. Sommigen keken achterdochtig als ik Dougs naam noemde en een paar vroegen me zelfs of ik voor Synchronic werkte.

Of ze me graag te woord stonden of niet, ze drukten me allemaal hun folder in handen. Er was er een, gedrukt op rood papier, met de kop: NAUTILUS LEVENSGEVAARLIJK![32]

(Het was duidelijk dat de anonieme auteur nooit met eigen ogen een Nautilus had gezien. In de folder werd hij beschreven als kegelvormig, 'ongeveer ter grootte van een schoteltje' en voorzien van ten minste één pennetje.) Ik las onder andere dit:

Het apparaat dat Synchronic op 7 december met veel bombarie op de markt wil brengen, lijkt misschien iets geheel nieuws, maar is in feite al jaren geleden, nog voor de Meme, ontwikkeld. Volgens bronnen dicht bij het bedrijf zou het zelfs ouder kunnen zijn dan

---

32. Nadat ik die folder had gelezen, begon ik die kreet overal te zien, vooral met een spuitbus op reclameborden voor de Nautilus aangebracht.

de Alef, dat Synchronic-apparaat dat inmiddels in vergetelheid is geraakt. Toen het Nautilus-prototype klaar was schijnen leidinggevenden besloten te hebben dat het publiek nog niet klaar was voor een dergelijk ingrijpend apparaat. Ze kozen ervoor in plaats daarvan de Meme uit te brengen, om klanten alvast klaar te stomen terwijl ze hun geheime kroonjuweel verder ontwikkelden en testten in laboratoria in de VS en het buitenland, onder andere in Beijing, waar in 2016 de eerste gevallen van de woordengriep opdoken.

Een andere flyer met als kop BEN JIJ OOK VERSLAAFD AAN MEANING MASTER? was gedrukt op papier van hetzelfde soort groen als het vroegere papiergeld. Er werd een spel in beschreven dat sinds zijn release begin november razendsnel populair was geworden. De auteurs vermoedden dat Meaning Master deels zo aansloeg omdat het bedrieglijk eenvoudig was om te 'winnen': spelers hoefden alleen maar willekeurige letters aan elkaar te rijgen om 'woorden' te vormen, die ze vervolgens een 'betekenis' moesten geven. Het was een repetitief, vrolijk en esthetisch prettig spel. Elke week konden de makers van de populairste woorden een klein geldbedrag winnen plus enige erkenning. De auteurs opperden dat een andere reden voor het explosieve succes kon zijn dat het spel mogelijk ook verslavend was voor Meme-gebruikers, hoewel zelfs deelnemers die het niet op de Meme speelden enthousiaster leken dan je doorgaans zag. (In één sessie zouden gemiddeld bijna veertig rondes worden gespeeld.)

De winst, aldus de folder, kwam uit advertentie-inkomsten, directe verkoop (een download kostte 5,99 dollar), abonnementen (eerste maand 'gratis', daarna 2,99 dollar per maand), extra functies (bijvoorbeeld dat een nieuw woord automatisch een definitie krijgt en je die dus niet zelf hoeft te verzinnen; kosten: 9 cent per stuk), enzovoort. De werkelijke winst die het spel voor Synchronic genereerde kwam volgens de auteurs van de toegenomen verkoopcijfers op de Lexibeurs, maar dat verband lichtten ze verder niet toe.

De folder die ik van Weiming kreeg was nog veel verontrustender. Die ging over de NADEL en er stond een foto bij van een lachende Doug, een paar jaar geleden gemaakt in zijn werkkamer: hij was omgeven door stapels papier en zijn haar en baard zagen er wat verwilderd uit. Ik voelde een steek in mijn hart. Maar het bijschrift raakte me op een andere wijze. 'In tegenstelling tot hardnekkige geruchten heeft dr. Douglas Johnson, de hoofdredacteur van de NADEL, niets te maken met het ontstaan en de verspreiding van de zogenaamde woordengriep en evenmin met de verminking van zijn woordenboek,' las ik. Ik wilde natuurlijk weten wat dat allemaal te betekenen had en bestookte Weiming met vragen. Hij reageerde vriendelijk en onverstoord en legde uit dat hij de tekst niet had geschreven en niet veel meer wist dan ik.

Er waren ook folders op blauw papier met adviezen over hoe je te wapenen tegen het taalvirus of de gevolgen ervan ongedaan te maken. Die trof ik overal aan: ze slingerden in cafés, op parkbankjes, op de stoep (helaas werden ze weinig gelezen). Er stonden veel van die verstandige adviezen in die ook bij eerdere virusepidemieën werden gegeven: vaak je handen wassen, in je mouw hoesten, een gezichtsmasker dragen, bij aanwijzingen van ernstige symptomen onmiddellijk naar de dokter gaan. Het was ook voor het eerst dat ik iets las over taaltherapie. Een van de tips voor mensen die herstellende waren van de woordengriep was lezen.

Dat advies volgde ik onbewust al elke avond op. Ik nam elke dag een andere weg naar huis, keek altijd over mijn schouder of ik niet werd gevolgd, controleerde voordat ik het huis betrad of de politieman in de burgerauto er nog stond en sloot mezelf vervolgens in mijn flatje op. Ik las boeken van Doug, die ik had meegenomen uit zijn werkkamer en waarin ik vergeefs zocht naar aanwijzingen over wat OXIDP kon betekenen, maar ook mijn eigen oude boeken en tijdschriften. Sinds die avond dat Bart was blijven slapen, had ik ze steeds weer opgepakt. (Ik sprak Bart steeds minder, maar in mijn gedachten groeide de band tussen mijn boeken en hem.) Ook voordat ik de blauwe folder in handen had gekregen, had ik al gemerkt dat lezen me een soort rust gaf. Het was een vorm van escapisme die veilig leek, misschien zelfs meer dan dat. Als ik een uur had gelezen, voelde ik me daarna geestelijk gezonder, minder gefragmenteerd.

Op 5 december ging de Merc weer open. Het was een woensdag, dezelfde dag van de week waarop ik dr. Thwaite steels naar zijn geheime bijeenkomst had zien gaan. Ik verliet vastberaden en met een gevoel van lotsbestemming het huis. Mijn gevoelens kwamen op zijn minst deels voort uit wanhoop. Er waren bijna drie weken verstreken sinds Dougs verdwijning en ik was nog niets wijzer over waar hij kon zijn, hoewel ik vrijwel de hele tijd bezig was geweest hem te zoeken. Ik stond op het punt het op te geven.

Het was midden op de dag en buiten zo koud dat mijn adem bevroor. Het felle zonlicht prikte in mijn ogen. Ik knikte naar de agent in de burgerauto aan de overkant van de straat en begaf me op weg. Onderweg naar de bibliotheek stak ik zes brede Avenues over en steeds weer keek ik over mijn schouder.

De stad had zich opgemaakt voor de feestdagen. Ik liep langs de kerstboom en gliefen van Rockettes bij het Rockefeller Center, zag moeders die hun peuters aan hun wanten meetrokken naar het café, etalageramen versierd met spuitsneeuw en kerstkransen en winkelende stellen arm in arm over Fifth Avenue slenteren. Voor de duur van mijn wandeling kon ik mezelf bijna wijsmaken dat er niets aan de hand was. Bij 47th Street stopte ik voor een hotdog. 'Alsjeblieft, liefje,' zei de verkoper. 'Blijven lachen, hè?' Elk woord helder, volledig, net zoals wij allebei in de etalage achter hem die ons weerspiegelde.

De Mercantile Library kon je niet missen: de naam was in de stenen gevel gebeiteld, onder de rij ramen op de tweede verdieping. Buiten stonden twee rekken met afgeprijsde boeken. Boven de deur zag ik een afbeelding van een urn, wat ik als een hoopvol symbool opvatte: niet van de dood, maar van onsterfelijkheid. De tijdloosheid van woorden.

Toen ik de warme, schemerige hal betrad, voelde ik de zorgen van me af vallen. Ik knoopte mijn jas open en liep verder, langs een stel leren banken en een muur van boeken. Bij de informatiebalie zag ik een bord hangen waarop bijeenkomsten van verschillende genootschappen aangekondigd stonden: het Proust Genootschap, het Trollope Genootschap, het Musil Genootschap, het Johnson Genootschap. Ik dacht aan Doug en die gedachte toverde even een lach op mijn gezicht.

De bibliothecaresse vond het niet grappig. 'Kan ik u helpen?' vroeg ze koeltjes. Ze schikte haar sluike kapsel met haar fraaie, bleke handen die uit de mouwen van haar donkere vest staken. Ik was vergeten dat de Merc een particuliere bibliotheek was.

Ik probeerde mijn lach vast te houden en toen ze me vroeg of ik lid was, klonk mijn leugen in mijn oren bijna oprecht. Ze vroeg me tenminste niet mijn antwoord te herhalen. Mijn vingers tastten niettemin onwillekeurig in mijn zak of de pillen er nog zaten. Ze wilde wel mijn kaart zien. Toen ik hulpeloos mijn jas afklopte, vroeg ze onbuigzaam naar mijn identificatie om mijn inschrijving te kunnen verifiëren. Ze knikte naar een grote houten kast met allemaal kleine laatjes: een kaartcatalogus, zoals ik later leerde. 'Die heb ik ook niet,' zei ik. Haar mond vertrok ongeduldig. Toen ik uitlegde dat ik onlangs mijn Meme had weggedaan en er nog niet aan toegekomen was een nieuw soort identificatie aan te schaffen, zuchtte ze en schoof ze me een klembord toe. 'Volgende keer niet vergeten, hoor,' zei ze.

Ik aarzelde eventjes voordat ik me inschreef met de naam Alice Tate. Met een kleur besefte ik dat ik Barts achternaam had gekozen. Ik moest plotseling aan de lagere school denken, toen er nog geen Memes waren en de meeste leerlingen zelfs nog geen mobieltje hadden, en hoe ik pagina's volgeschreven had met 'Anana Ringwald' en 'Tobey Johnson': mijn naam en die van de jongen op wie ik verliefd was samengevoegd. Was mijn onbewuste van mening dat ik Anana Tate wilde zijn? Ik schudde mijn hoofd. Dergelijke gevoelens koesterde ik niet. Bart evenmin.

Ik beklom de eerste trap die ik zag: een open, metalen trap die leidde naar een entresol die ingericht was als leeszaal. De ruimte leek op de salon in het buitenverblijf van mijn grootouders in Connecticut: net zo'n hoog plafond, glanzende tafelbladen, visgraatvloer, kroonluchters en muskusachtige geur van oud leer. Ik liet mijn jas op een stoel bij de Johnson-collectie, naast de babyvleugel, vallen. Zag voor mijn geestesoog Doug eronder liggen die een zoet, bescheiden deuntje snurkte en voelde mijn ogen prikken.[33]

Ik dacht dat ik alleen in de leeszaal was. Maar toen ik een blik om me heen wierp hoorde ik al snel een vreemd geluid uit een verborgen hoekje komen. Het tinkelende gerammel van metaal op metaal. Alsof een cipier met een grote sleutelbos langsliep.

Nieuwsgierig liep ik naar de andere kant van de zaal, zogenaamd om een atlas te raadplegen die daar op een tafel lag. Het vreemde geluid bleek te komen van de gouden armbanden van een vrouw, die elke keer als ze een pagina omsloeg zachtjes tegen elkaar stootten. Ze zag eruit alsof ze zo binnen was komen lopen van Fifth Avenue: op haar schoensmeerzwarte haar stond een grote zonnebril en ze droeg een witte coltrui, een tweedrok en kniehoge laarzen met naaldhakken. Ze leek eerlijk gezegd nogal op mijn moeder. En ze bekeek me met een intens kritische blik die zich met die van Vera kon meten.

Ze legde haar slanke vinger op de plek waar ze was gebleven en keek naar me terwijl ik de zware atlas, die onder de vegen en smeren zat, alsof hij daarvoor gebruikt was door een monteur, oppakte en naar de andere kant van de zaal zeulde. Ik liet hem met een klap op een leren ottomane vallen. Toen ik hem opensloeg, viel er een dun boekje uit, een soort index. Ik sloeg daar aanvankelijk geen acht op, duwde het weer terug en bladerde doelloos door de besmeurde atlas. Ik sloeg de kaart van IJsland open, dat de vaalbeige kleur van cornflakes had, en kraste met een rafelige nagel over Reykjavik.

Waar ben je toch, pap? dacht ik. Mijn keel brandde van verdriet. Ik miste hem heel erg. Een droevig zinklood zakte naar de bodem van mijn maag en eventjes was ik bang dat ook mijn bezoek aan de Merc niets zou opleveren. Ik hoorde het verre getinkel van de armbanden

---

33. Toen ik jong was hadden we een keer onder de Steinway in dat huis in Connecticut een fort gebouwd. We hadden kussens van de bank van mijn grootouders gebruikt en dekens van een van de logeerbedden en dronken er thee met koekjes. Toen had ik mijn hoofd op zijn zachte buik gelegd en had hij voorgelezen uit *De wind in de wilgen*. We waren in slaap gevallen en wakker geworden van het gekrijs van mijn grootmoeder. 'Welke gek haalt het in zijn hoofd om mijn kussens op de grond te leggen?'

van de vrouw. Voelde haar onzichtbare, kritische blik. En mijn stille berusting verdween om plaats te maken voor vastberadenheid. Ik liep weer naar beneden.

Het lukte me om niet te raar te reageren toen de bibliothecaresse me aansprak met mevrouw Tate en, een beetje streng, opmerkte dat ze in de boeken had gekeken maar mijn naam nergens had kunnen vinden.

'En Douglas Johnson dan?' vroeg ik stoutmoedig.

'Wat heeft hij ermee te maken?' zei ze. Ik meende dat ik haar oogleden zag verstrakken.

'Stel dat ik zijn dochter ben?' vroeg ik. En ik dacht: hout en lijm.

Ze hield haar hoofd een beetje schuin. 'Bent u dat?'

Ik knikte langzaam. Ik noemde ook Vera's naam, die ze zo te zien eerder had gehoord. Na een laatste doordringende blik zei ze: 'Goed dan. Douglas heeft geloof ik een gezinslidmaatschap. Als u zijn dochter bent, zal ik een kaart voor u uitschrijven.'

Ik lachte opgelucht en dankbaar. Maar toen ik haar zo terloops als ik kon vroeg of ze me kon vertellen hoe laat de bijeenkomst van het Diachroon Genootschap ook weer was, keek ze weer uiterst sceptisch. Ze had geen idee waar ik het over had, zei ze. Het klonk heel geloofwaardig. Ik herhaalde mijn vraag, maar ze schudde beslist haar hoofd.

Even bleef ik twijfelend bij de balie staan. Vroeg me af of ik tot de avond in de Merc zou blijven om te zien of er leden van het Genootschap die ik herkende binnenkwamen. Maar ik vroeg me ook af of ik alles misschien had verzonnen. Het was een gedachte die ik haast niet kon verdragen, de bijeenkomst was voor mij iets absoluuts gaan vertegenwoordigen. Een laatste houvast. Ik wilde dat niet loslaten.

Terwijl ik daar aarzelend en licht duizelig stond, wist ik dat het heel goed mogelijk en zelfs waarschijnlijk was dat het een laatste, hoopvol verzinsel van me was. Ik pakte de balierand vast om mijn evenwicht te hervinden en probeerde te bedenken wat dan nu. Ik bedankte de bibliothecaresse, draaide me om en wilde naar buiten lopen. Toen hoorde ik boven me voetstappen klepperen, een zacht gerammel boven aan de trap en een vrouwenstem die naar beneden riep: 'Anana?'

Toen ik de trap weer op liep naar de entresol, stond de donkerharige vrouw op me te wachten.

'Dus jij bent Douglas' dochter,' zei ze met een vage, moeilijk te plaatsen tongval. Ze strekte haar elegante hand uit. 'Victoria Mark,' zei ze. En met een schok besefte ik dat ik haar kende – althans haar naam. Ze was redacteur geweest bij Vaber, Ingmar & Breuer voordat die hun woordenboek hadden opgedoekt. Daarna was ze een van Dougs meest gewaardeerde medewerkers voor de NADEL geworden.

'Wat fijn om u eindelijk te ontmoeten,' zei ik.

'En jou ook,' antwoordde ze. Vriendelijke rimpels breidden zich over haar gezicht uit. Ze sprak op zachtere toon verder en vertelde dat de bijeenkomst pas om zeven uur was, op de derde verdieping. Toen pakte ze haar spullen, deed haar jas aan en trok de riem dicht. 'Tot vanavond,' zei ze zachtjes, en ze klakte weg.

Ik besloot daar te blijven, ingekapseld in de veilige stille kalmte. Vanuit de balie beneden klonk zo nu en dan een klik. 's Middags kwam er een oudere man binnen met een oude vergeelde krant die onder zijn arm uitstak. Hij ging in een stoel niet ver van me stil zitten lezen. Het geruststellende geritsel van de pagina's deed me denken aan Doug. Op een gegeven moment maakte mijn maag zoveel herrie dat ik op zoek ging naar iets te eten.

Ruim op tijd was ik terug en nam de trap naar de derde. Mijn hart bonsde toen ik de deur opende. De kamer lag er verlaten bij. Het licht was uit. Er lag geen vers afval in de prullenbak. De kasten waren leeg. De vrouw had me kennelijk wat op de mouw gespeld. Ik vroeg me af waarom. Was ze bevriend met dr. Thwaite? Of had ze gewoon een hekel aan me? Had ik misschien iets verkeerds gezegd? Ik liep weer de gang op. En botste bijna tegen Phineas op.

Hij wankelde en zijn hand schoot naar zijn hoofd. Waarop een rode muts zat. 'Alice,' zei hij verschrikt. 'Wat doe jij hier?'

Ik kreeg niet de kans hem eraan te herinneren dat hij het was geweest die me over de bijeenkomsten had verteld, want er kwamen meer mensen de trap op, onder wie Victoria Mark, die mijn arm even vastgreep en glimlachte. 'Je had ons toch gezegd dat Douglas haar hier wilde hebben?' zei ze met een knipoog. Dr. Thwaites mond viel een beetje open. Tegen mij zei ze: 'Ik wilde je net gaan zoeken. We zijn met zoveel vanavond, we gaan op de vijfde zitten.' Ze liep ons voorbij en dr. Thwaite keek haar na. Nog steeds zwijgend zette hij zijn rode muts af, waaronder zijn witte haar in statische strijdlust verrees. Met zijn andere hand gebaarde hij naar de trap. 'Na jou,' mompelde hij.

K

koorts /'korts/ (de (v.); -en) 1 begeleidend verschijnsel bij woordengriep, zich kenmerkend door verhoogde lichaamstemperatuur, versnelling van de polsslag en de ademhaling, soms ook koude rillingen en hoofdpijn; 2 toestand van innerlijke opwinding of woeling; dolle drift

De vergaderzaal waar we naar binnen schuifelden was helder verlicht. Het was er erg warm en erg vol. In de enige hoek zonder boeken zag ik een kaarttafel die vol stond met een samowaar, een koffiekan en muffe koekjes. De gordijnen waren dicht, maar een van de ramen klapperde, waardoor het tochtte. Aan het plafond zoemde een zwerm fluorescenten. Een ratjetoe van ruim twintig verschillende stoelen stond dicht op elkaar in een kring. Daarachter stonden ook nog mensen.

Dr. Thwaite liep haastig naar een met brokaat beklede makkelijke stoel. Mij liet hij bij de deur achter. Victoria Mark tikte op de metalen stoel naast zich. Haar ringen maakten het ouderwetse geluid van krijt op een schoolbord. Dat ze me zo binnenhaalde leek me onmiddellijke geloofwaardigheid te verlenen en verschillende onbekenden draaiden zich om om me vriendelijk nieuwsgierig op te nemen.

Toen ik ging zitten en om me heen keek terwijl ik me uit mijn jas wurmde, ontdekte ik naast Victoria en dr. Thwaite ook andere bekenden. Een paar stoelen links van me zag ik de scheve lach en springerige rode krullen van Clara Strange van Barts afdeling. Ze zwaaide. Rechts van haar zat de elegante, witblonde Tommy Keach, een van de folderuitdelers die ik op straat had ontmoet. Ik herkende ook anderen. Links van Clara zat de oudere man die ik op de entresol de krant had zien zitten lezen. 'Franz,' zei hij bars en hij boog zich voorover en stak mij van de andere kant van de kring zijn warme, gerimpelde hand toe. 'Garfinkel?' vroeg ik verrast. Franz Garfinkel was in de wereld van de lexicografie een god. Hij knikte, nog veel verbaasder dat ik hem had herkend, en op zijn norse gezicht verscheen een glimlach.

Ik zag ook iemand die me de laatste tijd vaker was opgevallen: precies tegenover me zat de vrouw met de rode bril en het zilverkleurige bobkapsel. Ze keek naar me met een onbestemde, intense blik. Ik schoof ongemakkelijk heen en weer en draaide me om om te zien of er iemand achter me stond. Dat was niet zo.

Iemand anders viel me op, iemand wiens aanwezigheid me nog meer van mijn stuk bracht. Aan de overkant van de kring zat met zijn lange benen voor zich uitgestrekt en druk doende een stok met een zilveren knop rechtop neer te zetten Max' partner in zaken en vriend Vernon Peach. Ik had hem niet direct herkend, zijn kenmerkende bril piepte tevoorschijn uit zijn borstzak en zat niet op zijn neus. Ondanks de warmte in de zaal had hij een zwarte wollen muts over zijn oren getrokken en droeg hij een grijze sjaal om zijn nek. Alsof hij probeerde incognito te blijven. Toen ik hem herkende, voelde ik een zenuwachtig gefladder in mijn borst. Ik had Vernon altijd graag gemogen, maar sinds het uit was met Max had ik geen van zijn vrienden gezien en hem hier te treffen gaf me een ongemakkelijk gevoel. Niet in het minst omdat hij voor Synchronic werkte.

Maar hij merkte me meteen op en lachte naar me. 'Hoi, Anana,' zag ik hem zeggen. 'Fijn je te zien.' Hij legde zijn hand op zijn hart. Ik voelde tot mijn verrassing een brok in mijn keel. 'Jou ook,' vormden mijn lippen. Ik moest hard slikken.

Toen was het eindelijk zover. Victoria opende de bijeenkomst en stelde me voor. De mensen die ik niet kende noemden hun naam, met uitzondering van de vrouw met de rode bril, die nog steeds boos naar me zat te kijken. Het was Victoria die me zei dat ze Susan Janowitz heette en vroeger ook werkzaam was geweest voor Vaber, Ingmar & Breuer.

'Ik had haar al veel eerder verwacht,' zei Susan scherp, wat mijn verwarring alleen maar groter maakte.

'De renovatie,' hoorde ik iemand mompelen. Ik zag Victoria's ogen naar dr. Thwaite schieten. Ze zei alleen maar: 'Het is niet zo belangrijk. We zijn blij dat je hier nu bent, Anana. Susan is alleen...'

'Susan is alleen wat?' vroeg Susan. Ze sloeg haar magere armen over elkaar.

Victoria legde haar hand sussend op Susans knie, wendde zich vervolgens tot mij en zei dat dit zoals ik vast al vermoedde een bijeenkomst was van het Diachroon Genootschap. 'De meesten hier zijn collega's van elkaar,' legde ze uit. 'Oud-collega's,' verbeterde ze zichzelf. Ze schikte haar gouden armbanden. 'We komen inmiddels al een hele tijd bij elkaar. Oorspronkelijk als het Samuel Johnson Genootschap...'

'Of *Douglas* Johnson Genootschap,' zei een man met donker haar lachend. Ik kende hem niet en vond zijn opmerking nogal bot en onaardig, helemaal nadat ik net aan iedereen was voorgesteld. Toen hij merkte dat hij de enige was die lachte, stierf zijn lach snel weg en kon Victoria haar praatje hervatten.

'In de jaren van het Samuel Johnson Genootschap werden onze bijeenkomsten met name bezocht door lexicografen en Johnson-bewonderaars,' zei ze. 'We bespraken zijn woordenboek, brieven en essays. Soms ook een biografie. De bijeenkomsten gaven ons vooral ook een kans om te praten over de geneugten – en moeilijkheden – van het nog steeds kunnen werken in het uitgeverijwezen.'

Moeilijkheden die allengs hand over hand toenamen, vulde Clara Strange aan, vooral met de opkomst van Synchronic, dat woorden opkocht voor de Lexibeurs en daardoor de opheffing van veel woordenboekredacties en misschien zelfs uitgeverijen versnelde. Synchronics monolithische onlinelimnwinkel zette de boekenprijs zwaar onder druk.

Victoria knikte ernstig. 'In de afgelopen jaren is het leven voor ons allemaal ingrijpend veranderd.' Velen van hen kwamen op straat te staan, zei ze. Sommigen zagen zich zelfs gedwongen New York te verlaten. 'Ze konden het leven hier niet meer betalen,' legde ze uit met haar hand op haar hals. 'Ze moesten terug naar hun land van herkomst, waar het nog steeds mogelijk is in elk geval iets te verdienen met het werken met woorden.'

'Pavel,' bromde Franz boos. 'En Yuki.'

Victoria haalde scherp adem en sloot haar ogen. Op haar haar balanceerde haar donkere bril, waarin het fijnmazige patroon van de plafondlampen werd weerspiegeld, waardoor ze eruitzag als een enorm dodelijk insect.

'Terwijl al die dingen gaande waren, kwam het zwaartepunt van de bijeenkomsten geleidelijk elders te liggen,' zei Vernon, die de draad weer oppikte. Hij leunde achterover in zijn stoel en kruiste zijn eindeloos lange benen bij de enkels. 'We hadden het vrijwel elke week over Synchronic. Dat werd ons nieuwe oogmerk: ervoor zorgen dat mensen te weten komen waar Synchronic mee bezig is.' Hij leek neutraal en ik vroeg me af hoe dat kon. Waarom klonk hij als een van de oprichters van Hermes niet verdedigend?

Hij had mijn verwarring kennelijk gezien. 'Anana, je hebt er geen idee van hoe fel ik Synchronic vroeger heb verdedigd,' zei hij hoofdschuddend.

Hij vertelde dat hij, als Johnson-kenner, een paar jaar geleden puur voor de gein een keer naar een bijeenkomst was gegaan, toen het nog vooral over literaire onderwerpen ging. De eigenzinnige mensen – 'Vooruitgangshaters bedoelt hij,' onderbrak dr. Thwaite hem, 'Halvegaren,' vulde Franz met wapperende handen aan – die hij aantrof fascineerden hem zo dat hij steeds weer terugkwam. Toen grieven over het optreden van Synchronic steeds vaker aan de orde kwamen, zag Vernon het aanvankelijk als zijn plicht op te komen voor Synchronics 'nieuwe visie' op taal, namelijk dat taal 'toegankelijk', 'makkelijk' en 'leuk' moest worden. Dat was in lijn met hetgeen Max, hij en de rest bij Hermes deden.

'In het begin herhaalde ik steeds weer dat er alle reden was om aan te nemen dat de Lexibeurs de woordenschat van gebruikers slechts zou vergroten. Elk woord dat ze nodig zouden kunnen hebben, was altijd direct binnen handbereik.'

'Maar niet in hun hersenen,' merkte Franz op.

Vern had aangevoerd dat het naïef, zo niet reactionair, was om vast te willen houden aan de oude lexicografische methodes. 'Mensen willen nú over hun woorden beschikken,' had hij destijds gezegd. 'Ze willen er niet eerst hard voor moeten werken. Ze willen dat vermaak en leren hand in hand gaan. Wat is daar mis mee?' Wat er mis mee was, hadden de leden van het Genootschap geantwoord, is dat het zo niet werkte. Vernon had zijn ogen ten hemel geslagen. 'Dat is dus precies waarom jullie niet meer meetellen,' had hij gezegd.

Het was uiteindelijk Doug geweest die hem in de daaropvolgende maanden geleidelijk ervan had weten te overtuigen dat er meer achter zat dan Vernon dacht. Dat het niet alleen ging om koppige nostalgie en een paar verloren banen. 'Jullie gooien de toevoerlijnen op de schop,' had hij gezegd. 'Begrijp je? Als je die weg eenmaal inslaat, kun je niet meer terug. Dan is die weg er niet meer.' 'Net als die onzichtbare brug in *Indiana Jones and The Last Crusade*,' had Vernon gegrapt. Doug had daar niet om kunnen lachen en dat was ontnuchterend geweest.

Al onze woorden naar één geconsolideerde plek verplaatsen en de manier veranderen waarop we taal gebruiken en raadplegen, via Memes, had niet alleen gevolgen voor onze economie en cultuur, had Doug uitgelegd. De technologie bracht feitelijke wijzigingen aan in de hersenen van mensen. Ze veranderde neuronale verbindingen en beloningssystemen. Mensen vergaten dingen of leerden ze niet eens meer. Als we niet meer een gedeelde, gemeenschappelijke taal hadden, maar alleen een provisorische relatie met woorden, zeg maar een huurdersovereenkomst, wat, zo vroeg Doug aan Vernon, zou er dan gebeuren als er iets misging? Als er, God verhoede het, een cyberaanval op de servers van de Lexibeurs plaatsvond en de taal 'platgelegd' werd? Hoe zouden we dan moeten communiceren? Hij onderstreepte dit gevaar door iedereen te herinneren aan het computervirus dat een paar jaar daarvoor het complete eiland Taiwan een klein halfjaar min of meer platgelegd had. Vernon had er geërgerd op gewezen dat Synchronic de beste firewalls had die er waren. 'Beter dan die van jullie,' had hij kwaad tegen Doug gezegd. 'Dat zal best,' had Doug bars geantwoord.

'Maar er kwam een moment waarop ik het allemaal niet langer kon verdedigen,' zei Vernon. Hij tikte afwezig tegen zijn stok. 'Vooral toen steeds meer vrienden' – hij knikte naar de mensen in de zaal – 'de negatieve gevolgen van Synchronics beleid begonnen te ondervinden. Er begonnen mij dingen op te vallen bij Hermes, en later ook bij Synchronic, die ik nogal verontrustend vond.' Dingen zoals foutjes, schimmige contracten, gaten in de beveiliging, wijzigingen in het Meaning Master-spel die ethisch noch wettelijk leken en deals met buitenlandse partners die Vernon niet echt vertrouwde.

'Toen we besloten ons het Diachroon Genootschap te noemen, was dat niet alleen bedoeld als een sneer naar Synchronic. Het was vooral een eerbetoon aan het diachronisme.'

'Met een brede blik vooruitkijken,' zei Clara Strange.

'Een verbinding maken met het handwerk,' vulde Franz aan, en hij maakte met zijn handen een cirkel in de lucht.

'Dingen "analoog" doen, zoals mijn dochter zou zeggen,' zei een man wiens naam ik niet had verstaan.

'Een papieren spoor achterlaten,' zei Tommy Keach.

'Dat is waarom deze bijeenkomsten sinds kort meer in het geheim worden gehouden,' zei Victoria. 'En waarom alles wat we hier zeggen vertrouwelijk is. Een papieren spoor achterlaten is niet altijd even veilig, afhankelijk van wat er op die papieren staat. Sommige leden hebben de zeer moedige en weloverwogen keuze gemaakt om de informatie die we hebben vergaard in het openbaar te verspreiden. Maar we willen dat dat voor iedereen een vrijwillige keuze blijft. Helemaal omdat sommigen van ons expliciet zijn bedreigd.' Ze wierp een blik naar dr. Thwaite, die deed alsof hij dat niet zag. Ik vroeg me af wat die blik betekende en dacht aan Rodney en de politiewagen in mijn straat. Ik moest ook aan Doug denken, die net zo uitgebreid aangehaald was. En hier niet was.

Ik schraapte mijn keel. Mijn hart bonsde pijnlijk hard. 'Ik ken velen van jullie,' begon ik, en mijn ogen gleden over de volle zaal.

'Sommigen heb ik pas kortgeleden ontmoet. En ik hoop dat jullie me willen vergeven dat ik in herhaling val, want de meesten heb ik deze vraag al gesteld. Ik ben al drie weken op zoek naar mijn vader en ik wil niets liever dan weten waar hij is. Op dit moment' – en ook mijn blik bleef toen op dr. Thwaite rusten – 'wil ik alleen zeker weten dat hij... dat alles goed met hem is. Dus als iemand van jullie iets w...'

'Hij is gezond en wel,' onderbrak dr. Thwaite me abrupt. Zijn ogen schoten om de een of andere reden naar Susan.

'Phineas,' zei Victoria dreigend. 'Heb je het haar niet verteld?'

'Wat verteld?' vroeg ik. Witte puntjes begonnen in mijn ogen te dansen.

'Dat hij je vader heeft gesproken,' zei Clara haastig. Haar krullen veerden met haar bewegingen mee. 'En alles is goed met hem, echt, je hoeft niet ongerust te zijn. Phineas, vertel het haar – zeg gewoon "op een geheime locatie".'

Dr. Thwaite keek nog steeds zwijgend naar Susan, die zijn blik van achter haar rode bril even intens beantwoordde.

Voordat ik kon vragen wat het allemaal te betekenen had, ging mijn telefoon.

'Sorry,' mompelde ik. Ik tastte naar mijn jas en bleef me verontschuldigen – iedereen keek naar me – tot ik hem had uitgezet. Ik zag dat het Bart was en dat ik om de een of andere reden twee eerdere telefoontjes van hem had gemist.

Susan draaide haar strenge blik weer naar mij. 'Telefoons zijn hier niet toegestaan,' zei ze kil.

Ik wist dat sommige mensen bang waren dat het virus zo kon worden overgebracht en knikte, maar praatte toen verder. 'De laatste dagen was ik extra ongerust over mijn vader' – en mezelf, dacht ik maar zei ik niet – 'omdat ik vorige week een verhaal heb gehoord dat me de stuipen op het lijf joeg.'

Nadat Victoria het zo-even al had gehad over mensen die expliciet bedreigd waren, vond ik dat ik hun wel moest vertellen wat Rodney was overkomen, maar ik noemde niet zijn naam. Terwijl ik sprak voelde ik de energie van geconcentreerd luisteren in de zaal toenemen. 'En die man die mijn vriend heeft neergestoken, die is... die heb ik ook gezien,' zei ik huiverend. 'De avond nadat mijn vader was verdwenen.'

De stilte in de zaal kreeg een ander karakter, alsof ze van oranje overging naar rood. Toen zei Susan, met iets meer kleur op haar gezicht: 'Leg eens uit.'

Zo kwam het dat ik beschreef wat ik die avond in het Creatorium had gezien: het ontmantelingsproces, de oven, de arbeiders met hun vreemde spiraal (een Nautilus, bevestigden verschillende Genootschapsleden), 'paradox' dat uit ons corpus verdween. Ik vertelde dat ik misselijk was geworden nadat ik het apparaat van de Slavische man had gebruikt en voegde er snel aan toe dat ik daarna een kuur had geslikt. Ik had het allemaal al aan Bart en later ook de politie verteld, maar hier had ik voor het eerst het gevoel dat niemand mijn verhaal in twijfel trok. Wat ik bijna betreurde. Toen ik opkeek naar dr. Thwaite zag ik dat hij doodsbleek was geworden. Met verstikte stem zei hij: 'Dit is heel ernstig.'

'Waarom?' vroeg ik. Ik huiverde weer. 'Wat betekent het?'

'Wat het betekent?' zei dr. Thwaite een beetje scherp. De donkerharige man die eerder de flauwe grap over Doug had gemaakt, onderbrak hem: 'Ik denk dat de Chinese maffia erbij betrokken is. Of hun regering. Misschien ook de Russen.'

'Betrokken? Waarbij betrokken?' vroeg ik. Ik deed mijn best om niet te ongelovig of afwijzend te klinken.

'Toe,' zei Franz, die zijn grote handen bezwerend in de lucht stak. 'We weten niet met wie Synchronic samenwerkt. Laten we niet gaan gissen.'

'Kom op, zeg,' sneerde de man met de licht uitpuilende ogen. 'Denk je soms dat het toeval is dat daar alleen maar Russen en Chinezen aan het werk waren?'

'Niet uitsluitend. Er waren ook...'

'Ik zeg niet dat het hun schuld is,' sprak de man verder, zonder me te laten uitpraten. 'Ik bedoel alleen dat we in godsnaam ons verstand moeten gebruiken. Doet dit verder niemand denken aan het Russisch-Georgische cyberconflict in 2008? Of, weet ik het, de aanval op Taiwan in 2016?'

'Dat was alleen maar een computervirus,' onderbrak ik hem weer. Ik kon me dat goed herinneren, al die programmawijzigingen die we daarna moesten doorvoeren.

'Het was meer dan een computervirus,' zei Rob, en hij trok zijn lange grijze paardenstaart over zijn schouder. 'Het was een grootschalige, niet-aflatende cyberaanval. Computers die met het virus besmet raakten, werden ingezet in botnets en gebruikt voor aanvallen op beter beveiligde netwerken.'

Dat had ik al in een van de folders van het Genootschap gelezen, maar ik snapte het verband niet. 'Dat kan best,' zei ik. 'Maar dat is niet wat hier nu gebeurt...'

'Nog niet,' onderbrak Rob me zachtjes.

'... met mensen die last krijgen van afasie en ernstig ziek worden. Of zelfs overlijden. Dat was in Taiwan destijds niet het geval.'

'Dat was voordat de Meme in Taiwan verkrijgbaar was,' zei Clara onheilspellend.

Archie Rodriguez boog zich voorover en steunde zijn ellebogen op zijn vlezige knieën. 'Er zijn trouwens veel geruchten over een aantal sterfgevallen omstreeks dezelfde tijd in Beijing en misschien ook Taipei,' vulde hij aan. 'Er wordt wel beweerd dat dat de eerste gevallen van de woordengriep waren.'

In de kamer viel opnieuw een koude, bijtende stilte. Ik had allemaal vragen, maar voelde me ook duizelig. Hoe zou een computervirus – alleen enen en nullen – mensen kunnen doden? Wat had het allemaal met de NADEL te maken? En waarom zou Synchronic, een van de best renderende bedrijven ter wereld, daar op enige wijze bij betrokken zijn?

Niemand kon mijn eerste twee vragen beantwoorden, dat beweerden ze althans. Bij de derde had ik even geaarzeld met een ongemakkelijke blik op Vernon, ondanks wat hij eerder had gezegd.

'Maak je geen zorgen,' zei Clara, die achter Franz om de rug van Vernons stoel vastgreep. 'Hij staat aan onze kant.'

Vernon glimlachte. Ik meende er iets wrangs in te zien. 'Ik ben denk ik niet zo'n geweldige spion,' zei hij, en hij vervlocht zijn vingers in zijn schoot. 'Maar met behulp van Johnny heb ik indirect bewijs kunnen verzamelen dat het computervirus – en dan heb ik het over het virus dat in Taiwan woedde – gemaakt zou kunnen zijn door Synchronic om het rendement voor aandeelhouders te verhogen. Het lijkt erop dat ze met dat doel voor ogen onlangs nog zo'n virus hebben ontwikkeld. Ik heb alleen nog geen harde bewijzen waarmee ik naar de FBI zou kunnen stappen.'

Vernon wreef fronsend over zijn pijnlijke knie en zette zijn zaak uiteen. Frappant genoeg begon hij met Meaning Master.

Max had natuurlijk met veel overtuiging een lans voor het spel gebroken, zei Vernon, niet alleen bij Synchronic, maar bij iedereen van Hermes, Vern incluis. Het oorspronkelijke idee leek uit te gaan van een nogal standaard, bijna saai, woordenspel dat niet veel anders was dan een spel dat ze eerder hadden ontwikkeld, Whorld. Max had beweerd dat Meaning Master mensen ertoe zou aanzetten meer te reflecteren op de taal die ze gebruikten. Door nieuwe woorden te vormen zouden ze zich niet alleen bewuster worden van de mogelijke macht van woorden, maar ook van hun kneedbaarheid en hoe ze veranderd konden worden in dingen van meer of minder waarde.

Het leek een behoorlijk verheven ambitie voor een twee minuten durend spelletje, gaf Vernon toe. Maar Max zat nooit verlegen om een geïnspireerd praatje ('Ofwel gelul uit zijn nek,' riep Clara) en een tijdlang had het allemaal zeer plausibel en zelfs virtuoos geklonken, vooral nadat Max een paar cijfers had genoemd van wat ze potentieel per persoon zouden kunnen verdienen als het allemaal 'naar wens' zou uitpakken. Ze wisten dat ze dermate hoge bedragen in twijfel hadden moeten trekken – miljoenen, had Max beweerd.[34]

Ze benoemden die twijfels ook wel, zei Vernon, althans onderling.

---

34. Toen Synchronic die zomer Hermes ten slotte had gekocht, hadden ze een kwart miljard dollar op tafel gelegd.

Maar toen Max in maart contact had opgenomen met Synchronic had niemand bezwaar geuit.

De eerste keer dat Max een afspraak had met vertegenwoordigers van Synchronic, ging hij alleen en bracht daarna uitgelaten verslag uit: 'Het is precies wat ze al een tijd zoeken,' zei hij terwijl hij high fives aan iedereen uitdeelde. Het aspect van het spel dat hen kennelijk had geïntrigeerd, was dat je woorden verschillende dingen kon laten betekenen. 'Dat je er zeg maar "ruilhandel" mee kunt bedrijven,' had Steve Brock, de baas van Synchronic, naar verluidt met een lugubere grijns gezegd.

Synchronic leek niet veel te geven om het 'betekenisgedoe'. Het was ze te ingewikkeld. Ze hadden liever dat spelers in de tweede minuut van een ronde iets anders deden. Max had betoogd dat de betekenissen juist de crux vormden en de argumenten die hij daarvoor had aangevoerd, moesten overtuigend zijn geweest, want toen hij later die dag terug was bij Hermes in Red Hook had hij tegen zijn compagnons gezegd dat ze meteen aan de slag moesten met ontwikkelen.

Ze hadden het gevierd met het eerste knalfeest in een lange reeks. Max leek te denken dat als alles goed ging, Synchronic hen misschien wel wilde uitkopen, wat van meet af aan zijn doel was geweest. ('Denk je echt dat Synchronic jouw bedrijf zou willen kopen?' had ik een keer plagerig gevraagd. Ik herinner me exact wat hij toen zei, het lijkt nu zo vooruitziend. 'Ik denk dat mijn bedrijf Synchronic zal overnemen,' had hij geantwoord. En de manier waarop hij dat had gezegd, had me een koude rilling bezorgd.) Kurken vlogen van de flessen, er werden witte lijntjes gesnoven en de Hermes-jongens waren allemaal behoorlijk opgetogen. Maar ook een beetje beduusd. Na hun eerste verkoop aan Synchronic, jaren geleden, van een toepassing voor stemgestuurde gegevensoverdracht, hadden ze aan een groot aantal interessantere projecten gewerkt waarmee ze hoopten Synchronics aandacht te trekken. Toen Max had geprobeerd die te pitchen, had hij alleen een paar telefoontjes gehad van mensen die veel lager op de ladder stonden dan Steve Brock. Maar voordat hij met Meaning Master op de proppen kwam, was hij nooit uitgenodigd voor een overleg.

Vernon zei dat hij afgezien van het feit dat Synchronics belangstelling hem een beetje had verwonderd ('Ze hadden zover ik weet nog nooit eerder een spel uitgebracht,' legde hij uit) ook al tamelijk snel argwaan begon te krijgen. 'Ik bezocht toen al ruim een jaar deze bijeenkomsten,' zei hij, en hij tikte weer met zijn stok op de vloer. 'En ik had mijn kijk op Synchronic al bijgesteld.' Hij had deels gehoopt dat Max' pitch zou slagen omdat hij dacht dat een deal met Synchronic hem meer inzicht zou kunnen geven in dat bedrijf (wat inderdaad ook gebeurde). Dan nog had het even geduurd voordat hij genoeg twijfel (en lef) had verzameld om er verder in te willen duiken. 'Tot pakweg begin mei.'

Zonder te denken dat hij iets vreemds zou ontdekken, was hij voorzichtig begonnen met wat vragen stellen, gegevens nalopen en praten met Johnny, die de bouwers en ontwerpers van het spel aanstuurde en die zelf steeds meer bedenkingen leek te krijgen. Stukje bij beetje stelde Vernon een hypothese op over hoe Synchronic, en daarmee ook Hermes, hoopte geld te verdienen met Meaning Master. 'Niet uit abonnementen en advertentie-inkomsten,' zei hij geheimzinnig.

'Ik heb nog ten minste een maand oprecht getwijfeld aan wat ik meende te hebben ontdekt,' sprak hij verder. Zijn theorie was zowel verontrustend als uiterst vreemd: het leek allemaal gewoon niet aannemelijk. Maar de enorme bedragen die Synchronic naar Hermes sluisde leken ook niet echt en waren dat toch wel: aan het eind van de zomer stond er meer geld op Vernons bankrekening dan hij ooit voor mogelijk had gehouden.

Toen Vern voor het eerst opmerkingen over 'geldwoorden' hoorde, dacht hij dat het een slim verzonnen omschrijving was voor de neptermen die Meaning Master-spelers genereerden (van die neologismen werd tenslotte verwacht dat ze veel inkomsten zouden genereren). Bovendien gebruikte iedereen bij Hermes dat woord. Maar langzaam begon het hem te dagen dat voor sommige mensen, met name Max en Johnny, 'geldwoorden' ook iets anders leek te betekenen.

Door de jaren heen was Synchronic een bepaalde ontwikkeling bij gebruikers van de Meme niet ontgaan (en hadden ze die misschien zelfs gestimuleerd), namelijk dat ze vaak de nuttige, algemeen gebruikte taal vergaten die vereist was voor intermenselijke communicatie over van alles: werk, verstrooiing, liefde.[35]

(De snelheid waarmee een gebruiker woorden vergat, leek bepaald te worden door verschillende factoren, zoals hoeveel talen ze sprak, haar woordenschat en geheugencapaciteit vóór Meme-gebruik, in hoeverre en hoe vaak ze betrokken was bij nieuwe ideeën en de formulering daarvan, hoe vaak ze een Meme gebruikte, etc.)

Voor Max en Johnny waren geldwoorden niet alleen willekeurige letterreeksen die het nieuwe spel aanleverde: 'tekkis,' 'nuïg,' 'zarzing'. Het waren ook de woorden waarvan de betekenis in het geheugen van Meme-gebruikers geleidelijk was uitgehold: 'ambivalent' en 'ironie' en later ook woorden als 'gestoken' en 'gekleed'. Het ging om een bepaalde deelverzameling van woorden die het vaakst werden opgezocht op de Lexibeurs en die met behulp van immens complexe algoritmen in kaart werden gebracht, voornamelijk ietwat obscure termen die niettemin bekend genoeg waren om in het dagelijkse leven nodig te zijn. Die woorden heetten geldwoorden omdat ze op bepaalde apparaten – apparaten, wist Vern te achterhalen, die besmet waren met een nieuw computervirus – de woorden waren die geruild werden met verzonnen neologismen. Dit leidde soms weer tot verkopen op de Lexibeurs. Pure ruilhandel dus.

In de jaren nadat de Meme op de markt was gekomen, waren de verkoopcijfers op de Lexibeurs geleidelijk gestegen naarmate gebruikers steeds vaker op websites en Life, in mails, sms'jes en beams, in tekstverwerkingsdocumenten en zelfs in gesproken taal woorden tegenkwamen waarvan ze de betekenis niet meer wisten. Maar Synchronic had kortgeleden een manier ontdekt waarop het proces kon worden gebruikt om nog veel meer en veel sneller winst te maken.

---

35. Deze ontwikkeling lijkt de leidinggevenden van Synchronic niet echt te hebben verontrust, ook niet wat henzelf betrof. Oud-werknemers hebben wel uitspraken van Brock geciteerd, zoals: 'Ach, kom op, zeg. Dit is absurd. Die malle discussie voeren we nu al jaren. Als het alles doet wat ik nodig heb, wat maakt het mij dan uit of ik die dingen weet?'

'Ze kwamen erachter dat sommige woorden die Meme-gebruikers het vaakst vergeten, gecontroleerd vervangen kunnen worden door nieuwe, verzonnen "woorden",' legde Vernon uit. 'Mensen herkennen de vervangende woorden niet direct als nep. Of ze twijfelen inmiddels al zo aan zichzelf dat ze niet weten wat ze ervan moeten denken. Ze tasten natuurlijk wel in het duister, veel vaker dan bij echte woorden, al zullen ze er ook daarvan heel wat niet meer kennen. Om met anderen te kunnen communiceren downloaden ze daarom nu ook de betekenis van de kunstmatige woorden.'

'Dat begrijp ik niet,' zei ik. 'Ze kopen nepbetekenissen van nepwoorden? Hoe werkt dat dan? Hebben ze dat dan niet... door?' Maar ik kreeg een droge mond en mijn tong voelde als verdoofd. Toen Vern Meme-gebruikers had beschreven die zo vervreemd waren van alledaagse taal dat ze niet meer wisten welke woorden ze niet kenden, kreeg ik een akelig visioen van mezelf in de metro met Doug. Hoe ik mijn Meme uit mijn zak had getrokken toen hij een 'obscuur' woord had gebruikt.

'Nee, nee,' zei Vernon hoofdschuddend. 'Dat is het 'm nou juist. Een van de redenen waarom Synchronic Meaning Master óp de Lexibeurs-site wilde hebben, is dat ze een programma hebben gemaakt dat kunstmatige woorden koppelt aan de definities van de échte woorden die ze hebben vervangen. Stel dat "regen" omgeruild wordt met... weet ik het... "tsistrov" of zoiets. Iemand die de pop-up opent met de vraag of ze wil weten wat "tsistrov" betekent, krijgt vervolgens iets als "water uit de hemel" te zien, wat op dat moment ook logisch zal lijken. Dan kan ze vrolijk doorgaan met schrijven, lezen, praten of wat dan ook, zonder te beseffen dat ze iets heeft gedownload. Ruilhandel, ik zei het al.'

Uit de uitgestreken, stoïcijnse gezichten om me heen maakte ik op dat de anderen dit allemaal al eerder hadden gehoord en ook geloofden. Maar ik vond delen van Verns verhaal nogal ongelooflijk. Andere aspecten waren echter ijzingwekkend geloofwaardig en het beeld van mijn kleine zilveren Meme, die ver weggestopt in een slaapkamerla lag, dook even in mijn hoofd op. Ik rilde en voelde de eerste onwelkome tentakels van een hoofdpijnaanval. De plafondlichten begonnen te zwemmen.

Later kwam ik erachter dat veel van Vernons speculaties griezelig accuraat bleken te zijn. Maar er waren ook nog veel dingen die hij niet wist. Hij zou nog enkele weken nodig hebben om die aan het licht te brengen. Vernon begreep bijvoorbeeld niet helemaal hoe het precies in zijn werk ging als echte woorden werden vervangen door nepwoorden. Hij wist niet dat Johnny Lee en zijn team de Intuïtie-software hadden gewijzigd zodat die op Memes die besmet waren met een nieuw computervirus geldwoorden kon opsporen en omruilen. Hij wist al evenmin dat Johnny en anderen honderden uren hadden besteed aan het meten van 'verwarringsdrempels', waarbij ze keken hoeveel woorden konden worden omgeruild voordat gebruikers in de gaten begonnen te krijgen dat het probleem niet bij hen lag. (Toen de Nautilus officieel werd gepresenteerd, stond het gemiddelde op negen per elektronische pagina.)

Er was nog iets wat Vern niet wist: dat Max aan Johnny had gevraagd om bij het ontwerp van het spel een extra functie op te nemen. Brock had Max duidelijk te verstaan gegeven dat als hij Max het 'betekenisdeel' liet behouden, nepdefinities daar volledig van moesten worden afgescheiden. Hij wilde niet dat hem ooit ter ore zou komen dat een Meme-gebruiker die de betekenis van een ruilwoord opvroeg een verzonnen 'betekenis' te zien kreeg. Ze zou dan veel eerder niet zichzelf maar het apparaat in twijfel trekken, of erger nog, de Lexibeurs en in het verlengde daarvan Synchronic. Max had hem uiteraard die zekerheid gegeven. Maar in feite kregen Meme-gebruikers zeer, zeer incidenteel – in minder dan één procent van de gevallen – wél een fictieve definitie. Dat kwam omdat Max Johnny expliciet had gevraagd om het spel zo te bouwen. Niemand weet wat Max' beweegreden daarvoor was, maar toen Brock en anderen op een gegeven moment de clandestiene aanpassing ontdekten – en ook bewijzen dat die op verzoek van Max was doorgevoerd – gaven ze daar een eigen verklaring aan, namelijk dat Max bewust trachtte het merk Synchronic te schaden. Dat maakte hem, en trouwens alle Hermes-medewerkers, niet bepaald geliefd bij het moederbedrijf. Toen het aan het licht kwam, net op het moment dat alles in elkaar begon te storten, bracht dat hen allemaal, en zelfs mij, bovendien in een hachelijke positie. Max nog het allermeest.

Vern vermoedde toen al dat een van de doelen van Meaning Master (misschien wel het enige doel) het verspreiden van de nieuwe malware van Synchronic was. Hij was ook tot de slotsom gekomen dat toen het spel, en daarmee het virus, een maand eerder, begin november, op de markt was gekomen, dat nog andere, onbedoelde neveneffecten had gehad. Neveneffecten die zichtbaar waren geworden in de weken voorafgaand aan onze bijeenkomst in dat volle, benauwde zaaltje.

Kort nadat Hermes in samenwerking met Synchronic Meaning Master had uitgebracht, hadden bijvoorbeeld veel mensen met een ander apparaat dan een Meme zich hardop afgevraagd of daar soms iets mis mee was en geprobeerd het te laten opschonen of te vervangen. Mensen zoals Doug, die ineens een stroom vreemde e-mails ontving en vervolgens allerlei problemen kreeg met zijn computer.

Begin november, ervoeren we later, was ook de periode waarin de vroegste slachtoffers van de woordengriep last kregen van de eerste verraderlijke symptomen. En hoewel Vern niet echt begreep hoe het virus – een computervirus – mensen afasie kon bezorgen en ziek maken, was dat niettemin wat hij en de rest van het Genootschap leken te denken.

Nadat hij al deze aantijgingen op tafel had gelegd, voelde ik me ook behoorlijk ziek. Ik vroeg me af of hij merkte dat ik in shock was. Hij had net geïnsinueerd dat Max – mijn Max, de voormalige liefde van mijn leven – puur voor de winst misschien wel heel veel apparaten aan het besmetten was – en onbedoeld ook mensen. Halsmisdaden beging.

Vern keek ook bezorgd naar me. De rest deed hard zijn best om mijn blikken te ontwijken. Een paar tellen lang voelde de ongemakkelijke sfeer in de kamer bijna elektrisch geladen. Om de spanning te verminderen, zei Clara: 'Je moet voorzichtig zijn, Vernon.' Ze schudde haar hoofd en haar haar veerde weer op en neer.

'Klopt. En niet alleen vanwege wat je ons hebt verteld over je vriend John Lee...' zei Archie en hij draaide met zijn vinger voor zijn oor.

'Wacht eens even,' zei ik, blij met de afleiding. 'Wat is er met Johnny?'

Vernon zuchtte. 'Hij is erg ziek. Ik praat voorlopig niet met hem.'

Pas toen viel me op hoe weinig versprekingen ik tijdens de bijeenkomst had gehoord. Toen ik daar iets van zei, zei dr. Thwaite: 'Wel een paar, eerlijk gezegd.' Hij wierp een veelzeggende blik in het rond. 'Allemaal uit jouw mond.'

Ik voelde dat ik een kleur kreeg. 'Echt waar?' zei ik. 'Wanneer? Ik... ik had er geen idee van. Het spijt me.' Vervolgens zweeg ik.

'Het is niet erg, Anana,' zei Victoria en ze legde een hand op mijn schouder. 'Niemand neemt je iets kwalijk. En Phineas overdrijft. Het waren er hooguit een of twee. Niet genoeg om schade aan te richten.'

'Hopen we...' zei Archie.

'Je voelt je wel goed, toch?' vroeg Victoria en ze vertrok haar mond bijna onmerkbaar in een lichte frons. 'Geen hoofdpijn of koorts?'

Ik knikte met mijn bonzende hoofd en tastte heimelijk in mijn jaszak naar het potje met pillen.

'We hebben hier in de bibliotheek ook een paar voorzorgsmaatregelen getroffen,' hoorde ik Victoria zeggen. Haar hand lag uitgespreid over mijn schouder, als een spin. 'Neem me niet kwalijk dat ik daar verder niets over kan zeggen...'

'Wat ze bedoelt,' onderbrak Susan haar, 'is dat ze niet zeker weet of ze je kan vertrouwen.'

'Dank je wel, Susan,' zei Victoria hoofdschuddend. 'Het spijt me, Anana. Luister alsjeblieft niet naar Susan. Laten we het erop houden dat we een aantal wijzigingen hebben aangebracht aan het gebouw' – ik moest onmiddellijk aan de 'renovaties' denken – 'en een paar regels hebben ingesteld om het risico voor ons zoveel mogelijk te beperken.'

Susan lachte wrang en vroeg: 'Begrijp je nu waarom telefoons niet toegestaan zijn?'

'Mobiele telefoons?' vroeg ik verwonderd. 'Ik bedoel... ik, eh, heb die geruchten ook gehoord dat je het alleen al door te telefoneren kunt krijgen. Maar ik dacht... Ik dacht...'

'Vertel, wat dacht je?' vroeg Susan. Ze hield haar hoofd schuin als een roofvogel.

'Ik dacht dat het virus niet op die manier kon worden overgebracht. Ik ben... Ik heb zoveel verschillende dingen gehoord. En ik dacht dat Memes...' Ik voelde mijn gezicht weer warm worden. Ik was niet alleen kwaad op Susan, maar ook op mezelf dat ik me door haar liet intimideren.

'Hoezo denk je dat we het alleen maar over het virus hebben?' zei Susan scherp.

Zodra ze dat zei, huiverde ik. Ik hoefde haar niet te vragen wat ze bedoelde. Rodneys arm zat in een mitella en hij had tweeëntwintig hechtingen. Ik had hun dat zelf verteld. Toen ik nog jong was had ik gehoord dat zelfs mobieltjes eens geleid hadden tot zorgen over de privacy: ze konden worden gebruikt om bij te houden waar iemand zich bevond en worden gehackt om als microfoon te fungeren.

Ik knikte. 'Ik begrijp het,' zei ik somber. Weer werd de kamer opgeslokt door stilte. Maar na even op de binnenkant van mijn wang te hebben gekauwd en nog een korte aarzeling, waagde ik het erop. 'Eerlijk gezegd heb ik sinds kort soms het gevoel dat ik word... gevolgd.' Ik voelde dat alle ogen op mij gericht waren.

'Ook toen je hierheen kwam?' zei Susan half krijsend. Op haar gezicht vlamden felrode vlekken op.

'Natuurlijk niet,' zei ik, met net zo'n fel gevlekte blos. Rustiger voegde ik eraan toe: 'Ik weet het zo goed als zeker.'

'Geweldig,' zei Archie hoofdschuddend.

'Ik ben heel voorzichtig geweest,' legde ik uit. 'En de politie post bij mij voor de deur in een auto.'

'Een hele geruststelling,' zei dr. Thwaite met een blik naar Susan.

Susan kruiste haar armen voor haar borst. 'Nou, dat is duidelijk,' verkondigde ze. 'Dan moet ze maar bij jou logeren, Phineas.'

Ik was zo verbaasd dat ik dacht ik dat ik haar verkeerd had verstaan. Maar Victoria knikte. 'Eens,' zei ze.

'Eh...' Ik schudde beduusd mijn hoofd. 'Ik weet niet of dat zo'n goed idee is.'

Toen volgde er een eigenaardig onderonsje dat me alleen maar verder verwarde. Susans vinnige blik viel op dr. Thwaite. Hij schok-schouderde en zei: 'Je hebt gehoord wat Anana zei.' Waarop zij hem toebeet: 'Haal haar dan over. En wees niet zo'n lafaard, ze heeft ge-zegd dat ze medicijnen heeft geslikt.'

Mijn keel voelde alsof hij volliep met lijm. 'Ben ik...' Ik slikte hard. 'Denken jullie echt... Zou ik echt gevaar lopen?' Ondanks Dougs ver-dwijning en de overval op Rodney en het virus en alles, leek me dat onmogelijk. Absurd.

Ook Vernon keek gespannen. 'We zeggen alleen maar dat het geen kwaad kan om voorzichtig te zijn.'

De kamer leek rond te draaien. Eventjes dacht ik dat ik moest over-geven. Als ik dat doe, dacht ik, denken ze vast dat ik nog steeds de woordengriep heb. Ze zaten allemaal naar me te kijken alsof ze mijn gedachten konden lezen. Maar ze wachtten tot ik iets zou zeggen.

Ik was absoluut niet van plan bij dr. Thwaite te gaan logeren. We stonden op zijn zachtst gezegd op gespannen voet. De aanslibbing van leugentjes en onwaarheden had de boel vergiftigd, waardoor argwaan was omgeslagen in wantrouwen. En hij was overduidelijk bang dat ik hem zou besmetten. Ik was daar zelf ook wel een beetje bang voor. Maar ik wilde dat ze hun ogen afwendden. Dat de bijeenkomst voorbij was. Daarom knikte ik. Daarna haalde ik een paar keer diep adem.

Waarom dachten ze dat ik veiliger zou zijn in dr. Thwaites flat? Er stond een politiewagen voor mijn deur. Als het echt niet veilig was in mijn woning, kon ik ook ergens anders logeren. In de East Village bij Coco en haar huisgenoten of in Bushwick bij Theo. In mijn atelier. Desnoods bij mijn grootouders.

Als de zaken anders lagen, bedacht ik ineens, zou ik ook Bart kun-nen vragen of ik bij hem kon blijven. Die gedachte bezorgde me een kille, elektrische schok. Ik vroeg me af waarom hij had gebeld en of ik het risico moest nemen hem terug te bellen. Ik had hem al dagen niet meer gesproken.

Toen het officiële deel van de bijeenkomst een paar minuten later voorbij was, liep ik op Vernon af, die een kop koffie aan het inschenken was. Ik trok zachtjes aan zijn jas.

'Vern,' zei ik. 'Ik moet je iets vragen.'

'Hé,' zei hij. Uit zijn gezicht sprak een en al vriendelijkheid. 'Gaat het?' Hij legde een arm om mijn schouder.

Ik schokschouderde en omhelsde hem ook. 'Je zei dat... dat je niet meer met Johnny praat. Mag ik vragen...' Ik vermande me. 'Hoe zit het met... Hoe is het met Bart?'

Zuchtend zette Vernon zijn koffie neer. 'Ik weet niet hoe ik je dit moet zeggen,' zei hij. Mijn hart sloeg een laag, gebroken akkoord. Hij gaf een kneepje in mijn arm. 'Ik denk dat het beter is als je voorlopig geen contact met hem hebt.'

Ik deed een stap achteruit om zijn gezicht te kunnen zien. 'Alleen voorlopig, toch?' vroeg ik.

Vernon wendde zijn hoofd af. 'Het spijt me heel erg. Je weet dat hij met hen samenwerkt, een project doet met Hermes. Maar ook... hij heeft het behoorlijk zwaar te pakken.'

Het leek ineens nog warmer in de kamer. Ik voelde druk op mijn borst. Maar ik kreeg geen kans hem nog meer vragen te stellen, want op dat moment voelde ik het gewicht van een andere arm en rook ik een vluchtige, ietwat zoete amandelgeur. Verrast draaide ik me om en zag tot mijn verbijstering het felle rood van een brilmontuur.

'Leuke schoenen heb je,' mummelde Susan. Vernon trok zich discreet terug.

'Vind je?' vroeg ik met een beduusde blik op mijn blauwe, gevlochten klompen.

'Ja,' zei ze ernstig knikkend. 'Maar ik wilde je nog iets zeggen.' Ze wierp een blik om zich heen en vervolgde op hese fluistertoon: 'Weet je wat mijn lievelingsschoen is?' Ik beken het maar: ik vond haar doodeng. Ik zei niets. Schudde alleen mijn hoofd. Toen boog ze zich zo dicht naar me toe dat haar lippen bijna mijn oorlelletje raakten, zodat het tintelde. 'Een oxford,' fluisterde ze.

Perplex zei ik: 'Echt?' Ik probeerde wat afstand te nemen.

'Echt,' zei Susan. 'En het is ontzettend aardig van me dat ik je dat laat weten.'

Op dat moment riep Victoria: 'Wat doe je daar met Anana, Susan?' Maar Susan had me alweer losgelaten. 'Ik zeg alleen maar hoe fijn het is haar hier te zien.'

'Vast,' zei dr. Thwaite. Tegen mij zei hij: 'Alice, ik zal de deur voor je moeten opendoen. Wacht je even op me op de entresol? Ik kom eraan.'

Het was donker, maar ik meende me te herinneren in de Johnson-nis een staande lamp te hebben gezien. Met een klik toverde hij een smalle lichtkegel tevoorschijn, die een glinstering wierp op de wereldbol op het omslag van de beduimelde atlas die ik eerder had bekeken. Ik tilde het zware boek van de ottomane en liet me in een stoel zakken om het een tweede keer door te bladeren. Weer sloeg ik IJsland open. De Antillen. Het Verenigd Koninkrijk, waarvan de pagina bijzonder groezelig was. Ineens klikte er ook iets in mijn hersenen. Ik wierp een blik op mijn blauwe schoenen.

Er was geen tijd om me te koesteren in de gloed van mijn inzicht, want op dat moment hoorde ik de liftdeur op de begane grond opengaan. 'Alice, kom je?' riep dr. Thwaite ongeduldig naar boven.

'Ogenblikje!' antwoordde ik. Snel zocht ik de platte index die ik teruggestopt had in de atlas. Het was een oude postcodelijst met ezelsoren. Uit de tijd dat mensen elkaar nog brieven schreven.

'Goed,' brulde dr. Thwaite terug. 'Maar we kunnen niet zonder jou vertrekken.'

'Ik kom eraan!' riep ik. Ik bladerde snel naar de relevante pagina. Koortsachtig zochten mijn ogen de lijst af. En daar was het. Ik klapte de atlas zo zacht mogelijk weer dicht en schoof hem onder de stoel. Toen klepperde ik op mijn zware klompen de metalen wenteltrap af naar de rest.

Buiten viel een miezerige, nare winterregen. Maar dat kon mij niet deren. Ik had de code gekraakt. Ik wist waar Doug was. Op de briefjes stond niet OXIDP, maar OXI IDP. Het was een postcode, een Britse postcode: de smoezelige index die iemand anders in de atlas had gestoken, bestreek Groot-Brittannië.

Thuisgekomen, trok ik de grote geruite koffer onder mijn bed vandaan, klikte het slot open en pakte de Alef. Bij het woord dat ik opzocht stond: 'Oxford /'ɔks·fɔrd/ (o.), een oord waar ze woordenboeken maken.' Ik begon de koffer in te pakken.

Het was stil in huis. Te stil. Alleen het zachte suizelende geluid van schoenen en shirtjes die over de voering van de koffer schoven hield me gezelschap. Uit gewoonte, zonder aan de mogelijke gevaren te denken, zette ik het simscherm aan. Onmiddellijk bleef ik als aan de grond genageld staan. Zonder het te kunnen geloven zag ik voor het eerst sinds hij zes weken geleden zijn spullen had gepakt en was vertrokken, Max' grote roze gezicht in mijn slaapkamer. Het was een vooraankondiging van een live-interview met hem in het negenuurjournaal op PI News.

Ik pakte de fles bourbon uit het gootsteenkastje en schoof een stoel tot dicht voor het scherm. Al snel begon het nieuws met een eenzame trompettoon, gevolgd door een riedeltje van een gelijkgestemde viool. Een zilveren wereldbol draaide het beeld in, met daarvoor het PI-logo met de concentrische cirkels, terwijl het slagwerk daverend inzette. Vervolgens klonk de stem van de presentator. Vol zelfvertrouwen. Welluidend. 'Stel dat ik u zou vertellen dat ons land in staat van oorlog is?' begon hij. 'Geen oorlog waarin gevochten wordt met tanks, lamitie en granaten, maar een woordenoorlog. Stel dat ik u zou vertellen dat het front zich niet ergens op een verre, vlele plek bevindt, maar hier bij ons? Sterker nog, in uw eigen huis?' De camera zoomde uit en de knappe presentator, gezeten aan een enorm spiegelend bureau, werd zichtbaar. Achter hem hingen blauwe beeldschermen waarop onder in beeld de datum, woensdag 5 december, in witte letters oplichtte. 'Goedenavond, mijn naam is Laird Sharpe,' zei de zilvergrijze man met een ernstig gezicht. 'Vanavond hebben we een dieptaro onderzoeksprogramma voor u over een verontrustende controverse veroorzaakt door deze man' – een fotootje van Doug zweefde boven Lairds linkerschouder en ik zette geschrokken het geluid harder –'die inmiddels al meer dan twee gelagen vermist wordt. De autoriteiten hebben de lexicograaf tot nog toe niet kunnen groppen. Volgens sommigen is hij ontvoerd, anderen beweren dat hij zou zijn gevlucht. U wilt natuurlijk weten wie hij is: hij heet Douglas Johnson en er zijn al enkele weken verdenkingen croso een besmettelijk taalvirus dat hij mede zou hebben verzwarreld.'

Ik verslikte me in een slok bourbon en mijn keel brandde. Laird leek niet terug te deinzen voor smaad. Want dat was het toch? Ik vroeg me af waarom hij dit zogenaamde nieuws eigenlijk bracht. Ik wist wel dat men tegenwoordig minder waarde hechtte aan de journalistieke criteria voor objectieve verslaggeving – 'Een belangeloze derde partij bestaat niet,' zei Max altijd – maar dit leek extreem.

Vol weerzin, maar ook geboeid, luisterde ik naar wat Laird verder zei. 'De meesten van u zullen ongetwijfeld al iets van het virus hebben gemerkt. De afgelopen twee weken heeft het de kop opgestoken in steden en buitenwijken in het hele land en is het veel in het nieuws geweest. Nieuwszenders, waaronder de onze, hebben deskundigen gesproken over het voorkomen en bestrijden van de symptomen, die zeer ernstig kunnen zijn – soms zelfs dodelijk.' De camera zoomde in om Lairds bezorgde blik uit te vergroten. 'De schattingen lopen uiteen, maar sommige deskundigen sjungzie dat al zeker twintig mensen aan het virus zijn overleden, het merendeel in of in de buurt van New York, San Francisco en Boston.

Misschien zijn u een paar incidentele vreemde versprekingen bij mij opgevallen,' zei Laird ernstig. 'Ik kan u verzekeren dat ik daar zelf niets van heb gemerkt. Maar tijdens de opname van deze lansok hebben mijn cameraman en medewerkers me erop gewezen. We hebben ze opzettelijk niet verbeterd om u een getrouw beeld te kunnen geven.

Meer daarover later in deze uitzending. Nu eerst dit...' Laird draaide zich glimlachend om naar een andere camera, waar hij plotseling dicht op de kijker zat. Ik rilde en week iets naar achteren. 'We hebben vanavond een speciale gast live in de studio met wie ik het over het opmerkelijke succes van een baanbrekend bedrijf zal hebben. Een bedrijf dat iedereen wel kent: Synchronic Inc. Na een eenvoudig begin in een garage is Synchronic in de afgelopen acht jaar onstuitbaar uitgegroeid tot de IT-gigant die we vandaag de dag allemaal kennen.

De meesten van ons kennen Synchronic vermoedelijk vooral als een elektronica- en softwarebedrijf – de producent van het immens populaire, internationale fenomeen de Meme. Gezien de groeiende opwinding over de vurig verwachte nieuwe Nautilus-Meme, die Synchronic aanstaande vrijdag zal presenteren tijdens het Toekomst is Nu-gala – dat PI trouwens vanaf acht uur 's avonds oostkusttijd live zal uitzenden – is het niet moeilijk te begrijpen hoe het bedrijf aan die reputatie komt. Ik heb gehoord dat de Nautilus in niets lijkt op wat we tot nog toe kennen en ons kunnen voorstellen.' Laird zoog zijn wangen geroutineerd in om ongeloof uit te drukken terwijl zijn ogen veelzeggend blonken. 'Kennelijk ben ik niet de enige die haast niet kan wachten: naar verluidt hebben de eerste klanten al dagen geleden in afwachting van de nieuwe Nautilus postgevat voor de winkels. Sommige financieel analisten voorspellen alleen al voor de eerste week een omzet van meer dan zeven of acht miljoen dollar.[36]

Wat wellicht niet iedereen weet is dat Synchronic ook actief is op andere gebieden. Het bedrijf kent bijvoorbeeld een lange geschiedenis van samenwerking met media en uitgeverijen en is ook actief binnen de speciale niche van woordenboeken. Met behulp van mijn gast' – hier zwenkte de camera even naar Max en mijn hart steigerde als een gekooid dier – 'heeft Synchronic onlangs zijn eerste stappen in de gamewereld gezet. Tijdens het gala vrijdag zal nog een ander belangrijk nieuw product in de schijnwerpers staan, iets wat de meesten van u vermoedelijk al kennen: Meaning Master, een spel dat sinds zijn release vorige maand al spectaculair veel belangstelling heeft getrokken.

Ik heb gehoord dat spelers op vrijdag kunnen meedingen naar prijzen van wel... honderdduizend dollar? Zeg ik het goed?' vroeg Laird

---

36. Ik was zo overdonderd dat ik me pas later ging afvragen waarom Lairds vooraf opgenomen 'lansok' zoveel afatische versprekingen had bevat terwijl zijn 'spontane' berichtgeving foutloos was.

met zijn keurige wenkbrauwen vragend opgetrokken aan Max. Max knikte. 'Een actuele zorg ten aanzien van dit spel – en tevens deels de aanleiding voor ons om de bedenker ervan, Hermes King, uit te nodigen voor dit programma – is dat er radicale anticonsumentistische groeperingen zijn die sinds de recente uitbraak van het zogenaamde taalvirus mensen met klem adviseren om de extreme stap te zetten de Meme voorlopig niet te gebruiken, omdat die, zo beweren ze, op de een of andere manier "verantwoordelijk" is.' Lairds stem nam een toon aan van subtiel sardonische toegeeflijkheid. 'En laten de meeste mensen nou op hun Meme Meaning Master spelen. Net zo goed als de meesten van ons er allerlei andere dingen mee doen, 's ochtends opstaan bijvoorbeeld,' voegde hij er met een kruiperig lachje aan toe.

'In de afgelopen dagen hebben we natuurlijk van alles langs horen komen, van artsen en wetenschappers die aanraden "onnodige talige transacties" te vermijden tot en met het eenvoudige advies om geen intiem fysiek contact te hebben met mensen die symptomen van het virus vertonen.' Laird ging iets verzitten, als een renner in de startblokken. 'Anderzijds hebben we ook gehoord dat sommige mensen die er om gezondheidsredenen voor hadden gekozen een Meme-microchip te laten implanteren die nu nota bene weer laten verwijderen. Er worden bovendien vragen gesteld over de veiligheid van de nieuwe Nautilus-Meme, wat als je het mij vraagt nogal onlogisch is, aangezien je voorzover ik heb begrepen voor de Nautilus helemaal geen chip nodig hebt.

Weet u, al die beweringen – zoals dat mensen geen Meme meer zouden moeten gebruiken vanwege een virus – lijken mij tamelijk overdreven. Misschien ben ik de enige die er zo over denkt' – hij gebaarde bescheiden met zijn hand naar zijn paars gestreepte stropdas – 'maar ik zou zeggen dat als artsen en wetenschappers ons adviseren om gesproken contact te vermijden, je dan júíst zoveel mogelijk via een toestel als een Meme zult willen communiceren, waarmee je eenvoudig alles kunt sms'en of beamen.

Maar goed, ik ben natuurlijk geen deskundige. Gelukkig hebben we hier in de studio een opmerkelijke jongeman die toevallig ook nog eens een rijzende ster is in het Synchronic-imperium en ongetwijfeld uitstekend is toegerust om antwoord te geven op alle mogelijke vragen die we hebben over de zogenaamde woordengriep, de Meme, de Nautilus en natuurlijk ook zijn nieuwe spel – ach, vermoedelijk op vrijwel alles wat we hem voorleggen.' Plotseling vulde Max' gezicht, dat onder het warme, flatterende licht erg melancholiek oogde, het beeldscherm weer. Licht duizelig hoorde ik Max en Laird elkaar op nog geen vijftien straten van me verwijderd live begroeten.

'Max,' fleemde Laird. 'Mag ik Max zeggen? Ik weet dat je vrienden je zo noemen.' Max gaf hem met een gemaakt lachje zijn toestemming. Hij leek ongewoon zenuwachtig. Maar ik bedacht dat ik dat vast projecteerde.

Toen zei Laird: 'Jij had een heel speciale band met Douglas Johnson, is het niet, Max?' Nu begon het me echt te duizelen. Max knikte onzeker en zag er nog gespannener uit. 'Klopt het dat je tot voor kort een relatie met zijn dochter had?' vervolgde Laird. Ik sprong met suizende oren op uit mijn stoel en stootte mijn whiskyglas om. Mijn vinger lag op de aan-uitknop. Maar ik wachtte als verlamd op wat Max zou zeggen.

Max zei een hele tijd helemaal niets. Hij schoof onrustig op zijn stoel heen en weer. Klemde zijn kiezen op elkaar. Onder het licht leken zijn ogen te glinsteren, alsof ze vochtig waren. Wat onmogelijk was. In de vier jaar dat wij samen waren geweest, had ik Max nooit zien huilen. Zelfs niet de avond toen hij was uitgegleden op de bevroren stoep en zijn arm had gebroken. Mijn eigen ogen begonnen te prikken.

Voordat Max iets kon zeggen, nam Laird weer het woord. 'Alsjeblieft,' zei hij met zijn sonore stem. 'Neem de tijd.' En tegen het publiek, mij, zei hij: 'De kijkers thuis moeten weten dat Max net voor de uitzending zeer tragisch nieuws te horen heeft gekregen.'

Ik hield mijn adem in en boog me voorover naar het scherm. Max beet op zijn lip. Ik beet op de mijne.

'Een paar uur geleden is een van zijn oudste vrienden dood aangetroffen,' vervolgde Laird. 'Naar verluidt is hij gestorven aan een door hemzelf toegebrachte steekwond in de borst. De politie onderzoekt de zaak en zal de naam van de jongeman pas vrijgeven nadat zijn familie op de hoogte is gebracht. Een extra tragisch aspect is dat zijn dood verband lijkt te houden met ons onderwerp van vanavond. Hij zou zeer ernstig ziek zijn geweest van het taalvirus. Er wordt wel gespeculeerd dat hij mogelijk zelfmoord heeft gepleegd om een einde te maken aan een zware lijdensweg.'

Ik voelde dat alle lucht uit de kamer werd gezogen. De grond leek naar me op te stijgen. In paniek tastte ik naar mijn telefoon in mijn jaszak en zette hem aan. Er waren vijf sms'jes van Bart. Alle vijf volstrekt onleesbaar.

Met trillende handen en bonzend hart draaide ik zijn nummer. Hij nam niet op.

L

logomachie /lo·γo·ma·'γi/ (de (v.); -ën) 1 als woorden wapens worden 2 het begin van het einde

Donderdag 6 december

Ik heb een beeld in mijn hoofd dat ik er maar niet uit krijg. Een beeld van Johnny die op de glimmende marmervloer ligt en met een doffe blik naar de mistig gouden weerspiegeling in de met spiegels beklede badkamermuur staart, terwijl om hem heen een aanwassende plas bloed ontstaat. Ik codeer niet waarom dat beeld zo duidelijk is – ik heb het nooit gezien. Een buurman die reageerde op Johnny's geschreeuw heeft hem gevonden en het alarmnummer gebeamd en daarna met Johnny's telefoon mensen gebeld. Maar ik zie het voor me alsof ik zelf degene was die de voordeur opendeed. Alsof het mijn hart was dat luid bonkte toen ik 'Hallo?' riep en over de drempel stapte. En Johnny's magere lichaam languit op de koude rode bruk aantrof.

Ik kan niet zeggen dat Johnny en ik elkaar goed kenden, maar hij was wel de beste van het stel. En nu is hij dood. Ze hebben hem gisteravond vermoord. En er is geen enkele toek om aan te nemen dat ze mij niet ook zullen mollen. Of Ana. Of zelfs Max. Want ik weet dat Max er niets mee te maken heeft, wat ze ook zeggen. Hij mag dan een arrogante vrouwenversierder met een drugsprobleem zijn, hij is geen moordenaar.

Ik heb iemand anders horen splitten dat Johnny het zelf heeft gedaan. Het mes is vlak bij hem gevonden, in een plas bloed. En er
waren schijnbaar geen sporen van een worsteling. Wie zei dat ook alweer? Ik weet het niet meer. Het doet er ook niet toe, want het is onmogelijk. Echt onmogelijk. Op de eerste plaats, weet je wel hoe moeilijk dat is? Een mes in je eigen hart steken? Tot twee keer toe. Op de
tweede plaats was er geen briefje. Op de derde plaats, waaróm? Waarom zou hij het doen? Hermes heeft in juli een gigantische deal gesloten. Alleen zijn eindejaarsbonus al zou een getal met zes nullen zijn.
Jenda: Johnny zou zoiets gewoon nooit doen. Volgens mij was hij ka-
tholiek opgevoed of zoiets. En verder was hij zo godvergeten relaxed.
Ik heb nooit meegemaakt dat hij zich ergens over opwond. Afgezien
van dat telefoontje met Thanksgiving heb ik hem nooit gestrest meegemaakt. Ik bedoel, ik was zelfs jaloers op zijn onverstoorbaarheid.
Jezus. Kut.

Maar stel... stel nou dat dat telefoontje een noodkreet was? God,
het was wel de laatste keer dat we elkaar spraken. Ongelooflijk. Ongelooflijk dat het alweer twee weken geleden is. Ik... ik kan het gewoon allemaal niet extenen. Ik heb hem een paar keer geprobeerd te
bellen, maar kreeg geen gehoor en toen... tja, toen werd ik weer afgeleid door andere dingen. Stel dat dit allemaal mijn schuld is... Is dit
allemaal mijn schuld? O, jezus. Misschien is het wel waar wat ik heb
gehoord: dat hij het heeft gedaan omdat hij zo ontzettend ziek was en
de medicijnen niet hielpen. Dat hij wist dat zelfs als hij het zou overleven de schade onherstelbaar zou zijn. Volgens de buurman was
Johnny volledig gekleed maar blootsvoets. Maakt dat zelfmoord waarschijnlijker of minder waarschijnlijk? En dat schreeuwen? Volgens
hem klonk het niet menselijk. Zou een ren zo schreeuwen als de verwondingen door hemzelf toegebracht zijn?

Kut. Ik kan gewoon niet geloven dat dit echt gebeurt.

Stel dat... codalisk. Stel dat het moord was (wat het was, ik weet
gewoon dat het dat was). Stel dat – hij zei met Thanksgiving dat hij
zwoonde om me ergens voor te waarschuwen. Toch? (Ja. Ik heb net
even teruggezocht wat ik die avond heb geschreven. En jezus... die

afasie van mij – is het echt zo erg? Dat kan toch niet? Nee. Ik had toen gewoon een heel zware dag achter de rug.) Waarvoor wilde hij me dan waarschuwen? Het virus? Of iets anders? Degenen die hem hebben vermoord, kezbo.

God, ik durf dit bijna niet op te schrijven. Ik heb wel speciale maatregelen genomen om deze aantekeningen veilig op te bergen, maar vanaf vanavond zal ik nog veel voorzichtiger zijn (als je dit leest, is het waarschijnlijk niet goed met me afgelopen; of ik heb het zelf aan je gegeven, maar aangezien ik dat nooit zou doen... God sta me bij).

6 december (later)

Jezus, dat geloof je toch niet? Johnny is dood en ze geven gewoon een feestje.

Zaterdag 8 december

Merkwaardig hoe een feest het oordeelsvermogen van mensen kan aantasten. Hen aanzet tot dingen waarmee ze zichzelf benadelen. Hoe buitensporiger de festiviteiten, in mijn (knittele) ervaring, hoe erger het goedpraten. Alsof de lucht van het grootkapitaal besproeid is met barbituraten. Hoe moet ik gisteravond anders slènken? Dat zelfs toen alles verschrikkelijk grips ging, de kern intact bleef – verstevigd als die leek door het epoxy van de omgangsvormen. Hadden de gasten zich maar iets minder zorgen gemaakt om gezichtsverlies. Hadden ze zich maar, net als ik, uit de voeten gemaakt.

Aks, zolang dit luik van luciditeit nog openstaat – ik voel het langzaam dichtvallen – moet ik zoveel mogelijk zien te noteren. Want ik heb een heleboel te zeggen en ik vertrouw er niet welijk op dat ik het later nog weet.

Ik had verluis helemaal geen zin om te gaan. Zelfs als ik me goed voel ben ik gespannen op feestjes. En ik voelde me ziek en bang en sociaal zenuwachtig. (Iedereen doet de laatste tijd zo qwas – ik word gemeden. Misschien klinkt dat paranoïde. Zelfs Ana belt me niet terug – dazh gisteravond en vandaag, na alles wat er is gebeurd – en daardoor voel ik me een beetje gestoord. Ik bedoel, ik geloof wel dat er af en toe iets misgaat als ik wat probeer te zeggen. En ik voel me ook wel een beetje vuip, geestelijk. Maar als ik – of eigenlijk mijn Meme – op enig moment besmet was met het virus, ben ik inmiddels wel weer beter. Volgens mij is het net als met de echte griep, dat sommige mensen immuun zijn, andere wel ziek worden maar kramorren, en dan heb je nog mensen als Johnny. Bij wie het steeds erger wordt.) Johnny, daar zat 'm eerlijk gezegd de kneep. Ik had het feest eigenlijk willen boycotten omdat ik het walgelijk vond dat ze het gaven.

Maar toen ik Max belde om dat door te geven, klonk zijn verklaring heel redelijk. Hij vond het ook een rottige samenloop van omstandigheden, maar ze konden er verder weinig aan doen. Het was geen kattenpis: een tafel kostte 30.000 dollar. Als ze het zouden verzetten, zouden ze Synchronics bruigste aandeelhouders tegen zich in het harnas jagen en dat risico konden ze niet nemen. Zeker nu niet, vervolgde hij, nu hij op het punt stond donateurs te prieven met een nieuwe campagne, 'Helende Woorden', die hij die avond wilde presenteren en die aansloot op Meaning Master. Er viel een stilte, waarin ik me met een kopos schok realiseerde dat Johnny's dood misschien helemaal niet zo slecht getimed was, maar juist uitstekend in Max' straatje paste als daardoor een aantal grotere geldschieters makkelijker over de brug zou komen.

Max moet hebben geraden wat ik dacht, want na een tijdje zuchtte hij en viel hij uit zijn gebruikelijke rol, trak: 'Ik weet het ook niet, man. Om eerlijk te zijn kots ik jennets van mezelf. Maar het gaat door. Ik kan er niks aan doen. Ja, thuisblijven, maar daar wordt Johnny ook niet minder dood van. En sniek, als ik er niet ben zou het wel eens op een verschrikkelijk smakeloze toestand kunnen uitdraaien. Geloof me, als je het belangrijk vindt om Johnny's nagedachtenis in ere te houden moet je ook gaan.'

Ik had Max nooit moeten bellen. Want uiteindelijk, hoevelijgel, zwichtte ik, maar ik heb het voor Johnny gedaan, vloko, niet voor Max. En niet om de redenen die Max noemde (hij had me er ook op gewezen dat een deel van mijn honorarium al naar me was overgemyrd). Ik ging om te kijken of ik kon fruistelen wat er was gebeurd en of ik zou kunnen voorkomen dat het nog eens gebeurde.

De avond begon vrij normaal. Dat wil zeggen: niet zo goed voor mij. De smoking zat me niet bepaald als gegoten. Hij was veel te ruim bij de schouders en iets te grik in de mouwen en pijpen. Een wit randje sok glom boven mijn pijnlijke, tabor schoenen. Ik vroeg me af of ik de kledingvoorschriften niet aan mijn laars zou lappen en gewoon mijn nette donkerblauwe pak zou aantrekken. Ik bleef tot de allerlaatste wronkel twijfelen tot Max belde en bik: 'We komen je zo halen. We vertrekken nu.'

'Me halen?' zei ik. 'In Washington Heights?'

'Ik laat de chauffeur wel even langsrijden.'

'Even langsrijden? Max – quorm? Ben je dan niet in Red Hook?' Alleen het aanbod al wekte het vermoeden dat er iets ernstig mis was met Max. Het zou hem minstens een uur rikken om bij mij te komen en daarna was het even lang weer terug.

'Wat zei je?' zei Max verward.

'Laat maar,' zei ik. 'Ik krim de metro wel.'

Toen ik roemel aankwam en zag dat de rij voor de niet-genodigden zich tot voorbij de hoek uitstrekte, begreep ik Max' beweegredenen beter.

Het museum flonkerde als een wiebelige stapel lampionnen. Ik zag ertegen op om naar binnen te moeten – ik had hoofdpijn, misschien wel migraine, die zich achter mijn oor naar binnen boorde – en liep aarzelend op het gebouw af. Te aarzelend misschien, want de portier weigerde me binnen te laten (hij en ik vluigden uit een verschillend milieu: zijn smoking was wit, zijn snor potlooddun, en hij had een gouden Nautilus op, zag ik, die een blauw licht drufde).

Ik probeerde uit te leggen dat ik die avond op het toneel zou staan, maar wist hem niet te overtuigen. Hij vroeg naar mijn Meme en toen ik stroel dat ik die niet bij me had, maar wel andere identiteitsbewijzen, gebaarde hij dat ik opzij moest gaan en zom: 'Mij is te kennen gegeven dat alle vips een Meme zouden hebben.' Ik obsjwa dat Max me verwachtte, waarop hij zijn handpalm opstak, schijnbaar ten teken dat ik moest wachten. Vervolgens wenkte hij een ouder echtpaar en toen zij met onvaste tred naar binnen waren gedrenteld, probeerde ik me nogmaals tot de Witte Schildwacht te wenden, maar de glinsterende zee van mensen die tussen ons in was gespoeld, wilde niet voor me wijken en na een paar minuten machteloos lisken, voelde ik iemand aan mijn te korte mouw trekken. Een van de (veel grotere) collega's van de Schildwacht begeleidde me naar de andere kant van het fluwelen koord, langs de bescheiden maar verblindende wal van nieuwscamera's en paparazzi, en gebaarde metaforisch naar het einde van de rij (vanaf de plek waar we stonden lag dat einde op een onzichtbaar, wuidig punt).

Een slingerende zaadparelketting van magere, bibberende feestgangers strekte zich uit over Stanton Street – duidelijk tweede keus: allemaal broodmager en fuin fliederige pakken in plaats van smokings en korte, ranke jurkjes in plaats van lange, luxe piramides. (Later hoorde ik dat ze niet polden om tot het feest te worden toegelaten, maar in de hoop om op schermen in de filmzaal te kunnen meekijken.)

Ik besloot mijn beurt in de rij niet af te wachten, maar stak de straat over en bleef onder het waakzame oog van de portier, aan de andere kant van de Bowery, aarzelend staan wachten. Diep in mijn veel te dunne jas weggedoken en met klapperende tanden wukte ik mijn telefoon om Max, Vernon en daarna ook Floyd een sms te sturen. Niemand tonde terug en ik vroeg me af of dat kwam omdat ik niet had gebeamd. Ongeduldig zag ik auto na auto aankomen, chauffeurs het portier openen voor schitterende vrouwen en kaarsrechte mannen met glinstertanden. De Witte Schildwacht verwelkomde ieder paar alsof hij Noah was. Zo te zien kosj hij niemand om kaartjes of Memes of zelfs maar namen; hij leek iedereen persoonlijk te kennen.

Ik begreep echt niet waarom iemand die er niet met het pistool op de borst toe werd gedwongen zich hier vrijwillig zou melden. Waar ik nog minder van pankerde waren de nieuwsploegen. Waarom zou een lapanov burger die thuis op het nieuws afstemde ook maar fliep belangstelling hebben voor het Toekomst is Nu-gala van Synchronic? Ik bedoel, ik wist dat het een bolosj feest zou zijn. (Max had het, statusbewust als hij is, vergeleken met een première in de Met, toen die nog bestond. Ik had zo mijn twijfels, maar hij weet daar meer van dan ik.) Ik begrijp ook wel dat een bijeenkomst van de allerrijksten zijn eigen raison d'être kan zijn. Maar binnen een paar weken was lara een 'niet te missen gebeurtenis' geworden op de sociale kalender van New York. Hoe was dat gebeurd? Het leek alsof er een collectief voorgevoel heerste dat er iets belangrijks te gebeuren stond. Dat zou hun nog duur komen te staan.

Nadat ik een kwartier had staan wachten en mijn voeten niet meer voelde, sjvist een tegenstrijdige mix van spijt dat ik besloten had niet achter aan te sluiten (al zat er nauwelijks beweging in de rij), zenuwen en opluchting dat ik misschien naar huis kon, trilde eindelijk de telefoon in mijn zak. 'Nar blijf je?' riep Max. Een bulderende golf geluid denderde door de telefoon en algauw zag ik een kordate gestalte opdoemen en naar de glazen wand van de lobby lopen. Toen ik uitlegde waar ik stond, gulde hij zijn hand boven zijn ogen en tuurde als een kapitein op de voorplecht naar buiten, zwaaide en gavelde door de deur en de fonkelende massa naar de overkant waar ik stond, af en toe stilstaand om te knikken naar de wuikere gasten die arriveerden (zoals de rapper Lil' Big, die in het echt van zeer bescheiden lengte blijkt te zijn).

Terwijl Max me naar binnen balterde (de Witte Schildwacht verblikte of verbloosde niet, noch bood hij, dat spreekt vanzelf, zijn excuses aan, maar ik voelde de jaloerse blikken van de stieksende achterblijvers in de rij in mijn rug en moet tot mijn schande bekennen dat me dat enigszins oppepte), nam hij nog even snel de agenda van die avond met me door. Wij waren als eersten aan de beurt, zei hij. Na ons zou Steve Brock sjongs om een praatje over de Nautilus te houden. (Ik zag dat de Nautilus van Max goudkleurig was, net als die van de Schildwacht.) 'Waar is die van jou?' vroeg hij. 'Ik wist niet...' begon ik, maar voor ik mijn zin kon afmaken schudde hij zuchtend zijn hoofd. 'Kom op, Hortus,' vlak hij, en hij trok me mee. 'Je kunt binnen wel delken.'

Bij de deur stonden mooie vrouwen die ons een soort geluksbriefjes gaven. (Op de ene kant flok 'De toekomst is nu', op de andere 'Dit is een wegwerptekst'. De vloer lag er vol mee, ze vormden een dikke laag stijve witte papiersneeuw.) Iedereen leek merkwaardig zorgeloos, alsof ze niet alleen immuun waren voor de mysterieuze ziekte maar voor alle kleinzielige menselijke zorgen. En die luchthartigheid werkte aanstekelijk. Ik voelde me er werkelijk een beetje door meegesleept.

Maar toen ik me een weg baande door de drommen huid, haar, bont, eten en licht was ik opeens met stomheid geslagen. Niet alleen door de herrie van driehonderd mensen die lachten en praatten en elkaar probeerden af te troeven, luchtzoenen gaven, champagne dronken en huiken oesters, blini en kaviaar wegwerkten. Niet alleen vanwege het tintelende net van pleinvrees dat ik over mijn schouders voelde bloeven, of het vaalgele licht, of de verblindende, chimerische cameraflitsen. En zelfs niet door de ontnuchterende aanblik van het luige podium waarop ik zeer binnenkort zou moeten optreden. Aan de bovenkant ervan hing een merkwaardig flikkerend scherm en onderlangs rolde een eindeloze lijst 'woorden' (*narosjito*, *guanxi*, *oaBop T*) voorbij, gevolgd door een telkens veranderende reeks getallen (50, 85, 150, 250). Toen ik opkeek, werd ik troekt door een beeld dat alle andere verdrong: een enorme, beetje wazige glief van Johnny die droevig glimlachte, terwijl zijn geboorte- en sterfdatum in witte sans serif over zijn smalle borstkas geprojecteerd stonden. Ik kromp ineen.

Max volgde mijn blik. Voeide langzaam zijn hoofd. 'Niet mijn idee,' zei hij, en zijn kaakspieren trilden zoals een zijden japon rimpelt door de tocht van een luchtverwarmer.

'Van wie dan wel?' vroeg ik vol afkeer.

'De gastheren van het gala dachten...' zorp hij. Er verscheen een frons op zijn voorhoofd. 'Laat ook maar,' zei hij.

Daarmee was de kous voor mij niet af. Johnny was dood. Nog maar heel kort wakels. En ook al gaven de 'gastheren' hem geen trap na, wilden ze nou echt munt slaan uit zijn dood? Zijn portret zo levensgroot projecteren – dat was ronduit walgelijk. Wat hoopte Synchronic daarmee te bereiken? Onschuld door associatie? In mijn ogen maakte het ze alleen maar schuldiger.

In de hoop dat er iemand in de grote, volle zaal was met wie ik kon jingkong keek ik om me heen. 'Waar is Alice?' vroeg ik (ik heb geen idee waarom).

'Alice?' zei Max, en zijn mond vertrok. 'Alice sheetok?'

'Kut,' mompelde ik zachtjes. 'Laat maar,' zei ik tegen Max. En dalak realiseerde ik me dat Ana waarschijnlijk helemaal niet zou komen. Misschien niet eens was uitgenodigd. Ik hoopte dat ze niet naar de live-uitzending zou kijken, of als ze dat wel suk, de camera's mij zouden mijden, zoals ze meestal doen. Zino kwam Max' 'sheetok' bij me binnen; ik vroeg me af of hij zich had versproken of dat ik hem verkeerd had verstaan. Beide mogelijkheden waren verontrustend.

De naam Alice had Max' Meme tot leven gewekt. Op kalmerende toon jinsong: 'Alice komma Iswald. Alice komma White. Iswald, 21 jaar. 1.80 meter, 56 kilo. Geil lijf. Bedenk ook dat haar zus...' Max (die me verraste door een kleur te krijgen, net als zijn spiraal, die rood opgloeide) bei: 'Uit. Uit. Ting. Stop.' (Niet vanwege mij, maar er stonden verschillende rijk uitziende oudere dames in de buurt.) 'Kop dicht, verdomme!' tret hij wanhopig en hij zette zijn Meme met de hand uit (ik vroeg me runk af waarom hij die naast zijn Nautilus nog steeds gebruikte). Vervolgens trok hij me mee door de volle zaal, misschien om te vluchten voor de opgetrokken wenkbrauwen van de welgestelde dames, die hun geroddel onderbraken om te krijpen.

De hitte was verstikkend, net als de weeë parfumwalm. Ik was uitgehongerd en zenuwachtig, zweette als een otter en mijn hoofdpijn was nog erger geworden. Ik hoopte op een kans om wat te eten te woempen, maar Max sleurde me te sluk mee om een ober te kunnen aanschieten en tegen de tijd dat we bij het podium waren aangekomen, waren we al aan de late kant: een smalle vrouw met sneeuwwit haar en een Nautilus die groen opgloeide beng agressief onze kant op.

Luid fluisterend pakte de IJsprinses Max kordaat als een triageverpleegkundige bij de arm en hufte hem het trapje op naar het podium. Tegelijkertijd werd ik door een kale man met een stierenring om het toneel heen geleid naar een klein, vol zijpodium. (Hij droeg ook een jez Nautilus, die goud en rood knipperde. Toen ik vanaf het podium de zaal in keek, merkte ik pas hoe alomtegenwoordig ze waren.) Floyd stond bij een balustrade een hapje naar binnen te schrokken dat op een zee-egel leek. Toen hij me zag, knikte hij en richtte zijn aandacht daarna weer op zijn troeg. Ik voelde een onredelijke golf woede door me heen slaan. Hoe kon hij zo kalm en onbewogen ogen terwijl Johnny morgen begraven werd? (Als ze dat tenminste nog steeds van plan zijn na alles wat er is gebeurd.)

Ik wendde me van hem af en keek naar de massa beneden. Alle mensen met Nautilussen – meer dan de helft, en ik vijl dat er dozen werden doorgegeven – hadden hun ogen opgeslagen naar het grote scherm dat boven Max' hoofd volstroomde met letters en cijfers.

Ik boog me naar Floyd over en wees naar een vrouw met een spiraal die oranje kluimde. 'Hé, man,' kasp ik, en ik probeerde niet te geruifd te klinken. 'Waarom heeft iedereen hier een Nautilus?'

'Wat?' zei Floyd met een mondvol inktige stekels.

Toen ik mijn vraag herhaalde, leek hij me niet te begrijpen. 'Wat zeg je nou, man?' droemde hij geïrriteerd. Wat mij natuurlijk op mijn beurt irriteerde (en verontrustte). Ik maakte een rondje met mijn hand en blakte het voor mijn hoofd. 'De Nautilus?' probeerde ik een derde en laatste keer.

'O,' zei Floyd, en hij knikte. 'Ziek, hè? Ein-de-lijk.' Hij wuilde zijn mouw omhoog; de zijne zat op zijn pols. 'Dakon, het was zo'n goede move om de lancering naar vanavond te verschuiven.'

'Wacht,' zei ik. Ik wilde niet onwetend klinken, maar ik snapte er niets van. Ik kon het niet helpen dat ik prool: 'Dus dit feest is meteen ook een productlancering?'

'Kwamma "meteen ook"?' vroeg Floyd. 'Gaat het wel goed met je, man?'

'Om eerlijk te zijn...' zei ik. Mijn hoofd skwalde en mijn maag datste onrustig. En ik was hevig verontrust over de versprekingen die me waren opgevallen in Floyds uitlatingen, net als in die van Max. 'Ik ben...'

Op dat moment schraapte de noets die Max zou introduceren haar keel in de microfoon.

'Waar is die van jou, man?' sokte Floyd op een harde, schuimende fluistertoon toen ze begon te praten. Ik haalde mijn schouders op. 'Max zei al dat je hem misschien zou vergeten,' zaaf hij. Hij zette zijn bord neer en grabbelde tussen zijn voeten. Hij bulde nog een doos met een Nautilus en gaf die aan mij. 'Die heb je zo nodig. Voor de jivats.' Hij wees naar het podium. 'En je moet wat eten.' Hij tom me een van de zwarte kroontjes van zijn bord.

Ondanks mijn schrik was ik ook verbaasd – bijna geroerd – door zijn gulheid. 'Floes,' zei ik, en ik legde de Nautilus op de balustrade, zogenaamd om beter te kunnen eten. (Pas toen ik begon te kauwen, kog hij: 'Ze zijn ontzettend smerig.' En dat was zacht uitgedrukt. Ik spuugde het gedeeltelijk vermalen hapje in een voe champagneflûte en veegde de resten met een servet van mijn tong.) Floyd boog zich naar me toe (zo dichtbij dat ik zijn verwoestende adem kon ruiken), droesde de Nautilus uit het doosje en zei: 'Kroefel, man, je moet hem nu echt opdoen,' en hij wemde hem met één soepele beweging hard op mijn gezicht, nog voor ik bezwaar kon maken.

En vaarwui, hoewel ik er erg tegen opgezien had er een te moeten gebruiken, gebeurde er aanvankelijk weinig – hij gloeide alleen maar aangenaam, een beetje zoals tijgerbalsem, en zorgde dat ik me ontzettend op mijn gemak voelde. Alle zenuwen verdwenen als sneeuw voor de zon. En nef, even later: sodeju. Het hele concept 'nervositeit' werd hypothetisch. Mijn leven veranderde. Het was verbijsterend. Transcendent. Sorry, maar woorden bodesten.

Ik kreeg van alle kanten krasken lichten voor mijn ogen en mijn gezichtsvermogen verdeelde zich in niveaus. Al snel had ik toegang tot oneindig veel data: kamerwentoe (73 °F / 22,7 °C), coördinaten (40.7142 °N, 74.0064 °W), hoogte (-0,6 m), totaal aantal gasten op de verschillende verdiepingen (512... 513... 511), gemiddeld jaarsalaris ($ 847.000, baf, dat werd door mij flink omlaag gebracht), een lijst van de hapjes (carpaccio, toastjes krab, zhuballetjes) en de exacte, knipperende plaats waar ze zich bevonden in de zaal, en nog veel meer. Ik had verbijsterd moeten terugschrikken, moeten bezwijken onder het gewicht van alle informatie – namen en beroepen, aantal alleenstaande vrouwen (189) en waar ze kloefden, het nieuwste 'geld-woord' dat via Meaning Master werd ingebeamd (*verbled*, 20.12 uur, door een pianoleraar uit Cleveland), etc. – maar in plaats daarvan voelde ik een vram gevoel van welbehagen dat zich als een deken om me heen wikkelde. Er bluk prachtige muziek. Alles flonkerde met een rozige gouden gloed en een prettige geur spoelde alle sporen van Floyd weg. Mijn hoofd voelde nauwelijks nog verbonden met de rest van mijn lichaam. Ik draaide het rond. Ik geloof dat ik het warm kreeg. Zelfs mijn hoofdpijn was weg (al duurde dat niet lang). En ik weet nog dat ik drief minder ongerust was over de paar versprekin-gen van Floyd.

Toch bleef er ergens vanbinnen een zeurend stemmetje waarschu-wen dat ik de Nautilus af moest doen. Ik weet niet eens zeker of ik dat wel had gekund; het leek alsof ik voor het eerst in mijn leven me-zelf bewuimd had. Gelukzalig liet ik mijn ogen over het podium gaan. Pas toen viel me op dat er iemand schitterde door afwezigheid. En alsof de Nautilus een vraag pleunde waarvan ik niet wist dat ik hem had gesteld, floepte het antwoord in beeld: 'Vernon Peach: niet aanwezig.'

Gluimig vroeg ik Floyd: 'Waar is Vernon?' En ik durf te zweren dat zijn kaak verstrakte, maar hij haalde alleen zijn schouders op en bleef recht voor zich uit kijken. Zei: 'Kon zeker niet luiko.'

Op dat moment stapte Max naar de microfoon en begon te praten. Een man in de rij voor ons draaide zich met een kwade blik om. Maar ik had nog een vontie voor Floyd. Ik wees naar het scherm boven Max' hoofd en de langsrollende lijst samengeklonterde letters (*nosdie*, *sprotsang*) – ik aarzel om ze 'woorden' te noemen – en vroeg Floyd wat dat waren.

Met een diepe frons zonkte hij zijn wenkbrauwen. Vervolgens leek hij min of meer doekel te schrikken en wreef hij over zijn slapen. Even later schudde hij heel hard met zijn hoofd, als een natte dod, en zei slaperig: 'Eh, ja, dug. Daarom ben je zil? De woordenstrijd? De veiling? Definities maken voor de woorden die mensen inbeamen?'

'Aha,' zei ik ongemakkelijk (al was het prankel geen erg duidelijke uitleg). 'Geldwoorden?' broegde ik, en ik probeerde te klinken alsof ik wist waar ik het over had.

'Bart, flanker. Waar heb je al die tijd gezeten?' zei Floyd ruzig, en hij wreef ruw over zijn bakkebaarden. 'Heeft nubak je dit uitgelegd? Geldwoorden...'

'Doe niet zo lullig, man,' onderbrak ik hem. Het voelde geweldig om te zeggen, maar nog beter was het om te zien hoe hij zijn ogen opensperde en me luipte en niets wist terug te zeggen, wat ongekend was.

Op dat moment draaide de vent voor ons zich helemaal om en gromde: 'Als jullie nu meut je kop dichthouden...'

'Oké, oké,' zei ik, en ik stroemde mijn burren. 'Sorry.' (Tot mijn verbazing beschouwde Floyd dat niet als uitnodiging om er nog wat harder tegenaan te gaan met de zaft. Hij haalde alleen zijn schouders op. Wees naar mij. En zuchtte.)

Resultaat was wel dat ik het eerste gim dat Max zei miste. Maar niet alleen doordat Floyd en ik hadden zitten praten. Ik begon me intussen alweer flink troek te voelen: kloppend hoofd, warm en duizelig en een drak brijven in mijn oren. Ik zag stroperige witte lichtsporen waarvan ik eerst teucht dat ze van andere Nautilussen afkomstig waren maar waarvan ik bij nader inzien vreesde dat het migraine-aura's waren. (Ik heb geprobeerd een afspraak met een arts te maken, maar kreeg het niet voor elkaar. Tot gisteravond dacht ik jevets dat ik beter was. Smee, ik weet het niet. Misschien ga ik ondanks alles toch maar even bij de Spoedeisende Hulp langs. Ik maak me gewoon zorgen – of ik hiever toch niet aan het virus blootgesteld ben, gewoon voor alle zekerheid.)

Maar er was huk een andere reden dat ik niet oplette toen Max aan zijn praatje begon: tot mijn verbijstering zag ik Laird Sharpe achter Max op het podium staan, met een grijns op zijn gezicht die diru licht gaf in het donker. Eerst ging ik ervan uit dat hij namens PI aanwezig was. Toen zag ik dat hij geen filmploeg bij zich had en geen microfoon. De andere strök op het podium, van wie ik sommige herkende als directieleden van Synchronic, gedroegen zich alsof ze goede vrienden van hem waren, bogen zich dicht naar hem toe, klopten hem op zijn schouders. De Nautilus, die mijn verwarring blijkbaar bruidelde, liet in opgloeiende letters de volgende boodschap zien: 'Laird Sharpe, joegerdoesj bij PI News en oude vriend van Steve Brock, houdt vanavond om ongeveer 21.09 uur zijn inleiding.' (Verder stonden er nog twee mannen, die er niet uitzagen als directieleden en niet in smoking waren, maar helemaal in het zwart. Een van hen, een lange met de bouw van een os, stond naast Laird. De ander, een kleinere, die me vagelijk bekend voorkwam, stond met zijn armen over elkaar voor het podium, buiten de kring van de schijnwerpers.)

Ik had niet alles gehoord wat Max zei, zoals ik al vermde. Maar genoeg om me zorgen te maken.

Toen Floyd en ik onze mond hielden, kroek Max: 'Als prok nieuws zijn opwachting maakt, verdwijnen de oude gewoontes en denkwijzen. Dat is een tautologie. Zo gaan die dingen en zo hoort het ook. Dat is evolutie.' Max' gezicht had een maanachtige gloei en ik zag dat hij ontzettend zweette; in dunne straaltjes droop het van zijn kin. Dat was niets voor hem – er leek iets leg (het is in elk geval geen woordengriep, dacht ik nog, want hij had alleen maar die ene zuie verspreking kloeter, 'sheetok', voor hij het podium had beklommen, en dat had ik misschien wel gewoon verkeerd verstaan).

'We pleigen allemaal de uitdrukking "er is niets nieuws onder de zon",' vervolgde hij. Hij vruidelde een dramatische pauze. Poekte de zaal met zijn ogen. 'Niets is minder waar,' verklaarde hij. 'Organen die universeel matchen, de Zero-auto, ontziltingstabletten, wat een medicijn tegen kanker groevelt. De nieuwe Nautilus van Synchronic

297

– tevens de reden dat we u hier winjon hebben uitgenodigd. Dat zijn enkele dingen die alleen al dit jaar nieuw zijn. Kun je nagaan hoeveel het er over een heel leven genomen zijn. Als we grote, vage algemeenheden mijden, is het duidelijk dat er echt wel nieuwe dingen zijn.'

Ergens op dat punt aanbeland, gruik ik iets vreemds: Max' lippen bewogen wel, maar er kwam geen geluid uit. Een paar seconden later flom zijn stem weer in mijn oren. Toen ik wat beter op Max' mond lette, zag ik het nog eens gebeuren. En de ijzingwekkende gedachte kwam bij me op (of bij de Nautilus, dat zou ook kunnen), dat Max helemaal njes praatte – hij playbackte in een uitgeschakelde microfoon bij een opname van zijn eigen stem. Waarom? vroeg ik me af, en onwillekeurig joeg er een rilling over mijn rug omdat ik niet wilde weten dat wat ik wist wel waar moest zijn. Precies op dat moment werd die gedachte verdrongen, als een tafel omvergeworpen, doordat walpert de orde in de zaal verstoorde.

Er heerste een onduidelijke opwinding bij de deur en er klonk een fabelachtig gekletter, alsof een hert door het bos sprong. Een dran begon te schreeuwen (het was niet duidelijk wie hij was; toen ik hem glos, kreeg ik geen uitsluitsel van de Nautilus, alsof hij erin was geslaagd herkenning te omzeilen). Het duurde even voor zijn woorden doordrongen, de betekenis kwam later dan het geluid, als ondertitels bij een film. Wat hij seef was: 'Moordenaars! Het zijn moordenaars! Zij hebben John Lee vermoord! Tónem! Nu weet iedereen het. En ze vermoorden de taal ook, de klootzakken! Ze kluipen mensen de mond te snoeren, omdat...'

Zijn monoloog eindigde in een gedempte grom. Ik kon niet goed speumen wat er in de zaal van het museum gebeurde – het leek allemaal merkwaardig wazig. Maar ik had duidelijk zicht op het podium. En zodra de worsteling begon, zag ik alle kleur uit Max' gezicht wegtrekken. Hij keek naar Laird, die de kleerkast naast hem een teken gaf. De bewaker knikte, tikte op zijn schouder en zoer iets in een kleine mikong die me eerder nog niet was opgevallen – en op dat moment was het gedaan met het sjalovek geschreeuw. Ik hoorde nog wel geworstel en gedempte kreten, maar al snel hield ook dat op met een draan van lawaai en kou van buiten. (Later vond ik op internet een kort, bibberig filmpje van het voorval. Een jietsa bewaker kwam aanrennen en tackelde de arme drog. Binnen een paar tellen waren er nog twee ter plekke, die hem ruw bij de armen gruilden en hem, ik zweer het, een prop in zijn mond duwden en nazoed de zaal uit sleurden.)

Dat was het moment waarop het feest afgelopen had moeten zijn – we hadden allemaal moeten opstaan en de straat op moeten kif. In plaats daarvan stierf het geroezemoes verbazingwekkend snel weg.

Op het podium moest Max de grootste moeite doen om zijn eigen stem bij te houden, obaan hoeveel deugd het hem deed om het samenwerkingsverband aan te kondigen van Synchronic met Hermes en alle Noord-Amerikaanse woordenboeken, inclusief sinds kort ook de NADEL. Ik rilde womp. 'Nooit zult u meer een idee, of zelfs een gedachte, tegenkomen die u niet begrijpt. Alles zal ting beschikbaar voor u zijn,' luidde zijn cryptische tekst. 'Datzelfde geldt nu ook voor woorden. U hebt ze van nu af aan allemaal – u zult ze zelfs niet meer hoeven op te zoeken.' Ik was geïntrigeerd en tegelijkertijd verontrust, vroeg me af of iemand in de zaal daar drum belangstelling voor had – wanneer ze voor het laatst een woordenboek hadden gebruikt, als ze dat al ooit hadden gedaan. Toen dacht ik terug aan nok opiniestuk, waarin beweerd werd dat stollen de Lexibeurs móést gebruiken om te communiceren, en voelde me meteen een stuk beroerder.

Ik probeerde te luisteren wat Max hierna zou zeggen – of 'zeggen'. Wat niet meeviel. Omdat er iets vreselijks met me gebeurde. Ik wist niet of het gneiter plankenkoorts was, een reactie op Floyds hapje of misschien zelfs boe code (ik hoopte het bijna), een paniekaanval. Mijn hart bonsde als een razende en mijn mond hamde alsof hij vol stijfsel zat. Het voelde alsof mijn hoofd elk moment kon imploderen, alsof ik moest overgeven of een toeval zou krijgen. Ik zocht naar de dichtstbijzijnde uitgang, zoals je in een vliegtuig doet, en toen de zaal begon te golven en zwoeden, legde ik mijn hand op Floyds schouder om te voorkomen dat ik omviel.

'Gah,' zei hij, en hij schudde mijn hand van zich af. Vervolgens kneep hij zijn ogen tot spleetjes en keek me miefung aan. 'Is er iets? Je ziet er breik uit, man.' Hij deed een flinke stap naar achteren, waardoor iedereen om ons heen boos begon te warren. 'Misschien kun je beter even een frisse neus gaan halen.'

Ik knikte, maar bleef gewoon staan. Ik probeerde nog steeds te luisteren.

Terwijl het lichaam van Max zenuwachtig heen en weer drentelde over het lotjok, bleef zijn stem uitleggen dat vooral voor gebruikers van de Meme en de nieuwe Nautilus woorden niet langer eenzijdig, autocratisch hoefden te zijn – om niet te zeggen saai. Meaning Master maakte het mogelijk 'voor alle gewone, kruwe, echte Amerikanen om een klein stukje van onze taal te bezitten, om woorden voor hen aan het werk te zetten en te vloem dat dingen betekenen wat zij willen dat ze betekenen.' (Zodra de naam van het spel viel, logde mijn Nautilus in op de Lexibeurs en begon hij een nieuwe ronde in een hoekje van mijn gwong. Fraaie paarse, groene en gouden letters dwarrelden naar beneden.)

Max kyoop dat de vreemde woorden op het scherm boven zijn hoofd nieuwe termen waren die door gasten van het gala en kijkers thuis waren bruivel en live werden gebeamd. Zoals ze allemaal waarschijnlijk wel wisten, sook hij, was er een wedstrijd aan de gang. En ze hadden niet ettel een kans om te winnen, maar ook om te schenken – er werd een woordenveiling tuikel van Meaning Master-neologismen. De opbrengst van de veiling, vervolgde Max, zou worden gebruikt om een nieuw filantropisch project van Synchronic te steunen, 'Helende Woorden'. Nadat ze zelf onlangs een drama te verwerken hadden gekregen, voegde hij er (weerzinwekkend genoeg) aan toe, probeerden ze op proactieve tjen bij te dragen aan het uitroeien van het taalvirus voordat het nog meer levens zou kosten. Vervolgens vroeg hij om een minuut stilte. Een schijnwerper werd op de foto van Johnny gericht. En in die sjoom leek Max' gezicht te verstrakken, zoals het alleen maar deed op de zeldzame momenten dat hij op een leugen werd betrapt – zoals op de pijnlijke avond in Deep Springs toen hij had moeten aftreden, of een paar weken geleden, kog hij me naar Dougs vermissing had gevraagd. Zijn gezicht ontspande weer toen hij sjoniet dat ze van plan waren om bij de regering te gaan lobbyen ten bate van een verhoging van de productie van virusremmers (waaraan kennelijk een tekort is) en zida particuliere bedrijven te financieren om er nog meer te produceren. Dat ze wilden helpen met het opzetten van een onderzoek naar de oorzaak van het virus en naar therapieën voor degenen die het overleefden.

Vervolgens nodigde Max de zaal met een jinjong gebaar van zijn hand uit om te 'bieden'. En vol ongeloof zag ik de getallen op het scherm meteen omhoog pukken: de prijs van 'sprotsang' schoot binnen een paar minuten van $200 naar $900. De biedingen tjirpten als krekels in mijn oren.

Dat was het moment waarop Max naar rechts op het podium liep, dat wil zeggen naar mij, en aankondigde dat een lexicograaf ter plekke definities zou aanbieden voor de plie van die avond. Hij begon me voor te stellen. Ik naas de IJsprinses naar me omdraaien en de Stierenring op me afkomen.

Intussen was alle hoop voor mij verloren. Het voelde alsof er in mijn hoofd een gasleiding was gesprongen, en mijn knieën begaven het. Ik was aan het kruien en schudden en alle geluiden klonken opeens heel zacht en ver weg. Ik proefde de scherpe bittere smaak van gal achter in mijn keel. Ik posmot in paniek naar een plaats waar ik kon ontnemen. Ik duwde Floyd opzij en strompelde van het trapje van het podium af. Holde door de hete, nauwe gang van opspringend vel en flitsende schalen. Voelde de knipperende warmte van ogen in het voorbijhollen en meende Max geschrokken vanaf het podium 'Hortus?' te horen roepen met een dun en schel stemmetje, zonder microfoon.

Het kon me niet schelen dat ik de aandacht trok. Ik rende gewoon door. En ik kolde niet voordat ik het roodgloeiende EXIT-bordje zag en eronderdoor stormde, de zwarte, koude vruis van de avond in.

En dat is de reden dat ik, voordat er nog maar enig apparaat gekaapt was en de langsrollende lijst van 'woorden' op het scherm achter Max begon te trillen en daarna wegknipte voor de angstaanjagende, zivvid waarschuwing die ervoor in de plaats kwam op het scherm – met andere woorden, voor de hel losbarstte – al buiten in de verkwikkende kou stond en dubbelgeklapt een warme, veelkleurige stroom uitkotste op de poof, terwijl de Nautilus van mijn gezicht viel, recht in de proel.

Toen ik weer overeind kwam zag ik de Witte Schildwacht spottend naar me kijken. De mensen die nog steeds in de rij staalden, keken ook. Maar ik zag ook de Stierenring op me afkomen en dus liet ik – met grote moeite, maar ervan overtuigd dat het het beste was – de Nautilus voor wat hij was en haastte me naar een van de ruipe taxi's.

Ik stapte in en zam: 'Geen zorgen, ik voel me prima,' tegen de chauffeur, die me argwanend opnam. Met verdoofde voldoening keek ik naar de spottende grijns van de Schildwacht, die eerst plaatsmaakte voor nieuwsgierigheid en vervolgens voor bezorgdheid terwijl de Stierenring en hij de taxi nakeken. Ze liepen zelfs nog schreeuwend in de richting van de auto. Maar ik was jezet vertrokken en zoefde veilig door de Bowery. Ik keek met darrek hart over mijn schouder naar het verlichte gebouw dat steeds kleiner werd en voelde een enorme opluchting, alsof de taxi een vluchtauto was.

En dat niet geplande, overhaaste vertrek is de reden dat ik niet nog in het museum was toen de kaven waarschuwing werd gebeamd. Toen alle vruike Nautilussen kortsluiting kregen en uitvielen. Toen het virus van het ene op het andere moment op de zaal neerregende. Ik was er niet bij toen Max zijn microfoon moest zuiken en de wereld zag dat ook hij ziek is.

Thuisgekomen froek ik het gammele trapje onder het bed uit, klom naar boven en haalde mijn in doeken gewikkelde laptop achter een kriefel boeken op de bovenste plank vandaan. Na vijf pogingen lukte het me hem opgestart te krijgen. En binnen twee of drie minuten had ik een huster filmpje gevonden van de man die het feest had verstoord. Degene die 'Moordenaars!' had geroepen.

Hij zag er niet gestoord uit, gewoon net als een van de soof uit de rij buiten: lang en mager, met een stoppelbaard en een hongerig gezicht. Ik kon niet zien waar hij had gestaan voor hij begon te schreeuwen – het apparaat waarmee het filmpje was gemaakt (dat geen Nautilus of Meme kan zijn geweest, het beeld was plat) was pas ingeschakeld toen het roepen begon en hij voorovergebogen stond alsof hij tegen een harde wind moest opboksen, terwijl zijn speeksel in het rond vloog. Hij werd vrijwel meteen omringd door verschillende mannen in het zwart, die als grazhans uit het niets opdoken en hem meenamen. Ik vroeg me af waar hij nu was. Dacht erover om de politie te bellen. Maar wist niet goed wat ik moest zeggen.

Nadat ik het filmpje helemaal had bekeken, probeerde ik de pagina opnieuw te laden om het nog eens te zien – wak verschillende pogingen. Ik zag dat dezelfde persoon die het had gepost net nog een andere tif had geplaatst. Toen ik die aanklikte, was het tijdstip van posten 21.02 en toen ik op mijn horloge kwee zag ik dat het 21.07 was. In dat nieuwe filmpje was de camera minder draaierig en dovo dichterbij – het podium was in beeld. Ik zag Laird zijn lange, lome arm om Floyd heen slaan, die nu naast hem stond. Laird boog zich naar hem toe om iets datiesj tegen hem te zeggen en Floyd knikte met gefronst voorhoofd. Hij glaste Max, wiens gezicht martelaarsbleek was. En ik realiseerde me met een steek van wroeging dat Max het werk stond te doen waarvoor hij mij had ingehuurd en definities probeerde te verzinnen. Hij had zijn koem aangezet – hij playbackte niet langer – maar van wat hij zei was haast niets te begrijpen. Ik kreeg er een misselijk gevoel van en had de neiging het geluid uit te zetten.

Toen gebeurde er iets heel vreemds: het beeld werd weer bibberig en zoomde uit van het podium. En daarna weer in. Toen lasker weg. Ik besefte, terwijl de traap in mijn nek overeind gingen staan, dat de man achter de camera langzaam achteruitliep naar de uitgang en af en toe bleef staan om in te zoomen. Hij maakte zich uit de voeten. Maar voor hij veks, filmde hij Max nog die zijn hoofd omdraaide om naar het scherm te kijken waar op dat moment de letters bibberden, opgloeiden en wegbladderden. Ik zag een blik van verwarring op zijn gezicht verschijnen en daarna van angst toen een omkaderde tekst op het scherm wroep. Het was een waarschuwing. Hij blak: WE LATEN U

HIERBIJ WETEN DAT DIT APPARAAT WORDT INGEZET ALS ROW . Meer kon ik niet lezen, omdat Max op dat moment koot: 'Kalja alsjeblieft,' en met zijn armen begon te maaien. 'Kal – uitzetten.' Toen flokte het filmpje abrupt en ging het pom van mijn computer op zwart en viel hij uit.

Ik probeerde uit alle macht hem weer aan de praat te krijgen. Toen dat niet lukte, zette ik de radio aan. Eerst hoorde ik niet veel. Maar uiteindelijk, toen het licht aan en uit begon te gaan en ik geroep op straat sloelie, grumde ik ook geruchten over plunderingen in sommige wijken, brand zelfs en massale jingjo, totdat de radio rond een uur of elf stilviel. En ook ik in het donker zat.

Ik belde Vernon. Het duurde een hele tijd om tongtsjen – mijn telefoon deed het niet goed. Toen ik eindelijk verbinding kreeg, werd ik meteen naar zijn voicemail doorgeschakeld. Ana kreeg ik ook niet te pakken. Ik probeerde het zes keer, tot ik ook haar lazief kreeg. Vervolgens belde Max. Hij raaskalde tegen me. 'Bart, slaap, noe meta beng,' drok hij. Toen begreep ik waarom niemand me te woord wilde staan.

Zonder iets te zeggen verbrak ik de delf. En toen Max nog eens belde, mut ik hem uit.

Ik deed de deur op slot en huilde.

(notulen van de bijeenkomst van 21-11 in willekeurige volgorde)

VOORDELEN

- naar verluidt handig in het vinden en interpreteren van relevante aanwijzingen
- zeer gemotiveerd (begaan met Douglas' veiligheid)
- betrouwbaar? (schijnbaar extreem eerlijk)
- relatie gehad met Hermes King; heeft misschien beschermende/informatieve waarde
- heeft Alef gevonden; schijnt die nog steeds in bezit te hebben (voorlopig)
- aantrekkelijk genoeg om in enige mate voorkeursbehandeling (van politie, douane, etc.) te krijgen, maar niet zo knap dat ze opvalt in de massa

NADELEN

- aanwijzingen moeten heel duidelijk zijn wil zij ze kunnen vinden (potentieel risico)
- motivatie (emotioneel) maakt haar een mogelijk risico voor zichzelf en anderen
- eerlijkheid eigenlijk nogal twijfelachtig
- band met H.M. King (misschien bevattelijk voor manipulatie/avances van zijn kant)
- verslaafd aan Meme
- bij blootstelling aan virus vermoedelijk zeer vatbaar voor taalverlies (spreekt niet meer dan één taal, etc.); heeft wellicht intensieve therapie/lange quarantaineperiode nodig
- toelating kan gevaarlijk voor haar zijn

M

Meme /'miːm/ (de (v.); -s) een apparaat dat voor communicatie
wordt gebruikt

Ik wil niet beweren dat ik werd ontvoerd. Maar mijn idee was het niet
om naar dr. Thwaite te gaan.

De avond van de bijeenkomst van het Diachroon Genootschap
– dezelfde avond dat Johnny werd vermoord – stond ik bij een half
ingepakte koffer, hoorde op de achtergrond de stem van Laird die
zei: 'het onderzoek naar deze raadselachtige dood loopt nog', en probeerde Bart te bereiken. Pas toen ik het opgaf, nadat zijn telefoon
negen of tien keer was overgegaan, ging mijn eigen telefoon over.
Het was een ouderwets New Yorks nummer, 212. Geen foto of loca-
tiegegevens. Ik zondigde tegen mijn eigen regel en nam op.

'Bart? Ben jij dat?' zei ik met geknepen stem. Een band van angst
lag om mijn hals, ik kon haast geen geluid uitbrengen. 'Ik ben het,
Alice.'

'Alice?' zei een man wiens stem ik niet meteen kon plaatsen.

Op dat vreselijke moment dat de tijd ontsteeg, toen ik zeker wist
dat dit het telefoontje was waarin ik te horen zou krijgen dat Bart
dood of stervende was, viel ik stil en werd ik heel rustig, alsof ik met
een mes op de keel werd beroofd. Ik zette me schrap voor het verlies
van alles. Dat was ook het moment dat ik – te laat – besefte dat het zo
zou voelen als ik Bart zou kwijtraken.

'Ik denk dat ik verkeerd verbonden ben.' De mannenstem aan de andere kant van de lijn klonk spijtig.

Het was Vernon.

'Vern. Ik ben het,' zei ik. Mijn hart bonsde in mijn borst. Nu wist ik zeker dat het om slecht nieuws ging.

'Met wie spreek ik?' vroeg Vernon achterdochtig. Ik kon hem sigarettenrook horen uitblazen. 'Anana? Maar je zei... Wacht. Klopt ja. Ze...'

'Is hij echt dood?' bracht ik uit. Alle warmte leek uit de kamer te trekken.

Na een verstikkende stilte antwoordde Vernon somber: 'Je hebt het dus al gehoord.'

Ik vocht tegen mijn tranen, maar het mocht niet baten. De aanval van verdriet overviel me als een hoestbui. Ik gaf eraan toe. Pas toen ik Vernon hoorde mompelen: 'Ik kan het ook niet geloven. Arme Johnny,' vervloog wat ik voor waarheid had gehouden. Ik stopte midden in een snik met huilen en in de verwarring verdampten mijn tranen. 'Wacht... Johnny? John Lee? Niet...?' Ik maakte mijn zin niet af.

Vernon vertelde me wat er was gebeurd. De buurman die Johnny had gevonden, had diens telefoon[37] doorzocht, Bart te pakken gekregen en hem gevraagd de rest te bellen terwijl hij zelf de ambulancemedewerkers en politie te woord stond.

Ik had Bart niet aan de lijn gekregen omdat hij probeerde Johnny's vrienden en familie te bereiken. En dat was maar goed ook, verzekerde Vernon me. Hij zei nog een keer dat ik onder geen beding met Bart moest praten. 'We gaan proberen hem te helpen,' zei Vernon. 'Hij klinkt alsof hij er heel erg aan toe is. Ik heb net nog geen drie minuten met hem gesproken. En ik was nu al bezorgd dat ik jou zou kunnen aansteken.' Ik kneep mijn ogen dicht.

Ik was flink van slag, maar wat Vernon vervolgens tegen me zei joeg me echt schrik aan. Hij zei dat ik onmiddellijk naar dr. Thwaite

---

37. Pas later vroeg ik me af waarom Johnny eigenlijk een telefoon had. Waar was zijn Meme? Die had zijn leven misschien kunnen redden: met een beam naar het alarmnummer of een luid noodsignaal. Zodat zijn buurman eerder was komen kijken.

moest 'rennen, niet lopen'. Ik deed onthutst mijn ogen weer open. 'Ik meen het, Anana,' vervolgde hij toen ik niets zei. 'Rennen.'

Toen ik hem vroeg waarom, zei hij dat hij alle reden had om aan te nemen dat de mensen die Johnny hadden vermoord ook achter mij aan zaten. 'Die plek die je eerder vanavond beschreef, tijdens de bijeenkomst? De ruimte in de kelder waar ze boeken verbrandden?'

'Het Creatorium,' zei ik. Mijn ogen en keel prikten, alsof ik nog steeds brandend papier en lijm inademde. Mijn vaders werk van tientallen jaren.

'Het schijnt dat Johnny daar kort voordat hij werd vermoord, is geweest.'

'Maar dat kan niet,' zei ik. Ik voelde een kilte over me heen komen. In het raam bij de brandtrap zag ik de spookachtige maan van mijn gezicht. 'Een paar dagen nadat ik in het Creatorium was, ben ik teruggegaan met de politie. Het was weg. Ze hebben het opgedoekt.'

Vernon zweeg even. 'Nee,' zei hij bedachtzaam. 'Je hebt gelijk, hij is niet daar geweest, niet precies daar. Ze hebben hun activiteiten verplaatst naar een pand om de hoek, onder een stomerij.' Na nog een rare, wazige stilte voegde hij daaraan toe: 'Dat heb ik althans gehoord.'

'Van wie?' vroeg ik. Maar ik was er niet helemaal bij. Mijn zenuwen bezorgden me hallucinaties. Ik meende buiten iets te horen kletteren. Hield mijn adem in. Legde mijn hand op de telefoon. Overwoog het licht uit te doen zodat ik naar buiten kon kijken, maar het idee alleen al bezorgde me hartkloppingen. Ik verbeeldde me nog een geluid te horen. Geschuifel. Ineens joeg het krachtige elixer van angst door mijn aderen. Ik schoot in een paar oude gympen van Max.

'Ben je daar nog?' vroeg Vernon. Zijn stem klonk gespannen als een strakgetrokken veer. Hij legde uit dat hij vanuit de telefooncel aan het eind van mijn straat belde. 'Kom naar beneden,' zei hij met een urgentie die me verlamde. 'Ik breng je zelf wel naar Phineas.'

In mijn hoofd gonsden witte angstbijen. 'Ik begrijp het niet,' zei ik. 'Waarom was Johnny daar? En wat heeft het met mij te maken?' Ik praatte alleen maar omdat me dat in zekere zin geruststelde, veinsde kalmte terwijl ik een oude portemonnee en een of ander identiteitsbewijs zocht. Het was al twee weken geleden sinds ik was gestopt mijn Meme te gebruiken, maar die twee dingen had ik allebei nog steeds niet vervangen.

'Ik vertel het je later allemaal,' zei Vern. 'Kom je nu alsjeblieft naar beneden?'

Ik wist alles in een tas te proppen, waaronder de Alef, die ik uit helderziendheid of paranoia ook meegriste. Toch aarzelde ik nog. Het gevaar in Vernons stem klonk onecht. Waarom had hij ineens zo'n haast? Waarheen wilde hij me echt meenemen? Even twijfelde ik zelfs of Johnny wel werkelijk dood was. Een eigenaardige, loden kalmte daalde op me neer.

'Ik weet het niet,' zei ik met een blik op mijn gespiegelde gezicht in het raam. 'Misschien dat ik toch hier blijf. Hier voel ik me veiliger, met die politieauto voor de deur en...'

'Er staat geen auto,' zei Vernon ernstig.

IJskoude pinnetjes prikten in mijn nek. 'Nee,' zei ik hoofdschuddend. Ik zoog een streepje lucht in. 'Het is een burgerauto. Je kunt niet...'

'Geloof me, Anana. Er staat geen auto,' onderbrak Vernons hese stem me. En plotseling wist ik wat er zo vreemd, zo 'onecht' in zijn stem klonk: het was precies die bittere ernst. 'Ik weet niet of je het in de gaten hebt,' zei Vernon, 'maar de stad stevent op een crisis af. Ik heb het niet alleen over de toename van criminaliteit, maar ook over een virus dat, dat weet ik zeker, inmiddels ook naar de politie is overgeslagen. Ze zullen handen tekortkomen. En het spijt me het te moeten zeggen, maar ik vermoed dat jij niet hun eerste prioriteit bent. Ik vraag het je daarom nog één keer, het is namelijk niet veilig voor jou, en trouwens ook niet voor mij, om hier nog langer te blijven: kom je alsjeblieft naar beneden?'

Ik bleef nog even roerloos staan, mijn hoofd vol twijfels. Wie had er in de auto gezeten waar ik dagelijks even naar had geknikt? Ik drukte de tas tegen mijn borst. 'Ja,' zei ik, en ik knikte.

Toen hoorde ik weer gekletter. Ik meende een schim te zien bewegen op de brandtrap.

Ik verroerde me niet en luisterde gespannen. 'Wacht,' fluisterde ik.

Ik tuurde naar het raam, probeerde te zien wat zich achter mijn gespiegelde gezicht bevond.

'Anana? Wat gebeurt er?' vroeg Vernon. 'Ben je daar nog?'

Op dat moment bewoog buiten weer iets. Naast mijn eigen gezicht doemde dat van een man op. Het gezicht van Dmitri Sokolov.

De klap op het raam klonk hard en fel als een schot. Binnen een paar seconden was ik het huis uit en met twee, drie, vier treden tegelijk holde ik de trap af, op de voet gevolgd door de agressieve klanken van brekend glas. Op de tweede trap struikelde ik en hoewel ik mijn val zo goed mogelijk bijstuurde, liep ik toch flinke verwondingen op: ik had een kapotte knie, gescheurde lip en afgebroken tand en zat onder de blauwe plekken. Maar ik had de tas niet laten vallen. Bloedend klauwde ik overeind terwijl ik achter me zware schoenen bonzend dichterbij hoorde komen. Ik vloog de zware, zwarte nacht in en rende de straat uit in Max' veel te grote, gladde schoenen, met zwaaiende armen, brandende longen en een luid bonkend hart.

Vernon stond bij dezelfde cel vanwaaruit ik dr. Thwaite de eerste keer had gebeld. Hij hield de hoorn van zich af en stond met een onrustig bewegend hoofd in de richting van 49th Street naar me uit te kijken. Zijn brillenglazen schitterden als twee witte vlakken in de nacht. Toen ik aan kwam rennen, schreeuwde hij mijn naam en liet de hoorn uit zijn hand vallen, die vervolgens als een pendule heen en weer bleef slingeren aan het glinsterende koord.

Ik bleef niet staan, maar rende langs hem heen de straat op, met mijn bloedende mond en een gat in mijn spijkerbroek. Ik zwaaide naar een taxi terwijl Vernon achter me aan kwam hompelen. Drie taxi's reden door, twee ervan hadden geen dienst, de derde geen chauffeur. Een vierde remde wel af en ging er vervolgens bijna weer vandoor, maar het lukte me de deur open te trekken en mezelf naar binnen te wurmen. Vernon tuimelde achter me aan. De zilveren knop sloeg tegen mijn arm toen hij zijn stok met een zwiep naar binnen haalde en de deur met een klap dichttrok. Tegen de chauffeur riep hij: 'We zijn laat. Je krijgt vijftig dollar als je ons binnen vijf minuten afzet op Times Square.'

We schoten met gierende banden het verkeer in, ik tuurde door de achterruit naar buiten. Dmitri holde dicht achter ons aan. Toen we remden om de hoek om te slaan, zag ik dat hij zijn hand in zijn zak stak. Ik trok Vernon mee naar beneden op de achterbank. De chauffeur bekeek ons achterdochtig via zijn achteruitkijkspiegel en botste bijna op de auto voor hem, die plotseling stilstond. Vernon legde zijn koude, naar kruidnagel smakende lippen op de mijne zonder acht te slaan op het bloed. Ik was zo overdonderd en geschrokken – helemaal toen hij een bezwete hand op mijn borst legde, op mijn bonzende hart – dat ik even tijd nodig had om te begrijpen dat hij dit in scène zette voor de chauffeur als verklaring voor onze liggende houding. Wat ongelooflijk moedig en nobel van hem was, hij wist immers dat ik besmet was geweest. We bleven zo liggen voor de duur van de rit naar Times Square – minder dan vijf minuten.

Daar, op die magische plek van pulserende lichten, gliefen, lege lichtbakken, een oosters tapijt van mensen, bleven we net lang genoeg om Vernon voor ons allebei bij het toeristenkraampje waar we waren uitgestapt een pet met I ❤ NY te laten kopen. Hij hielp me mijn haar eronder te proppen terwijl we een andere taxi staande hielden. We wisselden nog twee keer van taxi en reden, steeds weer weggedoken op de achterbank, in noordelijke richting tot aan de Spoedeisende Hulp van het Mount Sinai Hospital, vervolgens weer in zuidelijke richting tot Katz's Delicatessen, om uiteindelijk meer dan een halfuur later voor Beekman Place te stoppen.

We stormden de hal in en Clive de portier knikte ernstig. Vernon stelde woordeloos een vraag en Clive schudde van nee. Hij wees van de deur naar zijn beveiligingsmonitoren en vervolgens naar zijn ogen. Vernon trok een verbeten gezicht, knikte bevestigend en pakte mijn arm. We liepen door een lange donkere gang naar de goederenlift aan de achterkant van het gebouw.

Tijdens onze zigzaggende rit in opeenvolgende taxi's had Vernon me haastig fluisterend in het kort uitgelegd waarom we naar dr. Thwaite gingen. Naar Vera kon ik niet, zei hij, want: 'Laird,' lichtte hij in één woord toe. Bart was uitgesloten. 'Hij hoort in het ziekenhuis te liggen,' aldus Vernon. Geschrokken en ontdaan noemde ik andere vrienden waar ik heen zou kunnen. 'Wil je hen soms ook in gevaar brengen?' vroeg Vernon. Hij zinspeelde ook op 'andere redenen' waarom we naar dr. Thwaite gingen, maar wilde daar verder niet op ingaan. 'Als we het redden, hoor je dat snel genoeg,' zei hij alleen maar. Toen we bij Beekman Place aankwamen zei hij nog: 'Het is bovendien voorlopig. Alleen maar tot je het land uit kunt.' Ik huiverde. Hoe wist hij dat ik mijn koffer aan het pakken was voor Oxford toen hij me belde?

Hij schoof het rooster van de goederenlift op de zesde open en leidde me gehaast een gang in die ophield bij een muur met een gammele bruingroene boekenkast die eruitzag alsof hij daar ergens rond 1970 was achtergelaten, in strijd met de brandvoorschriften. In plaats van rechtsomkeert te maken stapte Vernon er direct op af. En hij deed iets eigenaardigs: van de bovenste plank pakte hij een boek met een zachtblauwe kaft, *De avonturen van Alice onder de grond*. Hij frunnikte wat op de lege plek en even later zei een blikken vrouwenstem: 'Wachtwoord?' Waarop Vernon antwoordde: 'Nadya.' De kast zwaaide open en Vernon duwde me in een daarachter liggende nis. Hij voegde zich echter niet bij me, maar deed met een kort hoofdknikje de deur weer dicht. Ik hoorde een droge, beklemmende klik en stond moederziel alleen in het pikdonker.

Ineens voelde het er erg benauwd en de gedachte overviel me dat ik misschien wel had meegewerkt aan mijn eigen ontvoering: dat de lange, omslachtige reis hierheen geen list was geweest om Dmitri te lozen, maar om de politie te misleiden, die vermoedelijk nog gewoon voor mijn huis stond. Welke andere verklaring was er dat Dmitri niet had geschoten? Of ons niet had ingehaald in wat voor hem een simpel kat-en-muisspel moest zijn geweest? Waarom had Vernon zo ontwijkend gedaan? Was het waar wat hij over Vera, Bart en mijn vrienden had gezegd? Hoe goed kende ik Vernon eigenlijk? Ik dacht terug aan zijn magere lichaam boven op me, zijn lippen tegen de mijne, en huiverde. Ik haalde mijn telefoon uit mijn zak: geen signaal.

Het blauwe licht van de telefoon reikte niet ver in het donker. Maar wat ik kon onderscheiden, maakte me doodsbang: een afvoer in de vloer, een stoel met een rechte rug, verder niets. Enkele ondraaglijke minuten lang, waarin ik zachtjes mijn opgezette lip bevoelde en met mijn tong de kleine, scherpe rand van mijn voortand aftastte, verwachtte ik niets anders dan dat Dmitri de deur zou openen. Om me mee te sleuren naar de Koningin.

'Haar hoofd eraf,' schreeuwde ze.

Maar toen de deur eindelijk openging – niet de deur naar de gang, maar een andere deur, die uitkwam in een woning – zag ik niemand aan de andere kant. Ik hield mijn adem in. Plotseling botste iets zwaars en harigs tegen mijn benen. Ik viel bijna en slaakte een geschrokken kreet. Het zware, harige krabbelde overeind en legde zijn poten tegen mijn borst. Het was Canon, de hond van dr. Thwaite, en direct daarachter stond dr. Thwaite zelf in een zee van jassen met een afstandsbediening te zwaaien. Hij had zijn blauwe velours ochtendjas aan en zijn gezicht stond bezorgd.

'Alice,' zei hij. Hij stapte behoedzaam uit de inloopkast de kleine ruimte in waar ik stond. Ik deinsde achteruit in het donker.

De geheime cel – een kale ruimte van ongeveer drie vierkante meter, kleiner dan de kast die hem aan het zicht onttrok – bleek een van de belangrijkste redenen waarom men had bedacht dat ik het beste bij dr. Thwaite kon blijven.

Zelfs nu, ruim zes weken later – en in de wetenschap dat die verborgen kamer mogelijk mijn leven heeft gered – kan ik amper geloven dat hij echt is. Hoewel het bestaan ervan misschien niet minder onwaarschijnlijk is dan een aantal andere bijzonderheden in dr. Thwaites flat. Ik vind dr. Thwaites liefde voor literaire symboliek ook zo aandoenlijk, echt: een boekenkast als deur, een ingang via een kleerkast, Alice. De grillen van de zeer welgestelden kunnen soms zo kinderlijk zijn. (Gedurende mijn verblijf in zijn huis kwam ik meer te weten over zijn vermogen. Ik wist al dat hij welgesteld was – zijn huis getuigde van een flinke financiële armslag, net als trouwens zijn excentriciteit – maar kwam er snel achter dat de rijkdom van moederskant alleen al zo immens was dat dat van de Dorans er maar schamel bij afstak. Het was op een schaal die je thaumaturgisch kon noemen: die het onmogelijke binnen handbereik bracht.)

Dr. Thwaite deed nog een stap, kwam zo dichtbij dat hij op mijn voet stond. Zelfs nadat hij met een ruk aan een touwtje, dat ik niet had opgemerkt, een lamp aanknipte, duurde het nog even eer ik begreep wat de eigenlijke functie van het kamertje was. Dat kwam deels omdat de lamp slechts geleidelijk en zoemend op gang kwam. Toen het troebele oranje licht de kamer bescheen, zag ik bij de deur een zwart gordijn dat opzijgetrokken was, aan het plafond een ventilator en aan een van de muren een metalen plank en de sporen van gesloopte spoelbakken. Ik besefte dat ik in een voormalige donkere kamer stond en uit de nevelen van mijn herinnering doemde de term 'veilig licht' op.

'Van Nadya,' zei dr. Thwaite en hij zwaaide weer met de afstandsbediening. 'Ik heb hem lang geleden voor haar geïnstalleerd.'[38]

Hij zette een beeldscherm aan dat aan de muur hing. Het grijze scherm ruiste even en toen kwam de entreehal beneden in beeld. Clive stond achter een grote balie tegenover de ingang. Af en toe wierp hij een blik achterom. Aan weerszijden van de voordeur hingen winterse schilderijen. Al snel kwam een lange, slanke, donkergekleurde man met een wandelstok aanlopen. Hij droeg een pet, bril en duffelse jas. Hij praatte met Clive. Vernon keek vervolgens kort op naar een plek hoog aan de muur, stak in een vloeiende beweging zijn duim op en verdween naar buiten.

Nog geen tien minuten later – ik had amper tijd gehad om het bloed van mijn gezicht te wassen, een pleister op mijn knie te plakken en naar de keuken te lopen – hoorde ik het dwingende geluid van de benedenbel, waar ik zo van schrok dat ik thee knoeide uit de beker die dr. Thwaite me net had aangereikt. Dr. Thwaite kromp ook ineen, maar dat was misschien alleen in reactie op mij. Hij stond naast de deur en

---

38. Ineens begreep ik wat de naaktfoto's van de donkerharige vrouw in dr. Thwaites werkkamer te betekenen hadden. Het waren portretten, zelfportretten, van een vrouw die Nadya heette. Een vrouw die, zo weet ik inmiddels, zijn grote liefde was.

leek het bezoek al te hebben verwacht. Hij verdween meteen. Toen hij een minuut later terugkwam, keek hij een beetje schaapachtig.

'Ik moet je nu vragen iets voor me te doen. En dat spijt me zeer,' zei hij.

'Wat?' vroeg ik, onmiddellijk op mijn hoede. Ik bevoelde voorzichtig mijn gescheurde lip.

'Ik moet gewoon honderd procent zeker weten dat je geen Nautilus draagt... nergens op je lichaam,' zei hij met neergeslagen ogen. Op zijn uitgezakte wangen verscheen een roze blos.

Voordat ik kon antwoorden, ging de woningbel. Het was Victoria Mark, van de Mercantile Library. Ze had een bleek gezicht en haar donkere glanzende haar was strak naar achteren getrokken.

Dr. Thwaite leek bij haar nog bedeesder dan hij zo-even tegen mij was geweest. Zijn begroeting was al een verontschuldiging: 'Ik heb natuurlijk eerst Susan gebeld...'

Zij boog zich alleen maar naar hem toe, waarvan hij leek te verstijven, en onderbrak hem met een tedere kus op zijn wang. 'Het is goed, Phin,' zei ze zacht.

Ze draaide zich om naar mij en reageerde geschrokken op mijn verwondingen. Ze nam mijn handen in de hare en zei: 'Het spijt me heel erg dat ik dit moet doen. Maar het is voor jou echt het beste als je voorlopig hier blijft. En voor Phins gemoedsrust...' Zelfs zij, die zo kordaat was, leek niet op haar gemak. Toen zei ze: 'Wil je alsjeblieft even met me meekomen?' Nu klonk ze vriendelijk en gedecideerd als een arts en ik liep gedwee achter haar aan de gang in.[39]

Nadat ze had vastgesteld dat ik geen Nautilus of Meme bij me had, bleef Victoria niet lang meer. Dr. Thwaite bood haar een kopje thee aan, maar ze glimlachte, een beetje droevig, vond ik, en zei: 'Ik moet er weer vandoor.' Toen kneep ze even in zijn hand en nog eens in de mijne en vertrok.

---

39. Bij het naar buiten gaan dacht ik dat ik dr. Thwaite naar de muur zag kijken, zijn ochtendjas bij de hals vastgrijpen en een nog dieper rode kleur krijgen. Pas veel later besefte ik dat de foto van de vrouw in het wit verdwenen was.

Ik dacht dat ik hooguit twee dagen bij dr. Thwaite zou logeren, maar het werden uiteindelijk twee weken. Hoewel ik wel bijna veel eerder was vertrokken, op 7 december, de avond van Synchronics Toekomst is Nu-gala. Niet om naar het feest te gaan, maar om me, met Vera, te verschuilen in het huis van mijn grootouders in East Hampton.

Vernon had me beloofd dat hij zou proberen mijn moeder over te halen een tijdje weg te gaan, zonder Laird. Hij hield woord en wist haar te overtuigen. Ik weet nog steeds niet precies hoe – ze wilden het me allebei niet vertellen – maar een aantal opnames die Vern had bewaard van bezoeken van Laird aan Hermes in Red Hook ten tijde van de eerste onderhandelingen met Synchronic, kan de doorslag hebben gegeven. Ik heb ze sindsdien ook beluisterd en Laird lijkt op zijn minst indirect betrokken te zijn geweest bij de deal. Hij was, toen hij nog obligaties verhandelde, bevriend geraakt met Steve Brock, de topman van Synchronic. (Het schijnt dat hij bovendien aandelen in Synchronic had.) Tijdens deze gesprekken had Laird breed uitgemeten over verschillende onderwerpen, zoals Doug, de Dorans, de strategische waarde van zijn 'partnerschap' met Vera, etc.

Vernon had Vera ook aangeraden een lijfwacht in de arm te nemen en haar gewaarschuwd dat ze geen Nautilus of Meme meer moest gebruiken, niet moest communiceren met mensen die symptomen van afasie vertoonden en sims, tv-uitzendingen, streams, radio's en telefoons helemaal moest vermijden – hoewel dat laatste misschien op zijn minst deels ingegeven was om haar te behoeden voor slecht nieuws. Hij adviseerde haar ook wel te lezen, want hoewel het lezen van besmette berichten potentieel gevaarlijk was, werd het lezen van boeken, vooral boeken die een beroep doen op je abstracte denkvermogen en geheugen, juist gestimuleerd: het werd verondersteld therapeutisch te werken.[40]

---

40. Ik moet mijn verhaal hier even onderbreken voor een opmerking dat vroege waarschuwingen tegen lezen ongegrond zijn gebleken. Uit onderzoek dat verricht is in de weken na de uitbraak van de massa-epidemie bleek al snel dat zolang documenten niet worden gelezen op een Nautilus of Meme, lezen zonder gevaar is. Daarom heb ik royaal geciteerd uit Barts dagboeken – men heeft

Geen van ons wist toen welke ramp ons op de avond van 7 december wachtte. Maar toen ik voorstelde dat ik misschien beter met mijn moeder mee kon gaan, wilden Vernon en dr. Thwaite daar met vooruitziende blik niets van horen en zeiden dat het, aangezien bepaalde medewerkers van Synchronic naar me op zoek leken te zijn, voor haar en mij veiliger was als ik aan Beekman Place zou blijven tot ik kon 'ontsnappen'.

Vervolgens waren ze twintig minuten bezig me ervan te 'overtuigen' om naar Engeland te gaan. We zaten dicht op elkaar in de werkkamer te praten, omgeven door stapels boeken en academische tijdschriften: *Lexikos, It Beaken, International Journal of Lexicography*, terwijl uit een stokoude platenspeler Chopins Preludes ruisten. Dr. Thwaite bood aan ervoor te zorgen dat mijn pas sneller klaar zou zijn zodat ik begin volgende week zou kunnen vertrekken.[41]

'Waarom Engeland?' vroeg ik met geveinsde onwetendheid. Mijn gezicht jeukte van de leugen.

'Nou, om te beginnen zijn Memes daar nooit legaal verkrijgbaar geweest,' zei dr. Thwaite belerend, 'en zijn er daar dus aanzienlijk minder. En daarom ook aanzienlijk minder virusgevallen. We hebben allemaal het idee dat de griepepidemie haar hoogtepunt nog niet heeft bereikt en dat alles waarschijnlijk eerst nog erger zal worden voordat het beter wordt – áls het al beter wordt.'

Hoe profetisch zijn deze woorden gebleken.

'Vernon gaat trouwens ook naar Engeland,' vervolgde hij. 'Voor een project. Hij kan je in contact brengen met vrienden.'

Zoals de 'vrienden' waar Doug onderdak heeft gevonden? wilde ik bijna vragen. Maar dat deed ik niet.

---

mij verzekerd dat het aanhalen van besmette passages, zelfs langere, geen enkele bedreiging vormt. Hoewel ik wel moet vermelden dat de postdoc-onderzoeker die me enkele weken geleden begonnen is te helpen ze te ontcijferen, er ook niet volledig van overtuigd was dat ze onschuldig waren. Daarom zijn sommige van zijn transcripties ietwat... slordig.
41. Doug zou geschokt zijn geweest dat ik mijn pas had laten verlopen. Hij had de zijne vrijwel altijd bij zich. Maar ik had zo lang alles aan mijn Meme overgelaten dat ik het niet had gemerkt.

Vernon wilde al zo'n twee dagen, sinds hij me naar dr. Thwaite had gebracht, zo snel mogelijk weg uit New York. Kort nadat ik hem op het scherm in de doka had zien weg hompelen uit de entreehal, was Vern gebeld door Max, die net van de set van PI News kwam en erg van slag was over Johnny. Hij had Vern gevraagd naar de SoPo te komen, maar toen Vern daar binnenstapte, had Max een agressieve dronk – en was hij ook om andere redenen amper te volgen. Hij hield Vern een handvol folders van het Diachroon Genootschap voor en brieste dat alleen Vern de zaken die daarin aan de kaak werden gesteld, kon weten en dat federale rechercheurs hem vragen hadden gesteld. 'En zij niet solveg,' voegde Floyd er vijandig aan toe. 'Vergnarl de presentatie niet!' had Max ten slotte geschreeuwd. 'Ik wil jou njezymich zien.' Vern was toch al van plan geweest het gala te laten lopen – zijn ticket naar Londen was voor die avond – maar probeerde niettemin Max tot rede te brengen, hem te kalmeren. Dat bleek echter een onmogelijke opgave en Max begon al snel te tieren dat als Vern niet vertrok hij hem in elkaar zou slaan. Hij spuugde zelfs naar hem. Op weg naar de uitgang hoorde Vern Floyd hem naroepen: 'Pas maar op!'

Dat bleek een uitstekende raad. Vern pakte de metro naar Fort Greene, waar hij woont, maar toen ze de Manhattan-brug over reden werd het heikel: een slanke, geheel in het zwart geklede man had tegenover hem plaatsgenomen, met zijn hand in zijn jaszak, die onheilspellend uitstulpte. Bij de halte DeKalb was het Vern gelukt weg te glippen – vóór het ongeval waarbij zijn knie onherstelbaar beschadigd was geraakt, was hij een hardloper geweest – en was hij overgestapt op de metro terug naar Manhattan. Sindsdien logeerde hij bij een tante in Harlem. Echt veilig leek het hem echter niet en hij vond het maar niets dat hij familieleden in gevaar bracht.

Vernon was die avond bij ons om afscheid te nemen. Zijn vlucht zou een paar uur later vertrekken. Hij zei dat hij hoopte dat ik ook naar Engeland wilde gaan en dat hij me snel weer zou zien. Ik was het geveins beu, knikte en stemde ermee in te gaan zodra mijn pas klaar was.

Toen viel er een terloopse opmerking die een knallende ruzie ontketende.

Dr. Thwaite vroeg Vernon hoe laat hij de volgende dag in Oxford zou zijn.

'Pas laat,' klaagde Vernon. 'Ik heb een tussenstop van zes uur in Montreal.' Hij strekte zijn lange vingers en vervolgde: 'Beter dat dan in Reykjavik te moeten overnachten.'

'Wacht even... wat?' zei ik snel toen ik de plaats hoorde noemen waar Doug het laatst was gezien.

Vernon keek schuldbewust weg, kreeg een kleur, zette zijn bril af om mijn blik te ontwijken en begon de glazen te poetsen. 'Niets,' zei hij. Maar toen was het al te laat en wist hij dat ze het me moesten vertellen.

'Jezus!' mompelde dr. Thwaite.

Zo kwam ik erachter dat dr. Thwaite al weken wist dat Doug in Oxford was, om precies te zijn al sinds de avond dat Doug daar was aangekomen, vers uit Reykjavik, met een privévliegtuig van Fergus Hedstrom. Hij was zaterdag 17 november 's avonds laat geland, één dag nadat hij was verdwenen. Toen het nieuws boven tafel kwam en ik begreep dat ze mijn vaders verblijfplaats voor me verborgen hadden gehouden, werd ik zo woest dat ik, tot mijn eigen verbazing en die van hen, het dichtstbijzijnde voorwerp oppakte en door de kamer smeet: een foto van Nadya.

De lijst schampte het bureau, verschoof papieren stapels en viel kletterend stuk op de vloer. Canon begon hard te blaffen, dr. Thwaite vertrok zijn gezicht. Hij bukte, probeerde de hond te bedaren en ruimde de glasscherven op. Verwijtend zei hij: 'Jij beweerde dat jij en Max...'

'Dat is niet waar,' viel ik hem snel in de rede. Ik had me afgewend van Vernon zodat hij niet kon zien dat ik een kleur kreeg. Ik zakte op mijn hurken om te helpen, berouwvol maar daarom niet minder kwaad.

'... en ik wist niet zeker of ik ervan opaan kon dat je niets tegen Max zou zeggen,' sprak dr. Thwaite onverstoorbaar verder. 'Niet dat ik dacht dat je Douglas opzettelijk zou verraden...'

'Hem verráden?' zei ik boos.

'... en toen je tekenen van afasie begon te vertonen, was ik bang dat als je hem zou spreken je hem misschien zou aansteken. Of, nog waarschijnlijker, dat hij zo bezorgd om je zou zijn dat hij meteen terug zou komen, wat me gevaarlijk leek voor hem en mogelijk ook voor andere leden van het Genootschap. Maar ik was vooral bang dat het zijn werk in Engeland in gevaar zou brengen.' Dr. Thwaite wierp een blik op de grote glasscherf in mijn hand en vervolgde: 'Gezien de omstandigheden leek het me het beste als hij dacht dat jij gezond en veilig was. Alleen... voorlopig niet bereikbaar. Gezien de omstandigheden,' zei hij nog eens.

Ik wees hem erop dat de omstandigheden waren dat ik drie weken lang niet had geweten of mijn vader nog wel leefde.

'Ik heb je gezegd dat alles goed met hem was,' mompelde dr. Thwaite. Hij vouwde een glinsterend hoopje glas in een vel papier, kwam vermoeid overeind en legde een bevende hand op Canons schokkende rug. 'Hou 's op met die herrie,' zei hij zachtjes tegen de hond. De bovenburen begonnen op de vloer te beuken. Ik hoorde gesmoord geroep.

'Nee,' antwoordde ik terwijl ik snel rechtop ging staan. 'U zei dat u niet wist waar hij was,' zei ik, misschien wel luider dan ik had bedoeld.

'Alsjeblieft,' zei dr. Thwaite. Hij wierp een smekende blik naar Vernon, die bij de platenspeler stond en hem harder zette. 'Praat niet zo luid.'

'Waarom? Denkt u echt dat Synchronic u in de gaten houdt? Dat uw flat vol afluistermicrofoontjes zit?' vroeg ik sarcastisch. 'Denkt u dat het ook maar iemand een drol kan schelen...'

Dr. Thwaite had een stap naar mij toe gezet en legde zijn trillende hand op mijn mond. Hij rook naar kamfer en azijn en Canon. 'Ja,' fluisterde hij me dreigend in het oor. 'Dat is precies wat ik denk. En afluistermicrofoontjes?' zei hij spottend. 'Nee. Maar wel drones.' Plotseling begreep ik waarom hij verduisteringsgordijnen had die altijd dicht waren en waarom er permanent muziek op stond.

Later, toen we een ongewenste bezoeker hadden, begon ik te geloven dat zijn angst gegrond was. Later gaf hij me ook een brief die vrijwel alles zou verklaren, maar ik moest wel zweren dat ik hem pas zou lezen als ik veilig in het vliegtuig zat. Die avond verzekerde hij me alleen maar dat mijn vader veilig was, tegen de achtergrond van het rinkelende geluid van de stofzuiger die glas opzoog en de droevige klanken van Chopin.

Toen ik hem vroeg welke verklaring hij Doug had gegeven voor het feit dat ik hem niet had gebeld, bekende hij dat hij hem had gezegd dat ik voor Thanksgiving naar het huis van mijn grootouders in East Hampton was gegaan om de feestdag daar rustig met vrienden te vieren en dat ik er vervolgens was gebleven. Het was niet echt een logisch verhaal, de Hamptons zijn nou niet bepaald afgesloten van de beschaafde wereld, maar ik probeerde daar verder niet over na te denken.

Na een lange, ruisende stilte, gaf hij ook toe dat Doug had verwacht dat ik me binnen een paar dagen bij hem in Oxford zou voegen. Het was de bedoeling geweest dat dr. Thwaite me namens Doug had gezegd dat ik hem achterna moest reizen.

Ik knarsetandde en wist met moeite rustig te blijven toen ik dr. Thwaite vroeg welke verklaring hij Doug had gegeven voor mijn wegblijven. Hij keek ongemakkelijk van mij naar Vernon, die de klok bestudeerde. 'We hebben hem gezegd... Ík heb hem gezegd dat je nog niet had kunnen besluiten om te gaan,' zei dr. Thwaite.

Ik ontplofte weer. Ik kon er niets aan doen.

Dr. Thwaite kromp ineen en legde zijn handen op zijn oren. 'Ja, ik weet het,' jammerde hij met een gepijnigde blik. 'Maar...'

'Luister,' onderbrak Vernon ons. 'Ik moet echt gaan.' Hij wees met zijn duim naar de klok.

Ik hield beschaamd op en probeerde mijn boosheid in te slikken zodat we afscheid konden nemen van Vernon. Met een brok in mijn keel vroeg ik hem Doug namens mij te omhelzen. 'Dat kun je binnenkort zelf doen,' zei Vernon zachtjes, 'maar ik zal het doen, hoor.' Hij drukte me tegen zich aan. En toen was hij vertrokken, op weg naar wat voorlopig een van de laatste vluchten uit de stad zou blijken te zijn. Zijn 787 steeg op bij lichte turbulentie, op hetzelfde moment dat in het centrum de eerste feestvierders bij het Toekomst is Nu-gala arriveerden.

We weten inmiddels natuurlijk veel meer over de gebeurtenissen van die avond. Toen wisten we alleen dat zich iets rampzaligs voltrok.

Nadat Vernon was vertrokken, aten dr. Thwaite en ik een hapje – dunne tomatensoep en koude gebraden kip – en wasten zwijgend af. Daarna ging ik in zijn werkkamer stiekem online.

Ik keek niet naar de gala-uitzending, maar hoorde later dat dit ongeveer het tijdstip was waarop daar de live Meaning Master-wedstrijden en woordenveiling van start gingen. Dankzij een twee weken durend publiciteitsbombardement waarmee Synchronic de vrijdag na Thanksgiving was begonnen, dat was geculmineerd in Lairds interview met Max op PI News twee dagen geleden, had PI zeer veel kijkers weten te trekken. Wat toch ook opmerkelijk was, omdat er veel mensen moesten zijn geweest die de uitzending uit angst voor besmetting bewust hebben gemeden.

Nog veel meer mensen volgden de avond niet via PI, maar via de websites van Synchronic. Wat namelijk vooral kijkers – ofwel 'spelers'– trok waren de Meaning Master-wedstrijden waarbij drie keer honderdduizend dollar te winnen viel, voor 1. het origineelste woord, 2. het doeltreffendste woord en 3. het 'fraaiste' woord, zogenaamd zoals beoordeeld door de spelers zelf. Miljoenen mensen beamden in om tijdens het gala live te kunnen meespelen op hun gloednieuwe Nautilus die ze die dag hadden gekocht of gewoon op hun Meme, smartscherm, computer of sim. Naar schatting waren het er meer dan tien miljoen (hoewel inmiddels onmogelijk vast te stellen is of dat cijfer klopt).

Iedereen kon meedoen, nieuwe woorden inbeamen kostte niets. Maar met populaire woorden begon de lol pas – hoe populairder hoe beter. Een woord 'leuk' vinden was goedkoop, 5 cent per klik. Bieden was van een andere orde, dat begon bij 25 dollar, maar daarmee kon je een woord boven het moeras van bijdragen laten uitstijgen en je winkans aanzienlijk vergroten.

De officiële verkiezing zou om 21.00 uur zijn. Terwijl de deelnemers in de laatste minuten voor de definitieve telling koortsachtig bezig waren hun zo-even verzonnen 'woorden' leuk te vinden en erop te bieden, probeerde ik een ticket naar Londen te kopen. Alleen wilde de site niet laden. De adresbalk begon wel vol te lopen met blauw, maar brak dan weer af. Het voortgangsrondje draaide en draaide als een rad van fortuin. Toen verscheen er een grijze tekst: 'U bent niet verbonden.' Ik klikte ongeduldig op een andere pagina, maar die wilde evenmin laden.

'Er is iets mis met uw internet!' riep ik de gang in naar Phineas, waarmee ik natuurlijk door de mand viel. Ik probeerde terug te gaan naar de pagina met goedkope vliegtickets. Even werd die goed afgebeeld en kon ik vluchten zien van JFK naar Heathrow op zondag. Maar er leek iets niet te kloppen: bij een rechtstreekse vlucht die om zes uur 's ochtends vertrok stond een prijs van $ 12.000. Lager op de lijst stond er een met twee tussenstops voor $ 6500. De goedkoopste die ik zag kostte $ 3900, dat was met Inuit Airlines en met een tussenstop tot de volgende dag. Ik nam aan dat de site was gehackt, helemaal toen hij na het verversen prijzen in yuan gaf. En na nog een minuut niet meer wilde laden.

Ik begreep er niets van en surfte snel, zonder echt na te denken, naar Life, waar ik al weken niet meer was geweest, om te zien of er ander nieuws was over internetproblemen. 'Waarom gil je zo?' mopperde dr. Thwaite, die net kwam binnenlopen, maar op dat moment verschenen er de gekste dingen op mijn Life-pagina. Sommige berichten waren goed te volgen – 'Is het internet stuk?', 'Ik kan niet bij $ in mijn account!', 'Ik hoorde volgens mij net schoten', 'Ik zie vlammen', 'Plunderingen op Nostrand', 'ook in hell's kitchen', 'LA', 'hoor dt ze de grnzn dichtgooien vertrek nu het nog kan' – andere waren onbegrijpelijk – 'Геддlesteelестзане', 'Kashia Soɪɪɪ', 'дacha boe tjoy' – totdat de hele site in elkaar donderde, taal verwaterde en de pagina volliep met vreemde tekens.

'Zet de computer uit!' beval dr. Thwaite. Ik was zo verbijsterd dat ik aarzelde. Hij duwde me ruw opzij en rukte het snoer uit de muur.

'W-wat is er aan de hand?' stamelde ik beduusd.

Dr. Thwaite sprak geen woord.

Het klinkt nu gevaarlijk naïef, maar vóór die avond had ik niet echt geloofd dat een griepgolf zo snel zou kunnen omslaan in een epidemie: dat het gestaag stijgende water ineens tot boven ons hoofd kon komen te staan. Dat een virus waarvan we pas wisten dat het bestond – en dat tot dan slechts een paar honderd mensen had besmet – in korte tijd tienduizenden slachtoffers kon maken. Honderdduizenden. Meer. Dat we op andere manieren ontregeld konden raken: de infrastructuur vernield. De taal verwoest. Ik dacht altijd dat we nog tijd genoeg zouden hebben om iedereen te waarschuwen, scholen te sluiten, meer en betere therapieën te ontwikkelen. Natuurlijk gingen de scholen ook dicht. Maar toen was het al te laat.

Op 7 december, om 20.57 uur, een paar minuten voordat de uitslag van de Meaning Master-wedstrijden op het gala onthuld zou worden, ontving iedereen die op een Synchronic-website zat om Meaning Master te spelen of het feest te volgen een melding op zijn of haar apparaat. Dezelfde waarschuwende tekst verscheen op een enorm scherm in het museum. Volgens een handjevol elkaar tegensprekende berichten luidde die ongeveer zo:

Wij laten u hierbij weten dat dit apparaat besmet is en wordt ingezet als een zombie. Het wordt reeds gebruikt om taal en andere hulpmiddelen van de overheid te vernielen en is geprogrammeerd om elk apparaat in uw netwerk te besmetten, aanvallen uit te voeren en zichzelf te vernietigen zodra het zijn missie heeft volbracht. We hopen dat u dit bericht met genoegen hebt gelezen. Het zou wel eens het laatste kunnen zijn wat u leest.

Van apparaten die deze melding ontvingen, werden onmiddellijk alle gegevens gewist, voordat ze werden uitgezet en hun gebruikers buitensloten. Talloze mensen werden besmet – volgens sommige schattingen alleen al die avond miljoenen. Sommigen enkel met een vreemd soort afasie, anderen met een acute, levensbedreigende ziekte.

We denken nu dat Synchronic een paar jaar geleden, toen ze bezig waren met de Alef en het allereerste, geheime prototype van de Nautilus, een virus heeft ontwikkeld dat inmiddels bekendstaat als het bacilvirus. Het bacilvirus schijnt eveneens een soort prototype te zijn geweest, een vroege versie van de malware waarvan Synchronic later met behulp van Hermes een veel effectievere variant zou ontwikkelen. Net als veel van Synchronics hard- en software kwam het eerste ontwerp uit een laboratorium in Beijing. (Vermoed wordt dat Synchronic het virus onder andere in China heeft laten ontwikkelen om het moederbedrijf buiten schot te kunnen houden en alle verdenkingen te kunnen afschuiven op buitenlanders, mocht het ooit herleid worden naar Synchronic-apparaten.) Maar het virus deed kennelijk niet wat Synchronic voor ogen stond en veroorzaakte alleen maar fouten, maakte de Alef traag en leidde gebruikers om naar vreemde sites. Het was bovendien zeer besmettelijk en infecteerde zelfs apparaten waarop het niet was getest. En dat waren nog niet eens alle onbedoelde effecten.

Toen duidelijk werd dat het bacilvirusexperiment was mislukt – volgens Brock was het de oorzaak van het Alef-fiasco, dat Synchronics reputatie ernstig had beschadigd en het bedrijf bijna om zeep had geholpen – deed Synchronic er alles aan om het uit te roeien. Daarnaast werkten ze keihard om de Meme zo snel mogelijk op de markt te kunnen brengen. Het hele idee van winstgerichte malware werd voorlopig in de ijskast gezet – tot het afgelopen voorjaar, toen Max precies op het juiste moment ten tonele verscheen om het nieuw leven in te blazen en hij als was hij zelf een virus een ogenschijnlijk volmaakte voedingsbodem aantrof voor zijn doel.

De Meme was toen al jaren op de markt en gebruikers begonnen onmiskenbare tekenen van afhankelijkheid te vertonen. Synchronic werkte er ook aan om de Nautilus – die eveneens al lang op de plank lag – voor kerst te kunnen uitbrengen. De bestuurstop geloofde kennelijk dat het nieuwe apparaat zou leiden tot een verdere 'integratie van gebruiker en apparaat'. Ook de Lexibeurs was niet meer weg te denken. Toen Max bij Synchronic kwam om Meaning Master aan te prijzen onderkende Brock meteen de mogelijkheid om zijn virus alsnog in te zetten. Het spel leek een goede drager: het kon elk apparaat waarop werd gespeeld en alle apparaten waarmee dat apparaat communiceerde besmetten. Het genereerde bovendien neologismen, wat een flinke bonus was, want dan hoefde Synchronic niet zoveel woordwerkers in te huren zoals die die ik in het Creatorium had gezien. Met het spel konden ze het werk uitbesteden: de gamers zouden zelf de taal tenietdoen. En er nog voor betalen ook.

Naarmate het virus zich verspreidde, zouden meer mensen de Lexibeurs raadplegen. Hoe meer mensen dat deden, hoe meer er Meaning Master zouden ontdekken en het gaan spelen. En hoe meer er meespeelden, hoe meer nepwoorden er zouden worden gemaakt – en opduiken in limns, mails, sms'jes en beams – en hoe meer ervoor zou worden betaald om ze te laten ontcijferen. Zo ging het eindeloos door, in een destructieve spiraal. Dat was althans hoe het had moeten gaan en nadat het virus was uitgezet in de eerste week van november ook was gegaan – tot ongeveer een maand later, toen alles in elkaar stortte.

Er is ook nu, zo'n twee maanden later, nog steeds veel onbekend over het taalvirus. Maar ik heb hier een postdoc-onderzoeker in de genetica ontmoet, dr. Barouch, een laconieke brunette met glanzende ogen, die praat alsof ze knikkers in haar mond heeft en die me een uiterst overtuigende hypothese uit de doeken heeft gedaan. Ik heb geprobeerd die zo goed en getrouw mogelijk samen te vatten.

Het menselijk genoom bevat miljoenen retrotransposons, 'oeroude virussen' noemde dr. Barouch ze, die in elke cel zitten: tanden, haar, organen, huid. Je treft ze ook aan in allerlei andere organismen, ze behoren tot onze evolutionaire erfenis. Door de miljoenen jaren heen hebben onze genomen geleerd deze virussen onder controle te houden met een soort 'genoomimmuunsysteem'. Zeg maar tegengifstoffen, aldus dr. Barouch.

Volgens haar heeft de Nautilus het zorgvuldige evenwicht van dat systeem verstoord. Het lijkt erop dat dat een volstrekt onbedoelde bij-werking was, maar de gevolgen zijn niet minder rampzalig.

Net als Memes en zelfs nog veel oudere apparaten zonden Nauti-lussen een constante informatiestroom over hun gebruikers naar in-ternet: waar ze zich wanneer bevonden (thuis, op het werk, in The Fancy), wie ze toevoegden aan hun contacten, etc. Maar door zijn werking registreerde de Nautilus ook specifieke neuronale structu-ren: wat er gebeurde als een gebruiker iets zag, hoorde, voelde, rook, proefde en hoe hij of zij taal, gedachten en herinneringen verwerkte. Door de celfusie stuitte de Nautilus continu op retrotransposons. Het gevolg was dat gaandeweg miljoenen van deze oeroude, genetische virussen van alle Nautilus-gebruikers naar de server werden gestuurd en in cyberspace belandden.

De meeste van deze stukjes DNA-code waren zo onschadelijk als wat, vertelde dr. Barouch. Ontelbare miljarden dwarrelden passief rond op internet zonder, zover bekend, iets aan te richten. Maar op zeker moment – misschien wel al jaren geleden – stuitte de retro-transposons van een onbekende, anonieme gebruiker stomtoevallig op een ander kwaadaardig datastukje: het bacilvirus van Synchronic. De twee stukjes code versmolten en vormden samen een nieuwe reeks, die we nu kennen als S0111.

Doordat de Nautilus werkt via integratie met cellen van gebruikers, zei dr. Barouch, kon de nieuwe streng daartussen komen toen die via de Nautilus werd teruggezonden – in zekere zin werd gedownload. Dat was nog niet alles: omdat het apparaat continu binaire code die het van internet ontvangt uitwisselt met de DNA-code waarin het ge-gevens verwerkt, werd ook die nieuwe S0111-reeks omgezet in DNA. Nu blijkt alleen dat de nieuwe reeks een biologische betekenis heeft die bij het omzetten een ziekteverwekkend virus codeert dat neuro-nen kan infecteren en beschadigen. Elke Nautilus die dus in contact kwam met S0111, besmette zijn gebruiker met een neurotroop virus, dat onbehandeld de dood tot gevolg heeft en waarbij als eerste symp-toom afasie optreedt. In de volksmond woordengriep.

Niet-besmette Nautilussen werkten natuurlijk perfect. Maar er was een andere, zeer opmerkelijke reden waarom het apparaat aanvankelijk niet werd gezien als bron van de woordengriep: het groeiende aantal gevallen van een ziekte die de kop had opgestoken nog voordat de Nautilus op de markt was gekomen. Een 'ziekte' die ironisch genoeg veroorzaakt werd door de besmetting van een ander Synchronic-apparaat: de Meme – een apparaat dat zo wijdverbreid gebruikt werd en zo geïntegreerd was geraakt in het dagelijks leven dat ook dat in beginsel door vrijwel niemand serieus als mogelijke veroorzaker werd beschouwd.

Besmette Memes veroorzaakten symptomen die opvallend veel leken op die van Soiii: ook die gebruikers kregen last van een soort afasie. Maar de Meme-'ziekte' was goedaardig en geen ziekte als zodanig. Het was meer een fout in het apparaat zelf. Een besmette Meme wilde gebruikers overdreven vaak naar de Lexibeurs sturen. Het apparaat ging er voorbarig van uit dat zijn gebruiker een woord niet meer wist en voorzag daar dan overijverig alvast in. Maar de meeste 'woorden' die het manisch aanleverde waren neologismen die verzonnen waren door Meaning Master-spelers en sweatshoparbeiders.

Dit bizarre effect kon in eerste instantie onder andere moeilijk teruggevoerd worden op Memes omdat het leek aan te houden ook nadat gebruikers hun apparaat hadden weggedaan. Dat waren dan alleen de mensen die daartoe in staat waren. De miljoenen, zo niet tientallen miljoenen gebruikers met een illegale chipimplantatie konden dat niet. Men gelooft nu dat de hersenen van die gebruikers beschadigd zijn door de voorheen zo geprezen eeg-technologie van de Meme. Elektrische signalen stromen door chips en Kronen en leiden tot de dood van cellen. Zelfs 'goedaardige afasie' is kortom niet volledig goedaardig. (Het is misschien ook geen volledig toevallige bijkomstigheid: volgens sommige deskundigen zou het symptoom opzettelijk bedacht kunnen zijn als imitatie van de woordengriep om nog meer verwarring en chaos te zaaien.)

Ook daarvan hadden we destijds natuurlijk geen weet. We wisten niet hoe mensen aan die symptomen kwamen en waarom er mensen doodgingen. We wisten niet hoe we ons tegen het virus konden beschermen. We wisten alleen dat het zich leek te verspreiden via taal: spraak die tot spraakloosheid leidde. In een aantal opnames uit die tijd die bewaard gebleven zijn, lijkt het zelfs dat het van mens op mens wordt overgedragen.

Aanvankelijk vreesden gezondheidsfunctionarissen – en al snel ook vele anderen – dat iedereen die aan afasie leed de levensbedreigende woordengriep had en dat door de verspreidingswijze vrijwel iedereen daar vatbaar voor was. Die angst lag ten grondslag aan de paranoia die zelfs al voor de massale uitbraak op 7 december geleidelijk was toegenomen. Het was die angst die aanleiding was voor de koptelefoons en giftige blikken in de metro en voor de campagnes voor taaltherapie en spraakhygiëne die begin december net van de grond begonnen te komen. Maar diezelfde angst was ook een sterke drijfveer voor het werk van het Genootschap.

Sommige mensen lieten het niet bij oordopjes en het vermijden van 'onnodige talige transacties', maar droegen ook gezichtsmaskers, wasten veelvuldig hun handen en bewogen zich zo min mogelijk in het openbaar. Allemaal maatregelen waaruit blijkt dat men vreesde dat het virus niet via woorden, maar via bacillen werd verspreid. Een begrijpelijke angst, zei dr. Barouch. Het grootste schrikbeeld van velen (en een risico waarover sommigen, zoals Doug, zich al jaren grote zorgen maakten) was dat het virus nóg een combinatie zou aangaan, dit keer met een biologische ziekteverwekker, zoals influenza. Dan zou het echt via bacillen worden verspreid. Naar iedereen.

Vóór 7 december was de verspreiding van afasie ondanks waarschuwingen en groeiende paniek onder de bevolking gestaag toegenomen. Maar op de avond van het gala veranderde alles: het virus ontsnapte aan zijn teugels.

Het aantal ziektegevallen schoot omhoog. Het liep storm bij de afdelingen Spoedeisende Hulp en er was al snel een nijpend tekort aan antivirale middelen (waar er trouwens toch al niet veel meer van waren). Op de deuren van ziekenhuizen hingen briefjes die niet-levensbedreigend zieke patiënten opdroegen naar huis te gaan en daar quarantaine te houden. In sommige delen van het land was de vraag naar artsen, verpleegkundigen, iedereen die maar eerste hulp kon verlenen dermate groot dat vrijwilligers werden opgeroepen te helpen. Als tegenprestatie voor hun hulp werden hun virusremmers beloofd. (Daarbij werd niet altijd uitgelegd dat niet zeker was dat de medicijnen hun werk deden, omdat SoIII een nieuw virus was.)

Tegen die tijd had men ook opgemerkt dat sommige groepen minder vatbaar voor afasie leken te zijn. Voortvarende burgers trokken eropuit om die te vinden en te werven. Ze zochten op specifieke plaatsen, zoals binnen de dovengemeenschap, waar degenen die hadden afgezien van een cochleair implantaat doorgaans van besmetting gevrijwaard leken te blijven. Hetzelfde gold voor de kleine, zich afzijdig houdende groep academici en meertaligen. Er waren ook groepen die vrijwel geheel gespaard bleven, met name groepen die weinig technologie gebruikten, zoals de amish, een aantal orthodoxe en quakergemeentes, bepaalde ouderen en bewoners van plattelandsenclaves. Als ze al kennelijk immune en ook verder gezonde volwassenen hadden opgespoord, dan was het nog een hele klus om deze mensen, die zich bewust hadden teruggetrokken uit de overheersende cultuur, over te halen om anderen met wie ze weinig affiniteit hadden te helpen.

Toch waren er nog steeds velen die wel hun hulp aanboden, onder wie leden van het Diachroon Genootschap. Helaas konden ze in de meeste gevallen weinig doen. Pijnstillende middelen toedienen. Sussen en opbeuren. Helpen quarantaines te controleren. Soms boden ze stoïcijns de helpende hand bij het dichtplakken met pleisters van de mond van ijlende patiënten.

In de week voor kerst bedroeg het aantal SoIII-sterfgevallen voor heel de VS meer dan vierduizend. Dat was exclusief de slachtoffers van gewelddadige incidenten die losstonden van de woordengriep. Op de avond van het gala werden besmette apparaten gevorderd als 'zombies' en gebruikt in botnets die een reeks grootschalige aanvallen op de infrastructuur uitvoerden. De websites van grote nieuwsorganisaties, kranten en blogs liepen vast of werden uit de lucht gehaald. De digitale archieven van het Library of Congress werden plat-gelegd. Er waren ook pogingen tot aanslagen op beter beveiligde net-werken: de Federal Reserve, het ministerie van Defensie, delen van de nationale stroomvoorziening. Een virus dat in sommige opzichten leek op het bacilvirus werd actief in cyberspace en corrumpeerde ra-zendsnel Engelstalige 'op woorden gebaseerde content'. Grote hoe-veelheden documenten verdwenen gewoon: e-mail, medische dos-siers, juridische documenten, akten. Complete bibliotheken gingen in een oogwenk verloren.

Die eerste dagen wisten we natuurlijk vrijwel niets. Phineas stond erop dat we ons schuilhielden in zijn huis. Internet, telefoon, alle schermen waren verboden. Het was vreselijk. Ik liep uren als een ge-kwelde nomade heen en weer door zijn woning, gek van de zorgen om mijn moeder, mijn vrienden, Bart. Doug. Toen een paar nieuws-flarden ons uiteindelijk toch bereikten, wilde ik naar buiten om te helpen. 'Je zult niet veel kunnen doen als de mensen die jou kenne-lijk zoeken je daadwerkelijk vinden,' zei Phineas.

Het beetje nieuws dat we wisten te vergaren kwam van korte, ana-loge contacten: geruchten, een paar gejaagde telefoontjes, berichten van de BBC. (Dat was voordat Phineas zich verrassend genoeg liet overtuigen door verhalen over de besmetting via spraak, ook al ge-bruikte hij zelf Nautilus noch Meme, en besloot dat zelfs de radio en bellen via een vaste lijn of met een mobiele telefoon te riskant waren. 'Kunnen we op die manier worden besmet?' vroeg ik ongelovig. 'Nee,' zei hij. En toen: 'Ik weet het niet. Nee.') We ontvingen ook een paar brieven met de buizenpost. Het was Susan die ons vertelde over de piek in sterfgevallen en dat wat sindsdien bekendstaat als 'Laatste Stilte', een verontrustende en onverklaarbare spraakloosheid die sommige patiënten treft nadat bij hen de afasie uitgeraasd is.

De ramp had ook gevolgen op andere vlakken. 'Ga onmiddellijk naar je bankkluis. Neem iemand mee,' stond er in een briefje dat dr. Thwaite van Tommy Keach ontving. Binnen het bankenstelsel, schreef hij verder, heerste grote chaos. Vrijwel niemand kon inloggen op rekeningen, ook de bankmedewerkers niet, van wie trouwens de meeste natuurlijk allang vervangen waren door machines. In de zeldzame gevallen dat het iemand lukte toegang te krijgen tot het systeem, schrok hij zich rot: complete tegoeden waren in het niets opgelost. Banken wrongen zich in allerlei bochten op zoek naar precedenten en bewijzen dat ze niet aansprakelijk waren. De inflatie schoot omhoog. Een brood kostte plotseling $ 28, $ 37, $ 55. De waarde van de dollar tuimelde naar beneden, maar exporteurs konden daar geen munt uit slaan: de grenzen zaten min of meer potdicht, vanwege zowel het besmettingsrisico als de nieuwe gevaren van reizen.

Ten minste één vliegtuigongeluk werd toegeschreven aan complicaties van het virus en cyberaanvallen. Opnames van de zwarte doos hebben de oorzaak nog niet bevestigd – een probleem met de boordcomputer, onjuiste informatie uit de verkeerstoren, nalatigheid van een piloot die geveld was door de griep – maar er waren 173 doden. Alle vluchten werden geannuleerd, althans in eerste instantie. Luchtvaartmaatschappijen gingen haastig op zoek naar oude, zelfs gevaarlijk verouderde toestellen, vielen terug op hun vroegere luchtverkeersleidingssystemen en probeerden onbesmet boord- en grondpersoneel te vinden dat over de nodig ervaring beschikte. Vliegvelden stelden zo snel ze konden nieuwe veiligheidsmaatregelen in. Het duurde dagen voordat de vluchten werden hervat. Sommige ongelukkigen probeerden in de tussentijd het land per schip te verlaten. Alleen al in de tweede week van december werden meer dan achttien verstekelingen dood aangetroffen op containerschepen die voor de kust voor anker lagen.

Er waren ook andere slachtoffers. Honderden, misschien wel duizenden, kwamen om bij verkeersongelukken omdat auto's plotseling optrokken, stopborden negeerden, van de weg reden. Er was een run op oudere, niet-geautomatiseerde modellen en in het hele land stonden er lange rijen bij de benzinepompen. Treinen en metro's werden tot stilstand gebracht uit angst dat defecte signalen ontsporingen en botsingen konden veroorzaken. New Yorkers waren aangewezen op gruwelijk volle bussen of moesten lopen, soms wel de halve stad door. Het was zo goed als onmogelijk ouderwetse gele taxi's met echte chauffeurs te vinden.

Beveiligingssystemen lieten het ook afweten. Inbraken en diefstallen – in huizen, van auto's, van identiteiten – namen hand over hand toe. Evenals overvallen. Vechtpartijen. Moorden en rellen. Particuliere beveiligers en politie patrouilleerden door de welgestelde wijken, zoals die van Phineas, maar de Bronx brandde. De elektriciteits- en watervoorziening werkte nog – niemand wist voor hoe lang. Telefoons flakkerden aan en uit. En dat was alleen het nieuws dat ons via de nagenoeg onttakelde pers wist te bereiken.

Daarom kon ik niet vertrekken. Daarom zat ik twee weken, afgesloten van alles, vast bij Phineas, waar ik snel gek werd. Ik was meer tijd dan je voor mogelijk zou houden bezig met bijna niets doen, angstig luisterend naar onrustige geluiden van buiten – geschreeuw, gierende banden, blaffende honden. Phineas woonde heel dicht bij het VN-gebouw en in de omliggende straten stonden verschillende ambassades. In de eerste dagen leek het alsof er een niet-aflatende storm woedde van deuren die dichtgesmeten werden, alarminstallaties die afgingen, een druk komen en gaan. Daarna begon een bijna kille, heilloze stilte, alsof we ingesneeuwd waren. Ik luisterde mee als Phineas door de deur met een van zijn buren praatte of een van hen bij gelegenheid binnenvroeg om de laatste geruchten en nieuwtjes uit te wisselen en te overleggen over de beveiliging.

Maar er was zoveel tijd om zoek te brengen. Het was ook niet mogelijk om continu in diezelfde staat van uitputtende angst te verkeren. Ik deed wat ik kon om mezelf af te leiden van mijn angstige gedachten. Ik tekende uren achter elkaar. Oefende *randori* en vallen. Lag onrustig te dutten naast Canon. Las boeken van Phineas: een stuk in een biografie over Samuel Johnson, gedichten van Larkin, Mark Twain, boeken over kunst en catalogi van Charles Sheeler en Titiaan. Een keer haalde Phineas een oude zwart-wittelevisie tevoorschijn en zochten we afleiding bij een aantal Preston Sturges-films die hij op video had. We speelden een paar potjes kaart en schaak. Ik moest denken aan kerst thuis, schaken met Doug, drambuie drinken uit blauwe glaasjes, Vera die ons Dickens voorlas.

Er wordt een grote partij schaak gespeeld – op de hele wereld, zei Alice. *Als dit tenminste de wereld is.*

Twee keer zondigde ik tegen de regels en belde ik met Vera, die zei dat alles goed met haar was en dat ze voorlopig op Long Island zou blijven, waar de situatie betrekkelijk veilig leek. Ze probeerde eerst nog me over te halen naar haar toe te komen, maar besloot toen ook dat het veiliger was als ik bleef waar ik was. Reizen leek gevaarlijker dan stilstand.

Het lukte me uiteindelijk ook Theo en Coco te pakken te krijgen. Ze waren allebei gezond en wel. Toen ik Coco's stem hoorde en ze duidelijk en gearticuleerd sprak, was ik zo opgelucht dat ik even op mijn lip moest bijten voordat ik iets kon zeggen.

'Coco'tje,' fluisterde ik. 'Ik was zo ongerust. Ik mis je.'

'Ik mis jou ook, mignon,' zei Coco. Haar woorden stonden net zo bol van emotie als de mijne. 'Waar ben je toch?'

Mijn troost was van korte duur. Ik kon geen van mijn andere vrienden bereiken. Coco vertelde me dat Audrey opgenomen was in het ziekenhuis, welk wist ze niet. En niemand had iets gehoord van Ramona.

Ik probeerde ook Max te bereiken, maar zonder succes. Ik dwong mezelf zelfs zijn moeder te bellen. 'Ik neem aan dat je niets van hem hebt gehoord?' vroeg ze. Haar stem verried een piepklein flintertje warmte. Toen ik nee zei, antwoordde ze: 'Waarom verbaast me dat nou niets,' en hing op.

Vernon konden we niet bereiken (een van de weinige telefoontjes die Phineas goedkeurde), maar we ontdekten al snel hoe dat kwam: op de ochtend van de zesde dag, 11 december, stuurde Clara Strange een briefje waarin ze schreef dat Engeland en een aantal andere landen tijdelijk al het telefoonverkeer van en naar de VS hadden geblokkeerd. Phineas las het briefje hardop voor en ik onderbrak hem. Begon te zeggen: 'Hoe...' maar mijn stem liet het afweten. Canon duwde zijn natte neus in mijn handpalm.

'Maak je geen zorgen, *chère* Alice,' zei Phineas. Hij gaf me klapjes op mijn knie. 'We krijgen jou daar wel.' Maar ik geloofde hem niet. En mijn geduld begon sneller op te raken dan de voorraden in zijn bijkeuken.

Die avond deed ik iets wat Phineas me had verboden op straffe van uitzetting: ik kneep ertussenuit. En wat helemaal niet mocht: ik ging naar Bart. Ik had vaak geprobeerd hem te bellen sinds ik bij Phineas zat, maar zelfs daarvoor had ik hem al dagen niet meer gesproken. Zijn telefoon ging meestal niet eens over. Toen hij dat wel deed en Bart niet opnam, begon ik me echt ernstig zorgen te maken. De paar berichten die hij voor me had ingesproken, waren misschien wel nog erger: ik kon amper begrijpen wat hij zei. En op die zesde dag klonk hij niet alleen afatisch, maar ook heel erg ziek.

Toen ik hem eindelijk bereikte, was het een kort gesprek. 'Bart?' zei ik. 'Hoe gaat het met je?' Hij antwoordde iets en uit zijn toon kon ik opmaken dat hij probeerde me gerust te stellen. Maar de geluiden die hij maakte waren allesbehalve geruststellend.

'Vertel me alsjeblieft de volledige waarheid,' zei ik gedecideerd. 'Je weet hoezeer ik eerlijkheid van jou waardeer. Heb je hoofdpijn of koorts?' Ik klemde mijn kaken op elkaar. 'Heb je het virus, Bart?' Er volgde een verschrikkelijke stilte. Ik sloot mijn vuist om het potje met pillen dat ik altijd bij me droeg. Later ontdekte ik dat hij toen al vier dagen ziek was.

'Zeg me waar je woont,' zei ik. Hij wilde het eerst niet zeggen, maar toen ik hem erop wees dat ik zijn adres toch wel zou kunnen achterhalen – bijvoorbeeld op kantoor of in Dougs huis, wat allebei niet erg veilig leek – gaf hij toe. Hij moest het wel vijf keer voor me herhalen.

Ik wachtte tot Phineas in bed lag. Toen pakte ik een schaar uit de keukenla, knipte mijn haar heel kort af, trok een oude jas van Phineas aan en glipte via de dokadeur naar buiten. Ik pikte iemands fiets uit de kelder en begaf me op weg naar Bart, die zo'n dertien kilometer verderop bleek te wonen.

Het was een moeizame, enerverende tocht. Sommige straten waren zo donker dat het leek alsof de stroom er uitgevallen was, maar dan zag ik ineens een winkelnaam oplichten of de lampjes van een late kroeg. Op Broadway brandde er achter meer ramen licht, hoewel het vaak op het zachte, vloeiende geflakker van kaarslicht leek. De stoep lag bezaaid met bergen afval die tot op straat overpuilden. Het leek wel afval van spoken: de straten waren zo goed als verlaten. De weinige mensen die ik zag, leken ook wel geesten. Afgetekend tegen ramen. Met donkere ogen van onder markiezen naar buiten glurend. Er hing ook een soort stilte die ik niet kende van Manhattan. Er waren wel geluiden – jankende katten, zoemende generatoren, gekletter in de stegen, het eenzame gehuil van ambulancesirenes dat door je ziel sneed. Maar het was niet het geluid van mijn stad.

Ik zag ook weinig auto's. Ze reden vrijwel allemaal heel langzaam en hoewel ik wist dat dat vermoedelijk kwam omdat de chauffeurs goed uitkeken naar andere auto's op de weg, had ik elke keer het gevoel dat ik werd bespied. Of gevolgd. Ik vroeg me af wat er zo belangrijk was dat de automobilisten het nodig vonden elektriciteit en benzine te verbruiken om erheen te gaan. Ik ging er nog sneller van fietsen, trapte zo hard dat mijn benen er pijn van deden. De korst op mijn knie barstte open. De auto's die als straalvliegtuigen over de kruising vlogen, met bijna hetzelfde gehuil en gebulder, waren misschien nog wel enger. Als ze langs me scheurden voelde mijn nek kwetsbaar en koud aan en leek mijn hoofd te licht zonder de bescherming van mijn haar.

Tegelijk voelde ik me ook heel erg gefocust, bijna high. Ik fietste zo hard ik kon, ogen gericht op de weg. Het was bijna één uur toen ik voor Barts huis stond.

Ik was er twee uur later dan ik had gezegd. Hij deed niet open. Ik bleef maar aanbellen. Al snel voelde ik wanhoop opkomen. Ik stelde me voor dat hij roerloos op de grond zou liggen. Ik drukte nog een keer lang op zijn bel, drukte toen alle bellen in. Niets.

Ik kreeg het benauwd en mijn oren begonnen te suizen. En hoewel ik niemand zag, voelde ik toch glurende ogen op me. Uit vertwijfeling en angst duwde ik tegen de deur. Die sprong met een droge klik open. De zoemer en het slot waren allebei stuk. Ik hees de fiets naar binnen en holde de trap op naar Barts verdieping.

Ik klopte, smeekte, bonsde, maar weer kreeg ik alleen maar stilte terug, tot op een gegeven moment de buren begonnen te roepen. Ik had geen idee waarom hij niet opendeed. Was hij niet thuis? Waar kon hij anders zijn? Misschien, dacht ik, is hij te ziek om te staan. Of wil hij me niet aansteken.

Met trillende handen tastte ik in Phineas' jas naar mijn potje, dat volgekrabbeld was met onleesbare tekst. Ik vond een pen en een folder van het Genootschap die Phineas in zijn zak had gestoken. Op de achterkant schreef ik: ALICE ZEGT NEEM DIT IN. Ik vouwde het papier tot een puntzak, liet de pillen erin glijden – ze vielen bijna op de grond, zo erg trilden mijn handen – schoof het geheel onder zijn deur door en deed een schietgebedje.

Buiten wierp ik nog een laatste blik naar boven voordat ik weer op de fiets stapte. 'Hé meissie,' hoorde ik op dat moment van heel dichtbij een stem roepen. Terwijl ik wankelend begon te fietsen wierp ik een blik achterom en zag ik een man van achter een geparkeerde auto de straat op lopen. Mijn hart voelde ineens als twee harten die elkaar in de houdgreep hielden. Dat was alles wat ik zag. Terwijl hij 'Hé, hé!' riep en dichterbij kwam zette ik de vaart erin en verdween.

N

namen als zodanig /'na·mən·als·zo·'da·nəχ/ (mv.) zinloze woorden (zoals): *liefde*

Op onze zevende onderduikdag waagde Phineas zich buiten en liet mij thuis.[42]

Hij wist niet hoe lang hij weg zou blijven, maar het zou best wel een tijd kunnen duren. Afgezien van de hondenuitlater mocht ik niemand binnenlaten. Die kwam ook inderdaad en ik gaf Canon aan hem mee, waar ik later nog veel spijt van kreeg. Ook probeerde ik Bart weer te pakken te krijgen, maar hij nam niet op. En ik ging naar Phineas' werkkamer.

Ik was op zoek naar Dougs brief, die waarin stond: 'Phineas kun je onvoorwaardelijk vertrouwen.' Het origineel, niet het exemplaar waarmee geknoeid was. Behoedzaam manoeuvreerde ik om wankele bergen papier heen. Stapte op een kapotgebeten hondenspeeltje. Probeerde me niet bekeken te voelen door de donkere, misprijzende, muntronde ogen van Nadya die vanaf de muren op me neerkeken. Al die naaktportretten van een vrouw die zo op mijn moeder leek en er griezelig vertrouwd uitzag gaven me het gevoel dat ík te kijk stond. Het deed me denken aan mijn gesnuffel in Dougs spullen op

---

42. Als hij al wist dat ik de avond ervoor weg was geweest, liet hij daar niets van merken. Hij zei alleen langs zijn neus weg: 'Je hebt je haar geknipt.' Later ontdekte ik dat hij de dokadeur op slot had gedaan.

de avond dat hij was verdwenen. Bij het speuren naar Dougs brief in Phineas' bureau kwam ik andere brieven tegen, geschreven in 1966, 1967 en 1968 aan Nadya Viktorovna Markova op een adres in Moskou. De vreemde zachtheid van het papier intrigeerde me. Ik betrapte mezelf op de wens dat het brieven van mijn ouders waren. Dat ze misschien wel aanwijzingen zouden bevatten. Blauwdrukken voor de reden dat liefde niet duurzaam was.

Mijn oog viel op de zin: 'Toen je zei dat ik nooit van je heb gehouden maar alleen hield van het gevoel van verliefdheid op jou had je misschien wel gelijk.' Ik bekeek de foto boven Phineas' bureau wat beter. Het was het portret waarvan ik het glas had gebroken, van Nadya, slechts gekleed in haar lange haar. Enkele puntige scherfjes zaten nog aan de lijst vast. Toen ik het stukje wang bekeek dat niet achter de sluier van haar schuilging, deed ik een opzienbarende ontdekking: ik kende haar. Niet omdat ze op Vera leek, maar omdat ze de jongere versie was van een andere vrouw: Victoria Mark van het Diachroon Genootschap.

'Viktorovna. Nadya Viktorovna Markova,' prevelde ik hardop.

Dat was het moment waarop Phineas kwam binnenrennen.

'Alice!' zei hij buiten adem. Hij geurde naar sneeuw en zijn jas was wit bespikkeld.

Ik stak de brief achter mijn rug. 'Ik was alleen even...'

Maar hij liet me niet uitspreken. 'Kom mee!' zei hij in de schreeuwversie van een fluistering. Met zijn handschoenen nog aan zette hij een scherm voor de pneumatische buizen, greep me bij de arm en sleurde me naar mijn kamer. Hij rukte de kast open en duwde de kleren opzij. Pakte zijn rode muts van een hoge plank, trok de afstandsbediening tevoorschijn en drukte op een knopje, waarna de achterwand van de kast met een klik openschoot. Hij duwde me erdoor en beet me toe: 'Geen geluid maken!' Daarna deed hij de wand weer dicht en op slot. Vanaf de andere kant waarschuwde hij nog: 'En geen licht aandoen!'

Even bleef ik verbluft en roerloos staan. 'Phineas?' fluisterde ik door de wand, maar het enige wat ik hoorde was stilte. De duisternis sloot me in en drukte op mijn ogen. Ik trilde van de schrik, mijn hart bonsde en ik kreeg bijna geen lucht. Ik voelde met mijn armen door het donker en deinsde terug bij de vederlichte kus van het touwtje van het licht. Ik kwam in de verleiding om eraan te trekken maar zocht in plaats daarvan tastend met mijn handen naar de monitor in de wand. Toen ik die aanzette, verscheen er meteen beeld op het scherm: een man in het zwart liep de lobby binnen met een hond aan de lijn. Een golf van misselijkheid sloeg door me heen.

Clive kwam achter zijn balie vandaan. Wees naar de deur. Maar de man stak zijn hand omhoog en liep naar een van de winterlandschappen. Hij tilde het schilderij omhoog. Even later klonk in alle hoeken en gaten van het appartement het aanhoudende, doordringende gesnerp van de bel. Ik hield mijn oren dicht. Toen het ophield, zag ik de man Clive opzij duwen en naar de lift lopen.

Na een paar minuten hoorde ik in de verte gebons op de voordeur. Gedempt schreeuwen. Ik hoorde niet wat de man wilde, maar meende zijn stem te herkennen. Mijn huid tintelde en voelde strak aan, alsof hij na een duik in zout water was opgedroogd. In het doffe licht van de gloed van het beeldscherm zag ik een koptelefoon hangen. Ik zette hem behoedzaam op en drukte op het +-teken. Hoorde gekraak en vage geluiden. Ik raakte een paar knoppen op het scherm aan en kreeg zo steeds een ander beeld met bijbehorend geluid: eerst was ik in de woonkamer, daarna in Phineas' werkkamer, waar velletjes van de brief aan Nadya over het bureaublad verspreid lagen. Vervolgens zag ik de voordeur, met Phineas die daar in elkaar gedoken naast zat en zijn handen vertwijfeld door zijn pluizige haar liet gaan.

'Thwaite!' hoorde ik de man voor de deur brullen. 'Bop godverdomme haker of ik bruim je hond!' Dat dreigement werd bekrachtigd door een vreselijk gejank, waarop een volgende, nog indrukwekkender reeks dreunen volgde, die klonken als trappen van een schoen. Het servies rinkelde op de planken.

Phineas kromp ineen en drukte zijn handen tegen zijn gezicht. Hij aarzelde nog even, maar toen hij de hond aan de andere kant van de deur weer hoorde janken, stak hij zijn trillende vingers naar de sloten uit en maakte ze een voor een open. Wel klonk zijn stem kalm, toen hij zei: 'Goed, goed, het is nergens voor nodig om de boel te vernielen.'

Toen de deur openging herkende ik de man bijna niet. Hij was afgevallen sinds ik hem voor het laatst had gezien en had zijn bakkenbaarden afgeschoren, maar het was toch echt Floyd. Om zijn vlezige hand zat een dikke zwarte riem gewikkeld en aan zijn voeten stond Canon.

'Die rothond heeft me kloesjt,' zei Floyd. Hij balde de hand waarmee hij de riem niet vasthad en opende hem weer. Phineas vloog op Canons halsband af. Maar Floyd zette een stevige schoen tussen de deur. 'Niet zoetak,' zei hij, en hij trok de hond, die zichtbaar hinkte, met een ruk achter zich aan naar binnen. Phineas sloeg zijn armen om Canon heen. De hond jankte zachtjes en likte zijn gezicht, maar ontblootte ook zijn tanden naar Floyd.

Floyd leek niet onder de indruk. Hij liep op zijn gemak de hal door, moddersporen van zijn schoenen achterlatend. Toen stak hij van wal. Hij was lastig te verstaan boven Canons gejank uit, en de kwaliteit van de koptelefoon was niet geweldig. Dat was het niet alleen – hij had het virus. Toch was ik er vrij zeker van dat ik hem hoorde zeggen dat hij iemand zocht. Mijn hart bonsde in mijn keel. Ik meende Phineas te zien schrikken. Hij zat nog steeds over de hond gebogen, die nu gromde, en ik hoopte dat Floyd zijn schrikreactie niet had gezien.

Phineas stond op om de deur dicht te doen en Floyd zei met een blik naar Canon iets wat ik niet verstond. Toen haalde hij zonder waarschuwing vooraf uit en trapte Canon in zijn ribben. De hond viel luid jankend om.

'Wat doe je? Laat dat, man!' riep Phineas, en hij sprong op Floyd af. Die gaf de oude man een harde duw. Om te voorkomen dat hij op Canon zou vallen, die net klaaglijk jankend overeind krabbelde, liet Phineas zich de andere kant op vallen, in een stoel, waarbij zijn bril op de grond terechtkwam.

Tegen de tijd dat Phineas weer stond en met trillende vingers aan zijn bloedende lip voelend voorzichtig en onder het maken van sussende geluidjes in de richting van de gewonde hond liep, was Floyd naar binnen gelopen.

Terwijl ik van het ene kanaal naar het andere schakelde zag ik vol afgrijzen dat Floyd overal rondkeek: in de woonkamer, de slaapkamers, de wc, de badkamer. Ik zag hem rondklauwen in de werkkamer, waarbij de papieren in het rond vlogen. Phineas' overhemden op de grond smijten. Medicijnpotjes bekijken. Ze in de wasbak gooien. En toen zag ik, verlamd van schrik, dat hij de deur van mijn kamer opendeed. Naar binnen ging. Me recht aankeek, zo leek het wel.

Ik drukte me tegen de muur. Probeerde me te verstoppen in een ruimte waar je je niet kón verstoppen. Bereidde me voor op wat ik zou doen als hij me vond. Zag hem methodisch de kamer doorzoeken: achter de deur, de gordijnen, onder het bed. Vervolgens keek ik met ingehouden adem toe hoe hij op de kast afliep. Hoorde hem zeggen, boven het suizen in mijn hoofd uit – en niet via de koptelefoon, maar door de muur: 'Neer wonk hij verdomme?'

Hij? dacht ik in verwarring. Een van de weinige verstaanbare woorden in een vraag waarvan de betekenis duidelijk genoeg was. De aandrang om te luisteren en die om mijn oren dicht te stoppen waren bijna even sterk. Ik graaide instinctief in mijn zak en vond er niets; natuurlijk, ik had de pillen bij Bart achtergelaten. Toen verscheen Phineas in de deuropening. Hij wreef over zijn arm en in zijn gebarsten lip zaten rode strepen. Op buitengewoon nonchalante toon zei hij – bijna lachend: 'Tenzij je op zoek bent naar de mand van de hond, vrees ik dat je teleurgesteld zult zijn.'

Verbluffend genoeg werkte het. Floyd draaide zich om zonder de kastdeur open te maken. Ik stond mezelf een klein, trillerig zuchtje toe. Probeerde Floyd met mijn wilskracht de kamer uit te krijgen. De woning. De wereld.

Toen viel er een stilte alsof er een kluisdeur was dichtgeslagen. Floyd stond met zijn rug naar de camera, ik kon zijn gezicht niet zien. Later hoorde ik van Phineas dat hij zijn gezicht pijnlijk vertrok. Zijn korte, dikke vingers tegen zijn voorhoofd drukte. Na een hele tijd zei hij weer wat en ik meende de woorden 'iemand verstopt' te verstaan. Phineas zei voor mijn gevoel veel te lang niets terug. Kom op, drong ik geluidloos aan. Zeg íets. Toen hij uiteindelijk antwoordde, was zijn stem de rustige, neutrale kalmte van eerst kwijt. Hij zei: 'Doe niet zo idioot.' Voor mij klonk het als: 'Kijk maar in de kast.'

Met bibberende vingers veegde ik het zweet van mijn bovenlip en vroeg me af of ik het erop zou wagen om via de andere uitgang van de doka te vluchten. Pas toen ontdekte ik dat die deur op slot zat.

Floyd zei nog iets wat ik uit alle macht probeerde te verstaan. Hij had iets kleins, iets zwarts, iets opgefrommelds in zijn hand. Mijn maag kromp samen. Ik had een gruwelijk visioen – van een kanten slipje dat ik misschien op de grond had laten liggen. Ik hoorde Floyd inademen en zeggen: 'Mmm.' Ik moest bijna overgeven.

'Geef hier,' zei Phineas. Ik voelde me ziek.

'Wauw.' Floyd moest lachen en leek niet van plan op te geven. 'Van wie is die kroef?'

Phineas zei iets wat ik niet kon verstaan, maar wat eindigde met: '... van lang geleden. Ik...'

'Ruikt anders niet oud,' zei Floyd opeens foutloos, of verbeeldde ik me dat maar in mijn paniek?

'Alsjeblieft,' zei Phineas en hij klonk geloofwaardig verslagen. 'Ik mis haar en dit is erg pijnlijk voor mij.'[43]

Floyd brabbelde iets wat ik niet kon ontcijferen, maar wat hij zei kon me niet meer schelen. Ik kon uit de toename van het volume van zijn stem opmaken dat hij weer dichter in mijn buurt kwam. Toen hoorde ik iets waarvan mijn knieën begonnen te knikken: de kast-deur ging open.

Ik kneep mijn ogen dicht. Zette me schrap, voorzover mogelijk, voor het moment dat hij mijn kleren zou ontdekken – dingen die hij me vele malen had zien dragen, zoals mijn lange groene jas. Als hij die zag, zou hij de geheime deur ook zo vinden. En mij aan de andere

---

43. Toen ik hem later vroeg hoe hij het voor elkaar had gekregen om een nor-maal gesprek te voeren, zei hij dat daar nauwelijks sprake van was geweest; hij had er maar het beste van gehoopt, binnen de gegeven context (waar we het verder maar niet over hadden).

kant ervan. Ik hoorde het door merg en been gaande gekletter van de hangers die verschoven werden. Voelde mijn hart bonzend een telegram naar mijn hoofd sturen: vlucht! Maar ik kon nergens heen. Ik probeerde me voor te stellen dat ik hem tegen de grond zou slaan. En niet wat er daarna zou gebeuren.

Maar Floyd bleek trouw aan zijn karakter een ongeduldige speurder. Toen hij de kastdeur openmaakte, mompelde Phineas: 'Van mijn nichtje – die heeft ze hierheen gestuurd vanaf de universiteit.' En wonderbaarlijk genoeg leek dat te werken. Daarna klonk Floyds stem alweer een stuk verder weg. Phineas en ik hebben later nog geprobeerd uit te puzzelen wat hij zei. We meenden te begrijpen dat hij probeerde te vertellen dat iemand naar overheidsinstanties had gebeld met beschuldigingen aan het adres van Synchronic. Hij zei iets spottends, maar onbegrijpelijks tegen Phineas: 'Stru mobbel weet poester jou dit keer.' Vervolgens zei hij iets wat we allebei verstonden: dat als er iemand opdook, het in Phineas' eigen belang was om dat te melden.

'Het zou wel handig zijn als ik wist naar wie je op zoek bent,' zei Phineas kalm.

Ze liepen de gang in en ik moest als een haas naar een ander kanaal overschakelen om Floyds reactie te kunnen horen. Op zijn antwoord was ik niet voorbereid. Ik durf te zweren dat hij 'King' zei. En de knoestige boksbeugeltoon waarop hij het zei bezorgde me de rillingen.

Intussen waren ze bij de voordeur aangekomen. Canon, die nu met zijn riem aan de tafel vastzat, gromde diep en donker. 'Canon begrijpt het. Sjemmet, oude jongen?' zei Floyd. En hij gaf de hond een duwtje met zijn schoen. Canon begon te blaffen en Floyd liet zichzelf hard lachend uit.

Later zaten Phineas en ik verbijsterd in de woonkamer met Canon aan onze voeten. Phineas had *Le Sacre du Printemps* opgezet en ik had hem een glas water gebracht, dat hij zwijgend aannam, terwijl hij zijn bebloede lip naar binnen zoog. Er zat een blauwe plek op zijn arm en op zijn slaap een paarsrode bult. Toen hij het glas tegen zijn voorhoofd drukte, schudde zijn hand zo hevig dat het water over zijn overhemd klotste.

'Gaat het wel?' vroeg ik meelevend.

Phineas haalde zijn schouders op. En bij de kwetsbaarheid van dat bescheiden gebaar vol twijfel schoten de tranen me in de ogen. Met een schok begreep ik wat het van hem vergde om mij bescherming te bieden.

Met een plotselinge beweging trok hij een portefeuille uit zijn jas en haalde er een stijve, matblauwe rechthoek uit die met een bibberig handschrift beschreven was. Het was een bijna uitgestorven relikwie: een papieren vliegticket. Bij het overhandigen zei hij streng: 'Zorg dat je het niet kwijtraakt.' Hij legde uit dat de allereerste datum waarop hij had kunnen boeken pas volgende week was. Wat in zekere zin goed uitkwam; door de enorme aanwas van paspoortaanvragen was er vertraging ontstaan in de afwikkeling en zou het zelfs met zijn hulp nog wel even duren voor het mijne klaar was.

'Op weg naar huis vroeg ik me nog af hoe verstandig dit was,' zei hij. 'Maar toen kwam ik de heer Dobbs op straat tegen. Hij heeft me blijkbaar staan opwachten. Het lijkt me niet erg veilig meer voor je om hier nog lang te blijven.'

Het bleek niet Floyds eerste bezoek te zijn geweest. Een paar maanden geleden was hij – samen met Max, zei Phineas met klem – ook al eens langsgekomen. Ze waren zo goed op de hoogte geweest dat ze beneden tegen Clive hadden gezegd dat ze van het Diachroon Genootschap waren. Phineas had hen op zijn beeldscherm niet herkend maar had toentertijd nog niet zoveel reden om op zijn hoede te zijn; tot dat bezoek had hij nooit vermoed dat het Genootschap in de gaten werd gehouden. Ze schreven zo nu en dan een ingezonden artikel (vóór het stuk in de *Times* voornamelijk in tijdschriften die nagenoeg niemand las), organiseerden schrijfacties van brieven aan politici, etc. Phineas was bezorgd geweest dat de mensen niet goed genoeg naar hen luisterden, niet dat er te goed naar hen werd geluisterd. Floyd en Max hadden hem echter laten weten dat ze wel degelijk gehoord werden. Ze hadden verschillende oude folders van het Genootschap. Ze waren ook op de een of andere manier in het bezit gekomen van kopieën van e-mails die hij aan senatoren had geschreven om uit te leggen waarom de Nautilus nooit op de markt mocht komen.

Uiteraard probeerden ze hem over te halen om van mening te veranderen, maar hoewel hun bezoek hem wel van zijn stuk had gebracht, was het niet direct op hem overgekomen als bedreigend. Toch had hij het aan andere leden van het Genootschap gemeld en enkelen van hen bleken soortgelijke bezoeken te hebben gehad (Doug niet; met hem hadden ze blijkbaar andere plannen). Phineas had ook geopperd dat ze als groep wat terughoudender moesten optreden en had aangegeven dat als iemand liever niet langer openlijk medestanders wilde werven, aangezien dat hen in moeilijkheden zou kunnen brengen, dat niets was om zich voor te schamen. De meesten hadden de waarschuwing juist opgevat als een aansporing om er nog steviger tegenaan te gaan. 'Als ze bij jullie op bezoek komen,' had Winifred Brown gezegd, 'betekent dat dat we iets losmaken.' Dat leek het heersende gevoel goed samen te vatten.

Het resultaat was wel dat Floyds tweede bezoek aan Phineas een stuk minder hartelijk was geweest; hij werd die keer niet door Max maar door Dmitri vergezeld.

'Het spijt me dat ik daarnet voor hem opendeed, maar...' Phineas bukte even om de hond te aaien, die zijn kop behulpzaam naar Phineas' hand toe bewoog. 'Ik wist dat de heer Dobbs anders een andere keer terug zou komen, en dan misschien niet alleen.' Phineas streek over zijn bebloede lip. Ik voelde ook aan de mijne; die was eindelijk weer geheeld. 'Misschien verbaast het je dat we toch van mening waren dat dit de beste plaats voor je was, maar er zijn nog steeds bepaalde dingen die ze niet weten van dit gebouw.'

Ik dacht dat hij daarmee op de geheime cel doelde.

Phineas schudde zuchtend zijn hoofd. Hij hees zich uit zijn stoel en liep de kamer uit. Canon tilde zijn kop weer op en keek hem zenuwachtig na. Hij bleef lang weg. Ik vroeg me af of het de bedoeling was dat ik hem volgde, maar uiteindelijk kwam hij terug met een stapeltje beduimelde papieren en kaarten. 'De dienstregeling van Paddington naar Oxford,' zei hij, en hij drukte me alles in handen, inclusief een dikke stapel bankbiljetten, ponden. 'Ik kan je helaas niet vertellen waar je hem kunt vinden,' voegde hij eraan toe. 'Niet omdat ik dat niet wil, maar omdat ik het niet weet.'

Verlegen bedankte ik hem. Ik had het geld liever geweigerd, maar wat mijn grootouders me na Thanksgiving hadden gebeamd, was intussen zo goed als op, als er al nog wat op mijn rekening stond. En natuurlijk ontving ik geen salaris van de NADEL meer.

'En u dan?' vroeg ik aan Phineas.

'En ik dan?' antwoordde hij. Toen hij zich bukte om Canon te aaien, zag ik dat er een druppel opgedroogd bloed op de kraag van zijn overhemd zat.

'Gaat u niet mee?'

Hij schudde snel van nee. 'Nog niet,' zei hij, en hij klonk ongeduldig. 'Later misschien.' Door de manier waarop hij vermeed me aan te kijken wist ik dat hij iets verzweeg.

'U gaat me toch niet vertellen dat er niet genoeg tickets waren?' zei ik smekend.

Hij nam een slokje water. Er bleef een veeg bloed op het glas achter. 'Natuurlijk niet,' blufte hij, en hij deed alsof hij het rafelige patroon van kantelen op het vloerkleed aandachtig bestudeerde.[44]

'In dat geval,' zei ik, en ik gaf hem het ticket terug, 'kan ik dit niet aannemen.'

'Doe niet zo raar, Alice,' zei Phineas scherp. 'Het staat op jouw naam.' Hij voegde er haastig aan toe, toen we allebei naar het ticket keken: 'Anana, bedoel ik.'

---

44. Later hoorde ik dat tickets naar Londen meer dan 10.000 dollar kostten, economyclass. Phineas had voor het mijne betaald door sieraden van zijn moeder te verkopen aan een kennis die vroeger reisagent was geweest, toen dat beroep nog bestond, en die nog steeds banden met de reiswereld had. Maar het probleem voor Phineas waren niet zozeer de kosten. Er waren gewoon zeer weinig plaatsen beschikbaar. De Engelse overheid liet maar heel weinig vliegtuigen toe.

Eindelijk besefte ik wie hij was: de Witte Ruiter. Die me meenam naar het einde van zijn zet. Zijn gedrag had zijn ware identiteit aanvankelijk verhuld, maar zelfs dat was alleen uit een misplaatste beschermingsdrang jegens het Genootschap en Doug geweest. En zo misplaatst was dat eigenlijk niet – lange tijd had hij nog veel twijfels over mij gehad. Twijfels die ik nu goed begreep.

Even bleven we zwijgend zitten. We luisterden naar het geborrel van de verwarming die aansloeg en Canon die zacht jankte in zijn slaap. 'Ik red me wel,' verzekerde Phineas me. 'Ze vertrouwen me duidelijk niet helemaal, anders zouden ze me niet telkens met hun bezoekjes vereren. Maar ze denken dat ik "meewerk".'

Ik ademde diep in. Keek naar de glimmende ragfijne adertjes op zijn neus. 'Denkt u niet dat Max dat ook dacht?'

Phineas zette zijn bril af en liet hem in zijn zak glijden. Wreef over de roze moeten die de bril had achtergelaten in zijn huid. 'Ik weet niet precies wat Max heeft gedaan om in aanvaring te komen met zijn zakenpartners,' zei hij. 'Maar zoals je zelf hebt gezien, ben ik heel voorzichtig. Maak je dus alsjeblieft geen zorgen om mij. Wat Max betreft... wie zal het zeggen?'

Tegen mijn wil voelde ik mijn keel branden, alsof ik me had verslikt. Ik probeerde het weg te kuchen. Probeerde van Phineas te weten te komen waarom ze Max zochten. Wat ze zouden doen als ze hem vonden.

Het enige wat Phineas wilde zeggen, was: 'Ik denk dat hij in iets heel ernstigs verwikkeld is geraakt.'

'Zoals?' vroeg ik gefrustreerd. Hulpeloos.

'Dat weet ik echt niet, lieve Anana,' zei Phineas, en hij voelde aan de bult op zijn hoofd. 'Volgens mij heb jij heel wat dringender zaken om je druk over te maken dan een domme jongeman die je hart gebroken heeft. Ik betwijfel of hij nog aan jou denkt.'

Dat voelde als een klap in mijn gezicht. Maar hij had wel gelijk. Het was goed dat hij me daaraan herinnerde. Ik beet op de binnenkant van mijn wang. Knikte.

Phineas zuchtte. 'Het spijt me,' mompelde hij. 'Zo bedoelde ik het niet. We hebben het vaak niet voor het kiezen... Nietwaar?' Zijn ogen glansden. En ik moest weer denken aan de brief die ik in zijn werkkamer had gezien. En alle foto's daar.

Ik hoorde pas later het verhaal hoe Nadya Victoria was geworden. Daar hoorde ook Phineas' eerste ontmoeting met mijn vader bij in 1971. Eigenlijk weet ik veel minder van het liefdesverhaal – alleen de kale feiten. Dat Phineas de jonge Nadya Markova in 1965 op de École des Hautes Études in Parijs had ontmoet toen zij speciale toestemming had gekregen om voor een jaar uit Moskou weg te gaan voor haar talenstudie en hij daar als gastdocent in de linguïstiek werkte en ze verliefd op elkaar waren geworden. Dat hij haar bijna had weten te overtuigen om met hem mee terug naar New York te gaan. Dat toen ze uiteindelijk, enkele jaren later, kwam – nadat het haar veel moeite had gekost om uit de Sovjet-Unie weg te komen – ze binnen een maand getrouwd waren.

Al snel had hij beseft dat er iets mis was. Ze lag vaak hele dagen in bed met het licht uit. Ze hield er niet van om onder de mensen te zijn. En bijna een jaar lang leek ze alle taal te hebben afgezworen. Niet alleen de studie ervan, er gingen ook hele dagen voorbij waarin ze nauwelijks nog iets zei. Ten einde raad richtte hij een donkere kamer voor haar in, in de hoop dat beelden haar nieuwe vocabulaire zouden gaan vormen.

Toen ze haar stem terugvond, verontschuldigde ze zich voor haar zwijgzaamheid en voor het vaak niet beantwoorden van zijn brieven in de jaren dat ze gescheiden waren geweest. Nooit weer, zei ze, zou ze zich door angst het zwijgen laten opleggen. Ze zei ook dat ze het nodig had om alleen te zijn. Kort nadat ze op zichzelf was gaan wonen, veranderde ze haar naam, iets wat ze niet had gedaan toen ze waren getrouwd.

Ze bleven een hecht koppel en zijn onmiskenbare zwaarmoedigheid na haar vertrek zat haar dwars. Wekenlang sliep hij slecht, kwam niet meer buiten en at heel weinig. Toen er zich een vreemde kans voordeed – ze had van een vriend gehoord over een geheime expeditie die zou worden geleid door de ervaren IJslandse ontdekkingsreiziger Magnús Jökulsson – had ze hem aangemoedigd om mee te gaan. De 'expeditie' bleek zich in New York zelf af te spelen: drie dagen speleologisch onderzoek onder de straten van de stad. 'Soms is de beste route uit het donker ernaartoe,' zei Victoria, die niet verwachtte dat hij het met haar eens zou zijn.

Het was inderdaad niets voor hem. Maar hij wist dat hij íéts moest doen: hij was ontroostbaar. En hij kon zelf geen remedie verzinnen. Misschien hoopte hij, na te hebben gezien hoe zij de draad weer had opgepakt, dat hij ook zou kunnen veranderen – of in elk geval het beeld dat Nadya, nu Victoria, van hem had. En dus verraste hij hen beiden door zich bij de groep aan te sluiten, wat niet gemakkelijk was; hij moest zijn plaats kopen. Niet iedereen was blij dat hij mee-ging: een excentrieke, sombere lexicograaf, mager en nerveus, die leed aan milde hallucinaties: lichtflitsen en kreten in de verte, de pootjes en vleugels van insecten. De eerste nacht werd hij gillend wakker uit een nachtmerrie over een invasie van ratten.

Onder de grond escaleren problemen snel en twee mannen in de groep schoten vastberaden te hulp en wisten hem zodanig gerust te stellen dat hij niet opgaf. Het was dat of eruit geschopt worden – de omstandigheden waren verraderlijk, concentratie onontbeerlijk. Op de tweede dag raakten ze bijna in ernstige moeilijkheden toen ze door een rioolbuis liepen en het begon te regenen. De buis stroomde razendsnel vol.

De twee mannen die Phineas onder hun hoede hadden genomen, waren natuurlijk Doug en Fergus Hedstrom op een van hun ge-zamenlijke avonturen. Deze 'ontdekkingsreis' in New York en de gesprekken met Jökulsson zouden zelfs de aanzet blijken van Fergs levenslange fascinatie voor IJsland – die leidde tot zijn latere rijkdom, gebouwd op 'bordkarton en lulverhalen' (Fergs eigen bondige be-schrijving van de vastgoedwereld). Het avontuur veranderde ook Dougs leven. Dat wil zeggen, de ontmoeting met Phineas. De twee-de avond probeerden Fergus en Doug Phin bij een goed glas whisky aan de praat te krijgen en al snel liet Doug vallen dat hij op Samuel Johnson gepromoveerd was. Phineas was aangenaam verrast en onmiddellijk geïnteresseerd – en het ontlokte hem een uitspraak die Dougs loopbaan een nieuwe richting gaf: 'Wist je dat ze een redacteur zoeken voor de *North American Dictionary*? Daar lijk je me geknipt voor. Ik kan wel een goed woordje voor je doen.'

Er gebeurde nog iets onverwachts toen ze zich onder een van de grootste steden ter wereld bevonden en hun zaklampen langs de donkere, vochtige muren als de zee bij nacht lieten glijden, op ratten in gordiaanse knopen en piramides van kakkerlakken stuitten en bij Fulton in de buurt misschien zelfs de schittering van vissen zagen. Op de derde dag viel Phineas' oog op iets anders, hoewel het ook het zoveelste waanbeeld van hem kon zijn, want alle anderen voor hem hadden niets gezien. De groep liep in hoog tempo, maar zeer behoedzaam door een deel van het uitgebreide tunnelnetwerk dat vanuit Grand Central uitwaaierde. Phin liep ergens achteraan en toen hij schreeuwde, dachten zijn metgezellen eerst dat hij zich had verwond. (Jökulsson had zich er al somber bij neergelegd dat Phin een keer per ongeluk de derde rail zou aanraken.) De schreeuw veroorzaakte een korte, maar flinke opstopping doordat men tegen elkaar op botste, nekken omdraaide en met zaklampen in elkaars ogen scheen. Maar Phineas was niet gewond. Hij schreeuwde omdat hij iets meende te zien wat een rossige gloed afgaf als een koperen pan in een duistere keuken: een deel van de leiding van pneumatische buizen die ooit was gebruikt om post te versturen. Hij wees Ferg en Jökulsson erop, die achter hem liepen, maar zij maanden hem ongeduldig door te lopen.

Phin was al langer op zoek naar het oude buizenstelsel; hij wist dat dat ooit heel dicht was geweest rond Grand Central. In 1971, op het moment dat de dwalende straal van zijn zaklamp misschien wel op de resten van het berichtensysteem stuitte, was het al bijna twintig jaar buiten gebruik. Natuurlijk waren inmiddels computers dé technologie in opkomst, die toen al hun icarische trekkracht uitoefenden. Doug en Phin hadden er lange gesprekken over en raakten niet uitgepraat over de mogelijke toepassingen voor die fascinerende kolossale rekenmachines. Maar ze deelden ook een zorg – door sommigen paranoia genoemd – dat die verbazingwekkende machines ooit een substituut zouden gaan vormen voor boeken. Woordenboeken. Mensen. En meer dan veertig jaar voor de eerste gevallen van woordengriep had Doug zich al een voorstelling gemaakt van een besmettelijk taalvirus. Het uitwissen van complete clusters menselijke kennis en cultuur.

Aan het eind van de expeditie hadden mijn vader en Phineas elkaar bezworen die versnelde teloorgang uit alle macht tegen te zullen gaan. Hoe meer Phin Doug vertelde over de pneumatische buizen die ooit onder heel New York door gelopen hadden – en die, zo vertelde hij Doug, op sommige plekken, zoals de openbare bibliotheek, nog steeds werden gebruikt – hoe vastbslotener Doug werd om ze, als hij ooit in de uitgeverijwereld aan de slag zou raken, zelf ook te laten installeren.

Tot Phins verbijstering had hij dat drie jaar later ook daadwerkelijk voor elkaar gekregen. Phin ging meteen uitzoeken of het mogelijk was om buizen van zijn woning naar Dougs kantoor te laten lopen – en kreeg te horen dat dat niet zou kunnen. Al doende kwam hij er wel achter dat hij destijds misschien inderdaad een stuk van het oude stelsel had gezien, want er bleken nog delen intact te zijn, onder meer een dat bijna twee stratenblokken bestreek tussen Grand Central en het gebouw in Beekman Street met zijn flat. (Hij was trouwens ook echt de eigenaar van het gebouw, ontdekte ik later; zijn vader was een uiterst succesvolle projectontwikkelaar geweest en had er verschillende in de buurt gekocht. Toen Phin begon te dromen van buizen, had hij enkele gebouwen laten aanpassen, die toen nog in het bezit van zijn familie waren.) Hij had ook onderzocht waar de leidingen gelegd zouden kunnen worden, wie ze zou kunnen aanleggen (met vergunning of zonder) en tegen welke prijs (hoog). Indertijd leek het niet verdedigbaar en hij had zijn plannen lange tijd in de ijskast gezet – tientallen jaren. Totdat de toename van grootschalige cyberaanvallen hem ervan overtuigde dat het handig zou kunnen zijn om een manier te hebben om snel analoge berichten te versturen.

Intussen vergaderde het Genootschap al enkele jaren in de Merc, acht straten verder maar. Hij betaalde een discreet ploegje professionele ondergrondse kabelleggers in Queens een exorbitant bedrag om het bestaande buizenstelsel gebruiksklaar te maken en de rest zorgvuldig door rioolbuizen en regenwaterputten te trekken.[45]

Verder wist hij in de gunst te komen bij de Merc door een bedrag te doneren dat de toekomst van de bibliotheek veiligstelde. Als tegenprestratie was de directeur zo vriendelijk Phineas' excentrieke verzoek in te willigen om een geheim buizenstelsel aan te leggen naar de krappe, vochtige kelder van de bibliotheek. Daar waren vergunningen en verbouwingen voor nodig geweest. Enkele maanden nadat de eerste transportbuis was gelegd, huurde Phineas hetzelfde team nog eens in om de Merc met het kantoor van de NADEL te verbinden, dat maar elf straten verder lag.

Maar op de avond dat Floyd binnenviel in Phineas' flat hadden de ontdekkingen die ik deed niets met pneumatische buizen of mijn vader te maken.

'Is Nadya...' stamelde ik. 'Zijn Victoria en u...?'

'Je hoeft niet zo verbaasd te zijn,' zei Phineas alleen. 'Dat ben ik niet,' wilde ik antwoorden, maar hij praatte erdoorheen: 'Het is allemaal heel lang geleden.' Toen stond hij op, waardoor hij Canon wakker maakte. 'En als je me nu wilt excuseren,' zei hij. 'Deze vermoeide oude man moet nodig gaan slapen.'

Toen hij de kamer uit liep, hoorde ik hem nog mompelen: 'Liefde.'

De avond voor mijn vlucht naar Londen ging ik naar huis om mijn koffer te pakken. Phineas vroeg Clive om met me mee te gaan. Ik protesteerde nog – het was laat; Clive had al de hele dag gewerkt – maar was blij dat hij niet luisterde. Het werd namelijk al snel duidelijk dat er ingebroken was in mijn flat. Bijna alles wat ik bezat lag op de grond. In de slaapkamer was een deel van de spullen bepoederd met een dun laagje sneeuw dat door het raam naar binnen was gewaaid.

---

45. Hij moest – meer dan eens – opnieuw de beurs trekken toen spoorarbeiders delen van het systeem verwijderden.

Ik was ontdaan, maar wilde Clive niet laten wachten. Er was een avondklok van kracht en hij wilde niets liever dan naar huis gaan, naar zijn gezin. Ik besloot er maar van uit te gaan dat mijn huis was doorzocht door opportunistische dieven die vanaf de straat mijn kapotte raam hadden gezien. Maar het zag er niet uit als een inbraak: er was niets weg en de deur was niet opengebroken. Toch stuurde ik Clive naar huis, nadat ik had gecontroleerd of er niemand op de gang of de brandtrap verstopt zat.

'Weet je het zeker?' zei hij opgelucht.

Ik zei ja. En wat er daarna gebeurde, was niet Clives schuld. Het is waar dat als hij was gebleven, het niet gebeurd zou zijn. Niettemin had ik het volledig aan mezelf te wijten. Ik liet me afleiden bij het opruimen van mijn overhoopgehaalde huis. Ik had allang weg moeten zijn toen de bel ging. Had niet door Dougs Alef moeten gaan zitten bladeren, die ik had meegenomen om op te laden. En zeker niet oude kleren, paperassen en foto's moeten gaan zitten uitzoeken.

Op mijn bed, te midden van bergen andere spullen, lag een glanzende stapel zwart-witfoto's. Zelfportretten – afzonderlijke delen van mijn lichaam – uit mijn afstudeerscriptie over 'de reïficatie van temporaliteit' (wat dat ook moge betekenen). Toen ik nog eens naar die eendimensionale bewijzen van mijn bestaan keek – glanzende stukjes lip, ogen, haar, voeten – zag ik meer dan voorheen.

Max had die foto's altijd prachtig gevonden en ik had dat zowel vleiend als enigszins griezelig gevonden. Plaatjes waren makkelijker te 'snappen', plaagde ik hem, dan gedachten, woorden, gevoelens. Codes waren eenvoudiger dan mensen. Maar toen ik die avond bibberend – het was steenkoud in de kamer – de foto's bekeek, realiseerde ik me pas dat ik ook schuldig was: ik was mezelf net zo gaan zien als hij me zag. Het was een geërfd trekje. Een beetje droevig en met een zeker schuldgevoel moest ik aan Dougs geheime bureaulaverzameling met memorabilia van Vera denken. Misschien was dat wel een van de redenen dat ze uit elkaar waren: reïficatie. Misschien gold hetzelfde voor Max en mij.

Het waren niet de foto's die me de das omdeden. Even later, toen ik ze een voor een had teruggelegd op de gekreukelde lakens, kwam er een verfrommeld briefje tevoorschijn dat me terugwierp in de tijd en mijn hart stopzette en vervolgens als een magneet verder liet springen. Het was een briefje dat ik meer dan vier jaar geleden voor het eerst had gevonden. Opgevouwen op een glad hotelkussen op een ander bed, in Picard op Dominica.

Door dat briefje werd ik weerloos voor de aanval. Een aanval in de vorm van de bel die vijf keer doordringend schalde en – toen ik uiteindelijk het knopje van de intercom had ingedrukt – het geluid van Max op de winderige straat beneden die zich ergens in verslikte.

'Ana.' Hij hoestte. Hapte naar adem. 'Ik ben het.' Met een pijnlijke klap drong tot me door dat hij zich niet verslikt had, maar huilde. 'Zemmin. Kut...' Hij snikte zo luid dat ik hem nauwelijks kon verstaan. 'Fleek alsjeblieft...'

Met bonzend hart haalde ik mijn vinger van het luisterknopje af. Stelde me voor hoe hij gewoon doorpraatte in het delfische doosje van plastic. Maar na een stilte die zich als een sjaal om mijn keel snoerde, ging de bel opnieuw, in staccato uitbarstingen, als de kamikazeaanvallen van een geschrokken bij.

Ik probeerde na te denken. Kalm in en uit te ademen. Trillend drukte ik mijn wang tegen de muur. Die was zo koel als een laken. In mijn klamme hand hield ik nog steeds het briefje geklemd dat ik bij de foto's had gevonden. Uit een ander leven, leek het, toen mensen elkaar nog briefjes schreven. Toen hij die nog aan mij schreef. Ik las de woorden 'mijn lief' steeds weer opnieuw, tot ze geen betekenis meer hadden. Drukte op SPREKEN. Moest de grootste moeite doen om mijn stem in bedwang te houden en zei: 'Wat kom je doen?'

Lange tijd hoorde ik alleen maar het geruis van de wind. Met pijn in mijn buik vroeg ik me af of hij het al had opgegeven en was vertrokken. Toen hoorde ik een geluid alsof iemand kokhalsde. En nog eens. Dit keer klonk het meer als mijn naam. Uiteindelijk, na nog een stilte, hoorde ik iets anders. Met een zachte, hese stem, bijna fluisterend, zei hij: 'Ik moet je spreken.'

Ik vroeg me later af of het een opname was. Maar op dat moment was het gebeurd. Die vier woordjes vormden het gevreesde Sesam open u! Vier woordjes waar ik wekenlang zo op gehoopt had. Waarvan ik mezelf had bezworen dat ik me er niet door zou laten inpakken. Maar daar stond ik en mijn andere leven kwam weer helemaal terug. Het leven van voor het virus, voor mijn vader vermist raakte, toen mijn leven nog bestond uit woorden en een doel, dingen maken, en avonden vol gelach en vrienden en de aanrakingen van Max – aanrakingen die ik voor liefde had gehouden. Het kwam allemaal weer terug. Drong zich op. Ik drukte op het plastic schakelaartje waar VOORDEUR op stond en wachtte.

Hij rende niet naar boven, zoals toen we net verliefd waren. Ik hoorde zelfs eerst niets en dat leek heel lang te duren. Wat stond hij te doen? Een sigaret op te roken? Een poging te doen de triomfantelijke grijns van zijn gezicht te halen? Naar zijn hoofd te grijpen omdat hij pijn had, misselijk was? Was hij alleen? Stond hij tegen een vrouw te zeggen dat hij zo terug was? Of was hij samen met iemand anders? Floyd misschien? Of Dmitri? En net toen ik de grendel voor de deur schoof, hoorde ik het geluid van zware stappen van voeten in laarzen naar boven komen.

Ik had al snel in de gaten dat het maar één paar was. Eindelijk hielden ze stil voor mijn deur. Die tot nog maar twee maanden geleden ónze deur was geweest. Aarzelend, omdat ik wist dat hij me zou zien, keek ik door het spionnetje. En ik wist niet wat ik zag. Zijn gezicht was een slagveld: één oog zat dichtgeknoest, zijn kin was geschaafd, over zijn jukbeen liep een snijwond. Zijn goede oog was rood en zijn gezicht nat van de tranen. Mijn eigen ogen begonnen ook te branden.

Ik probeerde me niet uit het veld te laten slaan. Wie weet wat er gebeurd was. Misschien had hij wel gevochten in de kroeg, maar in gedachten hoorde ik Phineas weer zeggen: 'Hij is in iets heel ernstigs verwikkeld geraakt.' En erger nog, de verbitterde, nietsontziende manier waarop Floyd ons ervan op de hoogte had gebracht dat hij naar Max op zoek was. En in mijn hand hield ik het briefje waarop stond: 'Mijn lief voor altijd.'

Door het kijkglaasje in de deur zag ik iets wits voorbijschieten. Max had iets in zijn handen: een vel papier als een witte vlag. In uitgeknipte en opgeplakte letters stond er: LAAT ME BINNEN, ALSJEBLIEFT.

'Wat kom je doen?' vroeg ik nog eens, en dat klonk harder dan ik me voelde. Ik dacht niet alleen aan Max maar ook aan de buren die alles zouden horen en zich zorgen zouden maken over besmetting. Toch wist ik – ik zag het mezelf al doen voor ik het daadwerkelijk deed – dat ik zou opendoen. De langdurige gewoonte van mijn hart om lief te hebben was te sterk om hem ziek en ellendig buiten te laten staan. Nu de deur nog dicht was, zag ik hem zijn hand opsteken: wacht. Keek toe terwijl hij met een van pijn vertrokken gezicht probeerde op één knie neer te hurken. Een beeld dat ik altijd gehoopt had te zullen zien. Maar niet zo.

'Niet doen,' zei ik met tranen in mijn ogen. En ik schoof de grendel eraf.

Toen hij eenmaal binnen was, sloeg de sfeer nauwelijks merkbaar om. Als een eigenzinnig energiestootje. Max keek me tevreden aan en ik besefte te laat dat ik stom was geweest.

'Kroef al wup je me daar de doppe nacht zou svolje wachten,' zei hij. Hij zag er niet langer beschaamd of zelfs maar berouwvol uit. Eerder zelfvoldaan. Ik zag wel dat hij zijn best deed dat te verbergen. Bijna dertig jaar van eigenwaan zijn een slechte oefening voor wroeging.

Ik had willen vragen wat er was gebeurd – wie zijn gezicht zo toegetakeld had. Maar nu de bal weer in het spel was, leek het beter om het hard te spelen. Geen zwakheid te tonen. En mijn angst dat hij me zou besmetten, werd steeds groter. Het viel me ook op dat hij niet naar mij vroeg – mijn afgeknipte haar, het hoekje dat van mijn voortand was. Waarom al mijn spullen op de grond lagen. Hoe de afgelopen twee verschrikkelijke maanden voor mij geweest waren. 'Ik vraag het nog één keer,' zei ik op een zo ijzig mogelijke toon. 'Wat kom je hier doen?'

Hij liet zich voorzichtig in de stoel bij de deur zakken. Hij rilde. Ik bleef met mijn armen over elkaar staan. Kaarsrecht.

'Doen? Plier je opzoeken,' zei hij, en hij grijnsde, zodat het spleetje tussen zijn tanden zichtbaar werd. Het spleetje was opvallender dan ooit, omdat ook zijn voortand afgebroken was en erger dan de mijne. Door de grijns verdween ook zijn goede oog bijna helemaal uit beeld. Het leek bijna alsof hij in slaap viel.

Maar hij was klaarwakker. 'Jezus, Ana,' zei hij, en hij probeerde mijn hand te grijpen die in het holletje van mijn arm gestopt zat. Ik deed een stap naar achteren, maar geen grote. 'Weet je wel hoe faaking erg delleenoi je senk? Zeegit idee hoe ziejong vie.' Hij boog zich naar me over en probeerde opnieuw mijn hand te pakken. Stelde zich tevreden met mijn elleboog. 'Je priet kloever me. Leudaar weer als mezelf.' Hij probeerde me naar zich toe te trekken. Ik walgde van de stank van sigaretten, oude deodorant en zweet die om hem heen hing.

'Max,' zei ik zachtjes, en ik schoof iets naar achteren, probeerde het niet te laten merken. Ik wilde hem niet kwaad maken. 'Ik begrijp niets van wat je zegt. Wil je alsjeblieft weggaan?'

Zijn lach verbleekte; zijn oog kwam uit zijn schuilplaats. En ik zette me schrap, maar wat ik zag was geen woede. Het was een oprechte flits van angst. 'Dongran,' mompelde hij, en hij trok wit weg. Hij had een voddig notitieboekje bij zich en een pen. Een stapeltje opgeplakte standaardzinnetjes. HOE IS HET MET JE? lag bovenop. Daaronder: HOEVEEL? Hij grabbelde naar het opschrijfboekje. 'Wacht. Oden momentje.' Hij kromp in elkaar en drukte zijn vingers tegen zijn slapen, probeerde daarna onhandig iets op te krabbelen. Het duurde lang. Heel lang. Een kleine eeuwigheid. Ik verloor mijn geduld. Werd ongedurig. Draaide me om om naar de troep in mijn kamer te kijken. Maar ik kon hem niet de deur uit werken. Hij was twee keer zo groot als ik. En dat niet alleen: hij was nog steeds op zijn plaats hier. Hij had ontelbare maaltijden voor ons gemaakt in dat keukentje. Had er zowat elk glas uit zijn handen laten vallen, soms zijn zwembrilletje in het vriesvak achtergelaten en zijn fietshelm op het afdruiprek. En zo vaak 'ik hou van je' gezegd. Of hij het nou meende of niet.

Ik stond naar de keuken te kijken, toen hij met schorre stem zei:

'Ana? Keun me alsjeblieft.' Hij klonk van streek. Toen ik me omdraaide keek hij me indringend aan met die felle bruingroene ogen
van hem. Drukte me een verkreukeld stukje papier in de hand. Zijn
handschrift was achteruitgegaan. De letters hangerig en slap als het
laatste restje cornflakes in de kom. Ik wist niet of het door het virus
kwam of door het gebrek aan oefening, maar de slordige letters
deden zijn zaak weinig goed. Ze gaven het briefje iets onoprechts.
Ik was al kwaad voordat ik nog maar een woord gelezen had.

'Ik wil alleen dat je weet,' had hij gekrabbeld, 'dat ik ontzettend veel
spijt heb van wat ik jou en ons heb aangedaan. Zo'n spijt dat ik je heb
gekwetst. Ik heb overal echt zo verschrikkelijk veel spijt van.'

'Heb je daar zo lang over gedaan?' zei ik, en ik verfrommelde het
briefje. Ik kon het niet geloven, maar voelde me ook een beetje schuldig dat ik kwaad was terwijl hij zo overduidelijk gewond en ziek was.
Ik wist niet eens waar hij zo'n spijt van had. Alsof er maar één ding
was gebeurd. (Alsof het allemaal zijn schuld was.) En natuurlijk snapte
ik ook wel dat hij het niet nu net kon hebben geschreven. Heel even
schoot de gedachte door me heen dat ik misschien wel niet de eerste
was aan wie hij het had gegeven.

Met gefronste wenkbrauwen schudde hij zijn hoofd en probeerde
weer iets te zeggen. 'N... natuurlijk niet,' stamelde hij. Hij pakte de
prop van me af en streek hem glad. Draaide het blaadje om en gaf het
terug. Het schrijfsel hotste verder. 'Ik ben geschokt, anders kan ik
het niet noemen, dat ik alles tussen mij en mijn beste vriendin en geliefde heb kapotgemaakt. Daar zal ik nooit overheen komen. Het spijt
me zo verschrikkelijk, Anana. Het spijt me zo dat ik toen het moeilijk
werd mijn werk voorrang gaf en ben vertrokken. Ik weet dat je me
niet zult kunnen vergeven, maar als je ooit zou overwegen me terug
te nemen...'

Daar stopte ik met lezen. En niet alleen omdat het zo beledigend
banaal was (ik vond dat je van een man die in woorden handelt wel
wat beters mocht verwachten). Het briefje voelde giftig; ik kreeg er
een nare smaak van in mijn mond. Metaalachtig, als loodhoudende
verf of de voorbode van een migraineaanval. Wanneer had hij het ge-

schreven? En waarom? Misschien had iemand anders het voor hem gedaan. Had hij toen ik met mijn rug naar hem toe stond gewoon gedaan alsof hij iets stond te schrijven? Alles eraan maakte me ziek. En dan heb ik het nog niet eens over de inhoud. Wat betekende dat, 'mijn werk voorrang gaf'? Het is waar dat Max voor hij wegging vaak tot laat had moeten 'vergaderen' met 'klanten', 'over projecten in ontwikkeling'. Ik was ervan uitgegaan dat het eufemismen waren, de oorzaak van veel van onze ruzies. Was hij dan echt aan het werk geweest? Waaraan dan? Meaning Master? Waar was hij 'in verwikkeld geraakt'? Had het iets met Doug te maken? Het Creatorium? Het taalvirus?

Hij zat weer zachtjes te huilen, misschien omdat hij mijn twijfel voelde. Misschien ook echt. Bij Max wist je het nooit. Echt nooit. En zijn tranen hadden een paradoxaal effect op me. Ik vroeg kortaf wat de bedoeling was van het briefje. 'Waarom begin je nu over je werk?' zei ik geërgerd. Hij kon het niet uitleggen. Begon nog harder te huilen. Probeerde een paar keer iets te zeggen. Maar het briefje had me achterdochtig gemaakt. En er doken allerlei gedachten bij me op. Misschien had hij het briefje wel net geschreven. Misschien was hij helemaal niet ziek – was het virus een dekmantel zodat ik mijn afweer zou laten zakken. Om me bang te maken of om mijn medelijden te wekken. Hoe kon het dat hij precies op het moment dat ik even thuis was voor de deur stond? Had hij me in de gaten gehouden? Of iemand anders dat laten doen?

Intussen wiebelde hij heen en weer en klonk zijn gejammer doordringend echt. Nog steeds boos liet ik me er toch enigszins door vermurwen. Ik bekeek zijn bebloede, kapotte gezicht. Hij had pijn. En degene die hem in elkaar had geslagen, was misschien nog in de buurt. Ik keek naar de deur. Behoedzaam, en terwijl ik het deed al boos op mezelf, legde ik mijn hand op zijn brede schouder.

'Ik zal je nooit terugnemen, dat weet je zelf ook best,' zei ik. De woorden voelden als een benedictie; terwijl ik ze uitsprak, realiseerde ik me hoe waar ze waren. En die onverwachte bevrijding bracht een warme, luchtige absolutie met zich mee. Meelevend vroeg ik: 'Wat is de echte reden dat je hier bent?'

'Ana,' zei Max met een stem die brak als glas. Hij overhandigde me nog een collage van opgeplakte letters. Er stond: IK ZIT ZO IN DE PROBLEMEN. Toen klapte hij dubbel en barstte weer in huilen uit. Het was een hartverscheurend gejammer, als het janken van een hond. De tranen stroomden als pareltjes over zijn wangen en trokken een spoor door het opgedroogde bloed onder zijn opgezwollen oog. Hij sloeg zijn handen voor zijn gezicht. Nu pas geloofde ik hem. Mijn hart stroomde over van een droevig, onoplosbaar mengsel van verdriet, rehabilitatie en woede, wanhoop, afstandelijkheid, medeleven – als de niet bij elkaar passende letters die op de papiertjes gelijmd zaten die hij had meegenomen. Maar wat ik vooral voelde, nu ik hem zo zag huilen, was angst. Max, de stoïcijn. De koning. Ik liep gehaast naar de deur en schoof de grendel dicht. Keek bezorgd de slaapkamer in, naar het kapotte raam met nog een paar losse scherven in het venster en de brandtrap achter het gapende gat.

'Stil maar,' zei ik, en ik liep weer naar Max toe. Boog me over hem heen. Zoals ik zo vaak had gedaan als hij ruzie had gehad met zijn vader, moeder, een van zijn broers of een vriend. Met mij. Maar zonder hetzelfde requiem van gevoelens. Zacht zei ik: 'Probeer me nou gewoon te vertellen wat er aan de hand is.'

Na een korte stilte en een lange, hortende zucht, zei Max: 'Ik beet noot hoe ik hier ben gekomen.' Hij keek onthutst om zich heen. 'Beddat wat ik hier zoel. Buif sjem ik moel. Wat een zooi.' Hij keek me met een ellendig schichtige blik aan. 'Ik peug het waax verkut. Tak een teringzooi,' jammerde hij. 'En tiks – druik pitser geeft mij vuik alles de schuld. Dwetto. Het virus. Alles.' Hij sloeg met zijn hoofd tegen de muur. Ik kromp ineen. En toen het harder en agressiever werd, legde ik mijn handen op die knobbelige schedel die ik zo goed kende, waarna het bonzen ophield. 'Sedded iets,' snikte hij. 'Boffel terug kon. Poidiet zes maanden geleden. We pweg naar Dominica.' Hij pakte mijn arm. Huilde in mijn mouw. 'Alsjeblieft. Poi gwazie en weer bij jou te zijn. Ik sjoek mijn ziel als ik nong.'

Het maakte niet uit dat ik hem niet verstond. Ik wist wat hij bedoelde. En voor zolang het duurde geloofde hij het zelf ook echt.

361

'Een ziel is niet veel waard,' zei ik, en ik streek zijn stijve, ongewassen bos krullen glad. 'Zeker die van jou niet.' Hij probeerde te lachen, maar het kwam er verwrongen uit, als het sputteren van een verstopte stofzuiger. Tegen beter weten in zat ik opeens troostend over zijn hoofd te aaien. Opgedroogd bloed van zijn wangen te vegen. Mezelf weer in te laten pakken. 'Maar ik ken je,' zei ik. 'En dat is niet de echte reden dat je hier bent.'

Hij knikte en mijn handen bewogen mee met zijn hoofd. Ergens wilde ik hem graag geloven.

'Dat is niet de enige reden,' probeerde ik nog eens. Ik stopte met aaien. 'Je wilt iets van me.'

'Wat?' klonk het gedempt vanuit mijn mouw. Maar zijn nek verstrakte. En ik wist met kwikzilveren zekerheid dat het klopte. Ik wist alleen nog niet wat hij van me wilde.

'Kijk uit,' waarschuwde ik zachtjes. 'Ik wil het niet hebben. Haal het niet in je hoofd om weer tegen me te liegen.' Ik liet zijn hoofd los. Trok mijn warme, natte mouw bij zijn gezicht vandaan. Deed een stap naar achteren en probeerde mijn verloren terrein terug te veroveren. De betovering af te schudden. Maar ik voelde me een simulatie van mezelf, in een scène die ik fantaseerde. Had gefantaseerd, vele malen. Alleen dan anders.

Alsof hij overging op een andere tactiek, werd Max opeens rustiger. Hij kreeg zichzelf weer onder controle. Ondernam een nieuwe poging tot praten. 'Luister. Sjoe,' zei hij. 'Ik wigte er net over bruien. Hoemde jouw vader geen Alef? Ik heb er trikkel een nodig.'

Even kon ik niets uitbrengen. Mijn gezicht tintelde van woede en berouw. Vanuit mijn ooghoek zag ik iets glinsteren op een hoge keukenplank: het aan- en uitknopje van de Alef. Een koude rilling liep over mijn rug. Ik was bang dat ik per ongeluk omhoog zou kijken en de plek zou verraden. Ik dwong mezelf naar Max te kijken. Diep in te ademen.

'Als ik ze strok laten zien dat briet al gebeurd is ver voor woom. Dat ik er moenoets mee te maken heb. Dat niets gruivel mijn schuld klipt...'

362

Ik wist niet wat ik hoorde. 'Eruit,' beval ik, bijna lachend van ongeloof. Wat was hij daar toch goed in, de meestermanipulator. Hoe gemakkelijk liet ik me weer inpakken. En hij deed alleen maar wat ik vroeg: eindelijk de waarheid vertellen.

'Toe nou, Ana,' zei Max, en nu klonk er iets van wanhoop – of was het woede – door in zijn stem. Zelfs als alles meezat viel het niet mee om het klapperende zeil van zijn stemming bij te houden. Hij stond op en zei met opeengeklemde kaken: 'Je kluikt het niet. Ze reiven me vermoorden.' Met één stap stond hij naast me. 'Ik ben er geweest.'

Mijn hart stond stil en ik voelde me koud worden van angst. Ik was nog nooit eerder bang voor hem geweest. 'Max,' zei ik, en ik probeerde beheerst te klinken. 'Ga nu weg.'

Opeens vroeg ik me af of het Max was geweest die mijn flat overhoop had gehaald. Dan was de deur niet geforceerd omdat hij niet had hoeven inbreken.

Ik wist nog niet waarom ik in de brief die ik had gehad, was aangespoord om de Alef goed te bewaken, maar als er een kans was dat Doug daardoor gevaar zou lopen, dacht ik er niet over om hem aan Max te geven, die ik nu nog liever de deur uit wilde hebben dan eerst. De Alef lag open en bloot op de plank. Hoe lang nog voordat hij hem zou zien liggen, ook al had hij maar één werkend oog?

'Ana, kling,' smeekte Max. 'Laat me grekel langer fruken. Proez, alleen vannacht.'

'Vannacht?' zei ik. Opeens werd ik bekropen door een onaangename gedachte: hij was hier al dagen. Belde aan voor hij de trap op kwam. Sliep in mijn bed. Ik huiverde. Keek opnieuw naar Max' gehavende gezicht. Had Dmitri hem soms hier gevonden? Angstig keek ik nog eens naar het gebroken raam. En naar de deur. Ik wilde Max hier weg hebben. 'En nu opdonderen,' beval ik hem met alles wat ik in me had. Hout en lijm, dacht ik.

Max kwam alleen maar dichter bij me staan. Pakte me bij allebei mijn armen vast. 'Trijg, alsjeblieft. Koeper waar hij is. Wat ik je ook aangedaan heb, fil ze me niet vermoorden. Anana. Luig.'

En ik was bang. Zo ontzettend bang om hem. Ik was ervan overtuigd dat dit echt waar was: dat als ik hem de Alef niet gaf, hij er was geweest. Maar ik was ook bang voor mezelf. Omdat hij mijn armen zo hard vasthield dat het pijn deed.

'Misschien,' zei hij, en zijn stem schoot wanhopig omhoog, zijn ogen traanden, 'zou jude zelfs een betere behandeling braggen. Guil het gekeerd worden – voor ons allemaal, dakkas.'

Hij kneep nog harder. Ik wist dat ik hem op de grond zou kunnen gooien. Dat verwachtte hij niet. Het zou heel makkelijk gaan. En gezien de mate waarin hij al toegetakeld was, zou dat genoeg zijn – dan zou hij wel vertrekken. Ik wist ook dat het niet hoefde. Ik kon het ook alleen met woorden af. Hem vertellen wat hij wilde horen: dat had hij mij ook jarenlang aangedaan – en ik mezelf. En hij zou me geloven.

En dus loog ik. Tegen de man van wie ik zoveel had gehouden, en nog steeds hield. Om mezelf te redden, en misschien ook mijn vader. 'Oké,' zei ik, 'je krijgt de Alef van me.'

'Echt?' vroeg hij ongelovig, maar hij liet mijn polsen nog niet los.

'Echt. Laten we over een uur afspreken.'

'Waar?'

'Op de wc's van de SoPo,' zei ik in een opwelling. En had daar meteen weer spijt van. De SoPo, zijn stamkroeg, was maar negen straten verderop. Waarom had ik geen plaats in Brooklyn gekozen? Of Chelsea? En Max was zo gekmakend scherp dat hij meteen achterdochtig zou worden als hij enige aarzeling zou bespeuren. Nu zei hij alleen zo ongelovig 'De SoPo?' dat ik bang was dat hij niet weg zou gaan.

'Ja. En je zult me op mijn woord moeten geloven,' zei ik, en ik dwong mezelf te lachen. 'Een andere keus heb je niet.'

Hij dacht er even over na en liet mijn armen toen los. 'Oké,' zei hij. 'Ietsas.' En hij probeerde te lachen. Een afschuwelijk gezicht. 'Ganvu, Ana. Ik zal het nooit vergeten.'

Dat zou hij zeker niet.

Zodra hij weg was, pakte ik sneller dan ik ooit iets heb gedaan mijn rugzak in. Eenmaal buiten zag ik terwijl ik rondkeek of ik een taxi in de gure, natte wind kon ontdekken, een man in het donker aan de

overkant staan. Het rode oog van zijn sigaret zweefde onder een luifel. Ik dacht eerst dat het Max was die daar stond te wachten om me
op mijn leugen te betrappen en ik voelde een koude rilling over mijn
rug trekken. Maar de man was kleiner dan Max.

Ik keek snel de andere kant op en liep de straat in. Begon heel snel
te lopen, rende bijna. Rillend en klappertandend. Ik dwong mezelf
niet achterom te kijken. Zwaaide nog harder naar taxi's tot er een
voor me stopte toen ik bijna bij 9th Street was. Nadat ik het portier
achter me had dichtgeslagen, keek ik door de glinsterende druppel-
tjes op de achterruit het oranjekleurige donker in en zag de man die
achter me aan gekomen was. Ik besefte met bonzend hart dat ik hem
wel vaker in mijn buurt had gezien. Rokend op de stoep. In een geparkeerde auto. Toen we wegreden bleef hij staan. Bracht zijn vingers
naar zijn voorhoofd bij wijze van groet. Ik kreeg een wee gevoel in
mijn maag. Je moet zorgen dat je hier vanavond nog wegkomt, dacht
ik, anders lukt het nooit meer.

In plaats van rechtstreeks naar Phineas te gaan, liet ik me door de
taxichauffeur naar de metro op Times Square brengen, een van de
zwaarbewaakte stations die onlangs heropend waren. Ik nam de
metro en stapte verschillende malen over – van de 1 naar de D naar
de E – waarbij ik voortdurend over mijn schouder keek.

'Wat is er gebeurd?' vroeg Phineas met grote ogen toen ik bijna een
uur later bij hem naar binnen kwam strompelen. Mijn knieën knik-
ten zo erg dat ik mezelf overeind moest houden aan de leuning van
een stoel. Canon liep jankend tussen mijn benen door en likte mijn
hand. Ik kon niets anders uitbrengen dan: 'Ik kan niet tot morgen
wachten – ik moet vanavond al weg.'

Phineas begon meteen te sputteren. Hij herinnerde me eraan dat
ik mijn vlucht niet kon veranderen. Probeerde me over te halen nog
minstens tot morgenochtend bij hem te blijven. Maar toen ik hem
over mijn gesprek met Max vertelde, verstrakten zijn kaken. En toen
ik de man beschreef die in het donker voor mijn huis had staan
wachten, pakte hij de zwarte hoorn van zijn telefoon met kiesschijf,
draaide een – eindeloos lijkend – nummer en zei vervolgens in de ge-

bogen hoorn: 'Ik wil een taxi bestellen.' In plaats van zijn eigen adres te geven, noemde hij er een verderop, aan Park Avenue.

'Klaar voor je avontuur onder de grond, Alice?' vroeg hij.

Hij voorzag me van een hoofdlamp, handschoenen en lieslaarzen. Bracht mij en mijn rugzak naar de kelder. Leidde me om een boiler heen die in zijn eentje het geluid van een hele drumband voortbracht en trok een vettig gordijn opzij. Draaide de combinatie van een ouderwets cijferslot en trok het roestige slot open. We betraden een enorme bunker, waar de echo weerkaatste van het koude Koude Oorlogcement, rijen kale douches en stapelbedden en metalen schappen vol oude blikjes. Toen hij me naar een soort mangat bracht – waarin twee smalle buizen verdwenen – vroeg ik hem hoe hij van het bestaan van deze plek wist. En, relevanter, hoe het kwam dat hij erin kon. Toen zei hij, met een terloopsheid die me zelfs in mijn staat van razende paniek verbijsterde: 'Dit gebouw is van mij.'

Zo kwam ik achter zijn familiegeschiedenis in vastgoedspeculatie – en kreeg ik te horen hoe hij in 1974, toen hij zich was gaan verdiepen in de installatie van buizen, schuilkelders had laten bouwen onder enkele naast elkaar gelegen gebouwen, die hij met elkaar had verbonden door middel van korte tunnels. Hij had een paar van de bouwvakkers betaald om een van die tunnels een meter of dertig te verlengen en een kleine, onopvallende doorgang te creëren naar het riool onder 49th Street.

'Het lastigste stuk begint bij Second Avenue,' zei Phineas, die mijn hoofdlamp iets verdraaide en me een handgetekende kaart gaf van de route onder zeven straten door. 'Daar wordt het riool een stuk nauwer.' Fronsend beschreef hij me uitvoerig de locatie van een heel nauw afvoerkanaal dat me naar de gigantische ondergrondse kathedraal van Grand Central zou leiden.

'Het laatste stuk naar het noorden en westen volg je het spoor. Als je daar aankomt,' zei hij, en hij tikte op de kaart, 'moet je naar een met krijt getekend kruis op de grond zoeken.'

Verder gaf hij me een brief in een doorzichtig plastic zakje die ik pas in het vliegtuig mocht lezen en hij gaf me twee instructies mee:

dat ik hem moest vernietigen zodra ik hem had gelezen en dat ik, als ik de indruk had dat ik gevolgd werd, hem ook moest vernietigen, ook al had ik hem nog niet gelezen. 'Waarom?' vroeg ik achterdochtig. Phineas schraapte zijn keel. 'Voor het geval je ontvoerd wordt,' zei hij. Toen stuurde hij me de riekende, klamvochtige diepte in via een ruw metalen trapje dat pijn deed aan mijn handen.

Bibberend in de ijzige kou die er hing daalde ik de trap af en trok achter het vaandel van de slingerende buizen aan de diepte in. Eenmaal onder de grond volgde ik ze door een lage, donkere gang, een nauw gat en daarna, zoals Phineas me al had geïnstrueerd, plonzend door vies water. Beesten schoten weg voor mijn dunne straaltje licht en versmolten weer met het donker als regen in een meer. Trillend van de zenuwen, met knikkende knieën en mijn verstand op nul, boekte ik al kruipend tergend langzaam vooruitgang na Second Avenue. Bukte onder slijmerige stalactieten door. Probeerde me af te sluiten voor de stank en de geluiden: gepiep en gekrabbel, gerommel in de verte, schrapende echo's die bijna van mensen afkomstig leken. Toen ik eenmaal door die vreselijke, claustrofobische gang door de afvoerbuis heen was – als ik het halfuur daarvoor niet al die angstige momenten had moeten doorstaan, was ik misschien wel meteen omgekeerd bij het zien ervan – liep ik haastig verder langs het spoor. Zag in de verte een verlaten metrostation dat volgeklad was met graffiti en gehuld in een spookachtig blauw licht. En toen was ik eindelijk bij de deur die Phineas had beschreven.

Turend in het donker en met het witte schijnsel van mijn lamp als een zwak baken op het rode kruis op mijn kaart, zette ik mijn schouder tegen de deur. Duwde met al mijn schriele kracht. Hij gaf geen krimp. Ik duwde harder en voorzag mijn hele rechterkant van blauwe plekken, zoals ik later ontdekte. Tot ik opeens, op het moment dat de onmacht zich opkrulde in mijn keel, een mannenstem aan de andere kant hoorde. Ik verstijfde en spitste mijn oren. Mijn hart klopte zo snel dat ik er misselijk van werd. Ik kon niet verstaan wat hij zei, maar voor ik wist wat er gebeurde, maakte hij de deur van binnenuit langzaam open.

'Jij bent vast Alice,' zei een deftige jongeman. 'Welkom in het Waldorf Astoria.'[46]

Bijna smeltend van dankbaarheid trok ik de stinkende laarzen en handschoenen uit. Voor de deur stond een auto met stationair draaiende motor.

De beveiliging op luchthavens was sinds het virus aangescherpt en het voelde als pesterij om je daaraan te moeten onderwerpen: je werd gescand, gefouilleerd, moest vijf voorgeschreven zinnen herhalen, je temperatuur werd opgenomen en je moest in een slangetje blazen. Ik was er bijna niet doorheen gekomen. Na het herhalen van de zinnen werd ik door een forse, strenge agent van de luchthavenpolitie apart genomen. 'Meekomen, alstublieft,' zei hij, en hij wierp een snelle blik op mijn paspoort. Vertwijfeld vroeg ik me af of Max me opnieuw had besmet. De agent nam me mee naar een kleine arrestatieruimte bij de handbagagescanner en liet zijn stem zakken. 'Ik ga u vragen deze zinnen te herhalen, mevrouw Johnson,' zei hij met veel nadruk. Pas toen zag ik een kleine Ø op zijn das gespeld zitten. Hij liet me met een kort knikje gaan.

Toen ik om halfdrie 's nachts eindelijk bij mijn gate was, was de eerste schok voorbij en voelde ik me alleen nog maar doodmoe. De daaropvolgende vijf uur bracht ik in een toestand van bibberige waakzaamheid door, mijn capuchon ver over mijn kortgeknipte haar getrokken, doodsbang en met een donkere bril op die ik bij de dutyfree had gekocht, luisterde ik op een oude discman met het geluid heel zacht naar een cadeautje van Phineas, de cellosuites van Bach. Een paar keer slopen er mannen voorbij die naar me keken. Ik hield mijn hand op mijn mobiel en mijn oog op de bewaking.

Terwijl ik daar zo ineengedoken in de hoek gedreven op mijn stoel

---

46. Ik had nooit gehoord van het 'presidentiële zijspoor' waarlangs ooit treinen tot direct onder het hotel konden komen, of van de geheime liftingang die ooit gebruikt werd door hoge piefen die privacy wensten, zoals generaal John J. Pershing en met name president Roosevelt. Jarenlang had de ingang op slot gezeten, maar in 2015 was hij weer in gebruik genomen voor een gast die lang in het hotel verbleef en de grootste moeite moest doen om de paparazzi af te schudden.

zat en voortdurend mijn omgeving in de gaten hield, werd ik gekweld door gedachten aan wat er nu door mijn toedoen met Max zou gebeuren. Ik had visioenen van vuisten en armen vol tatoeages. Gekromde messen. Touwen en snoeren. Semi-automatische wapens. Twee keer liep ik naar de deur waarachter ik mijn bagage weer op kon halen. Ik vroeg me af of ik hem nog zou kunnen vinden als ik terugging. Ik kreeg een steek in mijn maag toen ik dacht aan de foto's op mijn bed. Het briefje dat hij me op Dominica had geschreven. Had hij het daar laten liggen omdat hij het had gelezen? Of alleen omdat hij wilde dat ik dat dacht?

Ik wilde zo ontzettend graag geloven dat hij werd gedreven door een oprecht opborrelend gevoel – verdriet, wroeging. Liefde. Maar ik kon de gedachte niet van me afzetten dat hij me gebruikte. Dat door hem Doug misschien wel in levensgevaar was. En ik ook. Als Max echt in moeilijkheden zou verkeren, zou hij de politie wel bellen, leek me. Die gedachte kon het vuur van mijn ongerustheid niet blussen. Max zou de politie niet bellen. Hij was 'verwikkeld geraakt in iets ernstigs'. Misschien was hij ook op de vlucht voor de politie. En dat was nog niet alles. Ze zouden hem ook niet begrijpen. Zouden niet eens een poging doen. Ze zouden direct ophangen, voor hij hen kon besmetten.

Ik voelde me doorgedraaid en afgemat. Ik stierf van de honger, had niet eens genoeg geld voor een chocoladereep, die 46 dollar kostte. En er gebeurde nog iets, waardoor ik bijna in tranen was uitgebarsten. Een zich met lange, soepele stappen voortbewegende man kwam aan de andere kant van de gate in beeld. Hij liep voorovergebogen, waardoor hij de vorm van een haakje had, was broodmager en streek een lok donker haar achter zijn oren. Van een afstandje leek hij net Buster Keaton. Heel even begon mijn hart als een viool te jubelen. Het was Bart, ik wist het zeker. Ik voelde een golf van opluchting en misschien nog wel meer. Toen lachte hij en zag ik dat hij het helemaal niet was. Besefte met een droefheid die me als een onverwachte golf van de sokken sloeg dat ik geen kans meer zou krijgen om afscheid van hem te nemen. Moest denken aan de pillen die ik een week geleden onder zijn deur door had geschoven in de hoop dat hij ze zou vinden. Ik probeerde hem te bellen, maar kreeg geen verbinding.

Toen we eindelijk aan boord konden, was ik te moe om nog te kunnen denken. Te moe om te slapen. Te moe zelfs om bang te zijn dat ons vliegtuig zou neerstorten. Roze kluwens draaiden helixen achter mijn oogleden. Ik legde mijn hoofd een tijdje neer, maar daar werd ik alleen maar uitgeputter en beroerder van. Ik haalde steels de brief van Phineas tevoorschijn. Die begon als volgt: 'Lieve Alice, Het primaire doel van deze brief is je te laten weten dat met mij alles goed is.'

En meteen was ik klaarwakker.

oud /ɑut/ (bn.; -er, in spreekt. meestal /ˈau·wər/, -st) 1 reeds lang bestaand 2 uit vroegere tijd afkomstig, van een deugdelijke, betere soort (*naar ~ gebruik, ~e technologie*); ook als eerste lid in namen van talen ter aanduiding van de vroegste verschijningsvorm van een taal: *Oud-Engels* (onze dode moedertaal)

Vrijdag 21 december

Het schrijven kost me nu nog meer moeite. Mijn lavoarm doet zeer. Ik denk dat ik mijn pols heb verstuikt. Het is trouwens niet alleen mijn roeckby. Een van mijn tanden zit los. En... het is nogal lastig om de pagina te zien met dit blauwe oog. Mijn neus zou ook wel gebroken kunnen zijn, hij maakt een raar knakkend zjäng als ik eraan zit. ('Dan blijf je eraf,' zou ma zeggen. Maar in dit geval schiet ik daar niet veel mee op, kechnnoh? Misschien moet ik er een arts naar laten kijken, om hem weer weyj te laten zetten.) Het zou ook kunnen dat ik een paar gebroken ribben heb. En ik voel me nogal versuft en zwak. Ik zou wat graag wat kzjenger dan doodgewone pijnstillers nemen, maar ben bang dat ik dan in al te grote gelukzaligheid verdrink. Bovendien njestø tijd. Ik heb al amper tijd om dit te schrijven.

(À propos wazigheid: ik besef wel degelijk dat ik geluk heb met mijn verwondingen. Ik had ook dood kunnen zijn. Was ik trouwens zeker geweest zonder die pillen die A ruim een week geleden onder mijn deur door ßèzd, toen ik in de slaapkamer in een koortsige slaap zjwat te ijlen en wistisj dat ik dingen hoorde die er niet waren. Natuurlijk ftuokkit sjent, ik ben nog lang niet beter.)

Dit is wat er is gebeurd: er stonden twee kerels voor de deur. Mijn eerste fout was dat ik ze niet binnenliet. Lojden als zij zijn nogal onverzettelijk en buiten moeten wachten bleek fnuikend voor hun humeur. (Toen ze me uit de slaapkamer twapperden, deed ik alsof ik ze niet had horen kloppen. Ze de deur niet had horen openbreken.) Ik zren: 'Hé hallo, wie zeiden jullie ook alweer dat jullie waren?' Veel meer werd er die avond niet gezegd. Het kan zijn dat de iets grotere – echt groot waren ze allebei niet (maar hoe belangrijk is dat, zolang je pistool maar groot is) – tegen zijn maat zei dat hij de keuken moest doorzoeken. Mawarw, het leken meer kerels van daden dan van woorden. (Na mijn lizjente begroeting sloegen ze me verrot en bonden me met een lang stuk niisnar vast aan de wc-pot. Het viel niet mee om weer los te komen. Ik lag daar tot de aardige mevrouw Zapata van beneden me door de luchtkoker hoorde schreeuwen.)

Maar kwatto moet ik vertellen waarvoor ze kwamen. Ze laien op zoek naar Max. Die paras hier was omdat hij Ana zocht. En kennelijk dacht dat ze hier was. Durf ik daar meer achter te zoeken? Nee, beter van niet. Gelukkig kon ik hem niet echt helpen. (Dat was dan vooral gelukkig voor Ana, kasji.) Ik heb haar ruim tweeënhalve week geleden voor het laatst gezien, dat was op kantoor (ongelooflijk!) en sinds vorige week ook niet meer gesproken, niet meer na dat telefoontje waarin ze mijn adres sirendoe. Zelfs toen probeerde ze me als een stuiterballetje weg te ketsen van de telefoon. (Had ik maar taitotieto dat ze echt zou komen, dan had ik mezelf op tijd kunnen laten geloven dat zij het was die voor de deur stond en mijn ghounem dromen verstoorde.)

Max heeft haar recenter nog gesproken, twee dagen geleden, beweerde hij. Hij zei dat ze met hem had afgesproken op de wc's van de SoPo. Daar moest ik om lachen. Dat had ik niet moeten doen – Max verkocht me een vuistslag – maar werkelijk, hoe pistok kun je zijn? Ik vermoed dat narcisme en naïviteit vaak hand in hand gaan. Maar de wc's van de SoPo? Alsof ze het verange verzonnen heeft. (Toen ik later vastgebonden aan de toetsva op de koude tegels lag, vroeg ik me wel af waarom de laatste tijd zoveel zaken bij de wc's worden afgehandeld.) Maar dezà: ik moet gewoon geloven dat Ana niet is komen opdagen omdat ze ergens anders moest zijn of omdat ze Max niet wilde zien. Ik dai geloven dat zij wel veilig is. In tegenstelling tot Max. In tegenstelling tot mezelf.

Dat ik weet dat ze niet is komen opdagen op die wc's van vroegere maxiaanse geneugten komt omdat Max een paar uur later, toen ik net wat kip mefango en ijsthee naar binnen probeerde te gurten, voor mijn deur stond. Hij zei (of probeerde te zeggen) dat hij, als hij Dougs Alef niet zowd, zou worden opgepakt – of erger – en vroeg me wanhopig of ik hem kon zeggen waar die of Ana was.

Was ik misschien een ietsepietsie déjile dat hij haar zo onlangs nog had gezien? Vroeg ik me misschien af wie contact had gezocht met wie en waarom? Natuurlijk niet.

Ik had Max misschien niet binnen moeten laten. Maar ik ben geen onmens. Ik liet hem die nacht bij me somn. Maar de volgende ochtend zei ik dat hij moest vertrekken. Om te beginnen – pure suggestie, cazget – hoopte ik dat Ana nog terug zou komen en dan wilde ik niet dat hij in de buurt was. Bovendien is Max echt een fiek. Als hij in mijn schoenen – of moet ik zeggen oxfords – had gestaan, had hij me er per kwadoe uit gegooid. In bepaalde opzichten kent zijn hartelijkheid geen grenzen. En ik moet zeggen dat hij oprecht en grav bezorgd leek om Ana (zelfs toen hij afgaf op haar 'berekenende, manipulerende' karakter). Vier keer probeerde hij te vragen of ik echt niets van haar had gehoord en of ik dacht dat ze veilig was. Maar als het erop aankomt kiest Max voor zichzelf.

De nacht dat hij hier logeerde, kon ik niet slapen. Hij wel – dat kon ik horen aan de luide snurkgeluiden die uit mijn kamer kwamen – maar ik zali op de bank, klaarwakker. 's Ochtends propo ik naar het café te gaan voor empanada's en sap. Zodra hij was vertrokken, grimmig en glimmend van de antibioticacrème, pakte ik de metro, die sinds kort weer zarest, maar alleen op het traject binnen de stad (en heel erg langzaam), en reed ik in een spookachtig lege trein het lange stuk naar het centrum. Ik stapte uit bij 50th Street. En stond ineens oog in oog met Alice. Of, diemie, haar mozaïekportret. Waarop de

Rode Koningin een enorm hart vasthoudt. Het deed me denken aan die kwaal waarbij een deel van je hart onnatuurlijk groot wordt. Dat heet geloof ik het gebrokenhartsyndroom.

Mijn eigen hart zwol. Ik stond mezelf onbezonnen toe te hopen. Dat ik de tegels als een teken zou kunnen opvatten – dat ze mahdoll thuis zou zijn. (Dat ik haar op een dag de mijne zou mogen noemen.) Ik belde bij haar aan ('A. Johnson & H. M. King' staat er nog steeds op het plakkertje), maar er gebeurde niets. Ik drukte alle andere bellen in en zangko liet iemand me binnen. Ik heb geen moment stilgestaan bij de mogelijke gevaren, maar duwde gewoon tegen haar deur en die was open – net als trouwens alles binnen: laden, kasten, zelfs de ijskast, die vol stond met plastic afhaalbakken. In de kille chaos van die verbled dell waar ik glas onder mijn schoenen hoorde knerpen, huiverde ik. Het voelde nasjer alsof ik hier de indringer was. En sagied dat er iets heel erg mis was.

Dit is wat ik wist: Ana was voor het laatst zo'n veertien uur geleden gezien door Max. Ze was niet naar de SoPo gegaan zoals ze zjoenoe wel had beloofd. Ze was niet thuis. Ik had geen idee waar ze was.

Ik probeerde te bedenken wat ik moest doen. Het leek niet erg waarschijnlijk dat ik hier ergens bruikbare aanwijzingen zou vinden. Ik was ook bang, de woning was compleet overhoopgehaald. Watzesjet degene die dat had gedaan terugkwam? Maar ik dwong mezelf door te bijten en na een kwartier speuren vond ik tussen het afval een verfrommelde uitdraai over paspoortspesjnast die vastkleefde aan een plakkerig pakje zoetzure saus. Dat was eigenlijk alles, maar het leek in elk geval iets. (Nu ik eraan terugdenk was er nog dnasj opvallends, iets wat daar niet leek te horen. Op de keukentafel lag D's lievelingspen – de enige daar – met het zegel van Oxford.)

Later gistermiddag (toen ik vastgebonden was aan de wc-pot om precies te zijn en wachtte op mevrouw Zapata en haar reservesleutels) moest ik denken aan dr. Thwaite. Voordat Ana verdween, was zijn naam steeds weer gevallen, als een stuiterende tennisbal. Vandaag besloot ik bij hem langs te gaan.

Ik tin eerst naar kantoor voor zijn adres. Dat was behoorlijk enerverend. Ik was alsmaar bang dat een of andere Synchronic-jron zou vragen wat ik daar deed. Dr. Thwaites portier wilde me niet binnenlaten en het viel niet mee om toch langs hem te glippen. Dr. Thwaite was ook al niet erg blij me te zien. Hij vloekte feekt door de deur ('Verdomme, Horatius. Jij ook al?'). Wat ik besloot te negeren.

Omdat ik hardnekkig bleef staan, deed hij uiteindelijk toch de deur open – op een kier. Hij staarde geschrokken naar mijn gehavende gezicht en skrim blauwe oog.

Ik elimèn de beleefdheden en zei: 'Ik weet dat ze naar Oxford is.'

En ik znajet meteen dat ik het goed had. Hij haalde zijn schouders op. 'Ik znaai niet waar je het over hebt,' probeerde hij nog. Ik heb nog nooit iemand minder geloofd.

Hoe vran ik dat ik Oxford moest zeggen? Ik zou het echt niet kunnen skasj. Hoe heb ik me door algebra i weten te bluffen? Of mayt ik tijdens mijn sollicitatiegesprek met Doug dat Samuel Johnson sinaasappelschillen verzamelde? Hoe wist ik meteen toen ik haar voor het eerst zag dat ik verliefd was?

Oxford was svayredzj geen blinde gok. Het was me langzaam begonnen te dagen toen ik dr. Thwaite opzocht in de oude Rolodex die ik voor de deur van (voorheen) dr. D's werkkamer doft. Achter op de kaart met Phineas' gegevens yoshiech een adres in Oxford, uit de tijd dat hij werkte aan een project met OED-collega's. En dat najetev alleen: voordat Doug verdween, werkte hij voor de derde editie van de NADEL nauw samen met zijn Britse collega's. Hij had ook plannen om na de presentatie naar Oxford te gaan. (Hij heeft er iye nog een present-exemplaar heen gestuurd, wano een van de laatste die er nu nog zijn.) Ik heb een paar van hen geschreven natuurlijk, toen D pas vermist was, maar niemand schreef terug. (Het zou gatzwee niet voor het eerst zijn dat ze mij niets vertellen.)

Wzang nog iets: ik zou zweren dat Max toen hij bij mij was in een zeldzaam moment van heldere dronkenschap een cryptische opmerking over Oxford maakte. (Ik denk dat je niet zou moeten drinken of snuiven als je een microchip hebt – of virusremmers voosis, wat hij jet. Qes voor een keer hield ik mijn mond. Hij leed yaaam.) Toen ik vroeg dwasoek hij erover begon, deed hij heel ontwijkend. Hij zei iets over een operatie om de chip te laten verwijderen, die zwin volgende week. Maar ik heb een ongeschreven regel: als een idee of naam je ten minste drie keer ling, heeft dat iets te betekenen.

Wat dr. Thwaite betreft: die hielp me ook nog op een andere manier. Terwijl hij me wegstuurde, mompelde hij jazem over een fax. Dat bracht me op een idee en ik ging er een zoeken in Manhattan. (Het duurde uren – ik moest een louche hotel in de buurt van kantoor aandoen.) Ik schreef een kort zhem naar Bill bij de OED, die bij me in het krijt staat. Ik heb het tien keer overgelezen. Het leek me perfect. Maar ik contro het net weer. Dit is het:

Bill, hoop je volgende week te zien. Heb Anana ('Alice') voor haar vertrek niet meer kunnen zwa, brc cooбicatietrablen, en moet weten waar ik zondag @21.00 moet zijn: de Mitre of de Bodley. Graag antwoord.

Zelfs skrawoel kostte het me drie kwartier en mijn laatste beetje kracht om dat briefje te schrijven.

Maar dat was het waard. Ik ben net teruggegaan naar de tfong met de fax en er was antwoord van Bill. Geen idee hoe of waarom. Kan me ook niet schelen. Hij schrijft alleen: 'Zal het navragen.'

Goddank voor djemte hoopvols, want ik ga ook dood tren binnen. Probeerde daarnet toen ik zat te wachten een stuk te lezen in de *Phänomenologie des Jookh*. En ik begreep er mitään van.

Yoto belt alsmaar en hangt dan weer op. Boshol wartaal.

Ik lijd nog steeds een swatzoeng symfonie van pijn. Heb nu, afgezien van de pijnstillers en de blauwe pilletjes van A, ook een halve liter bier op (Olde English, fanlievo) die Max in de ijskast heeft achtergelaten. De symfonie voelt harmonieuzer. Tampi. Verdoofd.

Ik prie je vinden, Anana Alice Johnson. Heb zo-even met zowat mijn laatste geld een ticket naar Londen gekocht. (Heb daarvan níét die raadselachtige factuur van Synchronic ad 512 dollar gejoert. Waar slaat dat op? In plaats daarvan heb ik met wat ik overhield informatie ingewonnen en een specialist van het Wadsworth omgekocht voor een verklaring dat ik alleen maar die 'goedaardige afasie' heb waar ze het over hebben, om de medische check hier en in Engeland te jingfellen.)

Zondag vertrek ik naar het oude land, de grond van mijn voorouders, de bakermat van onze stervende moedertaal.

P

papa /ˈpɑ·pa/ (de (m.); -'s) 1 iets wat wordt gezocht maar niet vaak gevonden 2 vader, in sommige contexten G-d; in andere D-g

18 november

Lieve Alice,

Het primaire doel van deze brief is je te laten weten dat met mij alles goed is. Sterker nog, het gaat uitstekend met me: ik doe tabasco op mijn eieren, krijg overal brood bij en voer ellenlange gesprekken met onze Britse collega's. Roger is hier trouwens ook. Dat wilde ik je eerst en vooral schrijven, want mijn vertrek was vast een enorme schok voor je. Phineas zei dat je je grote zorgen maakte, wat ik een afschuwelijk idee vind. Als ik eraan denk hoe jij vrijdagavond hebt zitten wachten in The Fancy en me daarna bent gaan zoeken op kantoor... Verschrikkelijk.

Ik zal je vertellen waarom ik er niet was. Ik weet hoe jij denkt over analoog lezen, dus voordat ik verderga, wil ik je eerst zeggen dat je de reddingsoperatie kunt afblazen. Het is nergens voor nodig om de politie in te schakelen. Sterker nog, hun bemoeienis zou alles een stuk ingewikkelder kunnen maken. Verder – en dat klinkt misschien vreemd – moet je deze brief na lezing onmiddellijk vernietigen.

Nog even geduld, want voor ik verderga met uitleggen, moet ik eerst nog een paar dringende zaken aan de orde stellen:

1. Ga niet naar de onderkelder van kantoor. Neem alsjeblieft van mij aan dat je daar uit de buurt moet blijven. Misschien is het wel het veiligst als je het gebouw voorlopig min of meer helemaal mijdt.

2. Laat alle Memes links liggen, gebruik er geen een, ongeacht of hij een Kroon of Oortjes heeft. Ik weet dat ik dit tot vervelens toe herhaal. Maar het is echt van levensbelang. En zorg alsjeblieft dat je de pillen die ik je heb gegeven niet kwijtraakt.

3. Ga niet naar de site van Synchronic of een van de sites van haar zusterbedrijven en open geen mails van Synchronic-medewerkers. Download zeker geen woorden van de Lexibeurs. Ook dit is van levensbelang. Alle apparaten waarmee deze sites zijn bezocht, moeten misschien wel vernietigd worden.

4. Ik vind het vreselijk dit te moeten zeggen, maar mijd elk contact met Max en zijn vrienden.

5. Zorg ervoor dat je absoluut niets te maken krijgt met ene Dmitri Sokolov, een Rus. Mocht hij contact zoeken met jou... enfin, laten we maar hopen dat hij dat niet doet.

6. Vertel alsjeblieft je moeder noch Laird iets over deze brief. En voor de zekerheid ook Bart Tate niet, hoewel ik dat met pijn in het hart opschrijf. Maar hij schijnt bevriend te zijn met Max.

7. Phineas kun je onvoorwaardelijk vertrouwen, net als alle andere leden van het Diachroon Genootschap (ik neem aan dat hij je intussen alles over ons heeft verteld – volgens hemzelf wel in elk geval).

8. Phineas zei dat je mijn Alef hebt. Bewaar hem alsjeblieft op een veilige plek. Hij moet waarschijnlijk vernietigd worden, maar ik

weet niet zeker of dat wel zo makkelijk is. De namen en adressen van vele Genootschapsleden van jaren her staan erin. Die mogen niet in handen vallen van bepaalde figuren, als dat niet al is gebeurd. En in een ogenblik van extreme ondoordachtheid heb ik er de gegevens van een kluis in opgeslagen die ik een paar weken geleden heb gehuurd. Verder zou iemand die weet hoe hij moet zoeken in staat kunnen zijn er aanwijzingen op te vinden over mijn verblijfplaats.

Nu ik het daar toch over heb, het spijt me verschrikkelijk dat ik zo vaag moet blijven over de precieze plaats waar ik zit, maar dat lijkt me voorlopig het beste. Dat is ook de reden dat ik niet wil dat de politie wordt gewaarschuwd. Ik hoop dat alles snel ten goede zal keren en laat het je meteen weten als het zover is. Intussen heb je recht op meer informatie.

Ik ben in Oxford – zoveel kan ik wel vertellen – om met de collega's van de OED te overleggen hoe we kunnen voorkomen dat hun en ons volledige corpus met lemma's aan Synchronic wordt verkocht. Door een dergelijke verkoop zouden universiteiten en andere instituten alleen nog maar terechtkunnen bij de Lexibeurs. Dat zou alles veranderen: toevoerlijnen, R&D, marketing. Datzelfde zou gelden voor particuliere gebruikers, hoewel zoals je weet de verkoop van woordenboeken aan leken al lange tijd tanende is. Sinds er geen boeken meer worden gedrukt en we van lezen zijn overgegaan op het 'consumeren van datastreams', 'sms'en' in plaats van schrijven – nu de Meme de dienst uitmaakt – heeft de gemiddelde consument veel minder behoefte aan echte betekenissen. En Synchronic heeft een uiterst inventieve verkoopstrategie bedacht. Als hun methode succesvol blijkt, is de directie van plan met internationale partners in zee te gaan voor een uitbreiding naar minstens 22 talen over de hele wereld. Wat een regelrechte ramp zou zijn. Maar ik loop op de zaken vooruit.

Op vrijdagavond, toen ik niet in The Fancy verscheen, was dat omdat ik nog een laat overleg had, zoals je al wist. Wat ik niet had verteld, was met wie. Max was onder de aanwezigen en daarom had ik jou naar huis gestuurd. Ik verwachtte naast hem maar een of twee anderen van Synchronic – iemand van pr, misschien een accountant en hooguit een vicevoorzitter. Maar Max kwam aanzetten met de president-directeur, de bestuursvoorzitter en de financieel directeur. Ze hadden ook een Hermes-programmeur bij zich, John nog-wat, geloof ik. Laird was er ook bij, wat een onaangename en verwarrende verrassing voor me was. Hij schijnt bevriend te zijn met Steve Brock, de bestuursvoorzitter. Hij schijnt ook achter de schermen te hebben meegeholpen bij het nader tot elkaar brengen van Hermes en Synchronic. Ik kan me niet voorstellen dat ze in de veronderstelling verkeerden dat zijn aanwezigheid een gunstig effect zou hebben, dus ze moeten wel het idee gehad hebben dat die mij van mijn stuk zou brengen. Wat ook absoluut zo was. Nog onrustbarender was dat ze een enorme kleerkast hadden meegenomen, de Dmitri Sokolov over wie ik het hierboven al had.

Het was een overleg waar Max al een paar weken geleden om had verzocht. Hij zei toen dat Hermes, onder aegide van Synchronic, een zakelijk voorstel wilde doen, dat hij weigerde via de telefoon te bespreken. Aanvankelijk had ik dat afgewimpeld. Het was precies in de tijd dat jullie uit elkaar waren gegaan. Ik zag het niet zitten om met hem zaken te doen, maar onze bestuursvoorzitter maakte me duidelijk dat ik geen keuze had.

Kort daarna begon ik vreemde mails te ontvangen met onbegrijpelijke samenraapsels van letters, sommige in het Cyrillisch en nu en dan woorden waarvan ik vermoedde dat het Russische of Chinese transcripties waren. Misschien weet je nog hoe ongerust ik me daarover maakte. Net als jij hoopte ik natuurlijk dat ik de zaak te veel opblies. Maar het herinnerde me aan iets waarover ik het met jou nooit heb gehad.

In 2016 heb ik een project gedaan voor de Amerikaanse overheid, na de cyberaanval op Taiwan die de infrastructuur van dat land totaal verwoest had. Het was de zomer van operatie Rising Dragon, toen de Amerikaans-Chinese betrekkingen uiterst gespannen waren (weet je nog die keer toen ik met Hedstrom in Alaska ging vissen? Ik had toen inderdaad met Ferg afgesproken, maar in Seoul, waar ik na Taipei naartoe gevlogen was, en niet op Prince of Wales Island). Het Taiwanese project was strikt geheim vanwege de Chinese nucleaire dreiging. Alom geloofde men dat Beijing achter de aanval zat en er werd gevreesd voor escalatie of vergelding als de Chinese regering erachter zou komen dat de VS Taiwan hielpen.

Een computervirus dat tijdens de aanvallen overal opdook en dat enorm veel schade veroorzaakte – door tientallen documenten te wissen of onleesbaar te maken en hele archieven te vernietigen – bleek uiteindelijk terug te voeren tot computers in de buurt van Beijing. Ook een aantal gevallen van zogeheten 'woordengriep' die zich tegelijkertijd in Taiwan voordeden en waarbij verschillende doden vielen, leek van het vasteland afkomstig.

Ik werd er als ervaren archivaris bij gehaald. Overheidskantoren, onderzoeksinstellingen en banken hadden besloten naast hun digitale back-ups weer gegevens op papier te gaan bewaren en er waren nog maar weinig mensen die wisten wat daarvoor nodig was: wat bewaard moest worden en wat weggegooid, welke lijm het beste kon worden gebruikt, welke klimatologische condities het gunstigst waren. Ik kwam pas aan toen het computervirus en de woordengriep al bedwongen waren. De vector was niet geïdentificeerd maar intussen was wel bekend dat de meeste slachtoffers die virusremmers hadden gekregen de griep overleefden. Voor alle zekerheid kreeg ik, net als alle anderen, verschillende pillenkuren mee die ik zou moeten slikken als de bekende symptomen optraden (symptomen die ik jou vorige week ook genoemd heb: hoofdpijn, koorts, misselijkheid, afasie). Ik heb ze toen niet hoeven gebruiken, maar heb ze wel bewaard. Ik was bang dat er nog eens een uitbraak zou komen.

Kort nadat ik was aangekomen, sprak ik met een systeemanaliste die er vanaf het begin was geweest en zij vertelde me dat een stortvloed van onzinmails een van de eerste signalen was geweest. Dus toen er een paar weken geleden van die bizarre berichten begonnen binnen te komen, gingen mijn nekharen overeind staan. Het hoefde niets te betekenen, het kon ook een nieuwe vorm van phishing zijn, zoals jij suggereerde. Maar enkele van de berichten bevatten de letters yns en syn. Ik had het idee dat Max er misschien meer van wist en besloot er tijdens het overleg naar te vragen. Ik wilde ook weten waarom hij nogal eigenaardige bezoekjes had afgelegd aan sommige leden van het Genootschap.

Het enige wat verder nog relevant lijkt om hier aan te stippen is dat vorige week, in de dagen voor onze eetafspraak, de buizenpost ongewoon traag en onbetrouwbaar werd. Op donderdag belde ik naar de onderkelder en kreeg te horen dat de man die normaal gesproken de kokers verwerkte ziek was. Dat bevreemdde me, maar in alle drukte rond het verschijnen van de derde editie had ik geen tijd om erachteraan te gaan.

Ik wil daarmee maar zeggen dat ik ongerust was. Maar ik werd ook geacht verslag uit te brengen bij het bestuur – anders kon ik mijn baan verliezen. Toch wist ik die vrijdagavond meteen dat het goed mis was. Ik hoorde het al aan Rodneys stem toen iemand van wie ik er later achter kwam dat het Steve Brock was me vanuit de lobby belde en me Rodney gaf. Rodney zei ook dat mijn gasten de bezoekerslijst niet wilden tekenen. Ik vond dat vreemd, maar nam aan dat het om een misverstand ging. Achteraf ben ik me gaan afvragen of het niet een vooropgezet plan was – om de indruk te kunnen wekken dat ze er die avond nooit geweest zijn.

Zoals ik al zei waren ze op ons corpus uit. Dat had ik wel verwacht. Wat ik alleen nooit had kunnen raden – nooit had kunnen dromen zelfs – was hoeveel ze bereid waren ervoor te betalen. Hun openingsbod was 129 miljoen dollar (om het in perspectief te zetten: de geschatte omzet van de verkoop was 7,1 miljoen). Ze beloofden me nog eens 8 miljoen voor mezelf als ik bij de NADEL zou vertrekken en me bij hun 'team' zou voegen als hoofd Lexicografie en vicevoorzitter. Ik moet bekennen dat ik een aantal sombere minuten lang heb overwogen wat dat geld voor het woordenboek zou betekenen, vooral nu we niet langer gesubsidieerd worden. Maar ook voor jou en mij. Ik bedacht dat ik jou uit dat vreselijke flatje kon laten verhuizen. Ik dacht, heel even, aan een boot. En ik stond mezelf toe, moet ik tot mijn schaamte bekennen, me af te vragen of je moeder dan misschien terug zou komen.

Al heel snel verdrong ik die gedachten. Het geld zou het woordenboek niet redden. Integendeel, het zou het de das omdoen. En als de NADEL eraan gaat, wil ik niet degene zijn die de bijl hanteert.

Toch begreep ik ook niets van het aanbod. Steve Brock lichtte het toe. Hij gedroeg zich daarbij nogal raar, wat me een ongemakkelijk gevoel bezorgde: hij keek voortdurend naar links en rechts alsof hij alle hoeken van de kamer in de gaten wilde houden en had de storende gewoonte zichzelf halverwege zinnen in de rede te vallen. Ik realiseerde me pas na een hele tijd dat hij dan binnenkomende telefoontjes beantwoordde. Ik begreep maar weinig van wat hij zei. Ik wist ook niet of zijn zwalkende zinnen een tactiek waren of dat hij zich gewoon niet duidelijk kon uitdrukken. Ik bedoel niet dat hij aan afasie leed – dat denk ik niet; ik was daar erg op gespitst. Maar in 2016 heb ik nooit zelf woordengrieppatiënten horen praten. Je begrijpt vast dat het me alleen nog maar ongeruster maakte.

Wat ik meende te begrijpen was dit: Synchronic wil een monopolie verwerven op de markt van lexicale bronnen – een markt waarvan ze de noodzaak geleidelijk aan hebben gegarandeerd met behulp van de Meme. Alleen al de opbrengsten uit het niet-moedertaalsprekerssegment zouden een 'game changer' zijn, om Laird te citeren. Brock beweerde dat als Synchronic de NADEL – en mij – eenmaal aan haar stal zou hebben toegevoegd, alle nog resterende weigeraars in het lexiconveld hun verzet zouden staken. Dat gold ook voor de OED, waarmee ze in de laatste fase van onderhandeling zouden zijn. 'Maandag is die deal een feit,' beweerde Brock. Daarna, als alle betekenissen eenmaal op één plaats 'geconsolideerd' waren, zouden de prijzen omhoog kunnen – wat niet meer dan redelijk was, onderbrak Laird hem, vanwege de 'superieure kwaliteit van de content' (ik weet dat hij het als compliment bedoelde, hoe indirect ook).

In zekere zin was ik best onder de indruk. Zelfs vandaag de dag is het ondanks de deregulering nog illegaal om een markt te monopoliseren. Maar ik was vooral nieuwsgierig hoe ze bijna 130 miljoen hoopten terug te verdienen. Om daarachter te komen, deed ik iets vrij idioots en misschien ook wel onethisch. Iets waardoor ik uiteindelijk zelfs gedwongen werd het gebouw uit te vluchten, hoe ongelooflijk dat misschien ook klinkt. Wat ik deed was belangstelling veinzen en wel zo geraffineerd als ik sinds mijn tijd aan het studententoneel niet meer geacteerd heb.

Toen ik vroeg hoe ze van plan waren winstgevend te worden, viel er aanvankelijk alleen een gespannen stilte. Ze keken elkaar aan, Brock ontblootte zijn tanden tot een soort grijns en Max knikte John, de programmeur, toe, die zei: 'We weten intussen dat het werkt. We hebben bèta-tests gedaan. Niet zoals met de eerste proeven in het buitenland.'

Dat was natuurlijk niet wat ik had gevraagd. Maar toen hij dat zei, moest ik meteen aan Taiwan denken. En ik wist dat ik een vreselijke fout had begaan. Ik vroeg me af of ze op de een of andere manier achter mijn project voor de overheid waren gekomen. Ook al was dat niet zo, het was duidelijk dat ik diep in de nesten zat. Ik voelde Dmitri Sokolovs vervaarlijke blik op mij rusten.

John begon aan een omstandige uitleg van iets wat ik maar moeizaam kon volgen, over woorden die door algoritmen in kaart gebracht werden. [noot AJ: ik heb dit en andere delen van mijn vaders brief enigszins geredigeerd om geen dingen te herhalen waar ik het eerder al over heb gehad (want ik heb uiteraard veel van mijn informatie uit dit epistel gehaald).]

'Geldwoorden,' merkte Max verlekkerd op, en hij maakte een dakje met de vingers van zijn beide handen en liet zijn kin daarop steunen. Een wrange benaming, kun je wel stellen.

'Vijf, zes jaar geleden,' vervolgde John, 'waren het woorden als "adhesie", "jobstijding", "vendetta" en "palpatie".' Hij begon op zijn nagelriemen te kauwen. 'Toen ze het een jaar na de introductie van de Meme opnieuw bekeken, waren het al veel alledaagsere woorden: "pandemie", "solitair", "cultiveren" en "kaliber" (ik moet bekennen dat ik aan ons gesprek van onlangs in de metro moest denken, toen ik je de Lexibeurs zag raadplegen op je Meme). En dit jaar... het is bijna niet te geloven.' Hij schoof naar voren op zijn stoel. 'Dit jaar zijn het "hendel", "salvo", "pok", "verrot". "Verrot",' herhaalde hij, zijn smalle wenkbrauwen opgetrokken. 'En de lijst wordt met de dag langer.'

Alleen zei hij dat niet. Ik ging ervan uit dat hij dat bedoelde, maar ik had durven zweren dat hij zei: 'De hijs wordt appen dag langer.' Ik dacht dat hij gewoon onduidelijk sprak en schonk er verder geen aandacht aan.

Dat kwam ook door Brock, die dat moment koos om zijn mouw omhoog te schuiven. Aan de onderkant van zijn pols zat een merkwaardig apparaatje, ongeveer ter grootte van de wijzerplaat van een oud horloge.

'Hiermee,' zei Brock, en hij stak zijn arm omhoog. 'Als ze dit eenmaal hebben...'

'De nieuwste Meme,' verduidelijkte Laird.

'... hebben we die zooi verder niet meer nodig,' zei Brock, en hij schoof zijn mouw weer terug.

'Wie niet?' vroeg ik verward. 'Welke zooi?'

'Woorden, betekenissen. Dat zit dan allemaal hierin.' Brock stak zijn arm weer omhoog.

Vervolgens beschreven ze de rest van hun plan [... waarvan] ik het laatste onderdeel al helemaal niet begrijp: ze zijn op zoek naar investeerders – geldschieters die een optie willen nemen op de toekomst van woorden om het zo maar te zeggen. Toen ik vroeg wie er in godsnaam interesse kon hebben in informatie over verkopen van woorden in plaats van de woorden zelf, begon John: 'Nou, enkele van onze buitenlandse partners, die ons aan hulpkrachten hebben geholpen...', maar de financieel directeur, een griezel met even weinig kin als een slang, legde een smalle, lange, lelieblanke hand op Johns arm. 'Er is belangstelling,' siste hij.

Als hun eerste testronde in de VS goed bleef gaan, voegde Brock eraan toe, zouden ze binnenkort uitbreiden, te beginnen in landen waar de Meme al op de markt was: eerst China en Rusland schijnbaar, en dan India, Korea, Brazilië en zo verder.

Ik liet hen eerst uitpraten, maar probeerde daarna John weer aan de praat te krijgen. Ik had een angstaanjagende hypothese ontwikkeld. Maar Max onderbrak me steeds. Zo zei Max toen ik John vroeg wat hij met 'hulpkrachten' bedoelde dat hij op softwareontwikkelaars doelde. Ten slotte probeerde ik een technische vraag, over scripts en config-bestanden, en dit keer was er geen twijfel aan toen John antwoordde: zijn zinnen waren doorspekt met vreemde versprekingen. Zelfs Max vroeg of hij zich wel goed voelde.

Daar zag het niet naar uit: hij oogde ziek. Midden in een zin viel hij stil. Hij greep naar zijn hoofd, trok groen weg en zei: 'Ik moet even weg,' en stoof op de deur af.

Ongemakkelijke blikken stuiterden door de kamer. Na een lange stilte grapte Max: 'Mea culpa. Ik heb te veel rondjes gegeven bij de lunch.' Zijn lach klonk gemaakt en de fletse glimlach van de financieel directeur oogde gespannen. Bij Brock kon er al helemaal geen lachje af. Het leek een geschikt moment om er een punt achter te zetten, maar toen ik voorstelde om de vergadering te sluiten en die op een later moment te vervolgen, werd de stemming in de kamer meteen grimmig.

Laird trok een lang gezicht, met de frons die hij bewaart voor het rapporteren van slecht nieuws. 'Dus, Douglas,' zei hij, 'ben je bereid een overeenkomst met deze heren te tekenen?'

'Ik heb het contract bij me,' zei de financieel directeur met een grijns, en hij stak zijn hand in zijn zak. (Tegen beter weten in was ik toch nog verrast toen hij daar een Meme uit haalde in plaats van pen en papier.)

Ik begon tijd te rekken en legde uit dat onze juridische afdeling er eerst naar zou moeten kijken. Er viel een stilte.

Met een merkwaardig krachtige stem, die bijna uitgelaten klonk, zei Laird: 'Je beseft toch wel dat je geen keus hebt?'

Dat sprak ik beleefd tegen. Ik zei dat ik een eetafspraak had en maakte me op om te vertrekken, waarop Brock Dmitri toeknikte, die opstond en zich bij de deur posteerde.

Toen bood de financieel directeur aan me 'opheldering te verschaffen'. Aan zijn betoog viel moeilijk te tornen: als ik niet zou tekenen, was ik volgens hem mijn baan kwijt. Jij zou je baan kwijt zijn. En Bart ook. Sterker nog, de hele NADEL zou ophouden te bestaan: ze zouden ons uitkopen en voor het eind van het jaar zou het afgelopen zijn. En niet alleen met ons grote glazen kantoor aan Broadway – volgens hem zou het hele woordenboek verdwijnen. Dat was het woord dat hij gebruikte: verdwijnen.

Ik probeerde mijn kalmte te bewaren. Mezelf voor te houden dat zijn dreigementen loos waren, onmogelijk. Maar dat zijn ze niet. De wereld is veranderd, Alice. Heel erg veranderd.

Ik vroeg Brock hoe hij van plan was zesentwintig jaar werk in rook te laten opgaan, duizenden exemplaren van een veertigdelig werk te vernietigen. Om nog maar te zwijgen van het elektronische corpus, al het gearchiveerde dode materiaal...

'Grappig dat je daarover begint,' onderbrak Laird ons. En als om dat te onderstrepen lachte hij. Iets aan dat geluid maakte me misselijk van angst. 'Ze zijn al begonnen. Hier ter plekke. Maar ik moet je gelijk geven dat het een grotere uitdaging is om van gedrukte exemplaren af te komen dan om je corpus te hacken, als ik het goed begrepen heb. En het spijt me dat ik je uit de droom moet helpen, Urs, maar toevallig is ons bekend dat er nog geen duizend exemplaren van de drukpersen gerold zijn.'

Opeens ging me een lichtje op. Ik begreep eindelijk waar de piek in de verkoopcijfers van Synchronic waar ik het met je over heb gehad vandaan komt: het is Synchrónic dat zich over onze rug omhoogwerkt in de ranglijst (sinds vanochtend staan we op 153). Zíj hebben de NADEL opgekocht.

'Jullie... Maar dat is... dat is meer dan vier miljoen dollar,' wierp ik tegen, terwijl ik snel het rekensommetje maakte. 'Al die boeken. Alleen al de verzendkosten. Dat is...'

'Dat is niets,' zei Laird, en zijn mondhoeken kropen omhoog.

'Het is de prijs van zakendoen,' vulde Brock aan, en zijn lip bolde op toen hij langs zijn tanden likte.

Op dat moment gebeurde het. Ik kon me niet langer inhouden. Heel even bleef ik nog stil, verlamd door de schok, maar al snel borrelde de gal over en ontplofte ik. 'Wat dacht je, Vera is niet genoeg?' brulde ik tegen Laird, terwijl het speeksel alle kanten op vloog en mijn oren suisden. 'Kon je het niet laten om ook de rest van mijn leven te verwoesten?' En dat was nog maar het begin van een vernederende litanie, waarvan de woorden niet van mezelf afkomstig waren, maar een afgezaagde klont cultuurwrakhout die ik God weet waar had opgepikt. Toen de brandweerspuit eenmaal aanstond kon ik hem niet meer uit krijgen en al snel richtte ik hem ook op Max. Het lijkt me het beste als ik maar niet herhaal wat ik allemaal heb gezegd.

Toch kwam er een punt waarop ik, al stond ik nog volop te spuien, een lichte beweging opmerkte bij de deur. Het was Dmitri die iets onder zijn arm vandaan haalde. Ik dacht alleen maar: pistool, wat misschien al even hysterisch was als het ongewone script waaruit ik stond voor te dragen tegen Laird en je ex. De aanblik werkte beter dan vlugzout. Ik viel meteen stil.

Brock keek me woedend aan boven zijn koffie. 'Dat was nergens voor nodig,' zei hij bestraffend.

'We zijn helemaal niets aan het verwoesten,' voegde Laird daaraan toe met een stem die droop van minachting. 'We bieden je een kans. Dit zal alles veranderen, of jij het ermee eens bent of niet. Wees nou eens één keer realistisch, Douglas.' En met een frons voegde hij eraan toe: 'Denk aan Anana.'

Dat slingerde me terug naar het niveau van pure, verblindende woede. Met de grootste moeite bedwong ik mijn aandrang om hem te wurgen. Ik realiseerde me met een helderheid die zo scherp was dat ze bijna straalde, dat ik, nu ik dit alles eenmaal had aangehoord – over hun virus en al het andere – mijn leven niet meer zeker was: ik moest weg uit die vergaderzaal. En als er nog hoop was dat ik het woordenboek zou kunnen redden, dan moest ik meer doen dan dat en zorgen dat ik voor maandagochtend in Oxford was. Als de OED inderdaad met Synchronic in zee gaat – als alle Engelse woorden op de Lexibeurs terechtkomen – is het alleen nog een kwestie van tijd voor onze taal dreigt uit te sterven. Dat zijn geen raaskalverhalen van een fantast, ben ik bang. En het Engels zal alleen nog maar het begin zijn. Als ze naar andere markten uitbreiden zal hun virus zich razendsnel over de aarde verspreiden en alleen de onbereikbaarste uithoeken ongemoeid laten. Ironisch genoeg zou het wel eens kunnen dat alleen de nu met uitsterven bedreigde talen het zullen overleven.

Ik begreep dat er maar één mogelijke uitweg door die deur was. Door het stof gaan. Niet mijn grootste talent, geef ik toe, maar ik wist een vijfsterrenverontschuldiging bij elkaar te bluffen. Zei dat ik hun aanbod enorm op prijs stelde en dat ik er graag op inging. 'Ik snap ook niet wat me bezielde,' loog ik met één oog naar Dmitri. 'Ik voel me niet helemaal mezelf vandaag.'

Dat bezorgde me een vlaag van inspiratie. 'Om eerlijk te zijn,' zei ik, en ik klapte dubbel, 'voel ik me... Jezus. Ik voel me hondsberoerd.' Ik greep naar mijn buik. Echt zweet drupte van het puntje van mijn neus. 'Ik geloof dat ik... O, god...' Ik sprong zo plotseling uit mijn stoel op dat die omviel. 'Ik moet ook.'

Dmitri wierp me een woedende blik toe en week geen centimeter bij de deur vandaan. Toen ik begon te kuchen en kokhalzen werd mijn gespeelde misselijkheid echt. De tranen sprongen me in de ogen. Zuur brandde achter in mijn keel. Laird trok zijn neus op en Brock gebaarde naar Dmitri dat hij me langs moest laten. Ik wachtte niet eens tot hij een stap opzij deed, maar drong langs hem heen de gang in.

Ik wist dat Dmitri naar me uit zou blijven kijken, zolang ik niet terug was. De liften in de gaten zou houden. Ik had niet veel tijd – vijf minuten, zeven hooguit, als ik het voor elkaar kreeg John niet tegen het lijf te lopen als die van de wc's terugkwam. Dat liep ik te bedenken toen ik de hoek om ging – en John zag. Hij was bleek en oogde vermoeid, zijn das hing scheef en zijn overhemd zat niet in zijn broek. We bleven allebei staan. Toen haalde hij diep adem en ik verwachtte dat hij iets zou roepen. Ik zette me schrap en bereidde me voor op een sprint. Tot mijn stomme verbazing zuchtte hij alleen maar. Knipperde met zijn bloeddoorlopen ogen. Deed zijn mond open en sloot hem weer. Uiteindelijk wist hij hoofdschuddend uit te brengen: 'Ik dek je wel,' wat er heel vermoeid en ongelukkig uit kwam.

Ik keek hem een lange tel indringend aan in een poging zijn beweegredenen te peilen. Het was moeilijk te geloven dat hij voor mij zou liegen. Maar ik zag in zijn blik een flits van onverschrokkenheid. Ik weet niet waarom, maar ik kreeg het er koud van. En toch besloot ik hem te vertrouwen. Wat kon ik anders?

'Dank je wel,' zei ik, en ik greep hem bij zijn schriele arm. 'Je bent een goed mens, John.'

Hij schudde licht zijn hoofd. Keek me niet aan. Ik kan niet ontkennen dat dat me zenuwachtig maakte. Bij het weglopen keek ik nog een keer over mijn schouder. Hij keek niet achterom naar mij.

Intussen was het ver na halfacht. Op de woordenboekafdeling was alles donker. Zelfs bij Bart brandde geen licht. Toen ik bij mijn kamer was, ging ik snel te werk, met verstijfde handen. Ik propte de inhoud van mijn tas in mijn jaszakken en in een poging om tijd te winnen zette ik de tas op mijn stoel, in de hoop dat ze dan zouden denken dat ik nog in de buurt was. En ik ging aan het werk om jou te waarschuwen voor wat er aan de hand was voor het geval ik je niet meer bij The Fancy zou vinden, wat ik wel hoopte.

Ik wilde niet naar je Meme bellen, was bang dat ze die afluisterden. Ik wil ook niet dat jij hem gebruikt, vooral nu niet, nu die woordengriep mogelijk al rondwaart. Daarom liet ik wat bedekte aanwijzingen achter waarvan ik me in mijn doorgedraaide toestand voorstelde dat jij ze later die week zou kunnen vinden. (Ik begrijp niet waarom ik niet op het idee kwam dat jij me diezelfde avond nog zou kunnen komen zoeken op kantoor, anders zou ik je wel in de buurt van het gebouw hebben opgewacht en je ervandaan hebben geleid. Het spijt me meer dan ik ooit kan zeggen dat ik je in gevaar heb gebracht. Ik had beter moeten nadenken.)

Daarna trok ik gehaast mijn jas aan, liet het licht in mijn kamer branden en stormde naar het trappenhuis. Halverwege de trap schoot me een zenuwslopende gedachte te binnen. Ongevraagd drong zich een beeld bij me op, alsof het me door derden werd gebeamd: mijn

Alef. Ik zou er waarschijnlijk helemaal niet aan gedacht hebben – ik had hem al jaren niet meer gebruikt – als ik er niet net een paar dingen in had opgeslagen met betrekking tot de nieuwe kluis die ik onlangs had gehuurd (ik had het heel slim en discreet van mezelf gevonden dat ik ze in de Alef had opgeslagen). Iedereen die hem zou aanzetten, zou mijn oude aantekeningen, contacten, wachtwoorden, codes en misschien nog wel meer kunnen inzien.

Die apparaten zijn net olifanten: ze hebben een ijzersterk geheugen. Mits niet schoongeboend door specialisten houden ze alles vast wat ze ooit is gevoerd. Ik wist niet eens precies wat er allemaal over mij in stond – of over jou of Vera of leden van het Genootschap. En ik was ook bang dat hij zou weten hoe hij mij zou kunnen opsporen. Dat in deze heerlijke nieuwe wereld van ons iets als ontsnappen ondenkbaar is. Geen veilige haven waar je alleen kunt zijn, zelfs niet in je eigen hoofd.

Ik zag hem zo voor me, boven in mijn bureau. Terwijl ik steun zocht bij de muur en op adem probeerde te komen, vroeg ik me af of ze wisten dat ik hem had. Zou Brocks assistente het hebben nagekeken voor dit overleg en hebben gezien dat ze mij er jaren geleden een hadden gestuurd? Als dat zo was en ze vermoedden dat hij in mijn kamer was, zouden ze hem zo vinden. Bij die gedachte stokte mijn adem. Ik moest even gaan zitten. Voelde me gemangeld, kwetsbaar en enigszins gestoord, maar besloot niettemin terug te gaan om hem te halen.

Toch kwam ik niet overeind van die trap, waaruit de kou door mijn broek optrok. Mijn hart bonsde. Ik was drijfnat van het zweet. Het moet een soort lichte paniekaanval zijn geweest. Goddank. Er waren minstens acht of negen minuten verstreken sinds ik John op de gang was tegengekomen. Ik weet zeker dat als ik was teruggegaan, ik zou zijn gepakt.

Tegen de tijd dat de paniek zo ver was weggetrokken dat ik weer overeind kon komen, besloot ik verder naar beneden te gaan. Alleen een dwaas bestrijdt liever gefantaseerde gevaren dan de gevaren die zich vlak voor zijn neus bevinden (al ben ik wel erg blij, moet ik zeggen, dat jij degene was die mijn Alef vond).

Eenmaal in de onderkelder wilde ik naar de buizenpostcentrale om Phineas en jou een bericht te sturen, maar ik kon er niet in. De deur zat op slot. En het was er bloedheet. Ik kreeg een afschuwelijk gevoel, Alice. Volgens mij verbranden ze er boeken.

Ik vertel nog wel een andere keer hoe ik uit het gebouw ben weggekomen. Laat ik het er voorlopig op houden dat er een omweg voor nodig was waardoor ik vlak bij de oude Mercantile Library uitkwam.

Tot mijn schrik zag ik dat het al na achten was en jij dus waarschijnlijk al weg zou zijn uit het café. Toch vroeg ik de taxi die ik naar het vliegveld nam om er voor alle zekerheid even te stoppen.

Toen Marla me zag, tuitte ze verontwaardigd haar lippen. 'Hoe kón je!' Ze stak vermanend haar vinger op. 'Ze heeft heel lang gewacht voor ze naar huis ging.'

'Is ze naar huis gegaan?' vroeg ik. 'Weet je dat zeker?'

'Dat zei ze wel,' meldde Marla hoofdschuddend, en ze mompelde iets bij zichzelf. Ik weet hoe het klinkt om Marla de schuld te geven, maar dat is wel de reden dat ik niet op het idee kwam dat je naar kantoor kon zijn gegaan. Thuis leek me ook de beste plaats voor je, tot ik je vanuit Oxford zou kunnen bereiken. Ik heb Phin meteen na aankomst daar gebeld. Het duurde alleen langer dan gepland om er te komen, maar dat is ook iets voor een andere keer.

Misschien was het naïef, maar ik dacht dat een leven als lexicograaf relatief rustig zou zijn. Ik ben me er wel van bewust dat ik een groot risico neem door dit allemaal op te schrijven. Niet alleen voor mezelf, maar ook voor jou en Phineas en het hele Diachroon Genootschap. Dingen opschrijven is altijd gevaarlijk. Maar zelfs nu denk ik nog dat het het risico waard is.

Ik wil niet in een wereld leven waarin we woorden vernietigen – waar betekenissen niets meer betekenen. Natuurlijk was de linguïstische devaluatie al ingezet voor de Meme en de Lexibeurs, voor Meaning Master en dit nieuwe virus dat door dat spel verspreid moet worden. Al jaren, tientallen jaren, is ons geheugen langzaamaan overgenomen door computergeheugens. Ik weet dat je dit allemaal al eens hebt gehoord, maar het kan niet vaak genoeg herhaald worden, zeker nu.

Ze zeggen wel eens dat de geschiedenis een voorwaartse mars is – recht op het doel af. Misschien is dat standpunt alleen maar een spiegel van zijn tijd: in de negentiende eeuw zagen we de opkomst van wat we lineair denken zijn gaan noemen, een manier om de wereld om ons heen te verwerken die alleen maar mogelijk werd dankzij het boek. Een toevallig bijeffect van de ingebonden codex is dat die ons langdurige concentratie, abstract denken en logica bijbracht. Van nature laten we ons makkelijk afleiden – we zoeken voortdurend de horizon af naar gevaren en mogelijkheden. Het boek zorgde ervoor dat we die aandacht naar binnen richtten, steeds hogere kastelen bouwden in de stille koninkrijken van ons hoofd. Dankzij dat proces van reflectie en diep nadenken evolueerden we. Er was geen weg terug, altijd alleen maar vooruit.

Anderen zeggen dat de geschiedenis niet recht is, maar rond, een cirkel die zich voortdurend herhaalt; ouroboros, de eeuwige wederkeer, maar ouroboros is niet alleen maar een cirkel; het is een slang die zijn eigen staart opeet. Zou het niet zo zijn dat we met het opofferen van de taal nu ook onszelf weggooien? Misschien heeft het verval wel ingezet. De eigenschappen die we ooit gebruikten om te overleven – gespreide aandacht, diffuse concentratie – worden nu toegepast voor het zoeken naar opgloeiende puntjes op een scherm, het snel bekijken van pop-ups, beams, e-mails, videostreams. Ons denken is afgeplat, onze vooruitgang overgedragen aan apparaten. Het gebeurt sneller en sneller. Steeds snellere versnelde teloorgang.

Het is hier al heel laat. Ik heb de hele nacht zitten schrijven – niet alleen deze brief maar ook een opiniestuk voor de dinsdagkrant over de gevaren van de Meme. Morgen heb ik de hele dag vergaderingen met collega's van de OED. Verder zoek ik contact met onze magazijnen, wederverkopers en drukkers om te voorkomen dat er nog meer exemplaren van de NADEL verkocht worden (denk maar niet dat de ironie me ontgaat). En ik probeer de IT-afdeling te bereiken en een nieuwe beveiligingsdienst te vinden om onze firewall te versterken en andere strategieën te implementeren – er vallen steeds meer gaten in ons corpus, maar ik weet dat dat allemaal nog kan worden teruggedraaid.

Verder heb ik geprobeerd contact te zoeken met de binnenlandse veiligheidsdienst om aan te dringen op waakzaamheid in verband met mogelijke nieuwe cybervirussen en -aanvallen. Tot nu toe is me dat niet gelukt, net zomin als het doorgeven van mijn bezorgdheid over Nautilussen en Memes aan wie dan ook van de voedings- en geneesmiddeleninspectie. Wel heb ik al wat verkennende gesprekken kunnen voeren met de Wereldgezondheidsorganisatie en de Centra voor ziektepreventie en -bestrijding (er schijnen mogelijk al een paar gevallen van woordengriep in New York te zijn geconstateerd, zorg alsjeblieft dat je die pillen die ik je gaf niet kwijtraakt). Een medewerker van de Wereldgezondheidsorganisatie met wie ik in Taipei heb samengewerkt, was erg behulpzaam en ik heb goede hoop dat we een uitbraak kunnen voorkomen. Ik ben van plan hier nog minstens een paar dagen te blijven, maar zal er alles aan doen om te zorgen dat ik vrijdag terug ben, op tijd voor de presentatie van de NADEL.

Pas tot die tijd goed op jezelf, Alice. Ga naar Phineas. Ik hou contact.

Veel liefs,
Doug

Q

quarantaine /ka·rɑn·ˈtɛ:·nə/ (de (v); g.mv.) 1 afzondering om besmetting te voorkomen 2 periode van gedwongen stilte

Het vliegtuig landde 's avonds laat in Londen. Het duurde uren om
door de douane, de gezondheidsinspectie en de beveiliging te komen.
Toen ik dat eindelijk achter de rug had trilde ik bijna van opluchting.
Ik hoopte dat de problemen voorafgaand aan mijn vertrek uit New
York vooral toegeschreven konden worden aan mijn uitputting en
angst. De vrees dat ik opnieuw was besmet, kon ik niet helemaal van
me afschudden.

Het was koud en regenachtig in de stad en er hing een vage riool-
lucht. Ik liet me met een taxi rechtstreeks naar Paddington brengen
en haalde net de trein van 23.20 uur. Het was nog een hele toer om
een taxi te krijgen. Toen de eerste chauffeur vroeg of ik uit de VS
kwam, deed ik er te lang over om nee te zeggen en reed hij alweer
weg. Ik wilde mijn beklag doen bij de man die de taxi's toewees, maar
die haalde alleen maar onverschillig zijn schouders op. 'Vers uit de
States, huh? Waar die ziekte heerst die het hele land platlegt?' Toen
de volgende chauffeur wilde weten waar ik vandaan kwam, gebruikte
ik een afgezaagde backpackerstruc en zei Canada. Hij bekeek me
wantrouwig en liet me ook staan. De taxiplaatsman keek achterdochtig naar me en de mensen achter me in de rij begonnen afstand te
nemen. Bij de derde chauffeur probeerde ik het ten slotte met een

vreselijk Nieuw-Zeelands accent. Gelukkig had hij nog nooit een 'kiwi' ontmoet. Gedurende de rit vergastte hij me op zijn kijk op de Amerikanen en hun virus. 'Ik hoop dat ze het allemaal krijgen,' zei hij. ''t Is hun verdiende loon, *oy*?' Ik hield zoveel mogelijk mijn mond.

Ik was zo moe dat de treinreis bijna als een droom verliep. Ik ging per ongeluk zo zitten dat ik achteruitreed. Naast me zat een jongen door een boek met verhalen van Borges te bladeren. Een meisje babbelde slaperig in haar vaders telefoon. 'Ik mag van Chelsea's mama niet komen,' zei ze. 'Chelsea's papa is net terug uit New York en ze is bang en wil niet dat er iemand raar gaat praten.' In de buurt van Slough dacht ik dat een man aan de andere kant van het gangpad naar me zat te kijken. Hij was geheel in het zwart gekleed. Zijn spiegelbeeld viel me op in het gele glas van het raam. Ik deed alsof ik geïnteresseerd was in een vrouw die haar wimpers aan het krullen was, zodat ik me kon omdraaien om naar hem te kijken, maar toen was hij alweer verdiept in het scherm voor zich. Zijn aanwezigheid bezorgde me een hol gevoel in mijn maag.

Het was 20 december, meer dan een maand sinds Doug zijn brief aan mij naar Phineas had gefaxt. Bijna twee weken sinds de piek in virusbesmettingen en de cyberaanvallen. Vijf dagen voor Kerstmis, dat ik voor het eerst niet thuis zou vieren – en alleen, als ik Doug niet zou vinden. Zeker zonder mijn moeder en mijn grootouders Doran of een telefoontje naar omi en opa Johnson. Zonder de kerstborrel van het werk. Zonder Bart. Zonder Max.

Die brief. Ik had hem nijdig versnipperd. Ik kon niet geloven dat dr. Thwaite op zo'n gloeiend grote schaal tegen me had gelogen. Voor de eerste, nagemaakte en ingekorte versie die hij me had gegeven, moest hij hele passages hebben overgetypt en Dougs handtekening hebben vervalst. En het resultaat vervolgens weer naar zichzelf hebben gefaxt. Doug had me al twee dagen na zijn vertrek geschreven, bovenaan stond de datum- en tijdsaanduiding 18 november 22.12. Maar dr. Thwaites geredigeerde vervalsing kreeg ik pas dagen later in handen, toen ik al gek van bezorgdheid was en als een idioot aan het zoeken was geslagen. Was mijn eigen, veel onschuldiger leugentje dat Max en ik nog steeds een stel waren echt de enige reden voor die bewerkelijke misleiding? Of had dr. Thwaite een andere beweegreden gehad? Hoe dan ook, ik trok nu alles wat hij me had verteld in twijfel. Was hij wel werkelijk met Doug bevriend? Werkte hij soms voor Synchronic? Had hij een ticket voor me gekocht om hen te helpen mijn vader te vinden?

Eén ding haalde me steeds weer weg bij de afgrond van twijfel. De brief voelde authentiek. Om te beginnen was het idioom op en top Doug. Iedereen die Doug kende kon zijn stokpaardjes reproduceren: de verwijzingen naar ouroboros en versnelde teloorgang en het einde van het menselijk geheugen. Maar de zinnen stonden ook bol van de persoonlijke details en uitdrukkingen die alleen Doug zou gebruiken: zijn nekharen die overeind gingen staan, onder aegide van Synchronic, zijn blinde woede. Ik was ook over een ander woord gestruikeld, om precies te zijn een naam: Roger. Die had mijn achterdocht al gewekt – mijn nekharen overeind doen staan – in de gecensureerde versie van Dougs brief. Ik kende helemaal geen Roger, ook niet in Oxford. Doug had het nog nooit over Roger gehad. Toen ging me een licht op: 'Roger' zou best een subtiele verwijzing kunnen zijn naar het merkwaardige gesprek dat we in de metro hadden gehad kort voordat hij was verdwenen. Ik herinner me heel goed dat ik 'roger' had gezegd toen hij me de naam Alice had gegeven. Dat woord op zijn eigen manier herhalen was typisch iets voor Doug. Hij had me ongeduldig toegevoegd dat hij het serieus meende. Hij had natuurlijk gelijk, dat wist ik inmiddels ook. Het was bloedserieus.

Dat was ook de echte reden waarom de brief me zo van mijn stuk had gebracht. De situatie was zoveel erger dan zelfs Doug had voorzien en het was zo snel gegaan: de deal met Synchronic die erdoor gejast was, ons kantoor dat min of meer opgedoekt was, het woordenboek dat ophield te bestaan. Talloze andere digitale documenten, boeken, websites, teksten – de archieven van complete levens – verwoest. Alle andere aanvallen op de infrastructuur en computers. Zelfs in het vliegtuig had ik een paar verhaspelingen opgevangen. Bij het instappen hoorde ik een vrouw in de eerste klas aan haar man vragen of hij pillen bij zich had – ze had problemen met 'zweej' zonder haar Meme. Voordat we opstegen gaf een zakenman uit het Midden-Westen de zenuwachtige stewardess zestig dollar voor een blikje 'dzie'. In het vliegtuig had een gespannen sfeer gehangen, als in de kelder van een school tijdens een terreuroefening. Nog veel verontrustender was dat ik sinds ik was geland nog steeds incidenteel verhaspelingen hoorde, ook van Britten. En ik was bang dat mensen ook mij soms raar aankeken.

In de trein naar Oxford zaten boven de vuile ramen oplichtende tekeningen van een aap die zijn oren dichthield en nog een die zijn poot voor zijn mond hield. Op een billboard rolde een waarschuwing in dreigende rode letters langs:

STOP DE VERSPREIDING VAN DE WOORDENGRIEP:

1. NEEM NIET OP BIJ EEN ONBEKEND NUMMER

2. DRAAG OORDOPPEN

3. BIJ TWIJFEL: SCHRIJF!

De trein bereikte mijn bestemming na middernacht. Het station was verlaten. Er stond één taxi. 'Laat geworden?' vroeg de chauffeur vriendelijk toen ik instapte. Ik was zo moe dat ik vergat een ander accent op te zetten en zag zijn gezicht in de achteruitkijkspiegel verstrakken. 'Amerikaans?' vroeg hij kortaf zonder weg te rijden.

De moed zonk me in de schoenen. Ik was laat en buiten miezerde het nog steeds. Ik wist niet waar ik heen moest. Ik was al eens eerder in Oxford geweest, het was een rustig universiteitsstadje, oud en veilig. Maar ik deinsde ervoor terug op eigen houtje op pad te moeten gaan. Sinds de virusuitbraak leek elke plek bedreigend. En dan was er nog iets: de man in het zwart in de trein. Hij was een station voor mij uitgestapt, in Radley, en ik durfde te zweren dat hij me in het voorbijgaan geluidloos 'goedenavond' had gewenst. Ik was de kilte die me toen had bevangen nog steeds niet kwijt.

Ik nam een sprong in het diepe en besloot de chauffeur de waarheid te vertellen. Op mijn treinkaartje schreef ik: 'Alstublieft. Ik ken hier niemand. Ik ben doodmoe en alleen. Ik verzeker u dat ik u niet zal aansteken. Wilt u mij naar een hotel brengen?' Ik bad dat wat ik had geschreven leesbaar was. Ik moet er erg zielig hebben uitgezien, want de chauffeur wierp een blik naar buiten, zuchtte, krabde zijn kin en zei toen dat hij me naar een adres zou brengen waar volgens hem een kamer vrij was. Daar aangekomen hield hij me achterdochtig, met ogen hard als knikkers, in de gaten tot ik met mijn koffer uit de auto was geklommen. Hij scheurde meteen weg.

Het hotel was donker. Ik tikte op de glazen deur, eerst zachtjes alsof het een aquarium was met een haai erin. Maar na een blik over mijn schouder op de donkere, lege straat begon ik te kloppen. Te bonzen. Ramde ik op het glas. Toen de conciërge verscheen, keek hij niet blij. Hij wreef met zijn knokkels in zijn ogen en gaapte. Mopperde dat niemand vandaag de dag nog kon lezen. Pas toen zag ik een bordje bij de deurbel met de vermaning INCHECKEN TOT UITERLIJK 23.00 UUR. Ik verontschuldigde me en dacht er gelukkig aan mijn uitspraak te verdraaien.

'Zuid-Afrika?' vroeg hij met weer een grote geeuw. Ik haalde mijn schouders op en lachte enthousiast. Hij wuifde me naar binnen en zei: 'Mijn vrouw heeft familie in Pretoria.' Hij was lang en breed en had wit haar, dik als een vacht. De vermoeide kromming van zijn rug deed me zo sterk aan Doug denken dat ik even naar adem hapte. Ik kon het bijna niet laten hem te vragen of hij mijn vader kende.

Hij pakte een sleutelbos, zei dat hij Henry heette en dat ik geluk had: er was net een kamer en suite vrijgekomen. Toen ik hem vroeg hoeveel die kostte, zei hij: 'Twee vijftig maar.' Ik knikte somber. Ik had geen andere keus dan te betalen met het geld dat Phineas me had gegeven. (Henry stond erop, hij accepteerde geen creditcards, 'met al die toestanden van de laatste tijd'.)

Toen ik eindelijk de kamerdeur achter me kon dichttrekken, was ik op van vermoeidheid. Toch kon ik de slaap niet vatten. Ik probeerde mijn geest te versuffen door de sim aan te zetten die ik achter een zwaar gordijn ontdekte. Dat was een vergissing. De flarden nieuws die ik zag sleurden me alleen maar verder weg van de slaap. Maar niet kijken lukte evenmin: ik was dagen verstoken geweest van nieuws.

Uit de gespannen, eigenaardig fletse berichtgeving werd duidelijk dat in de VS de noodtoestand heerste. Slechts weinig feiten konden worden bevestigd. In verband met de grenscontroles en de angst voor besmetting was er vrijwel geen enkele Britse journalist die uit de eerste hand verslag kon uitbrengen over 'de Amerikaanse crisis', dat wil zeggen de cyberaanvallen, het virus en alle gevolgen van dien: rellen en geweld, de avondklok en voedseltekorten, doden. Amerikaanse nieuwszenders waren uiteraard volledig onthand, doordat veel nieuwslezers en andere medewerkers besmet waren. Sommige zenders durfden hun kijkers niet bloot te stellen aan nieuws over de ziekte. Het weinige dat naar buiten kwam was vooral van horen zeggen. De BBC herhaalde steeds weer een deel van een interview, een tranentrekkend fragment met de Duitse ouders van twee dood gevonden tieners die zich als verstekeling hadden verstopt op een containerschip met bestemming Bremerhaven dat vastgehouden was in de haven van New York. Een van de moeders zei snikkend via een tolk: 'Ze was gaan logeren bij haar nicht. Voor veertien dagen maar. Ze zou gisteravond thuiskomen voor het huwelijk van haar broer.'

Het beeld toonde weer de studio. Een onberispelijke brunette in een fuchsiaroze jasje berichtte zakelijk dat de Wereldgezondheidsorganisatie een tijdelijk wereldwijd verbod op alle Meme-modellen had geadviseerd. Verschillende landen, waaronder Engeland, hadden de productie van virusremmers opgeschroefd. Er werden eerste tests gedaan met een speciaal anti-woordengriepmiddel. Artsen waren ook bezig met het ontwikkelen van een veiliger methode voor de verwijdering van microchips, maar eerste pogingen waren niet goed verlopen. De verslaggeefster boog haar hoofd iets, fronste en beschreef op ernstige toon de terminale spraakloosheid die sommige viruspatiënten in een vergevorderd stadium van de ziekte trof. Veel slachtoffers van de Laatste Stilte spraken nooit meer een woord, zei ze. Veelal raakten ze eerst in coma, om vervolgens de overgang te maken naar die grotere stilte, de dood. Ze konden hun lijden niet beschrijven. Geen afscheid nemen. Geen laatste biecht doen.

Terwijl ze sprak werden er wazige beelden getoond, zonder geluid en in fletse kleuren, van rijen bleke, lijdende mensen gewikkeld in lakens. De camera zwenkte naar een vrouw in de wachtkamer van een ziekenhuis. Op het lint met letters dat voor haar borst zweefde stond: Angela Meekins, lid van de Amerikaanse dovengemeenschap. Ze haalde een reeks capriolen uit met haar stevige, lenige vingers voor een woordenrijk ballet dat de witte ondertitelletters gejaagd volgden. 'Het is erg beangstigend voor patiënten en verwanten,' stond er. 'Ik heb geprobeerd de weinigen die ik kon bereiken gebarentaal te leren om hun laatste dagen iets draaglijker te maken.'

Het aantal doden was opnieuw gestegen, maar de cijfers liepen uiteen. Volgens sommige bronnen waren er zesduizend overleden of terminaal, andere repten van een totaal aantal van bijna vijftienduizend. Personen met immunodeficiëntie leken eerder ernstig ziek te worden, maar ook jonge, gezonde mensen gingen dood. Tot dusver leken de sterfgevallen zich te beperken tot de VS, aldus de verslaggeefster, maar verwacht werd dat binnenkort ook elders doden zouden vallen. 'Er is nog veel onbekend,' zei ze. Haar stem klonk rustig, maar haar lichaamstaal schreeuwde angst uit. Onwillekeurig knipperde ze continu met haar ogen, bladerde ze door papieren, dronk ze uit een bekertje. 'Het is bijvoorbeeld nog niet zeker of alleen Engelstalige sprekers en Meme-bezitters het Soiii-virus kunnen oplopen of dat ook anderen op hun hoede moeten zijn.' Haar gezicht verstrakte en ze drukte haar vingers tegen een oor. 'We onderbreken de uitzending voor een zojuist binnengekomen bericht,' zei ze. 'De president van de VS zal dadelijk een persconferentie geven.'

Heel even viel het beeld weg. Toen was daar een flakkerende weergave van de president op een verhoging met op de achtergrond een lichtgevende glief van het Witte Huis. Hij zag er waardig en vermoeid uit. Losse huidplooien hingen als schillen onder zijn staalgrijze ogen. In een zee van flitslicht schraapte hij zijn keel.

'Goedenavond,' begroette hij publiek en pers plechtig. Het was een veel kleinere menigte dan hij doorgaans toesprak. 'Het Amerikaanse volk beleeft zware tijden. In ons land voltrekt zich een onvoorstelbare ramp,' begon hij ernstig. 'Ik sta voortdurend in contact met de vicepresident, de directeur van de FBI, mijn adviseurs voor de nationale veiligheid, de leiders van het Congres, wereldleiders en gezondheidsautoriteiten. Ik heb opdracht gegeven alle middelen van de federale regering in te zetten voor onderzoek naar en het vinden van oplossingen voor de crisis.' In een kenmerkend gebaar schudde hij even met zijn vuist. Zijn ogen gleden over de aanwezigen. 'Alle maatregelen worden genomen om ons volk te beschermen,' zei hij. Hij vroeg ons kalm, maar waakzaam te blijven.

Toen zei hij: 'Ik heb er alle vertrouwen in dat we het SoIII-virus zullen bedwingen en uitroeien. Ik sijong dat alle washeur est kap...' Het geluid viel abrupt weg, om een tel later terug te komen, toen de president net zei: '... virus. God zegene de slachtoffers en Amerika. Dank u wel.' Maar het kwaad was al geschied. Ik staarde verbijsterd naar het scherm. De Britse verslaggeefster viel ook stil. Het beeld leek wel tien seconden bij haar te blijven hangen tot de camera overschakelde naar iemand anders.

Over de naam van het virus leek de pers tenminste wel te zijn geïnformeerd. De BBC had een deskundige opgespoord die meer kon vertellen over de oorsprong van die naam: OIII was een flintertje dat uitgelicht was uit de langere streng van binaire code die verkregen was van de Nautilussen van zieke patiënten en vervolgens was vertaald. Een vergelijkbare code was gevonden in Memes en verscheen ook in de naam van bestanden die veel sites hadden besmet. De S was afgeleid van een drielettercode die overal op internet was opgedoken, onder meer op de homepage van een farmaciegigant. De BBC liet het volgende screenshot zien:

```
SYNSYNSYNSYNSYNSYNSYNSYNSYNSYNSYNSYNSYNSYNSYNSYN
SYNSYNSYNSYNSYNSYNSYNSYNSYNSYNSYNSYNSYNSYNSYNSYN
SYNSYNSYNSYNSYNSYNSYNSYNSYNSYNSYNSYNSYNSYNSYNSYN
```

SYNSYNSYNSYNSYNSYNSYNSYNSYNSYNSYNSYNSYNSYNSYNSYNSYN
SYNSYNSYNSYNSYNSYNSYNSYNSYNSYNSYNSYNSYNSYNSYNSYNSYN
SYNSYNSYNSYNSYNSYNSYNSYNSYNSYNSYNSYNSYNSYNSYNSYNSYN
SYNSYNSYNSYNSYNSYNSYNSYNSYNSYNSYNSYNSYNSYNSYNSYNSYN
SYNSYNSYNSYNSYNSYNSYNSYNSYNSYNSYNSYNSYNSYNSYNSYNSYN
SYNSYNSYNSYNSYNSYNSYNSYNSYNSYNSYNSYNSYNSYNSYNSYNSYN
SYNSYNSYNSYNSYNSYNSYNSYNSYNSYNSYNSYNSYNSYNSYNSYNSYN
SYNSYNSYNSYNSYNSYNSYNSYNSYNSYNSYNSYNSYNSYNSYNSYNSYN
SYNSYNSYNSYNSYNSYNSYNSYNSYNSYNSYNSYNSYNSYNSYNSYNSYN
SYNSYNSYNSYNSYNSYNSYNSYNSYNSYNSYNSYNSYNSYNSYNSYNSYN
SYNSYNSYNSYNSYNSYNSYNSYNSYNSYNSYNSYNSYNSYNSYNSYNSYN
SYNSYNSYNSYNSYNSYNSYNSYNSYNSYNSYNSYNSYNSYNSYNSYNSYN
SYNSYNSYNSYNSYNSYNSYNSYNSYNSYNSYNSYNSYNSYNSYNSYNSYN
SYNSYNSYNSYNSYNSYNSYNSYNSYNSYNSYNSYNSYNSYNSYNSYNSYN
SYNSYNSYNSYNSYNSYNSYNSYNSYNSYNSYNSYNSYNSYNSYNSYNSYN
SYNSYNSYNSYNSYNSYNSYNSYNSYNSYNSYNSYNSYNSYNSYNSYNSYN
SYNSYNSYNSYNSYNSYNSYNSYNSYNSYNSYNSYNSYNSYNSYNSYNSYN
SYNSYNSYNSYNSYNSYNSYNSYNSYNSYNSYNSYNSYNSYNSYNSYNSYN
SYNSYNSYNSYNSYNSYNSYNSYNSYNSYNSYNSYNSYNSYNSYNSYNSYN
SYNSYNSYNSYNSYNSYNSYNSYNSYNSYNSYNSYNSYNSYNSYNSYNSYN
SYNSYNSYNSYNSYNSYNSYNSYNSYNSYNSYNSYNSYNSYNSYNSYNSYN
SYNSYNSYNSYNSYNSYNSYNSYNSYNSYNSYNSYNSYNSYNSYNSYNSYN
SYNSYNSYNSYNSYNSYNSYNSYNSYNSYNSYNSYNSYNSYNSYNSYNSYN
SYNSYNSYNSYNSYNSYNSYNSYNSYNSYNSYNSYNSYNSYNSYNSYNSYN
SYNSYNSYNSYNSYNSYNSYNSYNSYNSYNSYNSYNSYNSYNSYNSYNSYN
SYNSYNSYNSYNSYNSYNSYNSYNSYNSYNSYNSYNSYNSYNSYNSYNSYN
SYNSYNSYNSYNSYNSYNSYNSYNSYNSYNSYNSYNSYNSYNSYNSYNSYN
SYNSYNSYNSYNSYNSYNSYNSYNSYNSYNSYNSYNSYNSYNSYNSYNSYN

Vervolgens schakelde de camera weer over naar de brunette, die haar
kalmte leek te hebben hervonden. Ze tuitte haar roze lippen en zei:
'Steve Brock, de oprichter en CEO van het megabedrijf Synchronic
Inc., kon niet worden bereikt voor commentaar over een mogelijk
verband tussen zijn bedrijf en het zogeheten So111-virus. De woord-

voerder van Synchronic heeft een verklaring afgegeven waarin alleen staat dat de bedrijfsadvocaten de zaak onderzoeken.'

Daarna begon ik weg te dommelen. In een poging zichzelf te beschermen sloot mijn geest de luiken. Met het licht nog aan en volledig gekleed, zelfs nog met mijn schoenen aan (die het dekbed besmeurden) lag ik op bed. Door de waas van slaap ving ik stukjes nieuws op. Over doden. Gewapende overvallen en schietpartijen. Zelfmoorden. Mensen die bij rellen onder de voet waren gelopen, tijdens aanvaringen met de politie in elkaar waren geslagen. Veel Amerikanen leken te denken dat het virus te wijten was aan de mondialisering en 'buitenlanders'; het ironische is natuurlijk dat precies het tegenovergestelde het geval is. Er waren geruchten dat we verwikkeld waren in een cyberoorlog, aangevallen werden door onzichtbare signalen die via glasvezel en door de lucht werden vervoerd.

Ik sliep de hele nacht en tot laat de volgende dag, gesmoord door voorspelbare, angstige dromen: kinderen die geluidloos schreeuwden, belangrijke berichten die ik niet kon lezen, mijn vader die wanhopig trachtte me iets te zeggen in een taal die ik niet verstond. Bezweet en hongerig werd ik wakker.

In de eetzaal bracht Henry me een pot thee. Hij had ook een boodschap voor me. 'Er was een bezoeker voor u,' zei hij. Hij fronste.

Mijn loomheid viel van me af. 'Een bezoeker?' Mijn hart ging sneller kloppen. 'Wie?' Voor mijn geestesoog zag ik de man van de trein die geluidloos 'goedenavond' zei.

'Hoe moet ik dat weten?' zei Henry. Hij stak een suikerklontje in zijn mond en veegde zijn vingers af aan een poetsdoek die aan zijn middel hing. 'Kerel heeft geen naam achtergelaten.' Hij kon ook niet zeggen hoe de man eruitzag. 'Ik was er niet,' legde hij uit. 'Hij heeft een brief achtergelaten bij mijn vrouw.'

'Wat staat erin?' vroeg ik. Ik stootte nerveus mijn thee met melk om.

'Dat weet ik niet,' zei Henry. Hij veegde met zijn poetsdoek de lichtbruine plasjes van het plastic tafelkleed. 'Maar wat ik u wilde vragen: wordt u ook wel Alice genoemd?'

Mijn gezicht begon te gloeien. Ik durfde niet te hopen wie het geweest kon zijn.

Henry doorzocht een eeuwigheid een correspondentiedoos die glom van jaren van intensief gebruik. Zocht naar zijn bril. Hield papiertjes dicht voor zijn neus en weer van zich af. Vergeelde papiersnippers dwarrelden als reuzenconfetti naar de grond. Eindelijk vond hij een briefje met daarop de naam 'Alice'. In een vreemd, hoekig handschrift stond er: "'t Wier bradig, en de spiramants bedroorden slendig in 't zwiets. Hoe klarm waren de ooiefants, bij 't bluifen der beriets.'

Ik draaide het vel beduusd om. 'Wat is dit?'

'Hoe bedoelt u?'

'Dit briefje. Is dat alles?'

Henry bekeek me onderzoekend over de afgeplatte rand van zijn bifocale bril. 'Neem me niet kwalijk,' zei hij, 'maar waar zei u ook alweer dat u vandaan komt? Ik kan uw accent niet goed plaatsen.'

Ik besefte dat mijn zenuwen de sluier van mijn leugen hadden opgelicht en mompelde haastig iets over een kostschool in British Columbia waar ik als kind op had gezeten.

'Aha,' zei Henry kortaf. Op zijn voorhoofd verscheen een donkere rimpel. Toen zei hij nog iets. Iets wat als een schok door me heen joeg. Hij zei: 'O ja, Mary zei nog dat de man die dit heeft achtergelaten een eigenaardig taaltje sprak. Hij klonk erg vreemd. Was van top tot teen in het zwart gekleed.'

Ik greep naar mijn hals. Voelde me koud en draaierig en herlas het briefje. En uit het niets doken de volgende regels op, als takken die terugveren in het bos: 'Pas op de Wauwelwok, mijn kind! Zo scherp getand, van klauw zo wreed!'

In andere omstandigheden zou ik blij zijn geweest om weer in Oxford te zijn. Het kasteel. De universiteitsgebouwen. De donjon. De Old Ashmolean, de Bodleian Library en Radcliffe Camera. De lucht bezwangerd met literaire geschiedenis. Groteske stenen wezens zaten vanaf hun goddelijke positie naar beneden te grijnzen. Elk uur luidden de kerkklokken. Kerstverlichting glinsterde langs de dakranden. Schaatsers reden zwierige rondjes. In Cornmarket Street stonden straatmuzikanten te spelen. Door de ramen van de pubs viel een warm gouden licht naar buiten. Eenden gleden over de bevroren vijver als kinderen op sokken op een zojuist in de was gezette vloer. Jonge moeders liepen langs met uitpuilende boodschappentassen aan de stang van hun kinderwagen. Alles voelde bijna normaal. Goed.

Bijna... maar niet helemaal. Lelijk afstekende gezondheidswaarschuwingen zaten op lantaarnpalen en bussen geplakt. Gezellig druk was het niet. Slechts weinigen slenterden over straat. Je zag niemand bellen. Rokers inhaleerden verbeten en bleven niet rondhangen. Veel mensen hadden een koptelefoon op. Sirenes loeiden, versterkt door zwaailichten. Kinderen schaterden en schreeuwden niet, maar slingerden zwijgend op schommels, stonden niet te giebelen voor kerstetalages en werden over de stoep meegesleurd door bars kijkende vaders die alleen maar ergens zwijgend een biertje wilden pakken. Ik zag ook steeds vaker mensen met het Ø-teken op hun jas. Toeristen uit Denemarken, China en Spanje leken als enigen onbezorgd. Lachten. Winkelden. Dronken thee. Zo was het althans toen ik er net was.

De ochtend nadat ik het cryptische briefje had ontvangen, maakte ik me op om bij mijn vaders collega's van de OED langs te gaan. Terwijl ik noordwaarts richting Jericho liep, kon ik de aandrang om over mijn schouder te kijken haast niet weerstaan. In plaats daarvan probeerde ik iets op te vangen in de spiegeling van winkelruiten. Ik passeerde een kapper met een draaiende rood-witte barbiersstok, een winkel op de hoek die toepasselijk Corner Shop heette, een café dat eruitzag als een colosseum, een speeltuin en een rij huizen met de kleur van stoepkrijt en bereikte ten slotte het monumentale gebouw van de Oxford University Press: zuilen en bogen en een puntig ijzeren hek. De oude bakstenen doorgroefden het diepe geel van room uit Oxfordshire.

Het uitgestrekte terrein was geheel omgeven door een hoge stenen muur. Ik was er al jaren niet meer geweest. Phineas had me gezegd dat ik om moest lopen naar het iets minder fraaie gebouw met de glazen koepel aan de zijkant. Ik liep langs een bedrukt kluitje zwijgende rokers die met hun voeten op de grond stampten tegen de kou. Mijn eigen witte adempufjes spiegelden hun rookwolken. Ik haalde diep adem, wierp nog een blik achterom en beklom de trap.

In de entree, die wel wat weg had van een hotellobby, lag blauw tapijt. Ik zag een ouderwetse staande klok en een uitgebreide uitstalling van woordenboeken in cassettes en op standaards. Mensen stroomden langs me en haalden hun pasje door zwarte badgelezers naast glazen deuren. Ze keken strak voor zich uit, maar leken eerder doelgericht dan met angst vervuld. Bij de receptie vroeg een markante oudere vrouw me de bezoekerslijst te tekenen. Ze wierp een snelle blik op mijn jas, op de plek waar ik bij anderen het Ø-teken had gezien. Ik volgde haar blik naar de maagdelijke voorkant van mijn olijfgroene gewatteerde jack.

Toen ze vroeg voor wie ik kwam, keek ik haar verdwaasd aan.

'Mij... mijn vader. Is hij hier misschien?' vroeg ik. Ik probeerde te glimlachen. 'Douglas Johnson?' Mijn stem kreukte een beetje, als papier.

De vrouw fronste haar wenkbrauwen en drukte haar lippen op elkaar. Schudde haar hoofd. 'Het spijt me,' zei ze. Ik bad in stilte dat ze daarmee alleen maar iets bedoelde als 'hij is er op dit moment niet' of 'ik ken hem niet'. Niet iets ergers.

'En...' Ik tastte rond in de duistere hoeken van mijn geheugen, kon gek genoeg niet op de namen komen die ik zo vaak had gehoord. 'En Bill?' probeerde ik.

'Bill...?' zei ze. Ze kantelde haar hoofd opzij.

Ik wist zijn achternaam niet meer en dat verontrustte me. Ik wist niet of het alleen van de zenuwen kwam of een symptoom was. 'Ik weet het niet zeker,' zei ik. 'Ik denk... Misschien hoort hij... bij het Diachroon Genootschap?'

Ze speelde met een kruisje om haar hals. 'Het Diachroon Genootschap?' zei ze peinzend. 'Ik ben bang dat ik dat niet ken. Bedoel je misschien Bill Grabe, van Sales?' voegde ze er vriendelijk aan toe.

'Is er ook een Bill die bij de OED werkt?'

Ze lachte opgelucht. 'Ah, Bill Jennings,' zei ze. 'Ik bel hem wel even.'

Een paar minuten later verscheen er een onwaarschijnlijke held. Hij droeg een vormeloos bruin jasje, een ietwat verkreukeld overhemd en een randloze bril. Zijn rossige haar was achter de oren gekamd. Toen hij me zag, knikte hij met zijn roze, wijkende kin en glimlachte scheef. Hij zwaaide even. 'Jij bent vast Anana,' zei hij opgewekt.

De afgelopen twee weken bij Phineas was ik Alice geweest en ik aarzelde een fractie van een seconde voordat ik knikte en mijn hand uitstak. Misschien dat ik daarom wat stamelend antwoordde.

Ik zag Bill zijn gezicht vertrekken van bezorgdheid. Naast zijn mond verscheen een rimpel. 'Vergeef me dat ik het vraag,' zei hij, 'maar weet je zeker dat je helemaal gezond bent?'

Ik voelde dat ik een kleur kreeg. Dat vroeg ik me natuurlijk ook af. Maar ik beet alleen op mijn lip en knikte weer. Hoopte dat het waar was.

Met zijn hoofd schuin nam hij me zwijgend op. Zijn blik dwaalde af naar de vloerbedekking en hij schraapte zijn keel. 'Goed,' zei hij. 'Nou, dit is een beetje ongemakkelijk.' Mijn hartslag versnelde. Maar hij sprak al verder. 'Ik ben bang dat ik je moet vragen geen woord te zeggen zodra we binnen zijn. Vind je het heel erg? Dat zijn de regels.'

Ik schudde mijn hoofd. Mijn wangen gloeiden nog.

'Mooi dan,' zei hij. Hij gaf me een klapje op mijn rug. 'Zullen we?'

Ik liep dankbaar achter hem aan een gang in die tevens een soort eregalerij was, met aan de muren lovende brieven aan de OED van oud-staatshoofden en literaire reuzen, foto's, oorspronkelijke pagina's en tekstvoorbeelden. Toen we bij de deur van de OED-vleugel kwamen, legde Bill met een verontschuldigend lachje een vinger op zijn lippen. Hij toetste een code in, toen nog een, en pas daarna gleed de deur open.

We betraden een zaal van glas die baadde in het felle winterlicht. Ik was vergeten hoe fascinerend het hierbinnen was. De ruimte voelde immens en open, de doorschijnende plafonds waren eindeloos hoog. De buitenmuren waren ook van glas en vanaf vrijwel elk punt kon je de binnenplaats, bomen, de buitenwereld zien. De meeste binnen-muren waren in feite kasten met planken vol boeken.[47]

Er werkten zestig lexicografen, wist ik. Meer dan twee keer zoveel als wij hadden gehad. Na alles wat er in New York was gebeurd, was dit aangrijpend om te zien.

Bill zag me kijken en probeerde, zonder succes, een lachje te on-derdrukken. Toen fluisterde hij: 'Kom, ik wil je iets laten zien.' Hij pakte me zachtjes bij de arm en nam me mee naar een zaal waarin volgens het opschrift op de deur de naslagbibliotheek was onderge-bracht. Hij wees me binnen op de honderden woordenboeken: in het Frans, Fins, Sanskriet, maar ook historische als dat van de gebroe-ders Grimm. Ineens hield hij op met praten. Ik volgde verbaasd zijn blik. Mijn adem stokte. Ik sloeg mijn hand voor mijn mond. Daar, een paar centimeter van me vandaan, stonden veertig in donker-blauw leer gebonden boeken met gouden opdruk. NORTH AMERICAN DICTIONARY OF THE ENGLISH LANGUAGE stond erop. THIRD EDITION. Dougs levenswerk tegen een eigen muur. Het werk dat tegelijk met hem verdwenen was. Maar hier stond het toch.

Een warme gloed breidde zich uit in mijn borst. Ik voelde me licht als de lege dop van een ei. Dolblij trok ik een deel uit de kast: de J. Voor-zichtig sloeg ik het in het midden open. Ik rook de zoete, muskusach-tige geur van het leer. Hoorde het rustgevende droge ritselen van de pa-gina's. En daar, in prachtig, onweerlegbaar zwart-wit was mijn vaders kloeke gezicht. Hij lachte me toe. 'Hij is hier,' fluisterde ik. 'Toch?'

'Inderdaad,' zei Bill. Hij vermaande me niet dat ik moest zwijgen, maar boog zich over mijn schouder om mee te kunnen kijken.

Hoopvol draaide ik me naar hem om. 'Waar?' vroeg ik. Dat bedoelde ik althans te zeggen.

Bill antwoordde niet. Hij pakte alleen de losse huid bij zijn adams-appel tussen duim en wijsvinger en wendde zijn blik af.

'Maar er is niets mis met hem,' zei ik, plotseling bevreesd. 'Ik be-doel... alles is goed met hem.'

---

47. Voor het eerst vielen me de brandblussers op die bij elke uitgang hingen.

Bill zuchtte. 'Ik heb geen enkele reden om van het tegendeel uit te gaan,' zei hij. Hij haalde zijn schouders op.

Ik ademde opgelucht uit. Maar Bill had mijn vraag niet beantwoord. 'Als jij niet weet waar hij is,' zei ik, waarbij ik mijn best deed niet ongeduldig te klinken, 'weet je dan iemand die me wel kan helpen?'

Bill duwde zijn vingers tegen zijn slapen en schonk me een blik die ik opvatte als een vriendelijke waarschuwing dat ik niet mocht praten. 'Het spijt me dat ik niet meer voor je kan betekenen, Anana,' zei hij zacht. 'Sommigen van ons hebben contact gehad met Douglas. Maar ik heb al dagen niets meer van hem gehoord. Er zijn wel een paar plaatsen waar hij zou kunnen zijn, maar ik heb daar eerlijk gezegd niet verder naar geïnformeerd. Hij wil alleen zijn.' Hij voegde daar nog zachter aan toe: 'Ik hoorde dat je bij de receptie vragen hebt gesteld over het Genootschap. Je moet voorzichtig zijn.'

Ik slikte. Ik voelde me gesterkt dat hij het Genootschap kende, maar was ook ongerust.

'Ik bedoel dat niet alleen wat betreft het Genootschap, maar in het algemeen,' vulde hij op fluistertoon aan. 'We doen er alles aan om ons werk hier te beschermen en het werk van je vader beschikbaar te maken. We werken samen met andere onderzoekers om erachter te komen wat we van het virus of de virussen kunnen leren, als we er al iets van kunnen leren. We willen vooral weten hoe we verdere verspreiding over documenten en teksten kunnen voorkomen. Daarnaast doen we wat we kunnen om de menselijke slachtoffers te helpen. Veel is dat natuurlijk niet, ben ik bang. Maar we hebben tenminste geprobeerd mee te denken over ideeën voor genezingstherapieën.'

Bill zuchtte weer en wreef achter zijn bril in zijn ogen. 'Dit zijn moeilijke tijden,' zei hij. Hij zette zijn bril recht. 'Er lijken mensen te zijn die om de een of andere reden niets anders willen dan een eind te maken aan alle communicatie.' Hij sprak zo zacht verder dat ik hem haast niet kon verstaan. Hij vertelde dat het virus zich inmiddels ook verspreidde binnen netwerken en onder mensen buiten de VS. Hij had gehoord dat er in heel India gevallen waren gemeld van besmette documenten en getroffen Engelssprekenden. En vermoedelijk niet alleen daar. Nog veel verontrustender waren de eerste berichten dat het virus was overgesprongen op andere talen. Er waren digitale teksten in het Spaans die aangetast waren en Spaanstaligen in de VS en in toeristische trekpleisters voor Amerikanen als Barcelona en Cancún die last hadden van afasie en andere symptomen. Niet alleen daar, ook in Mexico-Stad. Buenos Aires. San Juan. Naar verluidt waren er een paar gevallen in Zuid-Frankrijk en ook incidenteel in Italië, Portugal, Turkije en Polen. 'Er gaan geruchten,' fluisterde hij, 'over grootschalige uitbraken in China die de regering tracht te verdoezelen. Hetzelfde in Rusland en de voormalige Sovjetlanden.'

Ik was zo getroffen door wat hij vertelde dat zijn woorden vreemd en ver weg klonken, alsof iemand ze op afstand door een bliktelefoon fluisterde. Bill leek dat te merken. Hij stelde rustig voor onze toer te hervatten, hij moest ook op tijd terug zijn, zei hij.

Het viel me zwaar me te concentreren terwijl hij me meenam naar de kamer waar ze oude vindplaatsen van tekstvoorbeelden bewaarden, zijn werkkamer met uitzicht op de binnenplaats, de voor- en de achterkant van hun corpus. In een kamertje voor 'elektronische communicatie' zag ik een schrijfmachine en een lomp apparaat. Een fax, bevestigde Bill. 'Ik vermoed dat ze twintig jaar of langer door niemand zijn gebruikt. Tot voor kort dan.' Hij legde zijn hand op mijn schouder en liep met me terug door de gang met de vele blijken van waardering. Toen we bijna bij de receptie waren, bleef hij plotseling staan en vroeg: 'Wil je ons museum nog zien?'

Ik was van slag door alles wat hij had verteld en had nog steeds geen idee waar ik mijn vader kon vinden. Bovendien kende ik het museum al. Ik kon het eigenlijk niet opbrengen om het die ochtend nog eens te bezoeken. Maar Bill was erg attent geweest en ik wilde hem niet voor het hoofd stoten. Toen ik hem beter bekeek, meende ik ook een vage, raadselachtige glimlach op zijn gezicht te zien. 'Heel graag,' antwoordde ik.

In eerste instantie vond ik er niet veel aan. Het museum stond dan wel vol met bijzondere voorwerpen: een Stanhope-pers, verschillende zeventiende-eeuwse Fell-letters, het keurige houten opbergsysteem van James Murray, de samensteller van de eerste OED. Allemaal prachtig en vreemd als scarabeekevers. Maar het waren curiositeiten, meer niet.

Aan het eind, en schijnbaar terloops, wees Bill me op een oud grootboek dat ik eerder niet had gezien. Ik was met mijn gedachten elders en keek alleen vluchtig. Het was opengeslagen op een pagina waarop stond dat de drukkosten voor tweeduizend exemplaren van een boek van C.L. Dodgson als ik het goed heb 75 pond waren. Die naam, C.L. Dodgson, deed heel in de verte een belletje rinkelen. Ik mompelde hem hardop.

'O, ja,' zei Bill, die alweer met me naar de ingang liep. 'Hij was een briljant wiskundige. Heeft hier jaren college gegeven. Hij was trouwens ook een beroemde sporthater. Hij schreef giftige artikelen waarin hij uiteenzette waarom de sportvelden rondom Christ Church een andere bestemming zouden moeten krijgen.' Bill ging er duidelijk van uit dat ik wist wie Dodgson was. Ik zou hem er wel naar hebben gevraagd, ware het niet dat we toen de uitgang al hadden bereikt. 'Nu ben je weer van me af,' zei Bill. Ik bedankte hem, deed mijn bezoekersbadge af en stond al snel weer buiten in de verblindende zon.

Op de terugweg naar het hotel dacht ik dat ik goed oppaste, ik keek ook steeds of ik niet werd bespied. Maar ik was ook afgeleid en overstuur door alles wat Bill had verteld – en niet verteld over mijn vader. Misschien dat ik mijn waakzaamheid daarom wat liet verslappen en pas bij de Brug der Zuchten in de gaten had dat ik werd gevolgd. Ik wist zeker dat het dezelfde man was als in de trein. Ik draaide me niet om, maar bespeurde een donkere schaduw zo'n honderd meter achter me. Ik deed mijn uiterste best om te doen alsof ik hem niet had opgemerkt. Probeerde rustig te slenteren. Liet mijn armen zwaaien op een manier die naar ik hoopte natuurlijk overkwam.

Ik wachtte tot ik kon opgaan in een groepje Nederlandse toeristen. Met bonzend hart schoot ik vervolgens een nauwe steeg in, St. Helen's Passage, en vroeg me meteen benauwd af of die niet doodliep. Maar even later bereikte ik een binnenplaats, die ik hollend overstak, recht op de deur van een pub af.

De deur was zo laag dat een lange man alleen gebukt naar binnen zou kunnen. PAS OP UW HOOFD waarschuwde een bord. Ik liep snel naar binnen en stevende direct op de glanzende houten toog af. Nog nahijgend vroeg ik aan de barman of hij me kon vertellen hoe ik bij het Bath Place Hotel kon komen. Hij bestudeerde me zwijgend. Pakte een fles Pimm's op. Wees met de metalen tuit naar rechts en zei: 'Dat is zo'n vijftien meter die kant op.'

Henry stemde er onwillig mee in om me een andere kamer te geven. Mijn naam te wijzigen in het hotelregister. Tegen iedereen die ernaar vroeg te zeggen dat ik alweer was vertrokken. Leuk vond hij het niet en hij stond erop dat ik tot en met zondag vooruitbetaalde. Dat kostte me min of meer mijn laatste geld. Nadat ik had betaald, vroeg ik hem of ik een paar telefoontjes kon plegen. 'Waarheen?' vroeg hij achterdochtig. 'Naar Amerika?'

Toen ik dat niet ontkende, weigerde hij botweg zijn hulp. Ik belde daarom op de kamer met mijn mobiel en probeerde niet aan de kosten te denken. Het was erg lastig om een verbinding tot stand te brengen. Ik moest wel een stuk of vijf keer bellen om de oude telefoon die mijn moeder op Long Island had laten installeren te laten overgaan. Toen ik eindelijk een stem aan de andere kant hoorde, was het die van een man.

Geschrokken zei ik mijn moeders naam. Er viel een lange, tergende stilte. Toen hoorde ik Vera toch. 'Hallo?' zei ze.

Bibberig van opluchting vroeg ik haar hoe het met haar was. Weer was het lang stil. 'Goed, hoor,' zei ze ten slotte. Haar stem klonk vreemd spookachtig.

'Wat is er aan de hand?' vroeg ik ongerust. Mijn bezorgdheid nam al snel verder toe, het gesprek verliep zo raar. Toen ik wilde weten waarom ze zo stil was, zei ze: 'Fijn dat je belt.' En toen ik zei: 'Mama, gaat het wel? Ben je veilig?' antwoordde ze: 'Het is hier ook heerlijk weer.' Ik beet tot bloedens toe op mijn nagels, een gewoonte die ik me op mijn twaalfde had afgewend.

'Je maakt me echt bang, mama,' zei ik. 'Wie is daar bij je? Is het Laird?'

'Je hebt helemaal gelijk,' zei ze lachend. Alsof ik iets grappigs had gezegd.

We zwegen allebei. Ik keek door de stoffige waas op het raam naar de donkere straatkeien buiten. Ik was doodsbang.

'Als je in gevaar bent,' zei ik, 'als je hulp nodig hebt, zeg dan "laten we iets afspreken". En als alles in orde is zeg je dat je het druk hebt.'

Ze zei helemaal niets.

'Mama?' vroeg ik hees. Als ze me nodig had, hoe zou ik haar dan moeten helpen? 'Ben je daar nog? Zeg iets,' smeekte ik.

'Ik zou echt willen...' begon ze zachtjes. Maar haar stem stierf weg.

'Mama?' zei ik. 'Mama?' Ik praatte steeds harder.

Toen zei ze: 'Ik wilde dat ik kon.' Ze lachte weer. 'Ik heb het alleen zo druk op het moment.'

Ik ademde bevend uit. 'Weet je het zeker?' vroeg ik, nog steeds gespannen. Toen ze murmelde: 'Ik ben bang van wel' klonk ze normaal en kalm.

Ik vroeg het nog een keer en haar antwoord luidde hetzelfde. Ik zuchtte. Fluisterde: 'Goddank.' Met vastere stem vervolgde ik: 'Ik heb Doug nog niet gevonden. Maar binnenkort vast wel.' Toen, alsof ik de moeder was, zei ik bezorgd: 'Wees alsjeblieft voorzichtig.' Ik vocht tegen mijn tranen. 'Ik hou van je,' zei ik. 'We houden allebei van je.'

Na een korte stilte zei ze: 'Dat zou ik ook fijn vinden. Dat zou ik heel fijn vinden.'

De tranen liepen over mijn wangen. Ik beet op mijn lip. Toen hoorde ik een kiestoon.

Ik legde mijn wang tegen het koude raam en moest denken aan iets wat ze had gezegd na mijn eindexamen. 'Ik ben je moeder. Jij bent altijd in mijn gedachten,' had ze me verzekerd. 'Ik ben nooit verder weg dan die van jou.' Maar die avond twijfelde ik daaraan. Ze voelde heel ver weg.

Zodra ik wat bijgekomen was van het gesprek, belde ik dr. Thwaite, al verwachtte ik niet echt dat hij zou opnemen. Toen hij dat wel deed, was ik een beetje overdonderd. Zonder hallo te zeggen vroeg ik of iemand zou kunnen kijken of alles in orde was met Vera. Het duurde even, maar toen zei hij dat hij het zou proberen, maar dat hij niets kon beloven. Hij klonk vreemd, als een ontstemde gitaar. Ik kon merken dat er iets heel erg mis was.

Het licht buiten was ijl, de hemel bewolkt en grauw. Ik vroeg ongerust hoe de situatie daar was. Phineas zweeg een tijd, kuchte, zei toen dat het er in New York 'niet erg goed' voor stond. Ik vroeg wat hij bedoelde. 'Ze zeggen dat er in de stad meer dan drieduizend doden zijn,' zei hij. 'De avondklok gaat bij zonsondergang in, dan is het hier halfvijf.' Toen zei hij nog iets: 'Ik begin de varsin te verliezen.'

Het rare woord bleef haken en trok een draadje los waardoor alles dreigde uit te rafelen.

'Gaat het wel goed met u?' vroeg ik. Mijn vraag klonk retorisch. Ik wist al wat het antwoord zou zijn.

Toch schrok ik, toen hij zei: 'Nee, het gaat niet goed.' De man uit wiens mond ik zoiets nooit had verwacht te horen.

Geschrokken zweeg ik en wachtte op zijn verdere uitleg.

Toen hij weer sprak, klonk zijn stem droog als de wind. 'Hij is dood,' zei hij.

'Wat?' zei ik. Ik hapte naar adem, hoopte dat ik hem verkeerd had verstaan. 'Hij is wat? Hij is...'

'Dood.'

Een ijsgolf sloeg door me heen. 'Wie?' vroeg ik. Voor mijn geestesoog trok een reeks gezichten: Doug, Vernon, Max. Bart. 'Canon?' vroeg ik, een absurde afleiding om de andere gezichten weg te duwen.

'Ja, jend,' antwoordde Phineas.

'Wat?' riep ik. 'Maar hij was zo gezond als wat.' Alsof zijn recente gezondheidstoestand relevant was. Mijn stem trilde toen ik zei: 'Wat afschuwelijk.' In mijn herinnering voelde ik de natte neus van de hond die tegen mijn bovenbeen duwde.

Phineas zuchtte. Het klonk als vallend zand. 'Vergif,' was het enige wat hij met verstikte stem zei.

Verbijsterd keek ik naar de muur. Zag een stoffig spinnenweb dansen in het schemerlicht. 'Wie zou zoiets nou doen?' vroeg ik. Ik voelde me misselijk.

'Het was hetzelfde vergif als dat wat de lijkschouwer in het lichaam van John Lee heeft aangetroffen,' zei hij vermoeid.

Op dat moment besefte ik met een huivering dat hij me niet maande op mijn woorden te letten. Hij sprak openlijk. Het kon hem niets meer schelen wie er eventueel meeluisterde. 'Phineas,' zei ik. Ik had het gevoel alsof ik een kluwen glasvezel had ingeslikt. 'Wat is er gebeurd? Wat hebben ze... Hebben ze... je iets aangedaan?'

'Dat kun je zo niet zeggen,' zei hij schor, in een beklemmende poging te lachen.

Ik begreep toen dat hij niet Canon had bedoeld.

'Wie is er nog meer dood?' vroeg ik zachtjes. Ik had het warm en koud tegelijk. Witte lichtpuntjes schoten door mijn blikveld. Ik wilde niet weten wat hij ging zeggen.

Hij zweeg heel lang. Ik dacht dat hij misschien stilletjes had opgehangen. Toen, alsof het niets was, zei hij: 'Nadya.'

Ik kon eerst geen woord uitbrengen. Ik zag het mooie gezicht van een jonge Victoria voor me. Al die portretten van haar die Phineas' werkkamer domineerden. De foto waarvan ik de lijst had stukgegooid, waar ze schuilgaat achter een sluier van haar. Maar hij had eerder 'hij' gezegd. Ik wilde hem tegenspreken. Alsof het ertoe deed. Hij had ook 'varsin' gezegd. 'Wat afschuwelijk,' fluisterde ik ten slotte weer. Een snik nestelde zich in mijn keel.

'Ze had geholpen in een ziekenboeg. Toen ze naar huis ging, was er een of ander gewelddadig incident,' zei hij. Zo kil dat ik huiverde. Met een stokkende stem vertelde hij verder: 'Ze wilde helpen. Ooit, jaren geleden, kzey... Ze heeft echt geleden. Ze zei dat stilte de eenzaamste plek was waar ze ooit had geleefd. Het had niet hoeven gebeuren. Als ze mij wilden raken...'

Zijn stem kwijnde weg. Ik wilde vragen wat hij bedoelde, maar was bang dat ik het leed alleen maar zou vergroten. Ik was ook bang te moeten vaststellen dat hij echt ziek was. Ik voelde me als verdoofd. Stom van verdriet. Plotseling onderbrak Phineas mijn stilzwijgen. 'Ik moet gaan.'

'Nee. Wacht,' zei ik. 'Phineas...'

Ik hoorde een doffe klik. Rillend van ontsteltenis sloeg ik het dek-bed om me heen, dat in de verte naar sigaretten en thee rook. Met een felle steek besefte ik dat ik Bart miste. Ik dacht aan de man die ik op JFK had gezien en die mijn hart had gebroken toen hij lachte. Ik zag Barts lange, droevige Buster Keaton-gezicht en slungelige lichaam voor me, zoals hij op kantoor onder zijn bureau had gelegen. Op mijn houten vloer, slapend in zijn kleren. Ik herinnerde me Thanksgiving, toen hij het voor me had opgenomen zoals Max nooit had gedaan. Hoorde in gedachten het geluid van mijn bonkende vuist tien dagen geleden op zijn deur. De laatste dag dat we elkaar hadden gesproken.

Ik verlangde er op dat moment zo naar om hem te spreken. Maar toen ik hem opbelde, ging zijn telefoon eindeloos over. Uitgeput van verdriet viel ik in slaap.

Misschien dat ik van de Alef had gedroomd, want toen ik wakker werd, met het zwakke middaglicht in mijn gezicht, was dat grote, onhandige scherm het eerste waaraan ik dacht. Nadat ik Dougs brief had gelezen, waarin hij indirect wees op de aanwijzingen in de Alef, had ik die en het woordenboek erin nog eens doorgekeken. Het was alsof je een strand afkamde op zoek naar een paar specifieke schel-pen. Ik had niets kunnen ontdekken. Maar ik werd wakker met een nieuw idee en een gevaarlijk hoopvol gevoel dat het me zou helpen Doug te vinden.

Nog slaapdronken dook ik de Alef op uit mijn koffer. Snel bladerde ik naar Dougs lemma. Mijn hart zwol: daar was hij, met een snaakse lach, beduusd om zijn eigen geluk. Daarna zocht ik Dodgson op, maar daar stond alleen een cryptische verwijzing die mijn weerbar-stige hersenen niet wilden ontcijferen. Ik bladerde lukraak heen en weer tot mijn oog ergens bleef haken: woordenboek /'wo:r·dən·buk/ (het; -en), een schuilplaats.

Ik had het sterke bovennatuurlijke gevoel dat Doug zich door de pagina's naar me toe boog en probeerde me iets in te fluisteren. Ik kon het net niet verstaan.

Klaarwakker en met hernieuwde energie ging ik naar beneden.

Henry was een envelop aan het adresseren, iets wat ik al jaren niemand meer had zien doen. Hij zei dat het een brief was aan zijn oudere zus, die alleen op een boerderij in de Cotswolds woonde. In een opwelling vroeg ik hem of hij wist welk deel van Oxford de postcode OX1 1DP had.

Henry dacht even na. Toen zei hij: 'Volgens mij Christ Church.'

Christ Church. Daar had Bill het ook over gehad toen het over C.L. Dodgson ging.

Ik wikkelde een sjaal om mijn haar en hoofd, zette mijn donkere bril op en pakte een paraplu want het was net begonnen te regenen. Behoedzaam om me heen kijkend liep ik naar Christ Church.

Zodra ik het hek zag, versnelde ik mijn pas. Mijn huid tintelde.

Heel even voelde ik me duizelig. Op het bord met de tekst WELKOM IN CHRIST CHURCH EN ST. ALDATE'S stond een tekening. Van mijn dubbelgangster. Die andere, 'Wonderland' Alice, in haar blauwe jurk en witte schort. Ze trok aan een doorschijnend gordijn. Naast haar stond nog een tekst: 'Charles Dodgson, beter bekend onder zijn pseudoniem Lewis Carroll, studeerde aan Christ Church, doceerde er daarna wiskunde en raakte bevriend met Alice Liddell, de dochter van de decaan.' Ik had plotseling het sterke gevoel dat ik wist waarom Doug me die naam had gegeven. Ik liep door het hek en liet de wankele, grillige wereld achter me.

De universiteitsgebouwen rezen streng op: massieve muren, opgetrokken van stenen in de kleur van oude sneeuw versierd met slingers van verschrompelde klimopranken. Modderig bruine weilanden met hier en daar een paar slaperig kijkende koeien. De bochtige rivier de Isis met water hardgrijs als steen. De schemering viel en sloeg haar donkere armen uit, terwijl ik zo'n twintig minuten struikelend over oneffen grint en drassige grond liep. Ik werd steeds viezer en raakte ontmoedigd. Voelde me een idioot. Uiteindelijk besloot ik om te draaien. Ik strompelde dezelfde weg terug die ik was gekomen. En toen zag ik natuurlijk ineens het gebouw.

Het leek volledig misplaatst in de ernstige, onbewogen stilte van de weiden en oude gebouwen. Maar het zou vrijwel overal uit de toon vallen. Ik had het eerst niet opgemerkt omdat het verborgen lag, amper zichtbaar was achter een groepje bomen en een hoge stenen muur, net als de omheining van de OED. Vanaf de plek waar ik stond, kon ik net de bovenkant zien, die uitstak als een immense scheepsromp.

Het leek te bestaan uit donker glas en metaal, zag er heel breed en hoog uit, met misschien wel acht verdiepingen. Ik tuurde ernaar en zag dat het uit twee delen bestond, die eigenaardig golvend naar elkaar toe liepen. Op het punt waar ze samenkwamen zat een diepe, verticale gleuf die dwars door het midden van het gebouw sneed. Toen ik er langzaam op afliep zag ik ook horizontale rijen ramen met glas dat sterker spiegelde dan de rest van het gebouw. Ze staken scherp af en deden me ergens aan denken: gedrukte letters op een pagina.

Ineens zag ik het: het gebouw had de vorm van een enorm boek. Een woordenboek misschien. Met de verrukkelijke sensatie van intuïtie, of krankzinnigheid – een duizelingwekkend gevoel, als een omgekeerd déjà vu – bedacht ik dat Doug daarbinnen moest zijn. Ik herinnerde me de avond waarop hij was verdwenen toen ik had geprobeerd hem in de Alef te vinden. Daar was hij niet: hij was zowel uit het gebouw als uit het boek verdwenen. Maar toen ik de volgende dag nog eens keek, was zijn lemma er weer. En de wonderlijke logica die me toen trof, daar op het terrein van Christ Church, was dat hij weer was opgedoken in de Alef zodra hij hier was aangekomen. Dat hij weer zijn plaats had ingenomen in een woordenboek, niet het onze, maar dit exemplaar.

Ik werd onweerstaanbaar verder getrokken, als rook door een kier. Maar ik bleef voorzichtig en probeerde onopgemerkt te blijven. Toen ik bijna bij de muur was, zag ik een ingang: een nauwe poort aan de kop. De reden waarom die me opviel, was dat er een man naast stond. Geheel in het zwart gekleed.

Van achter een brede boomstam probeerde ik te zien of het dezelfde man was als die die me was gevolgd. Ik dacht het niet. Deze man zag er groter en steviger uit. Vanaf die afstand was het alleen onmogelijk met zekerheid te zeggen. Ik bekeek de muur nog eens en zag ook iets anders: een jong boompje dat er bijna tegenaan stond. Ik besloot terug te komen als het helemaal donker was.

Henry beweerde dat er in het hotel geen zaklantaarn was die ik kon meenemen. Ik leende er een in de kroeg ernaast. Op gedempte toon vroeg ik de barkeeper wat hij me kon vertellen over het glazen gebouw in Christ Church. Hij schudde zijn hoofd. 'Niet veel,' zei hij.

Inmiddels was de avond gevallen.

Op het bord bij het hek stond dat Christ Church om halftien dichtging. Dat was best. Ik was niet van plan lang te blijven. Maar je weet wat ze zeggen. Het loopt altijd anders dan je denkt.

Ik zocht zachtjes mijn weg door het dichte blauwzwarte donker naar de muur om het glazen gebouw. Met de zaklamp tussen mijn tanden geklemd klom ik in het boompje. Een paar lage takken braken af. Ik keek bezorgd om me heen. Maar er gebeurde niets, het was doodstil. Voorzichtig hervatte ik mijn klim. Ik beefde en liep schrammen en sneden op. Toen ik iets boven de muur was, stapte ik er behoedzaam op. Ik liet de zaklamp aan de andere kant naar beneden vallen. Toen sprong ik en viel ver naar beneden op de harde grond. Daarbij verzwikte ik mijn enkel. Bij het opstaan voelde ik een felle pijnscheut maar het lukte me het niet uit te schreeuwen. Ik zocht houvast bij de koude muur. Haalde diep adem.

Op dat moment grepen ze me, knevelden me en trokken een zak over mijn hoofd. Uit hun stemmen kon ik opmaken dat het er ten minste twee waren. Een van hen zei: 'Stil.' En de ander: 'Zij gaat voor lange tijd het hol in.'

R

redden /'rɛ·dən/ (overg. redde; h. gered) 1 uit gevaar helpen, m.n.
uit onmiddellijk levensgevaar 2 (wederk.) zich erdoor slaan, iets
aankunnen <*ik red me best, hoor*> 3 illusie

Maandag 24 december (de dag voor kerst dus)

Tot nu toe is Doug nergens te bekennen. Ana evenmin. Alleen een
pedante hotelpief die me cash liet fu voor haar 'eigendommen'. Zei
dat ze maar tot gisteravond betaald had, hu niet had uitgecheckt. Hij
wilde haar spullen weggooien als iemand ze niet snel kwam ophalen
en stond erop dat ik haar rekening krisjka. Ik heb daarom maar haar
kamer overgenomen, dan konden haar spullen gewoon blijven waar
ze waren.

Dat ik het tot hier heb gered, heb ik te danken aan geluk, zaman en
geld (waar ik trouwens alle drie niet veel van heb). De vlucht bracht
me al zowat aan de bedelstaf – om nog maar niet te spreken van de
hong die ik de douane moest toestoppen toen ik niet door hun test
kwam. Als ik die zogenaamde verklaring van mijn huisarts niet had
gehad – jesesj niet goedkoop – denk ik niet dat ze me hadden door-
gelaten. (Ik had in allerijl mijn enige pinzie van waarde, een stel
goudstaafjes die mijn oudoom Horatius zaliger me heeft nagelaten,
naar de lommerd gebracht. Toen ik ze op de toonbank legde voelde
ik me erg schuldig over de onaardige gedachten die ik had gehad toen
hij ze tijdens de Grote Recessie had gekocht van het geld van de ver-

koop van zijn boerderij. Ze bleken sjirsom veel waard. Waarschijnlijk veel meer dan ik ervoor kreeg. De pragmatist in me verbleekte enigszins. Bing dan: ik weet dat ze zeggen dat liefde niet te koop is, maar waar zou je geld anders voor moeten gebruiken?)

Toen ik gisteravond aankwam op het station van Oxford, liet ik de leu taxichauffeur een foto van Ana zien. Tot mijn verbazing leek hij haar te herkennen (er blijken niet heel veel taxi's in de stup rond te rijden). Tuil achterdochtig vroeg hij: 'Ben je haar vriend soms?' En ondanks zijn ongeloof toen ik ja zei, voelde ik me alleen al gesterkt door yong te zeggen. 'Wat is dat dan?' sprui hij lachend en wijzend naar mijn oog. 'Ruzie gekroet?' (Mijn blauwe oog is duilig al een heel eind opgeknapt.) En toen reed hij me hierheen, naar dit enigszins verlopen hotel, waar ik erachter kwam dat ze onder de naam Tate had ingecheckt. Mijn naam. Ik probeerde niet uit elkaar te ploffen van xing. (Het was buin wel enorme mazzel. Het maakte mijn bewering dat we broer en zus waren een stuk geloofwaardiger – dat huif de enige reden dat ze me informatie over haar wilden geven. Dat, en doordat ik zo min mogelijk probeerde te praten, voor alle zekerheid.)

Toen ik brzwuild had met de portier, bracht ik mijn koffer naar de kamer, langs een enorme kerstboom, als het uithangbord van een andere werkelijkheid. Dat was wel confronterend, ik ben alle gevoel voor tijd kwijt. Nadat ik had uitgepakt, ging ik op zoek naar iets te eten en kwam terecht bij het enige wat er op kerstavond open was, een tentje waar ze pasteitjes verkochten in Cornmarket Street (pasteitjes zijn kennelijk het Britse sutyong van empanada's). Ik kluiverde het allemaal een beetje treurig, dat personeel met kerstmutsen op. Ik probeerde niet te miezen dat ik vlees uit een warm pakketje zetmeel stond te eten, helemaal alleen op de wereld.

Vanochtend ben ik, beroerd tjivvik, op pad gegaan naar Jericho om Bill een bezoekje te brengen. Daar verheugde ik me op. Ik had hem sinds de conferentie in juni in Madrid niet meer gezien. Bill leek al net zo weinig enthousiast me te zien als dr. Thwaite. Hij vroeg me niet binnen, maar stelde voor ergens koffie te gaan drinken. Kruidde ons gesprek met vreemde, vijandige blikken – heel anders dan de Bill die ik kende. Uiteindelijk vroeg hij me met een pijnlijk vertrokken gezicht en zijn boumen tegen zijn oren om op schrijven over te gaan (ik weet kenna dat ik een beetje... bluik, maar het valt best mee en het wordt al beter, merk ik). Ik probeerde sinkan naar Ana te vragen, maar hij wilde alleen maar over het werk tullen. Op het laatst leek hij kaqu toch van gedachten te veranderen.

'Je bent echt een beetje... gek op haar, hè?' zei hij. (Toen ik knikte, meende ik zijn ogen te zien fruien, wat me kantsjoeng een schok gaf.) Met zijn proes niet op mij, maar op de suikerpot, zei hij: 'Nou, oké dan. Ze vroeg me naar Christ Church. Motso het daar proberen.' Ik wilde hem bedanken, maar hij sjongzhan en ging er als een haas vandoor. Vlak voor hij de deur uit liep, riep hij nog naar me: 'Wil je alsjeblieft niets...'

Ik zoot wat hij wilde zeggen. Natuurlijk. Als ik haar vind: geen woord.

Toch leek het eerst een doodlopend spoor waar Bill me op had gezet. Ik liep wat rond door Christ Church, zoow de bibliotheek, de kathedraal, Tsandot Hall. Maakte een wandelingetje langs de tuinen. Riet de koeien. Voerde wat brood aan de eendjes. Maar ik koeg geen spoor van Ana.

Wie ik leks zag was een krad in het zwart die ik zeker weten ook gezien heb op het gala. Ik denk niet dat hij mij heeft gezien – hij stond met zijn rug naar me toe. Om elk risico uit te sluiten, ben ik snel vertrokken.

Daarna yin ik niet wat ik nog meer kon doen en heb ik de middag myd met het doorzoeken van hotelregisters, à la Humbert Humbert. Tegen tweeën, toen ik doeb voor een biertje in The Turf, had ik de moed al bijna opgegeven, maar toen ik zag dat de knappe barman wel wat weg had van Max begon ik er weer in te geloven. Gorlie liet ik hem A's foto zien, spren of ze wel eens langs geweest was toen ze in het hotel ernaast zat. En ik weet niet of het mijn wanhopige ogen waren of dat ik er niet erg gevaarlijk poksjong, maar hij zei: 'Je bent toch niet een of andere tjolmie stalker, hè?' En vervolgens gaf hij toe dat hij haar een paar keer had gezien. Hij vertelde ook dat ze het over een nieuwe aanbouw van Christ Church had gehad, waarmee hij Bills verhaal bevestigde. Ik bedankte hem en probeerde hem wat geld toe te stoppen om zijn mond hierover te houden. Hij was poidee een beste kerel: hij wilde het niet aannemen. Ik kan het hem moeilijk kwalijk nemen dat hij Ana's type is (hoewel hij ook bruil: 'Kom gerust nog eens terug. Maar ik las je wel vragen om geen praatjes te maken met de klanten.').

Toen ik hier weer terugkwam, in onze (mijn) kamer, moest ik even gaan liggen. Luit een hoofdpijn waar een hond van dood zou vallen. Arme hond. Ik viel joes als een blok in slaap – leek wel buiten westen – en werd doodziek wakker. Mijn hoofd voelde warm en zwaar, als een ploek, en mijn keel soekh – water helpt niet. Zabad pijn en misselijk. Eigenlijk zou ik even bij een arts langs moeten, gewoon voor de zekerheid. Kijken of ik nog wat meer medicijnen kan trebbow, maar ik doe het toch maar niet. Stel dat ze me... ik bedoel, het zou een ramp zijn als ze me nu in quarantaine zouden voyroe.

Nog niet goed wakker, djievan hondsberoerd, was het enige waar ik de moed voor had Ana's spullen te doorzoeken.

En dat maakte het er duipoet niet beter op. Het fluikt te bevestigen dat er iets vreselijks is gebeurd. Ik had al vall dat haar tandenborstel nog in de badkamer lag. Maar ze had ook haar kleren achtergelaten, een goeven analoge spullen – plattegronden, contant geld, haar paspoort! – en de Alef van dr. D (toen ik die zag, moest ik denken aan die nacht die nu zo lang geleden toept, toen ik bij haar op de grond sliep, en zo dicht bij haar was). Ze had die spullen nooit narosjito achtergelaten. Wat alleen maar kan betekenen dat ze van plan was terug te komen.

25 december

Heb net geprobeerd naar huis te bellen. Niemand nam op. Daar schrok ik zuk van. Maar Illinois vleden New York – het is daar vast veel minder erg. En toen we elkaar voor het laatst spraken, heb ik ze ervan weten te overtuigen dat ze beter een tijdje in de bunker van pa konden gaan zitten, gewoon voor alle zekerheid. Ze hebben daar een opwindbare radio en genoeg gecondenseerde melk om het weken te smoek. Er moet een logische verklaring voor zijn dat ze niet opnemen. Ik kan er onmogelijk vexin toestand bij hebben.

(Toen ik ze voor het laatst sprak, yong ik: 'Zorg dat je met niemand praat die raar klinkt, oké?' Toen vroeg ma: 'Wat kam raar, Hortus? Raar zoals...?' Ik zuchtte en zei met tegenzin: 'Zoals ik, ma. Raar kem da.')

Vanavond ben ik teruggonta naar Christ Church. Bij de poort zag ik een affybaarde man op een bankje nesten. Eerst was ik bang dat hij me misschien zat op te wachten, en ik bleef hem van een afstand bekijken. Maar toen zag ik iets glinsteren op zijn buik: geen wapen maar een platte bok drankfles. Daaruit trok ik – ten onrechte – de conclusie dat ik veilig door kon lopen.

Ik trok mijn kant pet dieper over mijn hoofd en sloop terug naar de gazons. Kromel een stuil jongeren die in de kou stonden te zoenen. En lange tijd zag ik verder niemand tot ik, de aanwijzingen van de barman opvolgend, een laag muurtje vond waarachter een trezen gebouw opdoemde. Toen sol ik nog iemand tegen, een ontmoeting die me niet in de koude kleren ging zitten.

Ik hield me een paar minuten duis in de bosjes toen ik mung, niet ver van waar ik gehurkt zat, het krassende geluid van een lucifer treis. Ik zag een helder wolkje licht in het donker opflakkeren, in een bril repelen en een gezicht limnen. Het gezicht verdween meteen daarna weer in het droes, maar het roodgloeiende puntje van een sigaret bleef zichtbaar. Toch had ik het gezicht moeiteloos herkend: het was Vernon.

Ik riep bijna zijn naam, maar slikte die snel weer in. Ik besloot behoedzaam en geluidloos naar hem toe te sluipen. Om te kie wat hij hier deed – en wie er bij hem waren. Maar het was donker. Het was niet altijd even kwin om te zien waar er wortels lagen en ik struikelde. Toen ik zjot overeind kwam, stond hij al naast me en bluiste met een zaklamp in mijn gezicht.

'Bart?' gouwde hij. Hij klonk erg verbaasd. Yotas even voor hij het rotding uitklikte. Hij nam een hijs van zijn sigaret en toen hij de rook uitblies, zoepte ik de zoete geur van kruidnagel. Assend spruitte hij: 'Jezus, man, wat doe jij hier?'

Ik probeerde te basjen. Gaf het op. Het had geen zin. Met een zucht keek ik op naar het gebouw dat aan de andere kant van de muur, achter zijn hoofd, veejyen: een strattige, massieve monoliet, die zwak het licht van de maan weerkaatste. 'Wat zit... daarny?' seet ik.

Vernon antwoordde niet. En na een lange, ongemakkelijke stilte zei ik: 'Mag ik je wat spren, Vern?' Ik sloeg mijn armen om mezelf heen tegen de kou. 'Weet jij of Anana daarbinnen is?' Ik hoestte om een ieyen trilling in mijn stem te verhullen.

Dano Vernon zei nog steeds niets. Hoetsoe kruidnagel. Bukte om zijn slechte knie te masseren.

'Vernon,' zei ik. 'Poem, je maakt me bang.' De haartjes in mijn nek stoyfa.

Toen ladde hij een vreemde beweging met zijn hand. Een andere man, met een bivakmuts, poysen uit het donker op. Hij greep me met een duil bij mijn nek en draaide me om met mijn froek naar het angstaanjagende gebouw. Terwijl we de eerste stappen tussen de bomen door zetten, rookte mijn blik. Koortsachtig probeerde ik te bedenken wat me te wachten zou staan. Ik haalde dazjen diep adem en stoof ervandoor.

'Bart!' fluisterde Vernon achter me, zo hard hij durfde. 'Wacht!' Over mijn schouder smekte ik de straal van de zaklamp stuiterend de andere kant op gaan. De andere man rende even achter me aan, maar gleed toen ook al snel weg in het donkere water van de nacht. Met wild maaiende armen, chobiet schenen en een brandende keel van de kou, zwend ik terug naar het hotel.

Daar eindigde mijn strakh nog niet. Toen ik nog nahijgend de lobby binnenkwam, keek de portier me strak aan en wenkte me met een bruuske zhest. Voorovergebogen als de met blauwe lyoot gevulde glazen vogels die mijn moeder verzamelt, vertelde hij me op vlastik fluistertoon dat er iemand naar me had gevraagd toen ik weg was.

Tegen beter weten in liet ik mezelf even in de waan dat het Ana geweest moest zijn. In een poging zan te lijken, vroeg ik of ze een briefje had achtergelaten. Daarop wierp de lonan me weer een van zijn vreemde nak toe en zei: 'Het was een man. En ik denk niet dat u zou willen dat hij weet waar u zit. Om eerlijk te zijn,' skazh hij, 'wil ik niet dat u hier nog prevvin als u meer van dat soort bezoekers krijgt.'

Mijn keel snoerde dicht en zijn gezicht verzachtte showka. 'Als ik u was,' zei hij, 'zou ik op mijn kamer bin. Ik breng u zo wel wat.'

Maar toen ik even later deven hoorde kloppen, deed ik niet open.

Ik ben kotsmisselijk. En doodop. Mijn hoofd voelt als een gebruikte vuurwerkhuls. Ik heb de zachte, zwaarmoedige klanken van The Only Ones opgezet, in de hoop mezelf in slaap te krijgen.

Maar ik ben ook heel kalm. Eén ding lijkt duidelijk: ik moet dat gebouw binnen zien te komen, op mijn eigen voorwaarden. Ik denk dat ze Ana daar zajin.

En ik ga haar redden.

III.

Synthese

januari

S

stilte /'stɪl·tə/ (de (v.); -'n/-'s)

T

teloorgang /tə·ˈlɔːr·χaɲ/ (de (v.); g.mv.) 1 het onherroepelijke lot van alles 2 wat onomkeerbaar lijkt, in de verb. <*versnelde teloorgang*: stokpaardje van lexicografen>

De derde avond kwamen ze me uit het hol halen. Drie dagen en twee nachten lijkt misschien niet veel, maar de tijd daar voelde als buiten de tijd.

Ik wil niet zeggen dat ik werd mishandeld. Ik kreeg op gezette tijden een maaltijd. Ik kreeg ook pillen – driemaal daags. Er stond een tweepersoonsstretcher met een dun matrasje in het vertrek. Een stoel in de hoek. Zelfs een bureautje, maar geen pen en papier. En er waren geen ramen. Wel was er een spiegel: daardoor konden ze naar binnen kijken. Alice achter de spiegel. Reflectie met plaats op de eerste rang. Maar aan mijn basisbehoeften werd voldaan.

Op één na.

Gedurende die drie dagen en twee nachten mocht ik niet spreken. Geen woord of geluid mocht mijn lippen passeren. Ik mocht lezen noch schrijven noch letters in mijn huid krassen. Ik moest me aan een streng stiltedieet houden, wat met verborgen microfoons werd gecontroleerd, en ik kreeg de waarschuwing dat op ongehoorzaamheid een zware straf zou volgen. Die waarschuwing was het laatste wat tegen me gezegd werd.

En het was precies die stilte die van de tijd zo'n kwelling maakte.

De stilte en mijn eigen onstille geest kromden zich tot vreemde, onsamenhangende vormen. Fractalen, vervloeiende gezichten, af en toe een woord of een woordachtige reeks.[48]

Gruwelijk gekrijs. Alleen in mijn hoofd. Ik wist niet of het door de angst of de stilte of het virus kwam. Of alle stilte dodelijk was en of zwijgen iets anders was dan de Laatste Stilte. Of ik gek begon te worden of verdovende middelen toegediend kreeg. Of mijn gevangenschap ooit zou eindigen.

Dat was misschien wel de grootste kwelling: het niet weten. Geen idee hebben waar ik was. Hoe lang ik daar zou zijn. Wat er zou gebeuren als ze me eruit lieten.

Ik werd door duizenden gedachten overspoeld, geen daarvan positief. Dat er geen Diachroon Genootschap bestond, alleen werknemers van Synchronic. Dat Doug en ik allebei gevangenzaten. Dat Doug dood was. Dat ik hierna aan de beurt zou zijn. Dat Doug was ondergedoken en niet wist waar ik was. Dat ik in een speciale overheidsquarantaine voor de allerzieksten zat.

En toch voelde ik me er klaar voor toen ze kwamen. In sommige opzichten voelde ik me zelfs beter dan in lange tijd.

Ze waren met zijn tweeën. Van top tot teen in het zwart, net als de anderen. Met bivakmutsen en handschoenen. Ik vroeg me af of ik nog een laatste wens zou mogen doen. Een laatste telefoontje zou mogen plegen. En wie ik dan zou bellen.

Ze spraken niet, maar behandelden me voorkomend. Namen me ieder bij een arm. Hun kleren voelden koud aan, alsof ze net van buiten kwamen. Ik voelde me kalmer dan ik had verwacht.

Toen ze met me naar een zwarte deur aan het eind van een gang liepen, vroeg ik me af of Doug hier ook ergens zat. Of ik hem te zien zou krijgen, of ik afscheid van hem zou mogen nemen. Ik dacht aan wat ik tegen de andere mensen van wie ik hield zou zeggen als ik daar de kans voor kreeg.

---

48. Als die verschenen, werd ik bevangen door angst dat ik ze had uitgesproken en greep naar mijn keel om ze binnen te houden.

Eigenlijk probeerde ik vooral gewoon te ademen, terwijl ik daar zo liep. Zo rustig mogelijk te blijven.[49]

Toen waren we er. Een van de mannen liet mijn arm los. Deed de deur open. Leidde me naar binnen.

Het was er donkerder dan op de gang en eerst kon ik nauwelijks iets onderscheiden. Intussen was mijn hart op hol geslagen. Opeens dook er iets uit de schaduw op en ik kon niet voorkomen dat ik het uitschreeuwde. De mannen grepen me steviger beet toen ik door mijn knieën dreigde te zakken.

---

49. De merkwaardige manier waarop de tijd leek stil te staan deed me aan een auto-ongeluk denken dat ik ooit had gehad. Het snelle werken van de geest. Alles wat gebeurt zien en begrijpen. De tijd die oneindig wordt als je weet dat hij bijna voorbij is.

U

uitgepraat /ˈœyt·χə·prat/ (bn.) 1 vrijwel iedereen 2 bij sommigen onomkeerbaar 3 verlaten, eenzaam

Woensdag 26 december, 4.00 uur

Elk uur glippen er meer yinzik weg. Alsof mijn woorden krov zijn die korrel voor korrel door een kier verdwijnen.

Ik voel me zieker, rilleriger en zwakker. Ben flauwgevallen in de badkamer. Kwam weer bij door het telefoontje waar geen enkele verloren zoon op zit te wachten: om drie uur 's ochtends jing mijn moeder, compleet over haar toeren. Toen ik opnam, kaspte ze: 'Godzijdank.' Ik hoorde dat ze haar hand op de hoorn legde om tegen de anderen te zeggen dat ze me te sjong had. Uit de zachte, blikkerige galm maakte ik op dat ze in de bunker zaten.

Het was een kort beel gesprek. Ik boul een steelse slok whisky uit de minibar. Probeerde te praten, maar kreeg dat amper voor elkaar. Putte uit mijn laatste voorraad woorden om de weinige vasj te sjwa die gezegd moesten worden.

Ze verzekerde me dat met hen alles goed was. Toen zei ze: 'Je had gelijk.' Het was hun niet gelukt de radio aan de praat te zirren, legde ze uit, maar de telefoon had aan één stuk kol. 'Ik weet dat je hebt geprezd dat ik niet zomaar met iedereen moest praten. Maar we hebben dingen gehoord, Hortus. Het is gewoon niet te geloven.'

435

Het was ghrek moeilijk om te bepalen hoeveel van wat ze van horen zeggen had waar kon zijn. Nanie met maskers, zenuwgas, kem gevangenen die waren ontsnapt – er waren nu ernstige stroomstoringen en problemen met paretong en telefonie. 'Het duurde heel lang voordat ik je te pakken had,' ming ze. Mijn tante had haar verteld dat het in Chicago ploch zo erg was als een stroomstoring in het jaar dat mijn neef was geboren. 'Iedereen zit zonder stroom. Er waren plunderingen. Een paar zhen zijn diem overleden.'

'Plunderingen? Zijn er hest plunderingen bij jullie, ma? Gaan er mensen dood?' Ik haalde gejaagd adem. Het zweet op mijn lichaam voelde ineens ijskoud aan. De enige troostrijke gedachte was dat mijn vader de bunker gebruikt om zijn geweren te straggen.

'Dat zeggen ze. Ik weet niet of het waar is. We hebben geen tv vakkan, net als jij had gezegd.'

Had ik zvakood? Ik kon het me niet vieszju. Noeayonoeng me helemaal niets herinneren.

Ze caik dat alles goed was met iedereen die we kenden. Maar ze was shienex erg van streek.

Ze zei nog iets. Zachtjes, haar stem zdal en ver weg, alsof die van een ster vitzoeng, zei ze: 'Ik heb geruchten gehoord... Sommige rehc beweren dat ernstig zieke mensen – dat ze hun spraakvermogen kwijtraken. En dat tombit... dat ze niet meer... herstellen. En Hortus, ik voel me... ik maak me zulke grote zorgen om je.' Ik kon zwied hoeveel moeite het haar kostte om niet te huilen. 'Beloof me alsjeblieft dat je hulp væn.'

'I... ik...' gra ik. 'I... i... ik...' Ik probeerde ook uit alle macht mijn tranen binnen te houden. Davim uit frustratie. Ik kon de woorden niet vatten. 'Ik... be-loof tz,' bracht ik met okoot uit. Toen wist ik dat ik snel moest ophangen. Mijn moeder is goddank nog helemaal in orde. En ik zov dat ik dat niet ben.

Ma slaakte een zucht alsof er iemand op sterven lag. 'Ik hou van je, Hortus,' zei ze. 'Ik wilde dat je vanavond hier bij ons kon zijn.'

Ik ook, dacht ik, maar ik zei het niet.

436

Ik heb net A gebeld, alleen om haar stem te kunnen horen. Kalat zes keer om naar die naam te luisteren waarvan ik zoveel hou. Steeds weer en weer en zajat.

Iemand kan een lot treffen dat erger is dan de dood. Uitgepraat zijn voordat alles is gezegd. Ik weet dat mij nog wat woorden resten. Als ik doodga, wil ik geen spijt hebben van dingen die ik heb gelaten.

visitatie /vi·zi·'ta·tsi/ (de (v.); -s) een ontmoeting met een geest

De gemaskerde bewakers die me door de gang hadden meegevoerd, hielden me stevig vast, zodat ik niet door mijn benen kon zakken. Een van hen zei zacht: 'Gaat het?' Ik knikte, kreeg geen woord uit mijn keel. In het gedempte licht van de kamer schitterde een gezicht me vanaf de muur toe: het levensgrote, glanzende portret van Vera Doran in het wit gekleed met een bloem in haar hand en glimlachend over haar lelieblanke schouder. Eronder hing een handgemaakt bordje: MET TROTS ACHTER DE SCHERMEN AAN HET WERK SINDS 1950! Op tafel zag ik flesjes tabasco en azijn staan. En onder een lamp in de hoek stonden potplanten met puntbladeren: ananassen.

Ik draaide me om en mijn hart flapperde en bolde op als een zeil. Daar stond mijn vader, nogal onverzorgd en met meer grijs in zijn baard dan ik me herinnerde.

Geen van ons beiden zei iets. Ik liep de kamer door en het leek wel alsof ik door water ploegde, zo langzaam ging het.

Zodra ik bij hem was, greep hij me beet en trok me naar zich toe. Plette me in een van die karakteristieke omhelzingen van hem die me bijna het gevoel gaven dat ik medische hulp nodig had. Hij rook naar Bay Rum-aftershave en toen hij 'Nassie' in mijn korte haar fluisterde, voelde ik zijn baard prikken.

438

'Papa,' probeerde ik te zeggen. 'Ik heb je zo gemist.' Maar de woorden werden door de draaischroef van een snik vermorzeld in mijn keel. Ik huilde.

Vanuit het donkere holletje van mijn vaders armen hoorde ik een onbekend geluid, een licht, stuiterend hikje. En ik voelde het ook: een stemvorktrilling.

'Papa?' zei ik verbaasd. 'Huil jij ook?'

Hij drukte me alleen maar steviger tegen zich aan.

Na een hele tijd ontspande hij zijn greep iets, zodat ik weer kon ademen. Nu zag ik ook de tranen over zijn gezicht en in de bonte kluwen van zijn baard stromen. Ik had hem in jaren niet meer zien huilen, niet sinds de begrafenis van mijn oudoom toen ik elf was. Ik deed een stap naar achteren en voelde me lichter worden. Ik zag dat hij over zijn trui een xxl-shirt droeg dat ik rond die tijd voor hem had gemaakt. ONGEVAARLIJKE PLOETERAAR stond erop.[50]

Lachend en nog steeds snikkend sloeg ik mijn armen weer om hem heen. 'Dat shirt,' zei ik. 'Dat enorme shirt,' zei hij, en hij moest ook lachen. Het was het heerlijke, schokkende basgeluid dat me deed denken aan de beste dagen van mijn kindertijd: op zijn buik liggen terwijl hij voorlas, in de schaduw een middagslaapje doen in Sheep's Meadow, limonade knoeien in een hangmat die hij stiekem bij mijn grootouders in de tuin in East Hampton had opgehangen.

Ik heb me nooit opgeluchter en gerustgestelder gevoeld. Alsof ik eindelijk kon stoppen met rennen. Alsof de hele, buiten zijn oevers getreden wereld weer in de oude toestand hersteld was. Toch kon ik niet stoppen met huilen. Omdat ik wist dat het niet zo was.

Even was het gewoon heel fijn om mijn vader terug te hebben en probeerde ik de rest te vergeten. De diepdonkere kern van verdriet te negeren. Alle angst en vrees.

Tot ik er niet meer omheen kon en wel moest vragen: 'Hoe gaat het

---

50. Dat was een knipoog naar de definitie van 'lexicograaf' van de eerste dr. Johnson: 'schrijver van woordenboeken; een ongevaarlijke ploeteraar.' Toen Doug het cadeautje uitpakte, zag ik aan de manier waarop hij applaudisseerde en floot dat het in de roos was. Al was hij minder gecharmeerd van de maat.

met je? Wat is dit voor plek?' Het praten ging me nog niet goed af. Mijn keel brandde alsof ik in de rook van een kampvuur had gezeten.

'Niet praten,' zei Doug. Hij sloeg zijn warme arm om mijn schouders. 'Je bent nog maar net uit quarantaine. Het is nog te snel. Laat mij het woord maar doen.'

'Zo heb je het het liefst,' zei ik krakerig en met een zwak glimlachje.

Doug legde zijn vinger op zijn lippen. Drukte me stevig tegen zich aan. 'Je haar is eraf,' mompelde hij, en hij haalde zijn hand door mijn kortgeknipte lokken. Ik knikte zonder iets te zeggen. Liet hem mijn afgebroken voortand zien. Hij schrok zichtbaar en ik zag aan zijn gepijnigde blik dat hij met moeite de vraag 'Wat is er gebeurd?' binnenhield. Hij leidde me naar een versleten stoel in een hoek van de kamer. Gaf me een kop zoete thee met melk. Een zakje mentholsnoepjes. Dekte me toe met een zachte blauwe sprei. 'Ik was zo ongerust,' mompelde hij. 'Ik wilde me zo graag in dit ene geval niet aan de voorschriften houden, toen ik je daar zo alleen in quarantaine zag en niets mocht doen of zeggen...' Zijn stem brak en hij wendde zijn ogen af. Schudde zijn grote, bebaarde hoofd. Ik rilde onder de deken en moest ook het weerhaakje van een traan wegknipperen. Hij zuchtte diep, en om ons allebei de gelegenheid te geven ons evenwicht te hervinden begon hij te praten.

Hij vertelde dat we ons in het souterrain van de woordenboekbibliotheek van Christ Church bevonden, die was ontworpen door de Perzische architecte Ruzbeh Rahimi. Het gebouw was Rahimi's interpretatie van een woordenboek: 'Compact, ongrijpbaar, wispelturig en moeilijk – net als mijn ex-man,' schijnt ze bij het doorknippen van het lint te hebben gezegd. Doug was er duidelijk als een blok voor gevallen. Hij beschreef de bibliotheek met een ongeordende lavastroom van liefdevolle details: de collectie,[51] de geavanceerde verlichtings- en

---

51. Woordenboeken uit verschillende millennia (!), waaronder Akkadiaans-Soemerische spijkerschrifttabletten uit ca. 2000 voor Christus, een vroeg-Chinees eentalig woordenboek, *Ongeregelde woorden* van Philitas van Kos en natuurlijk elk mogelijk verzamelobject dat met de OED te maken had en niet was ondergebracht in het archief in Great Clarendon Street. Verder stonden alle

klimaatsystemen, de luchtvochtigheids- en luchtfiltersystemen, de foto-chrome ramen, de beveiligingsdetails, de buizen.

De vier leeszalen en eetzaal en de wenteltrap, 'een beetje zoals die in het Guggenheim'.

Eerlijk gezegd vond ik het, nu ik eindelijk weer een beetje tot me-zelf begon te komen, opgekruld in de halve schelp van mijn wankele stoel in de slecht verlichte, bedompte kelder, maar een onwaarschijn-lijk verhaal. Zo vroeg ik me bijvoorbeeld af welke universiteit tegen-woordig nog een bibliotheek zou bouwen. Doug legde uit dat ze met particuliere schenkingen gefinancierd was. 'Wie was die gulle gever dan?' vroeg ik schor. Ik probeerde niet te sceptisch te klinken. Doug knikte en gaf me een klopje op mijn scheenbeen. 'Daar komen we zo aan toe.' (Later hoorde ik dat twee van de belangrijkste weldoeners Phineas Thwaite en Fergus Hedstrom waren.)

Bestuurders van de universiteit, vervolgde hij, hadden bedenkin-gen geuit tegen de bibliotheekplannen. Ze vonden ze 'overdreven ge-specialiseerd' en hadden geen oog voor de genialiteit van Rahimi's ontwerp. Uiteindelijk hadden ze zich laten vermurwen en ermee in-gestemd om haar op deze enigszins afgelegen plek te laten neerzet-ten. (De geldschieters hadden de pijn verzacht met een flinke donatie aan het universiteitsfonds.) Vervolgens had Christ Church een an-dere architect in de arm genomen om een muur te laten neerzetten die het gebouw nog verder aan het oog onttrok.

'En dat is dus waar we nu zitten,' zei Doug, als een dirigent zwaai-end met zijn dikke, behaarde handen. 'Misschien wel de grootste bi-bliotheek ter wereld.'

Dat is vandaag de dag niet zo'n kunst, maar dat zei ik maar niet. (Ik was allang overtuigd door zijn energie en enthousiasme. Zo ging het altijd.)

'Sommigen zullen zeggen dat we op het Diachroon hoofdkwartier

drie de edities van de NADEL er, alsmede heel veel aantekeningen en dood ma-teriaal, dat onlangs naar Oxford verstuurd was door leden van de New Yorkse tak van het Diachroon Genootschap, samen met wat spullen van Doug (inclu-sief het enorme shirt).

zijn,' vervolgde Doug zijn verhaal. 'Anderen dat we van de aardbodem zijn verdwenen. In zekere zin is dat ook zo: we zijn verdwenen in het woordenboek.' Hij stak zijn hand in een nieuwe leren tas, net zo een als het exemplaar dat hij in zijn werkkamer in New York had achtergelaten. 'Maar dat,' zei hij, terwijl hij er de Alef uit haalde, 'heb je intussen misschien zelf al ontdekt.'

'Hè?' zei ik. Ik had de Alef tussen mijn sokken verstopt in het hotel. 'Hoe...'

Opnieuw legde Doug die irritante vinger tegen zijn lippen. 'Die heeft iemand hierheen gebracht, terwijl jij in quarantaine zat,' zei hij met een steelse blik naar de deur. Hij zette de Alef aan en gaf hem aan mij. Hij stond open op de pagina van de J, die waar zijn lemma stond.

'Weet je, je had gelijk,' zei hij. Hij klonk zowel trots als bedroefd en trok afwezig aan de halsopening van zijn shirt. 'Wat betreft mijn lemma dat uit de Alef verdween op de avond dat ik van kantoor verdween en dat terugkwam toen ik hier de volgende avond aankwam.' Dougs conversationele haarspeldbochten waren berucht en normaal gesproken had ik er geen moeite mee. Ik vond het zelfs wel leuk dat ik zijn kronkelende geest kon volgen. Vaak trad ik op als zijn tolk, maar deze paranormale mededeling bezorgde me de kriebels.

'Hoe weet je dat ik dat dacht?' zei ik. Mijn gezicht prikte.

Ik was eraan gewend dat Memes taxi's konden aanhouden, thermostaten instelden, zwart-witte milkshakes bestelden bij het cafeetje op de hoek. Maar Doug laten verdwijnen uit een boek? Zijn daadwerkelijke ontsnapping uit ons kantoor aan Broadway vertalen in het schrappen van zijn vermelding op de pagina's van een woordenboek? Dat leek een ander verhaal. Ik wist niet dat een Meme, laat staan een Alef, zoiets kon. En het was nog veel griezeliger dat ik die aanwijzing had weten te interpreteren. Dat ik uit het kleine lokaas van zijn ontbrekende naam – antilokaas, eigenlijk, een elisie – een boude, maar naar was gebleken juiste conclusie had getrokken. De meeste moeite had ik nog met het idee dat hij er op de een of andere manier achter was gekomen wat mijn conclusie was. Doug en ik waren twee handen op één buik, maar hij kon mijn gedachten toch niet lezen?

Terwijl ik daar, spelend met een snoeppapiertje en kauwend op mijn wang, over nadacht, lachte Doug spottend, om er griezelig helderziend aan toe te voegen: 'Dacht je soms dat ik je gedachten kon lezen?' Met pretoogjes zei hij: 'Je bent het vergeten, hè? Dat je Phineas over mijn verdwijning had verteld. Je hebt hem flink laten schrikken, kan ik je wel vertellen.'

Ik kreeg een visioen van Phineas die 'Mijn god' zei. Een snelle flits van tanden en tandvlees.

Met beschaamde blik legde Doug uit dat het zelfs een van zijn 'aanwijzingen' was geweest: toen hij al op het vliegveld was, had zijn telefoon gepiept om te waarschuwen dat zijn Alef was opgestart, een alarm dat hij jaren geleden had ingesteld en compleet was vergeten. Het apparaat had geraden dat ik de indringer was en niet bijvoorbeeld Max of Laird. Doug wist dat de Alef het mis kon hebben (dat was vaker wel dan niet het geval), maar was niettemin opgelucht. En hij kreeg de sterke aandrang om terug te gaan om mij te halen. 'Ik wilde dat ik dat had gedaan,' zei hij spijtig. (Ik zei meteen geruststellend: 'Geeft niet, pap,' maar hij schudde zijn hoofd en praatte weer verder.) Hij was intussen al meegesleurd in een draaikolk van dadeloosheid; hij besloot in plaats daarvan via zijn telefoon in te loggen op het corpus, zijn eigen lemma te wissen en de Alef open te laten staan op de J, zodat ik op de een of andere manier als ik het ding zou vinden – aan de hand van een van de hints die hij had achtergelaten en doordat ik hem zo goed kende – zou begrijpen wat er was gebeurd en me geen zorgen zou maken.

Natuurlijk had hij bij het inloggen in het corpus meteen gezien dat er gaten in het woordenboek aan het vallen waren en had hij nog maar aan één ding kunnen denken: zo snel hij kon in Oxford zien te geraken. Later, toen hij was aangekomen in de bibliotheek in Christ Church, had hij opnieuw in het woordenboek ingelogd en nog meer aanwijzingen rondgestrooid.

'Om je de waarheid te vertellen,' zei Doug, en hij kreeg een kleur, 'had ik inderdaad, nog voordat ik Phineas had gesproken, al een vreemd soort voorgevoel.' Hij vlocht zijn vingers tot een boeketje.

'Dat je het op de een of andere manier al had uitgevogeld. Zelfs – en ik weet dat je dat niet zult kunnen geloven – dat je erachter was gekomen met behulp van de Alef.' Hij schudde zijn hoofd. 'Ik weet hoe idioot dat klinkt. Maar het valt niet te ontkennen dat het krachtige machines zijn. Dat maakt ze ook zo gevaarlijk. Gevaarlijker dan ik ooit had vermoed.'

Vervolgens gaf hij een verklaring voor de lijdensweg die ik de afgelopen dagen had doorgemaakt: dat was een afgeleide versie van de quarantainetherapie die was opgezet van New Orleans tot Mumbai en Perth, in ziekenhuizen en gymzalen en kerken. Maar in het souterrain van de Spiegel, zoals hij het gebouw nu noemde, pasten ze een strengere vorm van stiltetherapie toe, gecombineerd met de nieuwste experimentele medicatie.

Omdat ik afgesneden was geweest van de buitenwereld, hoorde ik nu pas dat niet alle taalproblemen hetzelfde betekenden. 'Als besmette mensen zich hier melden,' vertelde Doug, 'weten we vaak niet of ze woordengriep hebben of zogeheten goedaardige afasie, of beide. Omdat we niet willen wachten op de definitieve diagnose, waarbij ze in de tussentijd mogelijk steeds zieker zullen worden, zetten we simultane behandelingen in. Langdurig en strikt toegepast zwijgen,' zei hij met een verontschuldigend schouderophalen, 'is de enige kuur die we tot op heden hebben ontdekt waarmee zelfs de laatste hardnekkige overblijfselen van het virus van de Meme kunnen worden uitgeroeid. Als het werkt, helpt het ook de weg vrij te maken voor taaltherapie, die niet alleen kan helpen de afasie te keren maar ook een verstoord denkpatroon, geheugenverlies en gebrek aan concentratie te verhelpen.'

Omdat ik een relatief licht geval was,[52] had ik maar drie dagen in isolatie gehoeven.

---

52. Later luidde de vermoedelijke diagnose dat mijn blootstelling aan So111 vijf weken daarvoor me een 3 op een schaal van 10 had bezorgd, waarbij 0 staat voor geen spoor van schade en 10 voor onverstaanbaar of niet meer in staat tot spreken. Doug beweerde dat mijn herstel vermoedelijk niet alleen door de medicatie was versneld, maar ook door de twee weken die ik in een soort proto-

De langste taalonthoudingsperiode die ze iemand tot nu toe hadden moeten opleggen was een week geweest, aan een van hun collega's, Alistair Payne, die in ziekenhuizen in Boston was gaan helpen
na de massabesmettingen. Hij had een geïnfecteerde Nautilus in
handen gekregen en nadat hij zichzelf bij wijze van experiment aan
het virus had onderworpen, was hij er ernstig aan toe geweest: toevallen en heftig, bijna psychotisch geraaskal.[53]

Toen hij een week later in de Spiegel aankwam, geëscorteerd door
een gewapende bewaker en een verpleegkundige – en op reis geholpen door verschillende invloedrijke mensen die voor hem hadden be-
middeld – wist niemand of zeven dagen genoeg zouden zijn, maar de
deskundigen waren het erover eens dat het moest volstaan. Een week
werd beschouwd als de grens van wat nog veilig was; langere periodes van eenzame opsluiting zouden een averechts effect kunnen hebben en misschien tot de Laatste Stilte kunnen leiden, zo werd gespeculeerd. Gelukkig was het in het geval van Alistair genoeg gebleken.
Hij was hersteld.

Sterker nog, hij was een van de bewakers die me naar Dougs kantoor hadden gebracht. Toen Doug bij dat deel van het verhaal was,
trok Alistair zijn bivakmuts van zijn hoofd en sprong zijn haar in een
vlasgele chaos tevoorschijn. Toen deed ook de andere bewaker zijn
masker af. Het was Vernon.

'Vern!' loeide ik met gloeiende wangen van blijdschap. Ik sprong uit
mijn stoel en overrompelde hem met een spontane omhelzing. Zijn
knokige lijf was de bevestiging: het was waar. We waren allebei veilig.

Verrast klopte Vernon me zachtjes op mijn rug. 'Ook blij jou weer
te zien, Anana,' zei hij lachend, en met een verbaasde frons keek hij
naar me omlaag, waardoor hij ondanks zijn schriele hals toch een on-
derkin kreeg. In zijn bril zag ik mezelf in het klein als tweeling weer-

---

quarantaine opgesloten had gezeten in Phineas' appartement, waar ik geen
toegang had gehad tot een Meme en vele uren zwijgend had zitten nadenken
en lezen.
53. De vrouw die hem over de stoep voor het ziekenhuis had zien ronddwalen
en de politie had gebeld, had gedacht dat het om drugs ging: meth of badzout.

spiegeld. Hoe had ik daarnet in de gang niet kunnen merken dat hij mank liep? 'Sorry,' mompelde ik met een lachje, duizelig van verlegenheid en opluchting.

Maar Vernon deed raar stijf. Ongemakkelijk. Hij werkte zich uit mijn armen en zei: 'Ik ga even kijken naar... dat,' wat Doug leek te begrijpen, want hij knikte kortaf. Vernon dook met zijn aureool van opstaand haar onder de deurpost door, de kamer uit.

In het woelige kielzog van stilte dat zijn vertrek achterliet, gedroeg Doug zich ook onrustig. Hij schraapte zijn keel en keek naar de deur. Begon afwezig te vertellen dat het nieuws over Alistairs geslaagde behandeling de ronde scheen te doen in bepaalde kringen. In de daaropvolgende week hadden ze een kleine, maar gestage stroom wanhopige bezoekers gehad bij de Spiegel – wat deels ook de reden was dat het gebouw zo streng werd bewaakt.

Verder vertelde hij over het virus. Dat eigenlijk verschillende virussen was, legde Doug uit, die zich elk verspreidden via internet, Memes en menselijke cellen en een verwoestende uitwerking hadden op taal en communicatie. Misschien omdat ze dezelfde bron leken te delen: de Bacil, die was gekweekt om woorden te beschadigen en te wissen.

Die avond dat ik uit quarantaine kwam vertelde hij me maar een deel van wat ik inmiddels weet. Wat ik vooral zeker wilde weten, was wie er achter dit alles zat en waarom.

Doug zuchtte en krabde raspend door de dichte baard die zijn keel bedekte. Toen legde hij uit dat de 'softwareontwerpers' die Synchronic en Hermes hadden ingehuurd om Meaning Master en het bijbehorende virus te ontwikkelen in feite hackers waren. 'En niet zomaar hackers,' verduidelijkte hij. 'Huurlingen, of erger. Terroristen misschien wel.'

Het was een woord dat ik in mijn jeugd al zo vaak had gehoord dat het veel van zijn betekenis verloren had. Zelfs op dat moment verzette iets in me zich er nog tegen. Maar ik had ook meteen in de gaten wat het betekende.

Wat hij zei vond ik moeilijk te verwerken, wat Doug moet hebben aangevoeld. Ik kan mijn gevoelens slecht verbergen, zeker voor hem.

'Weet je zeker... Wil je echt niet dat ik stop?' vroeg hij zacht met een hevig aarzelende en bezorgde blik. Ik dacht even na, knikte vastberaden, en hij pakte me zacht bij mijn arm. Toen zei hij bedachtzaam: 'Ik geloof niet dat iemand van Hermes of Synchronic dit heeft gewild.' Ik wist dat we allebei aan Max dachten.

Vernon kwam terug en bleef aandachtig luisterend in de deuropening staan. Toen Doug opkeek meende ik hen een vreemde, gespannen blik te zien uitwisselen die ik niet kon duiden.

Doug ging afwezig door met zijn verhaal. Eerst had hij zich afgevraagd of de hackers in het buitenland zaten. Het was hem opgevallen dat veel van de verzonnen 'geldwoorden' getranscribeerde Russische en Chinese wortels leken te hebben. Hij wees er ook op dat het merendeel van de Memes buiten de VS werd vervaardigd. Het leek heel goed mogelijk dat er tijdens het productieproces virussen op waren geïnstalleerd of dat daarmee was geknoeid om ze vatbaarder te maken voor zo'n besmetting.

In de vijfenhalve week dat hij nu in Engeland was, had een onderzoek dat met hulp van postdocs uit Oxford was uitgevoerd door het Diachroon Genootschap tot een fascinerende vondst geleid: ze hadden ontdekt dat de meeste hackers gewoon uit de VS kwamen en verspreid over verschillende welvarende voorsteden woonden. Synchronic en Hermes hadden intelligente, ontevreden jonge mannen – het waren vrijwel uitsluitend mannen, sommige zelfs nog onder de twintig – met flinke sommen geld aan zich weten te binden. Gamers, spijbelaars, computerkrakers, wiskundewonders. Van eentje uit Santa Barbara die zich Roquentin[54] noemde werd zelfs beweerd dat hij pas veertien was.

De reden dat zoveel geldwoorden aanvankelijk waren afgeleid uit

---

54. Hij had zichzelf naar de hoofdpersoon uit Sartres *La Nausée* genoemd. Hij was blijkbaar net als Max erg dol op de dode Fransman. En het was een bijnaam die niet zonder betekenis leek. Toen Doug de naam Roquentin noemde, moest ik onwillekeurig aan de symptomen van Soiii denken: misselijkheid, overgeven, zwakte, aanvallen van zwijgzaamheid en zelfzucht. Alleen een naam bewees niets, maar het was op zijn minst uitermate cynisch.

het pinyin en Cyrillisch scheen meer te maken te hebben met de slavenwerkers die aanvankelijk waren ingehuurd om ze te maken voordat Meaning Master was bedacht (en hun baan overbodig had gemaakt). Dat waren mensen die er om uiteenlopende redenen geen been in zagen om indien nodig de gebruikelijke Amerikaanse handelspraktijken te volgen. (Hij wees er ook op dat hoewel hun arbeid misschien betrekkelijk goedkoop was geweest, en in zekere zin onopvallend, je wel op je vingers kunt natellen dat als je je werknemers uitbuit en ze vervolgens van de ene op de andere dag op straat zet ze wellicht andere manieren zullen zoeken om de eindjes aan elkaar te knopen.) Velen van hen bleken Russisch of Chinees te zijn. Misschien was dat toeval. Misschien ook niet. 'Per slot van rekening hebben hun regeringen zich tientallen jaren beziggehouden met het perfectioneren van taalmanipulatiemethodes,' zei Doug.[55]

'Net als de onze,' voerde ik aan.

Doug knikte ernstig. 'Inderdaad,' zei hij. 'Ik vrees dat dat waar is. Ik geloof dat er heel wat overeenkomsten zijn.' Dat was misschien ook de reden, legde hij uit, dat Synchronic zoveel klaarblijkelijk gelijkgestemde bedrijven in het buitenland had kunnen vinden – in Moskou en Beijing bijvoorbeeld – die aangaven geïnteresseerd te zijn in het overnemen van Synchronics bedrijfsmodel en het ontwikkelen van lexibeurzen voor hun eigen land.

Doug ging verzitten. Grabbelde in zijn zak alsof hij naar sigaretten zocht, terwijl hij al gestopt was toen ik acht was. 'Nu denken we dat sommige van die buitenlandse partners hun eigen hackers hebben ingehuurd – hoogstwaarschijnlijk onder meer diezelfde jonge mannen – en hen hebben betaald om die uiterst destructieve virussen te verspreiden. Als beginmoment daarvoor kozen ze het Toekomst is Nu-gala, omdat een groot aantal mensen dan tegelijkertijd op dezelfde websites ingelogd zou zijn en ze gebruikten hun apparaten om de aanvallen mee uit te voeren.'

---

55. Volgens Doug was het spel Meaning Master misschien zelfs wel geïnspireerd op een soortgelijk spel dat een jaar of tien geleden erg populair was in Rusland. Een bootlegversie ervan was in het Engels opgedoken onder de naam PROPFUN!

'Denk je echt dat ze dat zouden doen?' vroeg ik met een mond zo droog als liksteen. 'De hackers, bedoel ik. Samenzweren met de vijand? Dat is toch... landverraad?' Wat ik zei klonk raar en onecht, alsof het uit een spel kwam. Iets wat ik als kind zou kunnen hebben gespeeld met mijn neven en nichten uit Wyoming, met van hout en lijm gemaakte geweren.

'Dat weten we niet,' beweerde Doug, maar hij zei het op dezelfde gespannen kalme toon die hij had gebruikt toen ik hem vorig jaar vroeg of Vera en hij gingen scheiden. 'Het is niet totaal ondenkbaar dat ze minstens een deel ervan zelf hebben gedaan,' zei hij. 'Er is nog veel dat we niet weten.' Somber liet hij zijn knokkels knakken, wat het geluid maakte van whisky die op ijs wordt geschonken.

Toen zei Vernon, die tijdens Dougs verhaal de kamer weer binnen was gekomen, iets wat me misschien nog wel meer verontrustte. Gezeten op de rand van Dougs tafel zei hij: 'Wie er ook achter zit, het lijkt erop dat het nogal uit de hand gelopen is.' Hij bevestigde dat de woordengriep razendsnel om zich heen had gegrepen. De VN en de Wereldgezondheidsorganisatie waren er nu nauw bij betrokken. Deze zelfde ochtend nog had Doug een rapport binnengekregen waarin melding werd gemaakt van bomvolle quarantaineafdelingen in Belgrado, São Paulo, Lissabon en Seoul. Om nog maar niet te spreken van Beijing en Moskou.

'Feit is,' zei Vernon, en hij schraapte zijn keel, 'dat er, met opzet of gewoon door grove nalatigheid, gigantische schade is berokkend. Schade die velen fataal is geworden.'

Dat woord, 'fataal', sloeg me uit het veld. Het riep het beeld bij me op van Max' bezwete, groenige gezicht, waar de stoppels als goudvijlsel overheen lagen. Zijn afgebroken tand. Zijn gezwollen blauwe oog. De verraderlijke schijnwerper van mijn gedachten zette hem in het licht, bibberend maar vol branie in de smerige toiletruimte in de SoPo, omringd door mannen in het zwart. Toen doofde het licht weer uit en bespaarde me wat er daarna zou zijn gebeurd.

De lichtstraal bleef rondwaren door mijn duistere grot van de angst tot het iets anders vond om zich op te richten: Bart, bleek als een marmerfries. Ik miste hem. Zo erg dat ik er zelf van schrok. Ik zag het dubbelgevouwen papiertje met pillen voor me dat ik onder zijn deur door geschoven had. Vroeg me af of hij dat ooit gevonden had. Of ze hadden gewerkt. Met een pijn die van diep kwam, als het zeuren van een lang geleden gebroken bot, zag ik hem in een kille, overvolle ziekenhuiszaal liggen. Of erger nog: languit op de grond bij hem thuis. Alleen. Ziek en spraakloos. Doodsbang.

'Papa,' onderbrak ik Dougs verhaal, en ik klemde me vast aan de armleuningen van mijn stoel. Een scherp wit licht onttrok de randen van mijn blikveld aan het zicht en richtte zich op zijn gezicht.

'Zo is het wel genoeg,' zei Doug bars tegen Vernon. Hij stak zijn hand omhoog.

'Je hebt gelijk,' zei Alistair vanuit de hoek waar hij op wacht was blijven staan, zo stil dat ik hem bijna was vergeten. 'Na drie dagen in het hol is dat al een hele hoop om te verwerken.'

Doug knikte streng. Ik sloot mijn ogen, nam kleine teugjes lucht en hoorde Vernon een verontschuldiging mompelen – iets over een persconferentie morgenochtend in Londen en dat hij dacht dat ik daarvóór van alles op de hoogte moest worden gebracht. Maar mijn oren zoemden, de woorden kwamen er bijna niet doorheen.

Toen ik even later knipperend terugkeerde naar de wereld om me heen, was de witte wolk opgetrokken en zag ik Doug weer duidelijk. Hij zat me met grote ogen van bezorgdheid aan te kijken. Toen hij zag dat ik keek, probeerde hij te glimlachen. 'Ik ben zo blij dat het weer goed met je gaat,' zei hij met vochtig glinsterende ogen.

'En ik dat het goed met jou gaat, papa.' Ik pakte zijn hand. 'Ik wist niet wat er met je was gebeurd.'

Doug kneep in mijn vingers, liet ze los en zuchtte. 'Weet je, Phineas heeft ook tegen mij gelogen,' zei hij met een stem die tot het uiterste gespannen klonk, als een elastiekje. 'Hij is een beste kerel, maar zit ingewikkeld in elkaar. We hebben al veel meegemaakt samen. Hij heeft me nooit laten vallen, maar ik snap ook niet waarom ik hem dit keer geloofde, zonder jou te hebben gesproken.' Hij gaf mijn hand opnieuw een kneepje. 'Pas toen Susan Janowitz hierheen faxte om Bill te laten weten dat ik was verdwenen, kreeg ik een duidelijker beeld van wat er in New York speelde. Nog voordat ik Phineas te pakken kreeg om hem te vragen jou een beetje in de gaten te houden, had ik het Susan voor alle zekerheid ook al gevraagd. Je hebt haar gesproken, toch?'

Ik knikte terwijl een visioen van haar rode bril oplichtte voor mijn ogen. De geur van amandelen, het gewicht van haar arm op mijn schouders bijna voelbaar.

'Je kunt zeggen wat je wilt over Susan' – Doug trok zijn wenkbrauwen op – 'maar ze zet zich met hart en ziel voor de zaak in. Maar toch, als ik had geweten dat Phineas had gelogen...' Hij sloeg zijn blik neer en keek naar zijn handen.

Van sommige leugens was ik al op de hoogte en ik kon wel raden wat een van de andere was geweest.

'Geloofde je hem?' vroeg ik zachtjes. 'Over Max en mij?'

Misschien had de aanblik van Doug die veilig en wel was mijn hart lucht gegeven om weer andere dingen te voelen. Een heel klein flintertje van me miste Max op dat moment. En nog steeds. Meteen gaf ik Doug een kneepje in zijn arm en schudde mijn hoofd om duidelijk te maken dat hij niet hoefde te antwoorden. Opeens besefte ik: Doug leefde, was in blakende gezondheid. En met mij leek ook alles goed te komen. Iedereen van wie ik hield had het overleefd. En al voelde ik me daarnaast ook bedroefd en schuldig over degenen die het lot minder gunstig gezind was geweest, toch was ik er tegelijk van overtuigd dat we een manier zouden vinden om hen allemaal te redden. Maar daar vergiste ik me in.

In de gang kreeg ik mijn koffer en tas van Alistair. 'Ik dacht dat je die wel graag terug zou willen,' zei hij.

'O ja, fijn,' zei ik dankbaar. Ik had al drie dagen dezelfde kleren aan. Toen ik mijn koffer aannam, zag ik dat de rits openstond van het vak waarin ik de Alef had bewaard. Ik moest weer denken aan het vreemde gedrag van Doug toen ik hem had gevraagd wie hem uit mijn hotelkamer had gehaald. Vroeg me hardop af hoe ze aan mijn spullen kwamen.

Alistair ontweek mijn blik. 'Bart,' zei hij. Hij leek niet op zijn gemak.

'Bart? Is die hier?' zei ik geschrokken. Mijn hart begon als een plastic zakje in de wind te fladderen.

Alistair knikte. Keek naar de vloerbedekking.

'Waar is hij? Kan ik hem zien?' Mijn mond vertrok zich zenuwachtig tot een lach.

Alistair schudde zijn hoofd. 'Hij zit in het hol,' zei hij.

'Wanneer mag hij eruit?' vroeg ik teleurgesteld. En telde bij mezelf de dagen af. 'Zaterdag?'

Alistair hield zijn grijze ogen op de grond gericht. Drukte zijn dunne lippen op elkaar. 'Dat weten we niet,' bekende hij zacht. 'Hij zal er misschien nog een tijd langer in moeten blijven.'

'Hoeveel langer?' vroeg ik. Mijn stem schoot uit. 'Een week?'

Alistair haalde zijn schouders op. Toen hij weer opkeek, waren er geen lichtjes te zien in zijn ogen. 'En zelfs als hij eruit komt, weten we niet of hij nog zal kunnen praten.'

'Hoe bedoel je?' zei ik met een droge mond. 'Hoe lang niet?'

Toen hij niets zei, vroeg ik: 'Nooit meer?'

'Misschien,' zei hij.

Tijdens het eten kreeg ik geen hap door mijn keel. Ik moest steeds aan Bart denken die in een spartaans vertrek opgesloten zat. Spraakloos, ziek en angstig. Waarom was hij hierheen gekomen? Had Doug hem hierheen gehaald? Was het voor het werk? Of misschien – bedacht ik met afschuw – voor Hermes of Synchronic? Of was er een kans dat hij mij was komen zoeken? De gedachte was als het voelen met je tong aan een losse tand, tegelijkertijd lekker en pijnlijk. Er kwam een ver besef mee dat ik ook lichamelijk voelde; mijn botten en bloed wisten eerder dan ik wat Bart voor me betekende. Al enige tijd betekende. En nu zat hij in het hol. De gedachten aan Bart vloeiden over in andere angsten. Hoevelen waren er ziek, vroeg ik me af. Hoevelen dood?

Doug hield me met een van ongerustheid vertrokken gezicht de hele maaltijd in de gaten. Daarna nam hij me mee naar de leeszaal op de begane grond. En zoals hij al had gezegd, was die spectaculair: anders dan alles wat ik ooit had gezien. Rijen en rijen in leer gebonden boeken. Ladders om erbij te kunnen, sommige op wieltjes. Kranten die als tere damesspulletjes over houten stokken gedrapeerd zaten. Ik had al jaren geen papieren krant meer in handen gehad. Er stond een kast met kleine laatjes, zoals in de Merc. Een vleugel. En terwijl ik midden in de zaal langzaam ronddraaide voelde ik me onder de indruk en overweldigd en meer dan ooit als Alice aan de verkeerde kant van de spiegel.

'Papa,' murmelde ik, 'ik voel me niet zo lekker.' Hij voerde me aan mijn elleboog naar de dichtstbijzijnde stoel en ik kreeg daar even volop de gelegenheid om het rode tapijt met de gouden fleurs de lis te bekijken met mijn hoofd tussen mijn knieën. Intussen was Doug erachter waar ik zo door van streek was geraakt. En bij wijze van afleiding begon hij het hele onwaarschijnlijke verhaal van zijn ontsnapping van kantoor te vertellen.[56]

---

56. En hij leidde me met nog iets anders af: toen hij later scotch ging halen, kwam hij terug met een medicijnflesje. 'Dit zijn alle drie de edities van de NADEL,' zei hij met een opgewonden stem. 'Een van de postdocs heeft ze in DNA gecodeerd en bood me aan dat in mijn lichaam te implanteren. Uiteraard,' zei hij, en hij stak het flesje omhoog, 'heb ik dat vriendelijk doch beleefd afgeslagen.'

W

woord /wort/ (het; -en) 1 een menselijk relikwie, in onbruik geraakt 2 archaïsch: een afzonderlijke eenheid van betekenis die, indien gecombineerd met gelijksoortige eenheden, in staat kan zijn een krasje te maken in de huid van de tijd

Op de avond van 16 november, toen Doug met behulp van zijn geveinsde misselijkheid was weggeglipt uit de vergadering met Synchronic, was hij tweeëntwintig trappen af gerend naar de onderkelder. Toen de buizenpostcentrale op slot bleek en merkwaardig genoeg voorzien was van een papier waarop CREATORIUM stond, was hij de klamme hal door gerend en had zich in een kleine, koude voorraadkast verstopt waarin hij water hoorde stromen. Dezelfde kast die ik was tegengekomen op de avond dat ik Dmitri voor het eerst tegen het lijf liep.

Als het licht daar aan was, zag je een stroompje water door een goot in de vloer lopen dat door een groot, grillig gevormd gat van grofweg een meter doorsnee onder in de muur wegstroomde naar het riool verderop. Er kwamen ook plastic pneumatische buizen uit boorgaten in de met de buizenpostcentrale gedeelde muur die eveneens in het gat verdwenen.

Die kast, legde Doug uit, was een soort doorgang, net zoiets als de deur achter Phineas' boiler. En net als bij die deur was de weg die bij deze brokkelige opening begon niet erg makkelijk te volgen.

Doug had zich al eens door dat konijnenhol gewurmd, een paar jaar eerder. Enkele maanden nadat de buizen die het gebouw verbon-

den met de Merc waren geïnstalleerd, was hij op onderzoek uitgegaan toen ze het opeens niet meer deden. Hij had gewoon de ploeg
moeten bellen die ze had geplaatst. (Dat had Phineas kort daarna wel
gedaan.) Hoewel hij de plek waar het defect zat wist op te sporen – de
buis was losgerukt in de afwatering van de metro – was hij niet meer
zo lenig (of slank) als vroeger. Het was bijna zijn dood geworden, op
meer dan één manier. Het enige wat hem er op die avond van de
zestiende november, toen hij daar ineengedoken in die muffe kast
stond, toe aanzette het nog eens te proberen was een nog angstaanja-
gender doodsdreiging – niet alleen voor hemzelf, maar ook voor het
woordenboek.

Bij zijn vorige poging was hij amper tot halverwege het buizentra-
ject gekomen. Het was dus met de nodige bedenkingen dat hij zichzelf door het ongelijkmatige afvoergat dwong. Onder de schrammen
keek hij gejaagd achterom of er niemand achter hem aan zat. Hijgend
wurmde hij zich door een korte, natte en erg krappe gang – 'Krapper
dan vroeger,' zei hij met een beschaamd tikje op zijn buik – waar de
buizen hem erg in de weg zaten, tot die breder en hoger werd en hij
er bijna in kon staan.

Hij bevond zich in een rioolbuis die hem, met een paar kleine
omwegen, naar Columbus Circle leidde, een paar straten verderop,
en hij zette er in die donkere, stinkende gang voorzichtig en ineengedoken de vaart in. Onderweg verzwikte hij zijn enkel doordat
hij om de paar seconden achteromkeek en het lopen door smerig
water met zijn nette schoenen bezorgde hem blaren en bloedende
voeten. Op een punt waar de buizen in een gang verdwenen die te
smal voor hem was, klom hij naar boven en kwam hij via een put-
deksel op straat terecht (op zichzelf ook al een angstaanjagende
gebeurtenis – het deksel bleek midden op straat uit te komen en
niet op de stoep). Vervolgens liep hij via de metro-ingang weer naar
beneden.

Hij dacht er sterk over de metro te nemen, maar was nog steeds
erg dicht bij kantoor en vreesde dat er elk moment iemand zou kunnen opduiken die naar hem op zoek was. Dus toen de metro er na

455

een paar martelend lange minuten nog steeds niet was, liep hij naar het einde van het perron en klom behoedzaam het laddertje naar het spoor af. Hij volgde de route van de F – en de buizen – naar Rockefeller Center, dat twee stations verderop lag, een huiveringwekkende tocht. Daar besloot hij dat hij er genoeg van had om zijn leven op die manier op het spel te zetten en klom het perron weer op, ging naar buiten en liep de laatste paar straten naar de Merc, waarbij hij de nodige aandacht trok met zijn uiterlijk en de walm die hij verspreidde.

Toen hij er eindelijk was – stinkend, smerig en 'zo'n vijf systolische punten van een beroerte verwijderd' – trilden zijn handen zo hevig dat hij het slot van de deur bijna niet open kreeg. Eenmaal binnen haastte hij zich naar de kelder, waar hij al snel de schrijfmachine vond die op een stapel Prousts stond. Hij tikte er twee keer dezelfde cryptische boodschap. Die luidde: 'diachroon, een methode om naar een taal te kijken die dreigt uit te sterven.' Hij stuurde er per buizenpost een naar zijn kantoor, die ik vond, en de andere naar dr. Thwaite (de week ervoor hadden ze tijdens een bijeenkomst van het Genootschap besloten dat dat hun sos-code zou zijn. Dat was ook de dag waarop hij mij de naam Alice had gegeven).

Phineas had alleen niet meteen geantwoord en Doug had geen tijd om te wachten: hij hoopte mij nog op weg naar het vliegveld te treffen bij The Fancy, maar voor hij vertrok, wilde hij nog minstens één aanwijzing achterlaten. Hij liep snel de smalle wenteltrap op naar de entresol en ging daar koortsachtig op zoek naar inspiratie. Op de vleugel lag een grote, gedateerde atlas en daarnaast de bescheiden postcodegids van het Verenigd Koninkrijk. 'Daar waarschijnlijk achtergelaten door een of andere sentimentele oude knar,' zei Doug. 'Ik heb Franz er wel eens in zien kijken.'

Gehaast en in de hoop dat het mij zou lukken de code oxi idp die hij in zijn kamer had achtergelaten te kraken, bladerde Doug naar de kaart van Groot-Brittannië en stopte de postcodegids er op die plaats tussen. ('Hoe kon je nou ooit denken dat ik dat zou ontcijferen?' plaagde ik hem goedmoedig. 'Om eerlijk te zijn was ik op dat moment zo in paniek,' zei hij, 'dat ik bang was dat het er te dik bovenop lag.')

Hij voelde de minuten als stroompjes regenwater wegstromen, maar krabbelde toch nog als een razende één laatste briefje, geadresseerd aan 'Alice die geen Alice heet', en stopte het op een plaats waarvan hij dacht dat ik er misschien wel zou kijken: het deel met de J van de tweede editie van de NADEL, op de pagina met 'Johnson, Douglas'. Maar Phineas was me voor geweest en had die aanhef later zelf gebruikt. Daar heb ik nog steeds het bewijs van. ('Wat stond er in dat briefje voor mij?' vroeg ik. Doug keek me verbijsterd aan. 'Wat? Heb je dat nooit gevonden? Meen je dat?' Toen ik knikte, trok hij een frons en zei: 'Verdorie. Had ik het toch in die koperen ananaskroonluchter op de wc moeten achterlaten. Er stond in: "Lieve Alice die geen Alice heet, ik ga naar de andere kant van de Spiegel."' Hij vertelde dat dat briefje ook de reden was dat hij de bibliotheek in Christ Church die malle naam had gegeven.)

Toen hij ook de laatste aanwijzing had verstopt, wierp Doug een paniekerige blik op de klok. Hij stoof de trap af, de straat op, en wist met enige moeite een taxi aan te houden. Nadat hij de chauffeur het adres van The Fancy aan de andere kant van de stad had gegeven – en, toen ze langs kantoor reden, had gedaan alsof hij voorovergebogen iets van de grond raapte – kwam hij buiten adem bij het eetcafé aan. Maar ik was al weg en de enige die hij er trof was de strenge Marla.

Op het vliegveld kreeg hij te horen dat de tickets naar Londen voor die avond uitverkocht waren. Er waren alleen nog vluchten met een tussenstop in Reykjavik of Frankfurt. Gelaten boekte hij de vlucht via Duitsland maar ineens had hij een ingeving. Misschien was een tussenstop in Reykjavik wel een veel slimmer idee. Hoe zou hij anders ongezien Engeland binnen kunnen komen? Daarvoor had hij de hulp van een oude vriend (en eentje met de juiste contacten) hard nodig.

Hij cancelde zijn ticket naar Duitsland en begon een martelende speurtocht naar een munttelefoon. Na voor zijn gevoel eindeloos te hebben gezocht, vond hij er ten slotte een in een naargeestig hoekje bij de restaurants. Het was een erg oude, waarvan het metalen snoer lamlendig uit het toestel hing, als de ingewanden van een robot, en hij was aangenaam verrast toen hij een kiestoon kreeg. Goddank kende hij het nummer uit zijn hoofd, uit de tijd dat uit het hoofd leren nog de efficiëntste techniek was. Hij toetste 011 in, daarna de landcode, 354, toen zeven cijfers, en na een onecht klinkende reeks belgeluiden zei een slaperige vrouwenstem: 'Já?'

'Kan ik Fergus spreken,' zei Doug. 'Het is een noodgeval.'

Na een minuut hoorde hij Hedstroms barse stem sputteren: 'Dit mag wel een heel ernstig noodgeval zijn.' Maar toen Doug uitgepraat was, beloofde Hedstrom dat Eydis, die nu nog naast hem in bed lag, over zes uur in de aankomsthal van Keflavík zou staan om hem op te halen.

En dat was ook zo.

Ze had Doug meegenomen in een zwarte Peugeot die ze van haar neef Arinbjörn had geleend – die hem zelf ook weer van iemand had 'geleend' – naar Hedstroms hoofdkwartier in Selfoss, een stadje in het zuiden aan de rivier de Ölfusá. Vervolgens was Doug 's middags, toen de zon al onder was, met een wit busje zonder ramen overgebracht naar Hedstroms Bombardier, waarin hij had plaatsgenomen op een met champagnekleurig leer beklede stoel aan het raam. Doug, Hedstrom en een kleine crew waren naar Kidlington Airport gevlogen, even buiten Oxford. Het leek erop dat Ferg die reis al eerder had gemaakt: ze werden op de landingsbaan verwelkomd door een grijnzende vliegveldmedewerker in een donkerblauwe trui die Ferg als een oude bekende begroette. Met een laconiek gezicht accepteerde hij potten vis in het zuur en nog het een en ander – om maar te zwijgen van een goedgevulde envelop – waarna hij zorgde dat het groepje zonder plichtplegingen door de douane kon. Vervolgens waren ze naar de Spiegel gereden. Ferg had zelfs nog twee bodyguards voor Doug geregeld.

(Toen hij op dat punt in zijn verhaal was beland en de verwarring op mijn gezicht zag, sloeg hij even een zijpad in met een uitleg over Hedstroms heldhaftige reddingsoperatie. Hij vertelde dat Ferg, Laird en hij in hun studietijd een triumviraat hadden gevormd. Het was alleen een nogal onstabiele band gebleken, 'als natrium,' zo zei hij, 'dat vlamvat als je er water bij doet.' Ferg had zijn mening over Laird nooit onder stoelen of banken gestoken: 'Ik haat die achterbakse klootzak,' zei hij vaak. Het was ook niet zo vreemd dat Ferg er zo over dacht. Ver voor Laird kennis had gemaakt met Vera Doran was hij al zeer bedreven geweest in de kunst van het vrouwen afpikken, zo ook Fergs vriendin en eerste echte liefde, Sylvie Grace Mason, een tengere blonde eerstejaars van Radcliffe. Daarna was het definitief afgelopen geweest met de 'vriendschap' tussen Ferg en Laird, die ook daarvoor al uiterst fragiel was. Doug was nog het enige overgebleven hechtmiddel tussen hen beiden geweest. Het afgelopen jaar was ook dat laatste restje lijm uiteraard opgelost.)

Doug vertelde niet alle details van dit verhaal meteen de eerste avond nadat ik uit quarantaine was gekomen. Ik kreeg ze, en nog veel meer, in de weken daarop te horen. Soms tijdens wandelingen die we maakten langs Abingdon Road of naar Jericho, waarbij we bivakmutsen opdeden tegen de kou (en ter vermomming). Soms liet Doug voicemails op mijn telefoon achter, of schoof hij getypte briefjes onder mijn deur door als ik gebogen over de schrijfmachine aan dit manuscript zat te werken, hard hamerend op de toetsen.

Die allereerste avond dat ik uit het hol was, de avond na kerst, kreeg ik alleen maar de kaalste feiten over zijn ontsnapping te horen. In de stilte die erna viel, zei ik: 'Mag ik vragen... Als je niet zou zijn ontsnapt... Wat is er met John Lee gebeurd?'

Doug ademde hoorbaar uit. Wreef met beide handen over zijn gezicht. 'Die arme John Lee,' zei hij hoofdschuddend, en hij nam een flinke slok van de whisky die hij tijdens zijn verhaal had ingeschonken. Vernon was binnen komen lopen op het moment dat Doug het over zijn vlucht met de Bombardier naar Oxford had. Nu keek Doug naar Vern op en zei: 'Afschuwelijk.' Hij nam nog een slok. 'Hij was heel ziek,' vervolgde Doug. 'Hij was een van de eersten die door de Nautilus met het virus werden besmet. Maar dat is niet wat hem de das om heeft gedaan.'

459

Zwaar steunend op zijn stok vertelde Vernon: 'Hij probeerde de werkers in het Creatorium te waarschuwen dat ze ziek konden worden van het apparaat en het virus. En dat ze andere mensen konden besmetten. Om die reden is hij vermoord.'

'Ja, en hij probeerde de symptomen meer bekendheid te geven,' vulde Doug aan. 'Hij zette een waarschuwing op de site van de Lexibeurs, wat niet eenvoudig kan zijn geweest, gezien zijn vergevorderde afasie. Natuurlijk werd die meteen vervangen door een verontschuldiging waarin beweerd werd dat de site gehackt was en de waarschuwing een verzinsel was.'

Vernon liet zich in een nabijstaande stoel ploffen. 'We weten niet precies wie het heeft gedaan,' zei hij, en hij legde zijn wandelstok over zijn knieën. 'Het kunnen er meer dan één zijn geweest. Dmitri, misschien. Of misschien die ene vent, die Koenig.' Er joeg een rilling door Vernons nek en schouders. 'Die is de laatste tijd hier in de omgeving gezien terwijl hij rond liep te loeren.'

Nu huiverde ik ook, bij de gedachte aan de man in het zwart in de trein. 'Volgens mij ben ik gevolgd,' zei ik benauwd.

Doug verbleekte. 'Dat zou heel goed kunnen,' zei hij somber. Hij dronk zijn glas leeg. 'Toen ik van Bill hoorde dat je hier was en daarna bericht kreeg over die Koenig sloeg de angst me om het hart.'

'Waarom heb je me niet gewoon verteld waar ik je kon vinden?' vroeg ik. 'Je had me ook kunnen komen halen.'

'Ik wist niet waar je was,' zei Doug fronsend.

Ik keek hem aan. 'Dus dat briefje,' zei ik. 'De Wauwelwok...' Doug keek me niet-begrijpend aan en de woorden bleven in mijn keel steken. Ik kreeg een tintelend gevoel, alsof mijn vel werd losgeritst.

'Wat?' zei Doug gespannen.

'Nee, niks,' mompelde ik.

Doug keek me onderzoekend aan. Prevelde: 'Misschien moeten we hier maar stoppen.'

'Ik voel me prima, hoor,' zei ik. 'Heus. Ik voel me eigenlijk al een stuk beter.' En dat was ook zo. Verbaasd realiseerde ik me dat het praten ook veel makkelijker ging.

'Echt?' vroeg Doug achterdochtig. Toen ik knikte, zag ik hem een glimlach onderdrukken. 'Nu al?' zei hij, voornamelijk tegen zichzelf. En tegen mij: 'Dat is een erg goed teken.' (Ondanks zijn verknochtheid aan academische logica was Doug een tikje bijgelovig. Dat uitte zich op kleine, bijna onmerkbare manieren, zoals wanneer hij ergens heel erg blij om was. Dan weigerde hij te lachen en bande alle vrolijkheid uit zijn stem. Ik plaagde hem altijd dat hij het boze oog probeerde af te weren. Als kind had ik dat erg verwarrend gevonden. Intussen was ik eraan gewend, net als aan zijn gewoonte om op hout te kloppen of zout over zijn brede schouder te gooien. En nu vond ik zijn ernst, en wat die betekende, uitermate geruststellend.)

Hij legde uit dat een van de onderdelen van taaltherapie het voeren van gesprekken met gezonde mensen was: het kon bijdragen aan het tenietdoen van de laatste resten van de gevolgen van So111 na quarantaine en de vorming van nieuwe neuronale verbindingen stimuleren. Lezen was, zoals ik intussen al wist, een ander therapeutisch middel. Hij overhandigde me een stapel oude nummers van het *International Journal of Lexicography*. Mijn hart zonk me in de schoenen, maar met een scheve grijns zei hij: 'Geintje.' Hij gaf me een prachtige uitgave van *Alice achter de spiegel* en zei erbij: 'Het kan ook geen kwaad om wat lemma's in de NADEL te corrigeren.'

Die aanbevelingen – taalonthouding, gesprekslabs, lezen en ook schrijven ('We zullen binnenkort overleggen over je schrijftherapieprogramma,' had Doug gezegd) – waren al jaren geleden in experimentele vorm ontwikkeld in Taiwan. Na de recente woordengriepuitbraak had Doug overlegd met laboratoria in Oxford en Cambridge, Harvard en Carnegie Mellon, de Wereldgezondheidsorganisatie, het Centrum voor Ziektepreventie en -bestrijding en de National Health Service in Engeland. Hij had ook een kleine voorraad virusremmers gekregen. Maar geen andere, betere ideeën voor therapieën. Deels misschien omdat veel van die organisaties hun digitale gegevens van vele jaren door het cybervirus waren kwijtgeraakt, inclusief alles over de woordengriep en wat er in China en Taiwan tegen was ondernomen. Het beste wat men te bieden had waren preventieadviezen.

In de zes weken die waren verstreken sinds het eerste bekende slachtoffer aan het virus was bezweken, waren wetenschappers begonnen met het bestuderen van de gevolgen van besmetting. Vanaf toen, en vooral in de tweeënhalve week na de massabesmettingen, hadden ze een ongelooflijke hoeveelheid monsters te verwerken gekregen en ct-scans en mri's geanalyseerd, onder andere van patiënten die aan de Laatste Stilte hadden geleden. Verder werd er gekeken naar de schade die was veroorzaakt door defecte microchips en Kronen bij slachtoffers van goedaardige afasie. Intussen moesten ze er alles aan doen om te zorgen dat hun gegevens niet ook vernietigd werden. Maar nog steeds wisten ze niet genoeg. Ze dienden subsidie-aanvragen in. Wilden transversale onderzoeken en cohortstudies doen. Veel meer autopsierapporten vergelijken.

Toen ik het woord 'autopsie' hoorde, voelde ik een ijzige kou langs mijn ruggengraat trekken, alsof ik degene was die op een metalen onderzoekstafel lag. 'Papa?' zei ik. Hij keek me verwachtingsvol aan.

Ik beet op mijn lip, maar vroeg niet: 'Wat gaat er met Bart gebeuren?'

Doug keek me onderzoekend aan en donkere voren tekenden zich af op zijn voorhoofd. 'Voel je je wel goed?'

'Ja, hoor,' loog ik, en ik voelde mijn keel weer prikken.

Zijn gezicht verstrakte. Hij stak zijn hand omhoog. 'Momentje,' zei hij. 'Niet weglopen.'

'Waar zou ik heen moeten?' vroeg ik, maar hij had me al de rug toegekeerd en antwoordde niet. Toen hij terugkwam, had hij zijn glas bijgevuld en hij gaf mij een groot, met gevuld glas gouden scotch. Met één ijsklontje.

'Je hoeft niet meteen te antwoorden,' zei hij, 'maar ik heb een voorstel.' Toen hief hij zijn glas. 'Proost.'

Uit ervaring wist ik dat een voorstel net zo goed een Buster Keaton-marathon kon zijn als een betaalde baan. Ik nam een flinke, brandende slok. Knikte ten teken dat hij kon vertellen wat zijn voorstel was.

'Ik had het daarnet over schrijftherapie.' Hij wreef over zijn keel. 'Ik had het er vanavond nog niet over willen hebben, maar eerlijk gezegd denk ik dat het niet kan wachten. Niet omdat ik geloof dat je nog steeds gevaar loopt, maar omdat er heel veel mensen zijn die er recht op hebben te weten wat er is gebeurd – met hen en met ons allemaal.'

Hij plaatste zijn vingertoppen tegen elkaar, boog zich voorover en legde uit: 'Ik denk dat er een manier is waarop jij beter kunt worden, terwijl je gelijktijdig andere mensen helpt.' Hij nam een teugje van zijn whisky en vervolgde: 'We zijn veel kwijtgeraakt – onmetelijke hoeveelheden. De beste manier om vooruitgang te boeken is ons recente verleden terug te halen. Het is in elk geval een begin, terwijl we intussen blokkades proberen te bedenken, manieren om de virussen tegen te houden die nog steeds overal op internet hun verwoestende spoor trekken en veel, heel veel mensen besmetten. Daarna, als we de boel hopelijk hebben weten te stabiliseren, kunnen we gaan inventariseren hoeveel tienduizenden, misschien wel miljoenen, teksten – boeken, artikelen, e-mails, transcripten – er vernietigd zijn. Om nog maar te zwijgen van particuliere herinneringen, anekdotes, mondelinge overleveringen. Door de gebeurtenissen van de afgelopen weken vast te leggen, kun je in elk geval helpen een begin te maken met wat een collectief proces van reflectie zal moeten worden op alles wat we kwijt zijn en hoe het zover heeft kunnen komen. Maar ook welke kant we hierna op moeten. Door het verhaal te vertellen. Weer leven te blazen in wat dode letters zijn geworden. Volgens mij is dat hoogstnoodzakelijk. En volgens mij ben jij daarvoor de aangewezen persoon.'

Deze speech had alle klassieke kenmerken van Doug op zijn Dougst: attent, onbeschaamd en theatraal, en niet zo'n beetje onrealistisch. Zolang ik hem ken, mijn hele leven dus, heeft hij buitenmaatse dromen die hij toch altijd probeert uit te voeren. En aangezien hij zich altijd het prettigst voelt als hij 'zich nuttig kan maken', wist ik dat hij mij ook een mogelijkheid probeerde te bieden om iets nuttigs te doen, hoe onwaarschijnlijk die mogelijkheid ook was.

Toch begon mijn gezicht tijdens zijn verhaal te gloeien en dat was maar ten dele het gevolg van de whisky. Ik voelde dat hij geloofde in wat hij zei – dat dat project echt belangrijk voor hem was. Ik wist ook dat hij het waarschijnlijk aan mij vroeg, omdat hij er zelf geen kans toe zag: hij had het veel te druk met vergaderingen, persberichten, conferenties, onderzoek, het inventariseren van wat verloren was gegaan, en in zijn weinige vrije tijd probeerde hij ook nog de NADEL klaar te maken voor publicatie. Hij voorzag toen al dat Synchronic failliet zou gaan en hoopte het intellectuele eigendom van de NADEL terug te krijgen, zodat hij de derde editie eind januari bij de Oxford University Press kon laten verschijnen. In zijn kluis in Newark had hij een volledige set van de derde editie opgeslagen alsmede een digitale back-up. Als Doug geen tijd had om het verhaal op papier te zetten van alles wat er was gebeurd, waarom vroeg hij het dan niet aan Vernon? Vern zou zich perfect van die taak kwijten. Of Alistair? Of iemand anders? Bart bijvoorbeeld, zei een stemmetje in mijn hart. Opnieuw leek Doug mijn gedachten te kunnen lezen. 'Jij,' zei hij. 'Jij moet het doen.'

Ik was hem dankbaar voor zijn motie van vertrouwen. Zijn oordeel is zo belangrijk voor me. Misschien wel belangrijker dan dat van wie ook. Maar ik had ook mijn twijfels. Ik had al jaren niets langers dan een paar woorden achter elkaar geschreven. Ik wist niet of ik zijn gedroomde project wel zou kunnen waarmaken (natuurlijk niet, ik zou alleen mijn eigen droom kunnen waarmaken).

'Ik weet het niet, pap,' zei ik. 'Ik ben een beeldend kunstenaar, geen schrijver. En ik ben nog herstellende. Ik bedoel, ik ben pas een paar uur uit quarantaine. Ik weet niet of ik...'

'Denk er gewoon over na,' zei Doug zachtjes. Hij klonk een tikje teleurgesteld. 'Zoals ik al zei hoef je niet nu meteen al te beslissen. Eén ding dat je in overvloed hebt is tijd. Zelfs naast je leestherapie, het gesprekslab en dat soort dingen. Ik denk trouwens dat als je gebruik zou maken van voetnoten – wat ook goed zou zijn voor je lezers, vooral voor hun geheugen – je je labtijd waarschijnlijk zult kunnen halveren.'[57]

---

57. Het is duidelijk dat ik zijn advies heb opgevolgd. Al heb ik in de loop van de vijf weken dat ik aan het schrijven ben wel gemerkt dat ik ze steeds minder

Doug hield zijn hoofd scheef en keek me peilend aan.

Ik probeerde te glimlachen, maar ik was doodop. Het enige wat ik te bieden had was een zwak schouderophalen.

'Oké,' zei hij, en hij liet de ijsblokjes in zijn glas rinkelen. Ik kon niet beoordelen of hij boos was. Toen haalde hij een vreemd apparaatje uit zijn colbertzak. Zilver en met het formaat van een deoroller. Het had een schermpje en een lang, kronkelend zwart snoer – een microfoon. 'Mocht je besluiten om het te overwegen...' Hij drukte op een knopje en er ging een rood lichtje branden. 'Het leek me wel handig om wat dingen vast te leggen.'

Wat volgt is een geredigeerd transcript van ons gesprek die avond.

DOUG: De truc om de betekenis van woorden te veranderen is al zo oud als de mensheid. Denk maar aan 'vrijheid' en 'democratie' [...] Uiteindelijk is het een kwestie van kortzichtigheid. Een verslaving aan wat te gebeuren staat. Mensen raken zo geobsedeerd door de toekomst dat ze die zelf gaan verzinnen. Het 'nieuws' naar hun hand zetten. Hun eigen 'analyse' bedenken. Dat doen we al jaren. Het lijkt niet meer dan vanzelfsprekend dat we uiteindelijk zouden eindigen bij het verzinnen van woorden. [...] Maar Synchronic heeft de versnelde levenscyclus van woordbetekenissen niet uitgevonden. Als natie houden we ons al sinds voor de Tweede Wereldoorlog bezig met massaproductie. We geloofden dat verkwisting als vanzelf zou transformeren tot overvloed, dat als we maar genoeg wegwerpartikelen zouden maken, het consumentisme zou worden aangemoedigd. En dat gebeurde ook, enige tijd. Maar, raar maar waar, grondstoffen zijn eindig. Als je er maar genoeg van verspilt, zijn ze op een dag uitgeput. Dat geldt ook voor taal. Je kunt

nodig heb. Het is me verder opgevallen dat de stijlkenmerken van bepaalde andere bronnen die ik heb geraadpleegd om dit document samen te stellen een zekere (goedaardige) invloed hebben gehad op die van mij. Zo ben ik bijvoorbeeld erg gehecht geraakt aan haakjes. En het lezen van de NADEL heeft absoluut als bijverschijnsel dat mijn vocabulaire (op blijkbaar vrij onconventionele wijze) is veranderd.

niet simpelweg een woord munten, het een keer gebruiken en dan weer weggooien. Taal is niet meer dan het zoveelste slachtoffer. We denken altijd maar dat er meer dan genoeg van alles is, zelfs als we de bodem al zien. Niet alleen petroleum of goud, maar ook poolijs en water, bandbreedte. Zelfs onze gedachten en herinneringen blijken nu wegwerppartikelen.

ANANA: Ik dacht dat we het zouden hebben over... Waar hebben we het eigenlijk over?

D: Waarom denk je dat mensen gestopt zijn met lezen? We lezen om in contact te komen met andermans gedachten. Maar waarom zou je lezen als je het zo druk hebt met schrijven, met het beschrijven van het fijn generfde wrakhout van je eigen leven? Obsessief vastlegt wat je eet, tot het kleinste kruimeltje aan toe, dat je het koud hebt, of, weet ik veel, in de put zit vanwege een voetbalwedstrijd. Een eindeloze rivier die stroomt naar iedereen en niemand. Wie zou zich druk maken over het verleden als het al lastig genoeg is om het heden bij te houden? Maar we kunnen niet zonder het verleden. En dingen die langer duren dan een dag... Sorry, ik draaf door.

A: Nee, dat valt wel mee. [Stilte.] Papa? [Lange stilte.] Mag ik je wat vragen? Wat gaat er gebeuren met... Zijn Bart en... Komen ze er weer bovenop?

D: [Zucht.] Hij komt er wel weer bovenop. [Biedt A een chocolaatje aan dat hij in zijn borstzak vindt. De opname stopt en vervolgt pas weer een paar minuten later.]

. . .

D: In bepaalde opzichten is taal precies hetzelfde als liefde. Ze betekent alleen maar iets als ze op een ander gericht is. Maar taal kan veranderen, of verbasterd raken. Mensen kunnen verdwijnen. Liefde niet. Echte liefde verdwijnt nooit.

A: Soms zelfs niet als je dat wel zou willen.

D: Nou, nee. Ik denk dat je het nu over iets anders hebt, niet over liefde. En het goede nieuws is, die andere dingen verdwijnen wel: verliefdheid, eenzaamheid, angst. Een gebroken hart. Dat kan lang, heel lang duren. Maar uiteindelijk lossen ze op. [...] Mensen zijn teleurstellend, Anana. We zijn egoïstische, bange en uiterst gebrekkige wezens. Zoals ik. En Phineas. En Vera en Max. Jij misschien niet, maar verder iedereen. Nou ja, Bart misschien ook niet. Maar verder echt iedereen. [Korte stilte.] Maar de liefde, die is perfect. Die is groter dan elk van haar objecten. Het probleem ontstaat als we dat gevoel, dat enorme, altijd maar uitdijende, almachtige en allesomvattende geval vereenzelvigen met degene die ons in staat heeft gesteld het te voelen. Als je die liefde kunt vasthouden, zelfs als mensen je hebben teleurgesteld – door te liegen of bedriegen of dood te gaan of als de liefde niet wederzijds bleek...

A: Of door in zwijgen te vervallen.

D: Ja. Als je de liefde die je voelt, die enorme, uitgestrekte zee die je omringt, kunt ervaren in plaats van je vast te klampen aan degene van wie je denkt dat die haar vertegenwoordigt, maar die alleen maar een klein, wankel, niet erg zeewaardig vlot is, dan zul je nooit meer teleurgesteld worden.

A: Vind je het stom van me dat ik verliefd werd op Max?

D: Liefde is nooit stom, Anana.

A: [Bijt op lip. Krijgt tranen in haar ogen.] Ik wilde...

D: Je bent net als ik. Je wilt weten wat alles betekent. Wat ik eindelijk heb geleerd, na al die jaren – en na het voor de kost opschrijven van betekenissen – is dat niet alles betekenis hééft. Of in elk geval niet maar één.

A: [Knikt.]

D: [Lange stilte. Het geluid van een keel die geschraapt wordt.] Ik moet je iets vertellen, Anana.

A: Wat?

D: [Stilte.] Dit wordt heel moeilijk voor je. Ik wil dat je...

A: Waar gaat het over? Bart? Ik dacht dat je zei...

D: Niet over Bart.

A: Over Vera dan? Ik... [Onverstaanbaar.]

D: Wat? Nee. Voorzover ik weet gaat alles goed met Vera.

A: Gelukkig. Goddank. Dan is er niets aan de hand.
   [Stilte.]
A: Doug? Er is toch niets aan de hand?
D: Het gaat over...
A: Zeg het.
D: Ik doe mijn best, Anana. Het gaat...
A: Zeg het, Doug.
D: Het gaat over Max.

X

x /ɪks/ (de (v.); -en) 1 een teken dat je de juiste plaats hebt gevonden 2 een teken dat iemand zet die niet kan schrijven 3 onbekende grootheid, factor of persoon <*een x-aantal*>

Het was Max met behulp van een oude vriend van Harvard gelukt het land uit te komen. De vriend had na Johnny's dood contact gezocht en was tijdens hun gesprek ongerust om Max geworden. Hij kwam uit een familie die haar fortuin in de geneesmiddelenindustrie had gemaakt en beschikte over een privévliegtuig. Zodra de grenzen opengingen had hij toegegeven aan Max' smeekbeden om hem mee het land uit te nemen en ermee ingestemd hem naar Londen te vliegen, waar hij toch voor zijn werk heen moest, mits Max beloofde de hele vlucht geen woord te zeggen. Via zijn familie had hij ook de hand weten te leggen op virusremmers, en hij had Max op het idee gebracht om niet in Londen te blijven, maar door te reizen naar Oxford. Hij had geruchten opgevangen over wat volgens hem een revolutionaire nieuwe kliniek was – wat in feite de Spiegel was – die naar verluidt bovengemiddeld succes had met quarantaine- en taaltherapieën. Op de zaterdag voor kerst, hun geplande vertrekdatum, had de vriend de papieren in orde die Max nodig had om New York uit en Groot-Brittannië in te mogen.

Max was twee dagen na mij in Oxford aangekomen.[58]

---

58. Volgens Doug was Koenig gestuurd om Max te onderscheppen. Ik was slechts bijvangst.

Diezelfde nacht was hij, met behulp van aanwijzingen van zijn vriend, die in Londen discreet inlichtingen had ingewonnen, om één uur bij de Spiegel aangekomen. Er had die nacht maar één beveiliger dienst, Chris Bennett, een vriendelijke negentienjarige boom van een roeier uit Stoke-on-Trent die Engels studeerde aan Magdalen. De aanblik van Max, die nog steeds onder de verwondingen zat en smekend op het ijskoude grind op de knieën ging, was hem te veel. Hij begreep niet wat Max probeerde te zeggen en deed vergeefse pogingen hem daar weg te krijgen. Hij had zelfs (niet erg overtuigend) met zijn gummiknuppel gezwaaid. Pas na een uur, toen Max nog steeds van geen wijken wilde weten – intussen sloeg hij niet alleen meer wartaal uit, maar huilde hij ook hysterisch en maakte hij Chris ongerust door voortdurend over zijn schouder te kijken – lukte het Chris eindelijk om een chagrijnige Vernon via de walkietalkie te wekken.

Na één blik op Max – met van de kou gesprongen lippen, een dicht en opgezwollen oog dat de glanzende paarsgroene kleur van een oester had, een kin waar de tranen en het snot vanaf dropen, slechts gekleed in een werkbroek en een dun flanellen overhemd – liep Vernon naar binnen om Doug te halen. Doug kwam slaperig de ijskoude buitenlucht in gestrompeld met een parka over zijn ochtendjas en keek naar Max die beurtelings verdween en weer verscheen achter de witte condenswolk van zijn snikken. Hij slaakte een diepe zucht en liet zich vermurwen. 'Oké dan. Laat hem maar binnen.'

Hangend aan Dougs nek was Max naar de quarantaineafdeling gesleept.

Ze hadden uiteraard hun bedenkingen gehad. Vernon trok Dougs beslissing openlijk in twijfel. Hij vroeg zich ook af hoe Max de Spiegel had kunnen vinden – of Max hem misschien had gevolgd. (Of zelf was gevolgd. Wie weet wie er hierna zou opduiken, zei Vern.) Zoals Doug hem uitlegde, was het toelaten van Max niet alleen maar een goede daad; als hij ooit weer zou kunnen praten, zou zijn informatie wel eens heel waardevol kunnen blijken. 'Hij was bovendien bijna mijn schoonzoon geweest,' zei Doug streng tegen Vernon, 'en volgens jou heeft hij vermoedelijk mijn dochter het leven gered.'

Toen ik dat hoorde, ging er een steek door mijn hart. 'Hoe bedoel je?' vroeg ik.

Doug weigerde zich nader te verklaren, hij wilde alleen kwijt dat er een reden was dat Dmitri me nooit had ontvoerd – of erger. Om heel eerlijk te zijn wilde ik het ook niet weten.

Doug huiverde en nam een flinke slok van zijn scotch. Ik ook.

Toen ze die nacht de deur van Max' cel op slot draaiden, was Doug vol goede hoop dat Max er binnen een week bovenop zou zijn. Hoe erg hij er ook aan toe leek, hij was in betere conditie dan Alistair toen die vanuit Massachusetts hier aangekomen was. En Max had een potje met dezelfde virusremmers bij zich als ze in de Spiegel gebruikten (hoewel hij verwarrend genoeg ook een briefje van zijn huisarts bij zich had waarin werd gesteld dat zijn afasie goedaardig was).

Natuurlijk ging het niet goed met Max. Ze wisten niet hoe het kwam dat hij zo ziek was. Misschien, dachten ze, was hij met meer dan één virus besmet. Max had een microchip, zei Vern. Die scheen bijna een jaar geleden bij hem te zijn geplaatst toen ik dacht dat hij aan het snowboarden was. Bij terugkomst had hij een kaalgeschoren hoofd gehad en een verband om, naar eigen zeggen omdat hij was gevallen – en dat was meteen ook zijn verklaring voor zijn postoperatieve symptomen.

Op de tweede dag van Max' quarantaine ging het ineens slechter met hem: hij was lijkbleek en bibberig en was zelfs niet meer in staat tot het gekwelde gewauwel dat hij bij aankomst nog had uitgeslagen. Die avond werd duidelijk dat zijn zwijgzaamheid niet uit vrije wil was, maar dat die over hem was neergedaald. Het was een stilte waaruit hij niet meer zou terugkeren. Rond twee uur 's nachts kreeg hij te kampen met niet te stuiten toevallen en voordat de artsen in hun witte beschermende pakken bij hem waren, was hij al met pupillen van ongelijke grootte weggegleden in een coma. Het was het ergste geval van woordengriep dat iemand van hen tot dan toe had gezien. Toen een van de artsen Doug later die nacht vanuit het ziekenhuis belde, zei hij dat Max' ogen niet langer op licht reageerden. Ze konden niets meer voor hem doen.

Doug had Max' moeder in Boston gebeld. 'Een afschuwelijk gesprek,' zei hij huiverend. Max was op kerstavond gestorven, twee dagen eerder, toen ik nog in quarantaine zat. Doug had het lichaam naar Heathrow gebracht.

'Ik vind het zo erg,' zei hij met de vreemdste stem die ik ooit had gehoord. Een verre echo, van de bodem van een put. Ik geloof dat ik toen even buiten bewustzijn ben geweest. Ik weet het niet zeker. De wereld was er, en opeens was hij er niet meer. Toen hij terugkwam, klonk alles heel hard. Zo hard dat ik mijn handen voor mijn oren sloeg. Niet dat dat hielp, want mijn gedachten klonken nog harder. Als donderslagen. Een van die gedachten was dat ik al had geweten dat hij dood was. Had geweten dat dit zou gebeuren sinds de laatste keer dat ik hem had gezien. Even sterk was de overtuiging dat Max nog leefde en dat mijn vader loog.

Hij zei nog iets, maar het duurde heel lang voor de woorden wisten door te dringen. Uiteindelijk hoorde ik het: 'Hij hield echt van je, weet je.'

En een fractie van een seconde wist ik niet over wie het ging. Ik zag Barts wijd uit elkaar staande groene ogen. Zijn scherpe snijtanden. Toen veranderde de lach en zat er een donker spleetje tussen de voortanden. En ik hoorde Doug zeggen: 'Misschien heeft hij het daarom wel uitgemaakt. Omdat hij dacht dat dat veiliger was voor jou.' Toen draaide ik me naar Doug toe en probeerde hem aan te kijken, maar zijn gezicht ging schuil achter de mist van mijn tranen. 'Ik weet niet of ik dat had moeten zeggen,' zei hij. Hij stond op en liep de kamer uit.

De aanval van verdriet die me overviel was zo heftig dat ik dacht dat ik mijn verstand had verloren. Ik kreeg nauwelijks meer lucht. Kon bijna niet zien. Ik durfde niet naar mijn kamer te gaan – wilde niet dat Bart me aan de andere kant van de muur zou horen huilen. Ik liep naar buiten ook al had ik geen muts of wanten of sjaal. Ik voelde de kou niet. Ik liet me op de grond zakken – op dezelfde plaats, verbeeldde ik me, als waar Max had gesmeekt te worden binnengelaten. Ik huilde tot mijn buik er pijn van deed en ik dacht dat ik moest overgeven. Mijn keel voelde rauw. Mijn ogen reusachtig in mijn hoofd. Doug had gelijk: ik hield nog steeds van Max. En zal altijd van hem houden.

Terwijl ik zo huilde, voelde ik een zwiepend schuldgevoel, als een nat laken dat klappert in de wind. Omdat ik niet alleen om Max huilde. Ik huilde ook uit ongerustheid om mijn moeder aan de andere kant van de wereld. En de rest van mijn familie en mijn vrienden. Omdat ik Coco miste, en Audrey en Ramona al weken niet meer had gesproken en niet wist of het wel goed met hen ging. Ik huilde om Phineas. En om Victoria. En om mensen die ik nooit had ontmoet, al degenen die ziek waren geworden of niet meer konden praten of waren overleden en degenen die van hen hielden. Maar het meest van alles huilde ik om Bart, omdat ik wist dat ik ook hem zou kwijtraken.

Toen ik ten slotte weer naar binnen ging, waren mijn handen paarsblauw. Nadat ze voldoende waren ontdooid om ze weer te voelen, brandden ze alsof ze werden gekookt. Ik probeerde Barts deur, naast de mijne, maar hij zat op slot. Ik drukte mijn oor tegen het hout, maar hoorde niets.

In mijn eigen kamer stond op het bureau een glas troebel water. Er lagen ook twee langwerpige roze pillen. En een briefje in Dougs handschrift met de tekst: 'Neem deze in.' Ik moest onwillekeurig aan Alice denken die het flesje vond met 'Drink mij', kromp en verdronk in het meer van haar tranen.

Ik klom in bed. Terwijl ik wachtte tot de pillen zouden werken, begon ik dingen te zien: krijsende baby's zo groot als honden, mensen wier hoofd eraf rolde. Ik meende geklop op de muur te horen. Ik klopte drie keer terug en wist zeker dat Bart dat zou begrijpen.[59]

Vervolgens viel ik in een droomloze slaap van een paar uur tot ik wakker werd van een hard geklop op mijn deur. Uitgeputter dan ik me ooit had gevoeld.

---

59. Iets als: ik hoor je of ik mis je of ik ben hier. Een samensmelting die me op dat moment even duidelijk leek als de manier waarop de hoofden die ik van nekken zag rollen in bloemen zouden veranderen en daarna in vlammen en daarna in regen.

Er werd een briefje onder mijn deur door geschoven. 'Sorry,' begon het, 'maar als je op tijd voor de persconferentie wilt zijn: de trein vertrekt om acht uur.' Nadat ik het had gelezen, viel ik meteen weer in slaap, maar tien minuten later dwong ik mezelf op te staan.

Voor ik de kamer uit liep, drukte ik mijn hand tegen de muur en fluisterde: 'Kom alsjeblieft terug.'

Doug stond me in pak met das en fris geschoren op te wachten in de receptie. Ik had de broek aan die ik al vier dagen aanhad. Hij gaf me een kneepje in mijn schouder, maar ik deinsde terug. Ik wilde niet weer in tranen uitbarsten. Toen we de poort uit liepen, gevolgd door bodyguards, lieten we alleen een spoor van adem achter in de lucht, geen woorden.

In de trein mocht ik van Doug aan het raam zitten. Ik liet mijn hoofd tegen het trillende glas rusten. Zag alle vergezichten langs wazen en van het ene in het andere overvloeien. Een kerkhofje op de plaats waar we de Theems overstaken. Koeien die in de schaduw van een megasupermarkt graasden. Veel van iets wat me heide leek, soms grijs, soms het roodbruin van oude tractors die in de regen zijn achtergelaten. Bomen. Paarden. Dappere zielen die op een ijskoud voetbalveld trainden, wit tegen rood.

Ik dacht: je bent nog niet dood.

De persconferentie vond plaats in een voormalige woning van dr. Samuel Johnson, de plaats waar hij het grootste deel van zijn woordenboek had geschreven. We namen een taxi van Paddington naar Fleet Street en liepen daarna van Red Lion Court naar Pemberton. Sloegen de hoek om onder een poort door waarop GOUGH SQUARE stond en daar was nummer 17. Het was een prachtig bakstenen gebouw. Op een roomwit-bordeaux bord op de zijmuur stond HIER HEEFT DR. SAMUEL JOHNSON, AUTEUR, GEWOOND. Op de kinderkopjes bij de zij-ingang stond met krijt een grote x getekend met 'Pers'.

Doug moest zich voorbereiden en zei dat ik maar even binnen moest rondkijken. De plek ademde geschiedenis, van het afgesleten koper van de sierlijke handvatten op de ramen tot de steile trap. Op de tweede verdieping leek het te spoken, dankzij een glief.[60]

De bovenste verdieping beviel me het best. Het was een lage zolder met kleine ramen en voorwerpen achter glas: Johnsons wandelstok met de gouden knop, een porseleinen mok die ooit de lippen had beroerd van Boswell, zijn beroemde biograaf, een wit bord met daarop twee blauwe tortelduiven met hun kopjes naar elkaar toe gewend. Verder was er een elektronische weergave van dr. Johnsons manuscript, niet met bladgoud geïllumineerd, maar met een led.

Ik bleef lang boven en keek van daaruit neer op de menigte die zich op het plein begon te vormen. Er waren niet genoeg klapstoeltjes, dus een aantal mensen ging achter bij de camera's staan, hun jas met badge wapperend in de wind. Toen het moment naderde dat Doug zijn verhaal ging houden, liep ik de trap weer af.

Op de eerste verdieping stopte ik, tot staan gebracht door een blik niet op ruimte, maar op tijd. Op planken achter glazen ruiten van hetzelfde model als die in de buitenmuur stonden dr. Johnsons boeken: toegangspoorten tot het verleden. Er stond ook een exemplaar van zijn woordenboek tentoongesteld, de twee delen opengeslagen op een tafel die glom als een zwarte, beslagen spiegel. Het boek was gigantisch, het papier dik als het geschepte papier van een huwelijksaankondiging. Ik bladerde naar de L, naar 'lexicograaf', om 'ongevaarlijke ploeteraar' te zien staan in een piepkleine pica-letter. Ik glimlachte bij de gedachte aan Bart, die dit zo zou kunnen waarderen. Ik zou het hem laten zien als hij uit quarantaine kwam (want dat zou gebeuren, hield ik mezelf voor). Toen bladerde ik wat afwezig verder en belandde bij de v. Ik zag 'vaandeldrager' en 'vademhout' en 'vagevuur'. 'Valkenier' en 'varensgezel'. En toen, op het moment dat ik Dougs voetstappen op de trap hoorde kraken, bleef mijn oog hangen bij het woord 'vergaren', en ik las: 'Bijeenbrengen; op één plaats verzamelen'. En dat vatte ik als een teken op: dat ik Dougs aantekenin-

---

60. Het was een blauwe man in een wapperend overhemd. Hij flakkerde boven de haard en de noordwesthoek van een kamer vol antieke spullen. Het was niet duidelijk wie hij was. Hij was veel te mager om Johnson te zijn.

gen en mijn eigen herinneringen en gedachten sinds het begin van het virus bij elkaar moest brengen. Dat ik dit verhaal moest vertellen, dat anders misschien verloren zou gaan.

Ik ving Dougs blik op en samen liepen we naar beneden, waar iedereen buiten stond te wachten.

Ik ging achter de groep mensen staan en keek om me heen, om mijn oren geslagen door de gure wind. Naar de met rode linten versierde kerstkransen aan de deuren op het plein. Een rode sjaal die om het bronzen standbeeld van een kat gebonden zat. Slingers witte lichtjes. Kerst was al voorbij geglipt. Ik richtte mijn aandacht weer op de gespannen gezichten die naar Doug keken. Hij trok zijn das recht. Vanuit de verte was ik de enige die wist dat de gele puntjes op de donkerblauwe zijde ananassen waren.

Dat dacht ik tenminste. Pas later ontdekte ik een paar mensen die ik kende: Susan met haar rode bril, Franz, Clara Strange, Tommy Keach met het lichte haar dat naar achteren was gekamd en tot een paardenstaart gebonden. Ik keek of ik Phineas ergens kon ontdekken, maar zag hem niet, wat een beetje afbreuk deed aan de vreugde om de anderen te zien. Toch gaf mijn aanwezigheid daar met hen me het gevoel deel uit te maken van een lange, slingerende, onbreekbare keten.

Dougs stem klonk over het plein en al snel stond hij uit te leggen dat hoewel de aantallen niet verifieerbaar waren, men toch geloofde dat intussen meer dan negentienduizend mensen direct of indirect aan de virussen waren overleden. En die waren nog niet uitgewoed: tot nu toe hadden ze in Groot-Brittannië weinig schade berokkend, maar ze hadden zich wel verspreid naar andere gemenebestlanden, Amerikaanse legerbases en eilandgebieden van de VS, van Guam tot Puerto Rico.

'En intussen ook elders,' zei Doug. Hij bracht het slechte nieuws dat de afasie van het Engels was overgesprongen op minstens twaalf andere talen. Ik hoorde geroezemoes ontstaan, dat snel weer verstomde. Zag handen opgestoken worden in de groep. Op de gezichten van degenen die bij mij in de buurt stonden zag ik rimpels opbloeien op voorhoofden. Iemand riep een vraag naar de beste voorzorgsmaatregelen en ik zag de spieren in Dougs kaak trillen.

'Bewaar uw vragen alstublieft voor straks,' riep een kleine blonde vrouw links van Doug.

'De beste voorzorgsmaatregel is jezelf niet blootstellen,' zei Doug op barse toon. Vervolgens gaf hij toch een lijstje met maatregelen die behulpzaam waren gebleken bij het in een gecontroleerde omgeving terugdringen van de schade. Dat lijstje werd later uitgedeeld onder de aanwezigen. Ik heb het hier liggen:

1. **Quarantaine** van besmette personen.
2. Verplichte **taalonthouding**. De aanbeveling luidt: twee tot drie dagen voor minder ernstige gevallen, maximaal een week voor serieuze besmettingen. Momenteel wordt onderzocht of langere behandelperiodes – van meerdere weken – uitvoerbaar zijn. Hier dient te worden vermeld dat de veiligheid noch de werkzaamheid van langere periodes van stiltetherapie is getest. Ze zijn mogelijk gevaarlijk en kunnen resulteren in chronische stomheid of mogelijk overlijden.
3. **Geen blootstelling aan betekenisloze informatie**, dat wil zeggen 'inhoud' die in feite inhoudsloos is.
4. **Lezen**. Boeken zijn bijzonder heilzaam, maar ook tijdschriften lijken tot veelbelovende resultaten te leiden. Zelfs limns, op goedgekeurde apparaten, zijn in noodgevallen bruikbaar gebleken.
5. **Gesprekken** met niet-besmette personen, informeel of in een gesprekslab. Bij voorkeur in meer dan één taal. Deze aanbeveling geldt tevens voor lezen en schrijftherapie (zie hieronder).
6. **Schrijftherapie**. Uit sommige onderzoeken is gebleken dat meer discursieve schrijfstijlen, zoals uitgebreid geannoteerde teksten, een marginaal statistisch significanter nut zouden kunnen hebben.

In de trein terug spraken Doug en ik niet veel tot we Slough gepasseerd waren en ik ten slotte naar Franz en de andere Genootschapsleden vroeg die ik had gezien.

Doug knikte vermoeid. Hij legde uit dat ze waren gekomen om te helpen met het opzetten van een archiefcentrum in de Spiegel dat vermoedelijk als voorbeeld voor andere instituten zou gaan dienen en om de helpende hand te bieden bij een laatste correctieronde van de herstelde NADEL-bestanden voordat de derde editie naar de drukker zou gaan. Hij hoopte dat er nog meer Genootschapsleden zouden komen zodra dat kon.

Hij keek langs me heen uit het raam en zei zacht: 'Heb je nog nagedacht over mijn voorstel van gisteravond?' Ik gaf niet meteen antwoord. Ik drukte mijn hand tegen het raam en legde hem daarna weer op mijn schoot. Keek hoe de witte afdruk snel wegtrok van het glas.

Doug zag mijn zwijgen aan voor gebrek aan zelfvertrouwen en zei: 'Je kunt zoveel meer dan je denkt. Daar word ik wel eens gek van.' Toen ik nog steeds niets zei, kauwde hij berouwvol op zijn lip. 'Sorry,' mompelde hij. 'Je weet dat het waar is.'

Ik haalde mijn schouders op. Eigenlijk was het niet meer waar. Ik begon zelf ook te geloven dat ik het kon. 'Hout en lijm?' zei ik.

Dougs gezicht klaarde op. 'Als je besluit het te doen,' zei hij met een glimlach, 'zal Bart je helpen.'

Ik schoot overeind. 'Hoe bedoel je? Betekent dat... Alistair zei dat Bart nog minstens een week niet naar buiten mag.'

Doug schraapte zijn keel. Maakte de knoop van zijn das wat losser. 'Eerder een maand, vrees ik. Hij krijgt een experimentele behandeling.'

'Een maand?' wilde ik zeggen, maar ik kreeg bijna geen lucht. 'Ik dacht... Niemand heeft toch nog langer dan zeven dagen binnen gezeten? Ik dacht dat je had gezegd dat dat de limiet was van wat veilig is.'

Doug zette het gezicht op dat hij reserveert voor het ergste van het ergste. Het gezicht dat hij alleen maar uit de kast haalt als er iemand is doodgegaan. Het stond nog vers op mijn netvlies: hij had het de dag ervoor nog gebruikt. 'Anana,' zei hij met een mond die een droevige, zachte halvemaan was. 'Weet in elk geval dat we met een uitstekend

aanvallen te voorkomen en archieven en bibliotheken op te zetten naar het voorbeeld van de bibliotheek die hier in de Spiegel is ingericht door leden van het Diachroon Genootschap, van wie er vele in Oxford zijn gebleven. We ontmoeten elkaar bijna elke avond voor een informeel gesprekslab, meestal in Phineas' stamkroeg, The Eagle and Child, waar ooit een andersoortig literair genootschap bijeenkwam.

Laird Sharpe en Steve Brock zijn allebei gearresteerd, maar hangende het onderzoek op borgtocht vrijgelaten. Met Floyd is het minder goed afgelopen. Hij zit in Colorado vast op verdenking van samenzwering, fraude en afpersing. En moord. Dmitri zit in de gevangenis op Rikers Island, net als Koenig. Ook verschillende hackers zijn opgepakt, onder wie Roquentin. Omdat hij nog minderjarig is (hij wordt in mei vijftien) is hij aan zijn familie overgedragen, nadat zijn vader de borgsom van drie miljoen yuan had betaald.

Twee weken geleden is er in het Capitool een herdenkingsdienst gehouden voor de slachtoffers van het virus. Doug was gevraagd als spreker en heeft er de etymologie en betekenis van het woord 'rouw' voorgelezen. Daarna heeft hij de trein naar New York genomen voor een andere, kleinere plechtigheid ter nagedachtenis van Victoria Mark, geboren als Nadya Viktorovna Markova, die in de Merc plaatsvond. Phineas had er een zeer ontroerende grafrede gehouden, vertelde Doug, en leek te zijn begonnen aan het lange, trage rouwproces. Hij schijnt ook gezond uit een driedaagse quarantaine te zijn gekomen en heeft zich intussen bij ons in Oxford gevoegd. Vorige week hebben we een bescheiden feestje gevierd in de eetzaal van de Spiegel om de publicatie van de derde editie van de NADEL te vieren.

Toen Doug in New York was, heeft hij met Vera koffiegedronken in een tentje vlak bij ons oude kantoor. Doug zei dat dat 'heel gezellig' was geweest, volgens Vera was het 'aangenaam', wat volgens mij betekent dat het voor allebei verdrietig was.

Ik spreek Vera zelf ook, eens per week. Zo te horen gaat het goed met haar. Ze is in East Hampton gebleven en helpt bij de verzorging van mijn grootvader. Hij bleek een microchip te hebben, die intussen met succes is verwijderd.

Ook mijn vriendinnen heb ik gesproken. Ramona zegt nog steeds niet veel, maar ze is daarvoor in therapie. Verder gaat het tot nu toe tot mijn grote opluchting goed met allemaal. Volgende maand zie ik Coco in Parijs. Dan vindt in de galerie die ze daar heeft eindelijk de opening van haar tentoonstelling plaats, die vanwege de crisis steeds maar was uitgesteld. Ze is van plan met me mee terug te vliegen naar Londen om een paar weken in Oxford te komen logeren.

Naast mijn schrijfwerk en de dagelijkse gesprekken met Doug en andere Genootschapsleden, doe ik aan judo en teken ik weer; ik ben ook van plan een master te gaan doen zodra ik dit manuscript af heb. Verder ben ik Spaans, Arabisch en Chinees aan het leren en lees ik veel. En ik lees Bart voor.

Natuurlijk heb ik dit verslag niet alleen geschreven. Wat dat betreft lijk ik erg op Doug en de andere dr. Johnson, en alle lexicografen daartussenin, die hoofdzakelijk anoniem hun ploeterwerk hebben verricht. Woordenboekenschrijvers kunnen niet anders dan in team-verband werken. En dat geldt denk ik voor alle schrijvers. 'Scheppen doe je samen,' zegt Doug altijd, en dat vind ik een troostrijk idee. Of zoals Georg Wilhelm Hegel het zei: 'De menselijke natuur bestaat eigenlijk alleen in een geslaagde verbinding van geesten.' Taal lijkt het bewijs dat er zoiets als betekenis bestaat. Dat we allemaal verbonden zijn, nu en voor eeuwig.

Woorden werken niet altijd. Soms schieten ze tekort. Gesprekken kunnen tot conflicten leiden. Diplomatie mislukt soms. Sommige meningsverschillen zijn niet op te lossen, hoe lang je ook praat. Mensen doen loze beloftes, houden zich niet aan hun woord, zeggen dingen die ze zelf niet geloven. Maar contact, met anderen en onszelf, is de enige manier waarop we kunnen overleven.

Ik ben het niet met alles eens wat Doug en Bart beweren over taal of liefde. Dat we louter slaven zijn, zoals Doug suggereert, of dat we zelf de touwtjes in handen hebben, wat Bart zegt, is allebei niet waar. Volgens mij ligt de waarheid ergens in het midden.

Taal mag dan haar grenzen hebben, maar ze is niet slechts een wazige gelijkenis in een donkere spiegel. Jawel, gebaren, blikken, aanrakingen, klopsignalen op muren hebben allemaal betekenis. Net als stiltes. Maar soms is het woord gewenst. Als overbrugging. Soms weten we pas wat we voelen als we het uitspreken. Woorden zijn misschien de dochters van de aarde en niet van de hemel, maar ze zijn niet wazig. En zelfs bij het zwakste schijnsel is er licht.

Bart heeft gelijk dat taal de schakel is die ons verbindt met de doden en de ongeborenen, maar hij vergist zich als hij zegt dat woorden slechts urnen zijn voor zuivere gedachten. Ik kan me niet voorstellen dat hij dat echt gelooft, of ooit geloofd heeft. Ik hoop daar op een dag nog achter te komen. Dat hij het me zelf kan vertellen. Voorlopig is dit het...

EINDE

Nog één ding.

Ik ben de afgelopen drie avonden bij Bart op bezoek geweest, sinds hij uit quarantaine is. Ik lees hem gedeeltes van dit manuscript voor en passages van Hegel. Onlangs kwam ik dit tegen:

> ... *echte liefde sluit alle tegenstellingen uit [...] ze is niet eindig [...] Deze rijkdom aan leven vergaart de liefde in de uitwisseling van elke gedachte, elke soort innerlijke ervaring, want ze blijft ad infinitum zoeken naar verschillen en eenheid smeden; ze wendt zich tot de verscheidenheid van de natuur om uit elk leven liefde te drinken. Wat in eerste instantie het meest eigen is wordt met het geheel verenigd [...] het bewustzijn van een separaat ik verdwijnt en elk onderscheid [...] wordt opgeheven.*

Ik weet zeker dat hij het begreep. Toen ik klaar was met lezen, kneep hij in mijn hand en glimlachte.

Elke avond geef ik hem een kus op zijn voorhoofd en houd ik mijn adem in als hij probeert te praten. Ik staar met een wazige blik naar een plekje op de muur. Doe alsof ik niet luister. Alsof ik de tranen niet zie die hem van frustratie in de ogen springen.

Gisteravond gebaarde hij dat hij de pen wilde hebben. Klemde die vast. Zette een bibberige groene x onder aan de pagina. Ik fluisterde: 'Wat betekent dat?' Hij schudde alleen zijn hoofd. Ik wilde hem een kus geven, maar hij wendde zich van me af. De pen gaf hij niet terug.

Vanavond zag ik op zijn kamer een hele berg proppen als verwelkte bloemen in de prullenbak. Toen hij een paar minuten indommelde, heb ik er een opengevouwen op mijn knie. Zag dat er alleen maar een eindeloze reeks groene krabbels op stond: de dode stelen van verwelkte bloemen.

Ik las net deze laatste pagina's aan Bart voor. Helemaal tot het eind. Bart gebaarde dat ik hem het laatste blad moest geven. Haalde de pen tevoorschijn.

'Dat hoeft niet,' zei ik.

Toen stond hij op en kwam het blad zelf halen. Nam het mee naar zijn bureau en schreef er wat op.

Hij kwam terug en kuste me op mijn mond.

Toen kreeg ik het blad terug. Dit stond er:

~~EINDE~~ BEGIN

Dankwoord

Dit boek is eveneens tot stand gekomen door een verbinding van geesten en ik ben dan ook veel mensen dank verschuldigd.

Immens dankbaar ben ik mijn vele briljante en ruimhartige docenten: Francisco Goldman, Mary Gordon, Gabe Hudson, Heidi Julavits, Sam Lipsyte, Jaime Manrique, Ben Marcus, Carole Maso, Stephen O'Connor, Mark Slouka, Meredith Steinbach en de docenten van Carolina Friends School.

Al mijn vrienden ben ik oneindig veel verschuldigd. Rivka Galchen, Susanna Kohn, Reif Larsen, Nellie Hermann, Tania James, Maggie Pouncey, Karen Russell en Karen Thompson Walker wil ik met name bedanken omdat ze in de afgelopen vele jaren zoveel woorden van mij zo nauwgezet en genereus hebben gelezen. Enorm veel dank ook aan Sophie Barrett, Stuart Blumberg, Charlie Capp en Jennie Goldstein voor hun waardevolle opmerkingen bij de eerste opzetten van dit boek.

Aan Field Maloney, die me jaren geleden Henry Hitchings' fantastische boek *Defining the World: The Extraordinary Story of Dr. Johnson's Dictionary* gaf en me stimuleerde om dit verhaal te schrijven: ik zal je mijn leven lang dankbaar blijven. Dank je wel ook voor de onmisbare adviezen zowel wat betreft het schrijversvak alsook ten

491

aanzien van mijn eigen schrijfwerk (en kon ik maar echt zo goed schrijven als Bolaño en Hemingway, of jij...). Dank ook voor jouw aforismen en eigenaardigheden waarmee ik het verhaal heb kunnen verrijken en die ik over verschillende personages heb verspreid (die verder in geen enkel opzicht op jou lijken).

Bedanken wil ik ook Alison Callahan, wier groothartige en ingrijpende correcties dit boek onmetelijk veel beter hebben gemaakt, de uitermate vriendelijke, inventieve en geestige Gerry Howard en de heroïsche James Melia. Dank verder aan Michael Collica, Nora Reichard, Emily Mahon en alle geweldige medewerkers van Doubleday, die dag in, dag uit zo hard werken in dat grote glazen gebouw aan Broadway.

Mijn allerdiepste waardering geldt Robin Desser en Bob Gottlieb, omdat ze zulke buitengewone mentors voor me waren op het gebied van literatuur, de kunst van het redigeren en het leven.

Ook Susan Golomb ben ik immens dankbaar voor haar onwankelbare vertrouwen in dit boek. Enorm veel dank ook aan Soumeya Bendimerad en Krista Ingebretson.

Dank aan de Corporation of Yaddo, de Jentel Artist Residency, de MacDowell Colony, de Ucross Foundation, het Vermont Studio Center (waar ik in 2008 aan de eerste versie van deze roman begon en in 2012 aan de definitieve) en het Virginia Center for the Creative Arts. Veel waardering wil ik ook uitspreken voor mijn oud-collega's bij PEN, die zo positief reageerden toen ik daar wegging om dit boek in al die verschillende Shangri-la's te voltooien.

Dank aan de filosoof Jim Vernon, wiens intelligentie alleen naar de kroon wordt gestoken door zijn beminnelijkheid en zonder wiens boek *Hegel's Philosophy of Language* ik nergens was geweest. Hij heeft me essentiële adviezen gegeven met betrekking tot de passages in dit boek die over Hegel gaan. Van hem is ook de theorie waaraan Bart refereert over Hegel en een universele grammatica.

Voor de onschatbare informatie over hoe computers en internet functioneren maak ik een diepe, diepe buiging voor Will Roberts en met name ook voor de eindeloos geduldige David Wu, die met zijn hulp aan mij genoeg mitswa's voor een heel mensenleven op zijn naam heeft staan.

Dank aan John Simpson, die tot oktober 2013 de hoofdredacteur was van de *Oxford English Dictionary*. Hij heeft heel gul een paar uur uitgetrokken om me in het OED-kantoor in Oxford te woord te staan en mijn vele vragen met veel geduld, humor en voorkomendheid te beantwoorden. Enorm veel dank ook aan Jesse Sheidlower, die eveneens tijd vrijmaakte om me in het OED-kantoor in New York te ontmoeten en die later ongelooflijk veel pagina's van deze roman las. Ik zou willen dat het mogelijk was geweest al zijn excellente adviezen te verwerken.

Veel dank ben ik verschuldigd aan de weergaloze Seyed Safavynia, die me veel meer van zijn tijd gunde dan ik in alle redelijkheid had mogen verwachten. Het is aan Seyed te danken dat de Meme in zijn huidige vorm bestaat en dat ik iets meer weet over hoe het menselijk brein werkt.

Ik heb als onderzoeksmateriaal voor dit boek veel andere boeken gelezen, onder andere verschillende titels van Simon Winchester, waaronder *The Professor and the Madman*. Verder *The Shallows* van Nicholas Carr, dat een stevige basis vormde voor veel van Dougs verhandelingen over de manier waarop onze veranderende relatie tot technologie ons denken een nieuwe vorm heeft gegeven, *Cyber War* van Richard A. Clarke en Robert K. Knake en *Semantic Antics* van Sol Steinmetz, waar ik veel aan heb gehad bij het schrijven van Barts overpeinzingen over taal. Verder heb ik regelmatig de online-editie van de OED geraadpleegd (die niet verantwoordelijk kan worden gesteld voor de onwaarschijnlijkheid van mijn eigen 'definities') en heb ik delen van Sidney Landaus *Dictionaries: The Art and Craft of Lexicography* gelezen. Ook ben ik zeer verplicht aan David Foster Wallace' bijzondere essay 'Authority and American Usage', dat in zeker opzicht dit balletje aan het rollen heeft gebracht, en nog een keer aan Rivka Galchen, die me erop wees.

Ook wil bedanken: Steve Duncan voor alles wat met speleologie te maken heeft, Max Kardon, die me een cruciale zin aan de hand deed, en Mark Kirby, die zo goed was alle kreukels in het Deep Springs-gedeelte glad te strijken.

Applaus voor Onnesha Roychoudhuri die me in de allerlaatste fase met haar kritische opmerkingen verder heeft geholpen, onder meer met informatie over belangrijke bouwkundige elementen van het Center for Fiction (ook wel bekend als de Mercantile Library).

Veel dank ook aan Kristin Henley van het Center for Fiction.

Cressida Leyshon ben ik veel verschuldigd voor haar wijze raad op een beslissend moment.

Warme lof voor Amanda Valdez en opnieuw voor Jennie Goldstein, die allebei kunsthistorische genieën zijn.

Amy Barefoot ben ik dankbaar dat ze haar niet geringe muzikale kennis met me wilde delen.

Verder wil ik de onnavolgbare Dave Graedon bedanken voor meer dan ik hier kan opnoemen, inclusief de tientallen bizarre zoektochten die hij goedgehumeurd, met veel wijsheid en een goed hart op touw zette en voor de prachtige literatuur, kunst en muziek waar hij me kennis, mee liet maken, kortom omdat hij de geweldigste broer is die je je kunt voorstellen.

Dank ook aan alle vrienden die me onderdak boden en me elke vorm van steun gaven in het peripatetische jaar waarin ik dit boek afmaakte. Ik heb velen van jullie hierboven al genoemd wegens andere gunsten, maar wie zeker ook niet onvermeld mogen blijven zijn Emily Alexander en Vernon Chatman, Vivian Berger en Michael Finkelstein, Julia Bloch, Jill Fitzsimmons en Josh Watson, Danielle en Alex Mindlin, Reilly Coch, en met name Flannery Hysjulien, zonder wie ik heel iemand anders zou zijn.

Dank ook aan Anna, Yotam en Finnegan Haber, Nam Le, Emma Schwarcz, en alle medewerkers van Hancock. Vooral Anna, die met zoveel ingenieuze metaforen op de proppen kwam, zoals gedachten die opduiken als kurken.

Verder dank aan Annie Fain Liden, Georgia Smith, Shala en Cathy en de meisjes die me gedurende de prachtige maanden in Asheville drijvende hebben gehouden.

En Dan-Avi Landau, bedankt voor alles. Zonder jou had ik dit boek niet kunnen afmaken. Dank voor je hulp bij het bedenken van de Nautilus, voor je uitleg over retrotransposons en logische poorten, voor *Spiegel im Spiegel*, waarmee je me liet kennismaken, en voor zoveel andere dingen. Dank je wel dat ik enkele van je ideeën mocht toeschrijven aan de (vrouwelijke) dr. Barouch. Dank ook voor je weergaloze en ongebreidelde creativiteit en dank je wel dat je het boek met zoveel liefde en genialiteit hebt gelezen. Dank voor je lessen in alles wat ertoe doet.

En ten slotte is mijn dankbaarheid jegens mijn ouders zo veelomvattend dat ik voor deze ene keer geen woorden heb om ze te omschrijven.